Marie.
La naissance d'une nation
de Pierre Caron
est le sept cent quatre-vingt-septième ouvrage
publié chez
VLB ÉDITEUR.

La collection « Roman »
est dirigée par Jean-Yves Soucy.

On peut communiquer avec l'auteur par courriel : *ecrivain@mepierrecaron.com.*

VLB éditeur bénéficie du soutien de la Société de développement des entreprises culturelles du Québec (SODEC) pour son programme d'édition.

Gouvernement du Québec – Programme de crédit d'impôt pour l'édition de livres – Gestion SODEC.

Nous reconnaissons l'aide financière du gouvernement du Canada par l'entremise du Programme d'aide au développement de l'industrie de l'édition (PADIÉ) pour nos activités d'édition.

Nous remercions le Conseil des Arts du Canada de l'aide accordée à notre programme de publication.

MARIE
La naissance d'une nation

DU MÊME AUTEUR

Quatre mille heures d'agonie, roman, Montréal, Québec Amérique, 1978.

La vraie vie de Tina Louise, roman, Montréal, Libre Expression, 1980; Montréal, Typo, 2004.

Vadeboncœur, roman, Paris, Acropole, 1983; Montréal, Libre Expression, 1995; repris sous le titre de *Thérèse. La naissance d'une nation*, t. I, roman, Montréal, VLB éditeur, 2004.

Marie-Godine, roman, Montréal, Libre Expression, 1994; Montréal, Québec Loisirs, 1995.

Mon ami Simenon, récit, Montréal, VLB éditeur, 2003.

Pierre Caron

MARIE

La naissance d'une nation

roman

vlb éditeur

VLB ÉDITEUR
Une division du groupe Ville-Marie Littérature
1010, rue de La Gauchetière Est
Montréal (Québec) H2L 2N5
Tél.: (514) 523-1182
Téléc.: (514) 282-7530
Courriel: vml@sogides.com

Illustration de la couverture: Francis Back
Maquette de la couverture: Nicole Morin

Catalogage avant publication de Bibliothèque et Archives Canada

Caron, Pierre, 1944-

Marie

(Roman)
Constitue le deuxième tome de la saga La naissance d'une nation.
Publ. antérieurement sous le titre: Marie-Godine. Montréal: Libre expression, [1994?].

ISBN 2-89005-846-8

I. Titre. II. Titre: Naissance d'une nation. III. Titre: Marie-Godine.

PS8555.A761M37 2005 C843'.54 C2004-941855-6
PS9555.A761M37 2005

DISTRIBUTEURS EXCLUSIFS:

• Pour le Québec, le Canada
et les États-Unis:
LES MESSAGERIES ADP*
955, rue Amherst
Montréal (Québec) H2L 3K4
Tél.: (514) 523-1182
Téléc.: (514) 939-0406
* Filiale de Sogides ltée

Pour en savoir davantage sur nos publications,
visitez notre site: **www.edvlb.com**
Autres sites à visiter: www.edhomme.com • www.edjour.com
www.edtypo.com • www.edhexagone.com • www.edutilis.com

Dépôt légal: 1er trimestre 2005
Bibliothèque nationale du Québec
Bibliothèque nationale du Canada

ISBN 2-89005-846-8

À mes fils, Pierre-Alexandre et Olivier

Sans le passé, le présent, c'est n'importe quoi…
L'expérience détrompe.

Prologue

1711, sur une berge de la rivière des Outaouais.

Un rocher massif, couleur de terre et de bois mort, un rocher avec, dans sa partie supérieure, une face rouille parcourue d'un réseau de racines linéaires saignant de deux éclats de quartz exactement symétriques. Et la brise descendue depuis le mont Royal agitait à peine les trois plumes d'oie dressées sur le crâne de l'Indien, immobile, le dos rond, la tête rentrée dans les épaules et les yeux vifs, aux aguets.

L'odeur âcre d'un feu mourant et des effluves de gibier grillé montaient près de lui sans qu'il leur accorde la moindre attention. En fait, toute l'île de Montréal aurait pu basculer dans le fleuve Saint-Laurent et la Nouvelle-France elle-même disparaître pour n'être plus que le souvenir d'une colonie, que Piwapik'oti serait demeuré de pierre. Car sa vie avait terminé sa course : si son cœur continuait d'habiter son corps, c'était bien indépendamment de sa volonté ; et si quelques souvenirs fugitifs refaisaient parfois surface dans son esprit, cela laissait son âme indifférente – il était rassasié, repu, satisfait et vieux.

Ses sens recueillaient les souffles de la forêt, et le bruissement du vent au faîte des arbres le faisait se draper dans la peau d'orignal pelée qui, avec un simple brayet retenu à sa taille par des lacets de cuir, constituait tout son habillement. Son crâne, rasé et parfaitement rond comme ceux des plus beaux spécimens de sa race, luisait sous la lune.

D'instinct, il devinait dans les replis du temps et dans la texture de l'air le retour imminent de l'hiver.

Les lambeaux de fumée au-dessus du feu s'étiolaient aussitôt en se fondant dans la ramure des sapins qui l'enveloppaient de leur ombre familière. Sa figure impassible était grimée à la manière des Abénaquis et le pourtour de son visage, enduit d'une graisse rouge vif.

Près de lui, deux corps inertes: celui d'un ours qu'il avait entrepris de dépecer pour se nourrir, et celui d'un homme, un Français, qu'il avait scalpé, puis lié comme un fagot et qui allait mourir.

Quand, plus tôt dans la journée, il avait aperçu ce Visage pâle tout près de la rivière, un grondement avait jailli dans son corps d'homme, des pierres s'étaient entrechoquées dans son cœur et sa mémoire vigilante avait alerté tout son être. L'éclat de la colère avait semé des tisons dans ses yeux qui avaient alors revu, avec un relief insoutenable, les victimes de l'enfer qui le hantaient depuis des mois. Et, quoique persuadé d'appartenir en cet instant aux puissances surnaturelles lui dictant la vengeance, il s'était fait petit, s'accroupissant dans les joncs, prêt à attendre des jours et des nuits, sans manger ni dormir, immobile comme une souche. Mais il n'avait même pas eu le temps d'être patient: sans l'apercevoir, le Blanc s'était tourné dans sa direction, et Piwapik'oti, frappé comme un vieil arbre par l'orage, avait frémi de la tête aux pieds. Ce Français, c'était l'homme au wampum d'or, celui dont le disque de soleil lui avait renvoyé au visage les lueurs rouge sang des flammes qui dévoraient les corps meurtris, bavant d'humeurs, des femmes, enfants, vieillards du clan dont il était le chef.

Aucun doute possible.

Il avait observé l'homme blanc qui lavait une peau de lièvre dans le courant et il s'était souvenu avec une douloureuse acuité de ce Français, à la haute stature, qui se tenait près du charnier et encourageait ses compagnons à boire, comme lui, au goulot d'une vessie de porc qu'il leur repassait en riant pendant que la boisson dégoulinait sur son menton.

Ces bourreaux, venus il ne savait d'où, accomplissaient leur besogne morbide en hurlant comme des bêtes, et leur démence atteignit son paroxysme quand une squaw, tirée nue d'un tipi, fut précipitée dans le feu. La femme, tiraillée par la morsure des flammes qui la faisait tressauter, ne leur donna cependant pas la satisfaction d'une seule plainte, et il y eut un moment où ce mutisme surhumain les interdit. Après une longue pause, le corps calciné cessa de vibrer (c'était celui de la compagne de Piwapik'oti) et roula vers le Français qui, dédaigneusement, le repoussa du pied.

Alors, la folie reprit de plus belle et d'autres Indiennes, puis des enfants furent projetés sur le bûcher. Quant aux guerriers du village, ils avaient déjà été surpris dans leur sommeil et égorgés.

Quand était venu l'instant où l'horreur n'en pouvait donner davantage, la horde s'était désintéressée du massacre et, celui-ci titubant, celui-là se plaignant d'une éraflure aux mollets et cet autre ramassant une pile de peaux pour la jeter sur son épaule, les Blancs avaient disparu dans la forêt.

Pendant des heures, Piwapik'oti était resté courbé sous le poids de sa détresse. Puis, dernière vie dans le matin noyé de brume qui flottait au-dessus de la carrière incrustée de l'empreinte roussie des huttes incendiées, il avait entrepris les cérémonies de purification qu'appelait la mort des siens. Mais avant, pour déplacer la douleur de son cœur jusque dans son corps, il s'était tailladé les bras et les jambes, puis, pour s'amputer réellement de sa femme et de son fils, il s'était coupé deux doigts. Sans crier, sans tressaillir. Enfin, le visage couvert d'une épaisse couche de résine, et la tête maculée des cendres terreuses du campement détruit, il avait nourri un grand feu des objets qui s'y trouvaient encore pour que les flammes dévorent tous les restes de son passé.

La nuit, afin de se dérober aux âmes mortes qui rôdaient pour tenter de le convaincre de venir les rejoindre dans « l'autre monde » avant qu'il n'ait accompli sa vengeance, il dormait dans les sous-bois, se réservant assez de conscience pour réfuter les arguments de ces esprits errant jusque dans ses rêves.

Les mois avaient passé. Tout un hiver Piwapik'oti s'était enferré dans sa solitude.

Quand les oiseaux avaient chanté le retour du printemps, d'autres Algonquins, ceux-là de la tribu des Kitcispiwinis, étaient venus, en route pour quelque grande chasse. Ils avaient trouvé Piwapik'oti tout aussi résolu à ne pas abandonner les lieux du massacre. Refusant de s'apitoyer et jugeant cette attitude complètement déraisonnable, leur chef avait essayé de le convaincre de vivre au lieu de s'enterrer sous ses cauchemars. Rien n'y avait fait. Il avait alors attaqué la fierté de Piwapik'oti, lui révélant qu'à le voir ainsi hagard et sourd ses braves commençaient à se dire qu'il y avait certainement des trous dans les semelles de ses mocassins, se référant à la coutume de percer les chaussures des enfants faibles d'esprit.

L'argument sembla toucher Piwapik'oti.

Pour le convaincre tout à fait, le sachem des Kitcispiwinis lui proposa un beau rôle : s'il acceptait de rentrer avec lui, à la bourgade d'Ouapanakiab – située sur l'île de Montréal près de la rivière des Prairies –, il y deviendrait l'Oncle de son clan, c'est-à-dire l'ami respecté par tous, le sage, et le père des orphelins du village.

À tout prendre, y compris d'être fidèle à sa résolution de se venger et à celle de survivre pour perpétuer la mémoire des siens dans la tradition orale, Piwapik'oti avait convenu que sa solitude pouvait bien être sans issue et avait accepté de suivre les Kitcispiwinis.

Une plainte fit glisser les pupilles noires des yeux en amande du vieil Indien vers le corps du Blanc ramassé sur lui-même ; mais son expression n'en continua pas moins de respirer toute la plénitude de la vengeance assouvie. Les senteurs fraîches de la nuit qui vient et les mugissements du vent qui se lève ne le touchèrent pas davantage. La délectation de violence qui avait accompagné ses gestes de justicier, plus tôt dans la journée, lui donnait encore des relents de satisfaction, et le tableau atroce de la tête scalpée du lieutenant français, dont le sang rougissait le sable et excitait tout un essaim de mouches mordorées, ne soulevait chez lui aucune compassion.

Le Français allait mourir, à ses côtés, bras liés contre le corps et mains attachées par-derrière aux chevilles, un nœud coulant pressé contre sa gorge qui l'étranglerait s'il tendait les membres. Déjà Piwapik'oti n'était plus du tout certain que son prisonnier eût encore quelque conscience d'être en vie: la souffrance et la perte de sang dépassaient déjà ce qu'un humain peut supporter. Il savait que, si parfois des soubresauts agitaient le Blanc par saccades, ce n'étaient que des réflexes nerveux bien involontaires. Il aurait pu l'achever d'un coup de tomahawk; mais l'idée magnanime de donner la mort était irréconciliable avec les nécessités de sa vengeance, dont ce Français n'était d'ailleurs que la première des victimes…

1712, sur une berge de la rivière des Prairies.

Une année plus tard, à quelques lieues de là, le visage d'une jeune femme ondulait à la surface de l'eau, près des piliers d'un embarcadère de l'île Bizard.

Couchée à plat ventre, trempant le bout de ses doigts en souriant à son image, Charlotte Devanchy se sentait heureuse et légère. Si légère que la rugosité du bois qu'elle percevait des épaules aux chevilles ne l'incommodait d'aucune façon; au contraire, c'était une sensation charnelle qu'elle savourait.

Une mèche de cheveux avait glissé de sa pince en nacre pour chuter, soyeuse, sur l'eau qui filtrait les rayons du soleil. Près d'elle, une fraîcheur humide emperlait la tige des joncs qui pointaient vers la ramure des ormes débordant de la rive. Les flancs de deux barques à fond plat folâtraient contre les rebords du quai, et on entendait le pépiement d'oiseaux amusés par la présence de deux chevaux blonds qui buvaient, puis s'ébrouaient en secouant leur mors à qui mieux mieux.

La peau moite sous sa robe, Charlotte goûtait ainsi l'engourdissement voluptueux qui l'apaisait après l'amour. Il lui aurait suffi de fermer les yeux pour s'endormir, mais elle préférait surnager dans cet état euphorique, saoulée de toute la vie éclatant autour d'elle. Les soupirs fluides de l'eau et ses friselis aux contours des roches chantaient dans ses oreilles et des reflets dorés remontaient du fond de la rivière à la rencontre de ses prunelles encore luisantes de plaisir. L'instant d'avant, dans les herbes folles et drues d'un talus, elle avait roulé sur Joseph, les joues en feu et un sourire de victoire sur les lèvres. Tout son corps gardait l'empreinte de cette joute amoureuse et, au fond d'elle-même, une fierté sans borne la gonflait d'un orgueil puéril et animal: c'est elle qui avait provoqué son mari, l'entraînant sur le sol, lui rivant les épaules et le muselant de ses baisers. Ensuite, le souffle court, tendant la fermeté de ses seins contre le tissu de sa robe qu'elle déboutonnait, appuyée sur ses genoux posés de chaque côté des hanches de Joseph, elle lui avait murmuré d'une voix chaude:

– Je t'aime.

Quelque chose de volontaire donnait à son visage un petit air libertin et Joseph avait mis quelques secondes à s'apprivoiser à tant d'audace. Plutôt que de ne rien dire pendant qu'il accusait le coup, il avait fait remarquer:

– Et si l'on venait?

– Qui ça? Nous sommes tout seuls sur l'île. Tu le sais bien. Émilie et Mathurin sont chez mon père avec François. Ils ne rentreront sûrement pas avant la brunante.

– Mais... des Indiens?

Sous son front plissé, ses yeux cherchaient de l'autre côté de la rivière.

– Mais, mon pauvre amour, les Indiens, tu le sais bien, ne viennent pas par ici. Jamais.

Et suivant le regard de son mari, l'expression pleine d'évidence, elle avait ajouté:

– Ils respectent bien trop mon père et tout ce qu'il représente pour oser s'aventurer sur ses terres, allons!

Car c'étaient les limites de l'ancienne seigneurie du Bout-de-l'Isle, appartenant à Vadeboncœur Gagné, qu'on voyait sur l'autre berge. Dans la lumière dansante de cet après-midi d'août, on pouvait y distinguer une cabane en bois rond et devant, s'avançant dans l'eau, le dessin brisé d'un quai de pierres. Puis, la forêt, seulement la forêt.

– Tu me regardes, oui?

Charlotte achevait de libérer son buste et ses seins, ainsi dénudés en pleine nature, paraissaient à Joseph plus nus qu'il ne les avait jamais vus. Il s'étonna davantage encore quand le geste pudique qu'il fit lui-même pour les couvrir l'excita autant que la plus préméditée des caresses. Le corps et l'esprit enflammés par le désir, il avait alors convenu qu'en vérité tout s'accordait: le soleil et l'eau de la rivière, le bleu du ciel et les couleurs nettes de la végétation, la force de la terre gorgée de moissons et son instinct de mâle qui lui interdisait de repousser l'agression enivrante de sa femme.

Et Charlotte s'était donnée à lui avec une fougue dépassant même les ressources de son vrai tempérament qui, comme sa santé, était faible.

Grande, plutôt mince, elle ressemblait à son père – ses lèvres minces et son front étroit, les lignes régulières de son visage; mais il y avait chez elle un port et des allures qu'on ne reconnaissait pas. Cet air empesé d'aristocrate, cette froideur hautaine que, pourtant, elle ne cultivait pas, s'en défendant même avec vigueur lorsqu'on lui en faisait le reproche, lui venaient de sa mère, Jeanne de Magny. Cette dernière, accusée de sorcellerie à la mort de son fils Jean, avait été contrainte à l'exil alors que Charlotte n'avait que dix ans, et même si on s'était empressé d'oublier cette ascendance et que la fillette avait été élevée par Marie-Ève de Salvaye, la nouvelle compagne de son père, elle n'en était pas moins demeurée de la race maternelle.

À vingt ans, elle avait conservé la silhouette filiforme d'un enfant qui aurait poussé trop vite. Mais c'était une femme: une femme au bassin trop étroit, visiblement peu apte à la maternité. Aussi, dans ce pays où être mère obéissait à l'une des premières nécessités, les prétendants s'étaient-ils faits rares.

Mais Joseph Devanchy, dont le père était depuis longtemps le menuisier de la famille Gagné, avait eu, pour sa part, l'occasion de bien la connaître, d'apprécier le charme de ses manières réservées, le raffinement de sa personnalité et l'intelligence sensible de son cœur. Il l'avait vue d'abord petite fille, puis plus tard jeune femme, et il savait que de l'une à l'autre, c'était toujours le même être délicat et riche de mille qualités qu'une modestie un peu excessive habillait de ce que d'aucuns appelaient de la fadeur.

Ils s'étaient mariés confiants en l'avenir mais, hélas, comme cela était à prévoir, Charlotte avait perdu leur premier enfant et cette fausse couche avait failli l'emporter.

Le temps avait finalement cicatrisé la douloureuse déception du couple quand la rumeur avait rapporté la présence à Montréal d'un chirurgien espagnol dont la science médicale procédait de concepts nouveaux et tout à fait révolutionnaires. Charlotte avait entrepris de le rencontrer et il lui avait dit en quelques mots tout ce qu'elle souhaitait entendre : elle pourrait avoir des enfants pour peu qu'elle sache reconnaître les signes de sa nature qui lui dicteraient le moment de les concevoir.

– L'instinct ne trompe, ni ne se trompe, avait-il précisé en lui prenant les mains, comme il l'aurait fait pour une malade incrédule et résignée.

Pour s'en faire une certitude, Charlotte avait gardé secrète cette opinion optimiste et était demeurée très attentive à son intuition mêlée d'impulsions naturelles.

Le soleil baissait. L'ombre des chevaux s'étirait maintenant jusqu'au talus où dormait encore Joseph. Avant de se retourner sur le dos, Charlotte observa un instant un tourbillon qui mêlait des volutes blanches aux feuilles d'un buisson penché sur l'eau et saisit l'éclat de deux yeux derrière le paravent des branches : un castor sans doute.

Quand ensuite elle regarda le ciel, cette immensité la contenta : elle associa tout ce bleu sans entrave à sa délivrance. Car c'était pour elle une liberté nouvelle que de croire qu'elle venait de concevoir un enfant. En aucune manière, elle ne laisserait le doute miner sa foi ; aucun raisonnement sage, aucun argument rationnel ne parviendrait à ébranler sa confiance.

Il lui semblait déjà sentir en elle les promesses de l'union charnelle qu'elle venait de vivre, et une prémonition aussi folle qu'impérative lui disait que cet enfant, ce serait une fille…

L'été des Indiens

Chapitre premier

1713, île Bizard.

Doucement, elle ouvrit la porte de sa chambre, fronça les sourcils, tendit l'oreille et, immobile, écouta. Une main sur le chambranle, elle resta hésitante pendant un bon moment. Puis elle s'avança, s'engagea à petits pas dans l'escalier, frêle dans la lumière du jour qui entrait à pleines fenêtres, vêtue de sa robe de nuit blanche, en coton épais, garnie de dentelle au col et aux manches.

La délicatesse de ses traits, de tout son corps même, tranchait étrangement avec son ventre rond qui poussait devant elle comme une partie de sa personne ne lui ayant pas appartenu. Aussi se déplaçait-elle avec méthode, cambrant le dos pour garder son équilibre. Et si le matin soulignait la fatigue qui cernait ses yeux, il donnait surtout à sa peau des reflets de santé qui vivifiaient son teint d'ordinaire blafard.

Quelques minutes auparavant, une crampe sévère l'avait brusquement tendue et réveillée. Avait-elle appelé Émilie ? Elle n'en était pas certaine maintenant que, descendant l'escalier, méticuleusement, une marche après l'autre, elle constatait le silence compact de la maison.

Tout absorbée de l'intérieur, elle regardait fixement devant elle, figée dans ses réflexions.

Depuis sa fausse couche, Charlotte attendait ce moment avec une hantise constante, mélange d'espoir fou et de fatalisme raisonnable. Elle allait accoucher, donner la vie : elle avait plus d'une fois imaginé la satisfaction profonde que cela lui procurerait, mais jamais elle n'avait prévu la férocité de l'orgueil qui surgissait en elle à l'idée d'accomplir enfin ce miracle. Et cet orgueil nouveau lui conférait une force semblable au courage dont on fait les héros.

Ses doigts pressèrent la rampe de chêne et, peu à peu, elle parvint à se détendre. Un moment, elle se surprit à parler à voix basse pour elle-même :

– C'est pour aujourd'hui, j'en suis sûre.

On était au début de mars 1713 et un climat printanier, commun à cette période de l'année qui faisait une trouée dans la saison froide, avait temporairement chassé les rigueurs de l'hiver. La nuit, le froid n'était plus si mordant et, au matin, le jour était, aurait-on dit, plus vite levé.

Charlotte frissonna et resserra sur ses épaules le châle de laine qui avait conservé la chaleur du lit. Soudain, une nouvelle crampe la raidit. Un peu de sang monta à ses joues. D'un geste naturel, elle étreignit son ventre de ses deux mains et dut prendre une profonde respiration, car la douleur lui avait coupé le souffle. Elle n'osait plus bouger, flageolait sur ses jambes. Elle pensa de nouveau à appeler Émilie, mais douta de trouver assez de voix.

Dehors, à quelques pas seulement, l'eau, une eau de printemps, vivait, calme entre la rive et la surface glacée qui flottait sur le lac des Deux Montagnes. La neige, partout présente et partout épaisse, paraissait ce matin-là plus légère, plus fragile, comme si elle avait déjà commencé à s'évaporer au soleil. Des glaçons, longues perles gelées accrochées aux larmiers, dégouttaient devant les murs chaulés de la vaste maison dont le faîtage de la toiture et les joues des lucarnes retenaient encore de grands lambeaux blancs.

Tout autour de la résidence et jusqu'aux communs, des souillures de boue marquaient sur le blanc les déplacements répétés des hommes et des animaux. Près du moulin à vent, situé au bout de l'appentis qui abritait les cordes de bois franc, une traîne à bâtons et deux berlots dressaient leurs menoires à argeneaux droit au ciel.

Aucun voisin à perte de vue. L'impression, seulement, de présences multiples, furtives et animales, dans cette île couverte de forêt, l'île Bizard – autrefois nommée Bonaventure –, séparée de l'île de Montréal par un bras étroit du fleuve Saint-Laurent qui devenait à cet endroit la rivière des Prairies.

– Madame Émilie, madame Émilie!

Elle avait crié. Assaillie par une nouvelle douleur, plus cuisante et plus résolue celle-là, elle n'avait pu retenir son émoi et elle avait crié. Les doigts crispés sur la rampe, elle ne gardait de contrôle que celui de contenir ses larmes. Et encore…

Singulièrement, elle se tenait presque sur le bout des pieds et elle aurait voulu s'étendre sur le plancher de bois de chêne dur et patiné, qu'elle regardait comme une sorte de délivrance sans en être tout à fait convaincue. Frôlant la panique, elle essayait de se persuader que tout irait pour le mieux, qu'Émilie saurait chasser tous les désarrois qui s'additionnaient dans sa tête.

Mais sa douleur s'estompa sans que personne vienne.

Pas un mouvement, pas un craquement, pas une voix. Au lieu, un silence déroutant, bien en ordre, distrait seulement par le bruit léger des gouttes d'eau qui tombaient dans les pierres d'évier aux embrasures des fenêtres.

Profitant du répit, elle descendit jusqu'au bas de l'escalier et se dirigea vers le salon où elle s'étendit sur un canapé, par-dessus le pare-poussière qui le recouvrait, la pièce n'étant pratiquement jamais utilisée. À l'aise, les pieds surélevés sur un des accoudoirs, elle ferma les yeux.

Fille ou garçon ? Elle ne voulait pas y penser, mais, dans la sorte de délire qui accompagnait son angoisse, la question lui revenait sans cesse. Elle savait que Joseph préférerait un garçon pour qu'il l'accompagne un jour dans ses voyages aux Antilles françaises, sur les bateaux de son beau-père, alors qu'elle-même se faisait déjà plaisir à imaginer la présence d'une petite fille à la maison pendant les longues absences de son mari. Puis, elle se dit que ces considérations étaient bien égoïstes en regard des vues de son père, l'armateur Vadeboncœur Gagné qui, dans l'élan de son propre père, le sieur Pierre Gagné, avait jusqu'alors craint de voir s'éteindre sa descendance.

À l'instant où elle parvenait à chasser ces réflexions et allait s'assoupir, un visage de femme, un peu empâté, bouffi même par l'âge, apparut au-dessus d'elle.

– Madame Émilie…

Un sourire tendre, des yeux pleins de bonté, la vieille Émilie Regnault aimait Charlotte comme son propre enfant, lui ayant réservé cette préférence de manière particulièrement marquée depuis le départ définitif de Jeanne en France. Puis, quand Charlotte s'était mariée et avait choisi de s'établir dans l'île avec Joseph, elle les y avait suivis avec son mari pour aider aux travaux domestiques et à ceux de la ferme. Aide précieuse, car Joseph Devanchy étant parti des mois entiers pour naviguer, Charlotte, qui n'avait aucun sens pratique, aurait été complètement prise au dépourvu. C'était connu, au couvent des ursulines son intérêt comme ses talents n'avaient pas dépassé la musique et la broderie.

– Madame Émilie, je crois que…

Et Charlotte fit mine de se redresser, oubliant le poids de son gros ventre qui lui rivait le dos au fauteuil. Simultanément, la douleur à nouveau – qu'elle crut provoquée par son brusque effort – lui étrangla la taille, s'intensifia dans ses reins. Elle grimaça – « Je vais mourir ! » pensa-t-elle, confusément –, et la souffrance moira ses yeux. Elle se tendit, étreignit les mains qu'Émilie lui offrait et ne put retenir la plainte qui coula de ses lèvres.

Entièrement prise par la souffrance, elle n'entendit pas François, le petit-fils d'Émilie, qui pénétrait dans la pièce. Il l'avait entendue crier depuis la ferme, mais il savait qu'il ne lui appartenait pas de venir la secourir : c'était une affaire de femmes. Même s'il comprenait ce qui se préparait, cela ne le mettait nullement mal à l'aise : élevé sur la ferme, dans la promiscuité journalière des animaux, il connaissait depuis longtemps ce que, à tort, lui semblait-il, certains adultes appelaient les *mystères de la vie*. Et puis, ne fréquentait-il pas cette Martine d'Asney, fille d'Honoré, le charpentier de Belle-Vue, qui avait peine à repousser ses avances, des avances si précises et si habiles pour un garçon de quatorze ans, que la jeune fille voyait déjà le jour où elle s'abandonnerait avec, à peine, un remords pieux?

Lorsque Émilie l'aperçut, d'un mouvement de tête non équivoque elle lui fit signe de sortir. Elle ne doutait pas de sa maturité, mais, par quelque pudeur qu'elle savait comprise des femmes seulement, elle jugeait sacré le privilège d'une mère d'accoucher sans présence masculine.

François sortit de la pièce à reculons, se rebiffant à l'idée d'être exclu des préparatifs de cette naissance imminente. Ne pouvant se résoudre à être inutile, d'un ton à la fois conciliant et assuré, il annonça:

– Je vais faire bouillir de l'eau.

Ce à quoi, visiblement sans trop le prendre au sérieux, sa grand-mère acquiesça:

– Oui. Oui, c'est ça: fais-en bouillir une grande marmite.

L'expression d'Émilie n'avait rien de grave en soi – l'événement à venir recelait trop d'espoir pour être tragique. Mais, persuadée que tout le destin du monde reposait sur ses épaules, elle avait son visage des grands jours. Aussi, quand Charlotte reprit une respiration normale, calmée après sa dernière vague douloureuse, elle crut voir une Émilie bien sombre. Elle s'inquiéta:

– Madame Émilie, qu'est-ce qui m'arrive? C'est normal ces douleurs, si fortes? Est-ce que…

– Tout ce qu'il y a de normal, mon enfant. Seulement, tu n'as pas l'habitude… Faut dire aussi que tu es si petite que le plus petit des bébés prendrait toute la place ! Mais tu vas voir : je le sens vigoureux, il aura vite fait de venir au monde.

– Pas trop vite, j'espère. Moi, je voudrais que Joseph soit là…

Pourtant elle devait bien savoir que son mari ne rentrerait pas avant quelques jours ; et encore, seulement si le temps se maintenait au beau. Il était parti une semaine auparavant en compagnie de Vadeboncœur Gagné, flanqué lui-même du Huron Mitionemeg, son compagnon de toujours. D'habitude, puisqu'il s'absentait pendant toute la saison de navigation, il ne quittait pas l'île Bizard durant l'hiver. Si cette année il dérogeait à la règle, c'était en raison des radoubs et des carénages exceptionnels qu'il fallait effectuer à la flotte hivernant au Cul-de-Sac, à Québec. Avant de partir, il savait que sa femme était près d'accoucher, mais dans un mois seulement.

Intérieurement, Émilie commençait à s'agiter. Et ce n'était pas l'absence de Joseph qui la tracassait ; elle pouvait très bien faire sans lui. Non, c'était le teint morne et les yeux trop brillants de Charlotte qui la troublaient et lui faisaient appréhender la suite. Elle redoutait que la jeune femme ne trouve pas tout le courage nécessaire à l'épreuve : ayant toujours vécu une vie à peu près somnolente, Charlotte risquait d'être broyée par l'ardeur de la souffrance. Mais Émilie fit un effort sur elle-même pour freiner ses pensées, convaincue qu'elle jonglait avec des hypothèses, le courage étant une vertu souvent imprévisible qui attend l'épreuve pour se révéler.

Avant que n'attaque à nouveau la douleur, elle prépara Charlotte en lui expliquant comment elle devait respirer par saccades, en évitant de se vider entièrement les poumons ou de les remplir à pleine capacité : pas de débordement, tout en douceur, éviter les heurts. Sa grosse figure chercha et trouva une expression encourageante et elle laissa éclore dans son cœur toute l'affection d'une mère. Une mère qui, quand même, avait peur.

Dans la cuisine, François avait suspendu à la potence de l'âtre une marmite de fonte pleine d'eau et couché sur les chenets trois bûches d'érable. Puis, discrètement, il était revenu s'appuyer contre le buffet de la salle à manger pour observer sa grand-mère penchée au-dessus de Charlotte.

Émilie était une femme de petite taille au visage rond comme sa personne. Tous ses traits s'étaient éteints en une complexion résignée depuis qu'un drame – la perte de quatre de ses enfants, dont le père de François (ainsi que sa mère d'ailleurs), victimes de la picote lors de l'épidémie de 1701 – n'y avait laissé de vie que celle de ses yeux.

François vit que la mine de sa grand-mère se durcissait. En fait, elle vibrait maintenant de fureur contenue devant l'impitoyable volonté de cette vie nouvelle qui faisait son chemin contre la santé chétive d'une jeune mère. Plus encore, elle trouvait un coupable pour nourrir sa colère et maugréait contre l'Administration qui tolérait que la Nouvelle-France soit infestée d'individus issus on ne savait trop d'où, pratiquant librement médecine, chirurgie et même l'art de l'obstétrique, sans être le moindrement requis de prouver leurs connaissances, et donnant des conseils à gauche, à droite, sans se soucier des conséquences.

Elle regardait le corps passif et étroit de Charlotte et appréhendait la déchirure, car rien chez la jeune mère ne participait aux mouvements impétueux du bébé résolu à naître.

Prier ? Mais pour qui serait la pitié divine : pour la mère ou pour l'enfant ? C'était Charlotte qui vivait, qui souffrait... La question torturait Émilie qui s'entêtait à chercher la réponse comme on cherche la vérité, la Grande.

– Mon Dieu..., soupira-t-elle, soudainement écrasée sous ses interrogations.

C'était avant tout une femme pratique et, voyant Charlotte qui recommençait à se crisper, elle se trouva médiocre. Experte en rien mais fleurie de toutes les expériences, pour la première fois elle se sentait vraiment dépassée et, pire, un fond de remords s'insinuait en elle. Alors, comme pour se racheter, elle s'avoua vaincue et put ainsi prendre une décision : conduire Charlotte à l'Hôtel-Dieu, où il se trouverait bien les compétences qui lui manquaient :

– François, prépare un attelage, nous allons à Ville-Marie !

L'esprit exténué par ses pensées, elle se pinça fortement les lèvres pour retenir toute parole inopportune risquant de compromettre le moral de Charlotte dont le regard insistant la tenait comme le dernier des recours et se tourna vers son petit-fils qui sortait de la pièce :

– Fais ça vite, mon grand.

Le garçon sortit dans le soleil et les odeurs d'eau qu'il connaissait par cœur : la neige fondante, le lac partiellement dégagé, quelques taches d'herbes jaunes luisantes et la boue riche et brune du chemin menant à l'étable. Il n'eut aucune difficulté à sortir César de sa stalle : le cheval était trop heureux d'aller respirer le fond matinal de l'air. Si seulement l'occasion avait été tout autre! François se serait senti pousser des ailes tellement le printemps semblait pris pour de bon, mais l'instant n'était pas à la réjouissance, et ce climat printanier n'était qu'une illusion, il le savait. Il regarda le ciel parfaitement bleu et, quand il fit reculer la bête entre les menoires du traîneau à bancs, il se dit que ce beau temps pourrait bien être salutaire à Charlotte.

Grimpant les marches pour prévenir sa grand-mère que l'attelage était prêt, il constata qu'il avait laissé la porte ouverte en sortant. Alors, il ne prit même pas la peine de rentrer pour annoncer:

– J'ai attelé!

Émilie apparut aussitôt, les bras chargés du poids inerte de Charlotte, et François en fut tout ému, au point de se trouver irrespectueux d'avoir crié ainsi. Il demeura interdit, l'air incertain.

Sa grand-mère crut bon d'expliquer:

– Elle a perdu conscience...

Cela fut dit sur un ton si faible que François craignit qu'elle ne se trouve mal à son tour. Paraissant complètement démunie, Émilie avait dans les yeux tant de résignation, qu'on aurait pu croire que c'était elle qui souffrait. Ce désarroi devait être secoué: autrement, qui pourrait communiquer à Charlotte l'énergie nécessaire pour vaincre la douleur et gagner la naissance, cette victoire difficile sur la brièveté de la vie humaine? Jugeant qu'il devait brusquer cette léthargie capable de le gagner, François se fit incisif:

– Grand-mère, il faut la ranimer. Sinon...

Mais il ne put continuer: son aplomb dépassait ses moyens. D'une voix plus basse, mais aussi plus sèche qu'il ne le souhaitait vraiment, il répéta, en tournant les talons comme s'il l'abandonnait pour qu'ainsi elle réagisse absolument :

– J'ai attelé...

Croyant plus commode de laisser Charlotte recroquevillée dans les bras chauds d'Émilie, il ne s'offrit pas pour aider à la transporter.

Cette attitude catégorique sembla inacceptable à Émilie qui faillit le rappeler. Au lieu, elle resta silencieuse et immobile en se disant intérieurement :

– Si seulement Mathurin était là...

Mais lui aussi était parti. Depuis trois jours, il était au manoir du Bout-de-l'Isle pour aider aux travaux d'agrandissement du fournil.

Résignée, elle baissa les yeux sur la jeune femme de plus en plus lourde et, dans un monologue rassurant, elle finit par se convaincre de lutter, coûte que coûte. De toutes ses forces, elle se redressa, considéra Charlotte encore un moment, le temps de se réconcilier avec l'idée de cesser d'avoir peur, puis descendit les quelques marches du balcon et s'avança dans la neige.

Sur un ordre tacite qui alluma un instant le regard de sa grand-mère, François prit Charlotte pour l'étendre, doucement, au fond du traîneau, pendant qu'Émilie, de son côté, retournait dans la maison afin de s'habiller plus convenablement.

Elle revint à la hâte, mais son anxiété ne lui avait pas fait perdre son sens de l'organisation : elle rapportait une cruche d'eau fraîche, une miche de pain, une couverture, deux peaux d'ours et des bottes fourrées de rat musqué pour Charlotte et pour elle :

– Allez, François.

Le cheval se mit en marche au moment où Charlotte reprenait conscience, les yeux papillotant dans l'éclat de la lumière et le souffle incertain. Émilie lui prit la main, une main toute molle et abandonnée. D'une voix blessée, plus tendre encore que le geste, la vieille femme murmura :

– Ferme les yeux…

Car elle n'avait trouvé rien d'autre à dire.

Il devait être maintenant neuf heures. Le soleil brillait comme en mai, aiguisé par la clarté de la neige. César luttait avec véhémence contre la rétention obstinée du sol fangeux dans lequel s'enlisaient les patins du traîneau : jamais il n'avait tiré charge si lourde et, à chaque pas, un nouvel obstacle – banc de neige, rigole d'eau glacée, branche tombée d'une récente tempête – brisait son élan. Ses flancs dégageaient une forte odeur de sueur et, dans les moments neutres où les lames glissaient aisément, il changeait de rythme, ce qui donnait un léger coup de recul au traîneau. François tendait puis relâchait les guides, claquait de la langue, se levait puis s'asseyait, se fatiguait autant que le cheval qu'il aidait de son mieux.

Ils avançaient au milieu du blanc avec l'impression de ne pas avancer tellement ils étaient impatients d'arriver.

Émilie observait le visage de Charlotte inondé des rayons du soleil qui passaient de ses paupières à ses lèvres entre les ridelles de la traîne, et il lui semblait ainsi plus beau que jamais. Pourtant, le teint était morne, l'expression effacée, la chevelure mouillée par l'effort, et la fièvre rendait plus pâle encore la blancheur laiteuse de la délicate figure ; mais la jeune femme, sur le fond de fourrure noire, avait les traits si fins et si réguliers que son image restait belle malgré la souffrance. À tout moment, Émilie allongeait une main inquiète sur le front moite, puis la ramenait, convaincue de l'imminence du drame.

Une longue heure passa.

Charlotte demeurait immobile. Les douleurs avaient cessé. Épuisée, elle s'était endormie. Juste avant, elle s'était amusée à observer la forme changeante de quelques nuages, en pensant que Joseph rentrerait bientôt sous le même ciel tacheté. Elle avait alors oublié l'enfant qu'elle portait, qui luttait pour venir au monde, qui la déchirerait peut-être dans un instant : la fièvre l'avait emportée loin de son état mais elle devinait qu'elle avait soif, qu'elle était faible et que sa couche bougeait sans cesse. Par bribes, elle laissait tomber des phrases confuses et ses yeux égarés inspiraient à Émilie la plus vive des inquiétudes. Son ventre rond faisait comme une boursouflure sous la peau d'ours, et la femme de Mathurin ne le quittait pas des yeux.

Au centre de l'île, comme au centre de l'hiver encore, car la neige drapait uniformément les champs, un corbeau noir battait de l'aile sur les branches d'un bouleau sans pour autant prendre son envol :

« Mauvais présage », conclut Émilie pour elle-même.

François, tendu et attentif au moindre mouvement du cheval, jeta sur elle, à la dérobée, un regard chargé de doute :

– Elle dort, le rassura sa grand-mère.

Car Charlotte continuait de dormir, du sommeil de l'abandon quand le corps refuse de combattre.

Presque une autre heure passa et enfin, grâce aux efforts de César, dont les flancs et la croupe striés de traînées humides fumaient, ils aboutirent sur la crête du dernier glacis avant le pont de glace reliant l'île Bizard à l'île de Montréal.

Chaque année, on établissait ainsi un pont entre les deux rives. Dans un tracé balisé par de jeunes épinettes plantées à intervalles réguliers, dont on ne gardait que le faîte touffu pour guider les attelages pendant les bourrasques, on épaississait la couche de glace en répandant régulièrement, tôt le matin, dans le plus vif du froid, des barils d'eau. La surface devenait assez forte pour les attelages, et il devenait en somme plus facile en hiver qu'en été de traverser les cours d'eau.

Mais en cette fin de mars, aussi imprévisible que ce fût, une mauvaise surprise attendait François : le pont avait fondu sous la vigueur du soleil. L'eau, grise, chargée de gros glaçons sales courait rageusement entre les battures, et des volées de neige et d'écume jaillissaient au-dessus de la fureur. C'était la violence du temps doux, la colère d'une belle journée.

Devant ce déchaînement, César s'immobilisa, ses oreilles s'agitèrent, comme en d'autres saisons elles chassaient les mouches. François, se refusant d'accepter quelque défaite, maugréa, les poings serrés :

– Il faut pourtant qu'on traverse…

Ses yeux cherchèrent les barques d'été qu'on rangeait contre la rive à l'automne, et il les devina dans les formes oblongues qui dormaient sous de jeunes saules. Mais il se rendit immédiatement à l'évidence : il fallait être fou pour croire, ne serait-ce qu'un instant, qu'elles pourraient servir à traverser le bras d'eau en furie. De longues perches, utilisées pour les manœuvrer dans le courant, dépassaient près de l'embarcadère et, sans encore de projet défini, François alla les secouer : elles n'étaient que mollement prises dans la neige.

Émilie descendit du traîneau, passa devant le cheval pour s'approcher du cours d'eau et en estimer la force. Elle aussi s'accrochait : « Il faut pourtant qu'on traverse… »

Revenu près d'elle, sur le ton de la résignation François dit :

– Grand-mère… Il n'y a qu'un moyen : il faut s'embarquer sur une glace. À l'aide d'une perche, je vais pouvoir nous faire traverser.

La méthode était familière à Émilie : des familles entières se déplaçaient ainsi sur les glaces flottantes et un bon navigateur savait leur éviter d'être déportées de la rivière au fleuve.

François attendait l'approbation de sa grand-mère, mais la résolution qui marquait les plis de son front donnait à croire qu'il n'allait pas renoncer à ce moyen ultime. À supposer qu'elle refusât, il saurait trouver les arguments nécessaires. Déjà, avant qu'elle ne se prononce, il ajoutait, avec gravité :

– Je suis fort, tu sais.

C'était vrai : il était fort et agile. Courageux aussi. La vue de Charlotte figée, et dont l'haleine s'échappait en une buée froide, l'oppressait : il aurait tant voulu la sauver qu'il en souffrait de dépit.

– Et de l'autre côté ? Y as-tu pensé, de l'autre côté, comment on va se déplacer ? Sans César… C'est loin d'ici, Ville-Marie.

– Justement, grand-mère : nous n'irons pas à Ville-Marie. Nous allons descendre dans le courant jusqu'au village huron d'Ouapanakiab. Rendus là, on trouvera bien l'aide nécessaire.

Le soleil plombait. François enleva sa tuque de laine, ébouriffa ses cheveux trempés et regarda encore la rivière : des morceaux de banquise se détachaient et allaient rejoindre les glaçons qu'elle charriait. Des yeux, il suivit ce mouvement jusqu'à la colonne de fumée qui s'élevait quelques lieues plus loin.

– Regarde, cette fumée là-bas, c'est le village indien.

Émilie avala une longue bouffée d'air qui l'étouffa presque de l'intérieur. Il était vrai qu'ils trouveraient chez les Indiens l'assistance dont elle avait besoin : mieux que quiconque, les Indiennes savaient assister une femme en gésine et lui prodiguer les soins adéquats.

Alors, décidée, elle lança à François :

– Tu as raison, c'est ce qu'il faut faire.

Chapitre II

Les jeunes Algonquines qui nourrissaient d'écorces de cèdre le grand feu qu'elles devaient entretenir en permanence au centre du village d'Ouapanakiab papotaient et ricanaient comme les enfants qu'elles étaient, la plus vieille ayant à peine treize ans. Pourtant, elles portaient des vêtements de femmes : tuniques sans manches nouées sur les épaules, jupes à figures peintes et bordées de poils d'élan, mitasses à motifs multiples retenues aux genoux par des jarretières de couleurs vives. Leurs cheveux noirs, longs et épais, partagés en deux tresses glissées dans des peaux d'anguille passées au vermillon écarlate, encadraient leur visage rieur dont les yeux pétillaient d'une certaine coquinerie enjouée, et leurs mouvements, quand elles se penchaient pour prendre le bois, puis qu'elles marchaient pour venir le lancer dans les flammes, avaient quelque chose de provocant, ce dont elles étaient fort conscientes.

Sans qu'il n'y paraisse, leurs gestes étaient investis d'une grande responsabilité : veiller à la pérennité même de leur tribu dont ce feu était le symbole. Nuit et jour, en toute saison, heureuses de l'honneur fait ainsi à la fécondité que recelait leur jeunesse, elles se relayaient pour la continuité du peuple kitcispiwini.

Dans leur gaieté, dans leur agitation lorsque le vent tournait brusquement et que la fumée se rabattait dans leurs yeux, elles ignoraient qu'à quelques pas d'elles le vieux Piwapik'oti se laissait mourir. Étendu à même le sol, il ne respirait plus qu'à peine, une main repliée sur le cœur pour garder contact avec les derniers battements de sa vie ; son regard s'était déjà arrêté, fixant une peau de renard suspendue à une traverse au-dessus de lui et qu'il ne voyait déjà plus. Car il ne voyait ni n'entendait plus rien, tout son être s'étant réfugié à l'intérieur, comme un esprit dans un totem. Il avait presque atteint l'immobilité de la mort, mais dans sa Tête-de-Boule ses pensées suivaient une courbe très précise qu'elles n'avaient pas fini de parcourir : lorsque ce serait fait, il mourrait. Mais avant, il revivait des émotions intenses et vibrait une dernière fois aux sensations aiguës qui lui révélaient la présence des bêtes tapies dans les sous-bois, la force du courant dans la rivière, le temps qu'il ferait dans les prochains jours – comme si les derniers instants de son corps d'Indien avaient ravivé son instinct avant qu'il ne s'éteigne avec lui.

Ne jamais pardonner ni faire grâce aux ennemis... Pendant que la règle sacrée des guerriers algonquins résonnait dans sa tête, il pressentait que le vent allait se lever et souffler en direction d'Ouapanakiab, ramenant avec lui les bordées de neige de l'hiver. La bourgade allait redevenir blanche, propre, et les Kitcispiwinis reviendraient à l'oisiveté de la saison morte.

... ni faire grâce aux ennemis. Il se disait aussi que la bourrasque qui allait se lever n'atteindrait en rien sa sérénité. Son clan était anéanti, détruit, n'avait plus de réalité tangible depuis qu'il en avait brûlé tous les vesti-

ges. Mais il avait réussi à retrouver intacte et ardente sa belle fierté d'okima, car en appliquant la plus vieille loi de son sang, c'est-à-dire venger les siens, il en avait fait des bienheureux qui allaient désormais vivre éternellement à l'Élysée, ce paradis de chasse et de pêche où jamais gibier et poisson ne tarissaient. Il avait aussi respecté tous les signes de son défunt clan : c'est l'un de ces signes, le chiffre quatre, qui avait déterminé l'exacte dimension de sa vengeance : exécuter quatre des bourreaux de son peuple.

D'abord, il en avait retrouvé un au ruisseau Saint-Antoine, en train de relever ses collets à lièvre, puis deux autres dans la plaine de la Magdelaine, sur la rive sud du Grand Fleuve pendant qu'ils travaillaient aux champs. Contrairement au premier, qu'il avait scalpé, puis laissé mourir au bout de son sang à ses côtés, il avait exécuté ces derniers sur place, l'un d'une flèche au cœur et l'autre à coups de tomahawk alors qu'il tentait de fuir.

Et c'était tout juste la veille qu'il avait surpris le quatrième sur les terres du fief du Bout-de-l'Isle, aux abords de la rivière des Prairies. Il savait que celui-là, une espèce de coureur des bois qui, plus souvent qu'autrement, vivait d'expédients, exécutait parfois de menus travaux pour Vadeboncœur Gagné et qu'il devait lambrisser le toit de la cabane où l'on remisait les embarcations.

Mais son empressement à en finir l'avait trahi : même en s'approchant de sa victime avec la souplesse d'une couleuvre, il avait bêtement écrasé une branche et le bruit sec, aussi incisif dans le silence qu'une traînée d'eau chaude dans la neige, avait alerté le Blanc. La lutte s'était engagée entre les deux hommes et, avant que Piwapik'oti ne parvienne à assommer son adversaire, il avait écopé d'un coup de couteau à l'épaule droite. S'il pouvait composer avec la douleur, ou mieux, en faire complètement abstraction, il n'avait pu cependant contenir le sang qu'il perdait: la blessure, profonde, ne pouvant être pansée avec le seul bandeau de toile qu'il s'était fabriqué à même les vêtements de l'homme blanc.

Assis tout contre le corps du vaincu qui vivait ses derniers soubresauts, pieds et mains liés de telle manière qu'il s'étrangle lui-même, comme l'homme au wampum d'or, Piwapik'oti avait alors pris le temps de goûter la volupté tragique qui, dans les dernières lueurs du crépuscule, marquait la fin de sa longue chasse. Il aurait bien pu dormir un grand coup, la tête posée sur le ventre du Français agonisant, mais cela pouvait toujours attendre: il lui restait toute la liberté de choisir l'heure de son repos, le dernier.

Libéré enfin du poids de ses hantises vengeresses, pour quelques instants, il s'était permis de redevenir ce qu'il était: un homme dépouillé et définitivement seul. Et cette émotion lui avait rendu choquante l'odeur de la mort par un jour si printanier...

Quand plus tard le soleil eut complètement disparu derrière les montagnes et que le soir, puis la nuit furent descendus, il s'était levé pour rentrer au village. Le dos courbé sous le poids de son prisonnier moribond, il avait dû combattre le désespoir: jamais ses jambes, vieilles jambes de chasseur pourtant rompues à toutes les marches, n'avaient tant failli le trahir. Le sang perdu, et qu'il continuait de perdre, minait ses forces et ce n'est que grâce aux ressources de son caractère obstiné et à la passion enfiévrée de sa vengeance qu'il avait pu ferrer ses muscles jusqu'à Ouapanakiab.

Juste avant le jour, au moment où le ciel arborait en même temps une lune sans éclat et les déchirures colorées du soleil près de se lever, il avait aperçu le village qui dormait, enveloppé dans les vapeurs de l'aurore. Alors, Piwapik'oti s'était appuyé contre un gros chêne pour attendre le jour, le cadavre du Français jeté à ses pieds comme une chose inutile.

Quand ses yeux prompts avaient distingué un début d'animation et qu'une rumeur multiple de voix et de jappements était venue confirmer à son oreille l'éveil de la bourgade, il avait pris une grande respiration qui lui avait mis de l'émoi au creux de l'estomac et, les muscles bandés, s'était chargé à nouveau du corps du Blanc.

Autour de lui, l'air étincelait sur la neige humide et une lumière toute particulière nimbait les arbres nus. Piwapik'oti se trouvait magnifique : il avait parcouru un chemin sans fin, celui de la haine, et accompli un miracle, celui d'en voir le bout.

Au milieu d'une place de terre battue recouverte de branches de sapin, où les Kitcispiwinis tenaient les festins préludant leurs grandes chasses comme leurs grandes batailles, devant la hutte des agoskatenhas (anciens), dans un silence superbe, Piwapik'oti avait déposé son mort. Quelques chiens étaient venus en renifler et lécher les plaies encore chaudes, et l'ancien sachem les avait repoussés du pied pour être seul au-dessus de sa victoire. Puis, posé, affichant une certaine noblesse dans son maintien, il avait croisé ses bras sur sa poitrine et déclaré, d'une voix digne mais sans emphase :

– Voilà ma guerre accomplie ; voilà mon peuple vengé.

Émergeant de la pénombre d'une hutte, et s'avançant revêtus de tuniques en peau de chevreuil richement brodées qui leur tombaient jusqu'aux mocassins, quatre agoskatenhas l'avaient considéré avec respect. Ils avaient attendu, silencieux, d'être certains que le vieil Indien n'avait plus rien à dire, puis l'un d'eux, le plus vieux, avait répondu selon la formule usuelle qui ne laissait rien paraître de ses sentiments :

– Voilà qui est bien.

La suite ne concernait plus Piwapik'oti. Faisant fi des regards qui le toisaient, il s'était éclipsé pour soigner sa blessure et pour dormir.

Le corps du Français avait été éviscéré et entaillé de partout, puis couché sur le fond de la rivière des Prairies d'où, selon le rite, on le tirerait dans douze jours, farci de petits mollusques d'eau douce dont les coquilles précieuses serviraient de monnaie avec d'autres tribus ou avec les Blancs (à Albany, neuf de ces minuscules coquilles ayant l'apparence de perles ne valaient pas moins d'un penny anglais).

Les dernières flambées de sa colère éteintes une à une, Piwapik'oti avait nettoyé la plaie de son épaule et reconnu, dans l'état d'apaisement qui gagnait tous ses membres et engourdissait même son cœur, les prémices de sa mort. Aucunement troublé devant la certitude de n'avoir plus que quelques heures à vivre, il s'était d'abord couché sur le dos, ses armes et son plus beau costume contre ses flancs, puis s'était recroquevillé peu à peu dans la position d'un fœtus, la mort n'étant chez les Indiens qu'un retour aux origines.

S'il lui avait valu, au cours de la dernière année, une certaine considération, son titre d'Oncle des orphelins du village n'avait pu cependant le réconcilier avec l'obligation de vivre en sédentaire et sans réelle famille, lui, le descendant d'une tribu nomade où la plus grande des misères était de ne plus être lié à personne par le sang. Et puis, les honneurs dus à ce titre avaient perdu beaucoup de leur éclat en regard de ceux rendus au plus célébré de ces orphelins, justement, sorte de demi-dieu dont les Kitcispiwinis tiraient une arrogante fierté. Les origines de celui-là se confondaient avec une légende, et la tradition orale en avait fait un héros mythologique.

Ainsi, on racontait qu'un ancien chef d'Ouapanakiab, Kitci'amik, avait une fille du nom de Winneway qui se distinguait fort par son originalité : contrairement au caractère de ses sœurs, le sien était renfermé ; elle s'isolait volontiers et parlait peu. Souvent, elle s'éloignait jusque sur la montagne (mont Royal), où les plus braves chasseurs de la tribu n'osaient s'aventurer. Quand elle accompagnait ses sœurs en forêt pour ramasser du bois, elle les abandonnait pour ne revenir que longtemps après et alors, inexplicablement, elle se montrait gaie, riait et parlait tout le long du sentier les ramenant au village. Un matin qu'elle ramassait des fagots, puis disparaissait à nouveau pour s'isoler, Naknakata, la plus jeune de ses sœurs, la suivit en se cachant. Elle la vit s'asseoir sous un arbre et entonner une douce mélopée. Le chant fit sortir des fourrés un gros ours noir qui marcha vers Winneway. Craignant pour sa sœur, Naknakata faillit crier. Mais à sa grande surprise, l'animal et la jeune fille s'abordèrent amoureusement. Aussi la cadette revint-elle au village en clamant à la ronde :

– Notre sœur, un ours est son amoureux !

La nouvelle sema le désarroi. Les anciens se réunirent en conseil et ce fut le sorcier qui trouva l'explication de cette bizarrerie : Winneway était amoureuse de son manitou, cet esprit qui, à l'époque de la puberté, se révélait à chaque garçon et à chaque fille de la tribu pour devenir son allié surnaturel. Celui de Winneway avait donc pris la forme d'un ours, et elle s'en croyait la fiancée.

Voyant cela, le chef Kitci'amik ordonna à ses chasseurs les plus émérites d'aller tuer cet animal qui avait ainsi ravi la raison de sa fille. Ce qui fut fait. Quand Winneway l'apprit, elle n'eut de cesse de chercher le corps de son bien-aimé.

Quand elle l'eut trouvé, elle lui enleva toutes les griffes et se tailla un morceau de sa fourrure. Pendant des nuits, elle veilla la puissance maléfique de ces reliques. Si bien que bientôt elle fut grosse. D'abord, la croyant amoureuse, son père s'en réjouit ; mais il désenchanta bientôt lorsqu'elle refusa tous les prétendants qu'on lui proposait. Quand vint le temps d'accoucher, comme le dictait la coutume elle partit seule dans la forêt. Des jours, des nuits passèrent, elle ne revenait pas. Les hommes du village se mirent à sa recherche et la trouvèrent au sommet de la montagne, morte, victime des griffes d'un ours. Sur son ventre pleurait un bébé mâle à la peau presque blanche que les chasseurs ramenèrent avec eux.

La présence, au village, de cet enfant mythique donna aux Kitcispiwinis la certitude d'appartenir à une tribu particulièrement choisie des dieux. Au lieu de le rejeter, comme on rejetait les sans-famille, on ménagea à cet ange tous les égards et c'est ainsi qu'Anjénim devint objet de culte. Ainsi, avant d'aller au combat on avait soin de le toucher, on le couchait aux côtés des malades, on le montrait à ceux qui allaient mourir. Quand il fut devenu adolescent, les filles sollicitèrent ses faveurs avant de se marier et les veuves célébrèrent leur deuil dans ses bras.

Dès son premier jour à Ouapanakiab, Piwapik'oti avait été à même de juger de la superbe et indicible singularité de ce personnage. Ayant été présenté aux agoskatenhas devant toute la tribu et ces derniers l'ayant officiellement gratifié du titre d'Oncle, les Kitcispiwinis avaient alors fait cercle autour de lui pour l'inonder de formules de bienvenue et le toucher à tour de rôle. Ensuite, se détachant du groupe des anciens, le plus vieux d'entre eux, à la tête dodelinante et à la peau du visage striée par l'âge, s'était dirigé vers Piwapik'oti. Le vieil homme, au port impressionnant, malgré la claudication qui lui valait son nom, Makamik (Castor boiteux), avait fixé le nouveau de ses yeux durs, et avait déclaré, d'une voix sans modulation :

– Il faut que l'Ange touche l'Oncle.

Dans un silence palpable, il avait rejoint les autres agoskatenhas qui l'approuvaient d'un signe de tête.

Ignorant encore de qui on parlait, Piwapik'oti avait croisé les bras et pris la pose de quelqu'un prêt à tout.

Une jeune squaw, dont les cheveux noirs étincelaient dans la lumière blanche du matin, s'était détachée des autres pour se diriger, d'un pas mesuré, vers une tente dressée à l'écart et dont l'entrée était tendue de peaux riches, des peaux blanches piquées d'épines rouges et auxquelles pendaient des lanières de cuir de même couleur.

Une légère brise était venue soulager Piwapik'oti de la touffeur de fatigue qui plaquait sa peau et son immobilité lui avait peu à peu donné le répit nécessaire pour amoindrir ses tensions.

Quand la jeune squaw était réapparue, ramenant contre elle la peau d'ours blanc qui fermait l'entrée, une silhouette d'allure irréelle était apparue. Pendant quelques secondes, on aurait pu croire que cette apparition allait s'évaporer, qu'elle allait se dissoudre dans la lumière dont elle semblait être composée. Puis, elle avait bougé, s'était avancée en prenant, pas à pas, des dimensions de plus en plus précises, celle d'un Indien de taille supérieure et d'une exceptionnelle beauté, un Indien à la figure vierge de tout tatouage, aux cheveux ondulés touchant ses épaules et au teint incroyablement clair.

Jamais Piwapik'oti n'avait vu d'Indien non mataché, l'usage de la peinture corporelle étant la façon ostensible de l'homme de se démarquer de l'animal; jamais non plus il n'avait vu une telle chevelure, abondante et souple, sur la tête d'un Indien, pour la simple et bonne raison que cela eût été pour un ennemi un scalp trop facile à prendre.

Quand, vêtu d'une longue tunique en peau de cerf sur laquelle pendait un collier de griffes de quelque gros animal, Anjénim s'était approché de lui, le vieil Indien avait été subjugué par la profondeur des yeux verts pailletés d'or qui le regardaient. Sa respiration s'était accélérée et la peur – débusquant, simultanément, son courage – l'avait gagné. Mais lorsque les mains de l'Ange s'étaient posées à plat sur ses épaules, cette vague s'était apaisée comme le Grand Fleuve à la tombée de la nuit.

Le silence, toujours. Pas un mot, seulement le regard paisible d'Anjénim, puis celui de Piwapik'oti en retour, jusqu'à ce que le premier se retire comme il était venu.

D'un jour à l'autre, ensuite, l'ancien sachem s'était inscrit dans les us de la bourgade et bientôt on avait oublié qu'il était d'ailleurs. Bien assimilé aux Ouapanakiabs, il avait pu constater que certains d'entre eux abhorraient la présence trop célébrée de l'Ange. Des guerriers, les plus vindicatifs et les plus convaincus de la nécessité de faire sans cesse la guerre ou de s'y préparer sans répit, prétendaient que, gardé contre toutes les adversités par les égards que plusieurs prétendaient dus à son rôle, Anjénim n'était qu'une piètre réplique de ce qu'un fils de manitou devait être. À l'amour – l'Ange était couvert des affections féminines du village –, eux préféraient la guerre et lui réservaient toutes leurs énergies. Cet Indien pâle qui préférait aux mérites des batailles les plaisirs vains des duos nocturnes en compagnie des squaws leur semblait totalement démuni de courage. À la tête de ces diffamateurs, Nakutji, un sagamo ambitieux et cruel. Féroce, toujours à l'affût, c'est lui qui avait mené autrefois, avant la Grande Paix de Montréal, les plus dévastatrices escarmouches contre les Français de Ville-Marie et il n'avait eu de répit qu'il n'ait assisté à la torture de tous les prisonniers.

Il sembla bientôt à Piwapik'oti que la situation d'Anjénim devenait à ce point insoutenable que sa vie ne tenait plus qu'à sa chance d'éviter quelque guet-apens, une flèche perdue à la chasse ou un coup de tomahawk sur le crâne dans la complicité d'une nuit noire.

Et il avait raison.

De fait, quelques jours auparavant, Anjénim avait évité de justesse une embuscade dans une tente où on l'avait convié sous de faux prétextes. Cet événement s'ajoutant au climat tendu dans lequel il baignait depuis quelque temps, le jeune Indien avait décidé de faire preuve de sa bravoure, de l'illustrer par une fable qui serait dans l'esprit des Ouapanakiabs tout aussi indélébile que celle mythifiant sa naissance : il défia Nakutji à la « course terrible ».

Épreuve épouvantable qu'on faisait subir aux prisonniers d'importance avant qu'ils ne périssent au poteau de feu, cette course était coutume chez toutes les nations indiennes. Elle consistait à forcer le captif à courir entre deux rangées d'ennemis munis de couteaux, de tomahawks ou de bâtons pointus et qui le frappaient à tour de rôle pour qu'il tombe au milieu du parcours, blessé ou mort, fou d'épuisement.

C'est ainsi que, dans l'aube de ce même matin où Piwapik'oti allait s'éteindre, Nakutji rassembla les alliés de sa cause, parmi lesquels des femmes jalouses et leurs enfants : l'épreuve devait avoir lieu aussitôt que le soleil atteindrait la cime de la plus haute des montagnes qui frangeaient l'horizon.

Dans une clairière, entre la rivière des Prairies et le plateau sur lequel se dressait le village, Nakutji fit mettre sur deux rangées, se faisant face et s'allongeant en travers de la clairière jusqu'à l'orée de la forêt, tous les ennemis d'Anjénim, bien armés.

Ensuite, redoutant l'agilité de celui-ci, il posta, dans la proximité encombrée des bois, d'autres guerriers de son camp qui pourraient abattre Anjénim d'une flèche si jamais ce dernier réussissait à franchir vivant les deux haies armées.

À l'heure où le soleil atteignit la hauteur entendue, toute la population des Kitcispiwinis – depuis les vieillards jusqu'aux bébés emmaillotés sur les ais retenus au dos de leur mère par une large courroie barrant le front – se massa sur le glacis qui descendait vers le terrain plat où se jouerait l'avenir d'Anjénim. Avant que l'attente ne s'installe, ce dernier, la démarche féline et décidée, apparut à l'extrémité des deux lignes qu'il évalua du regard, le visage impassible. Ensuite, se redressant au point de paraître plus grand encore qu'il ne l'était, il écarta les bras pour emplir ses poumons de la fraîcheur revigorante du matin. Un instant encore il sembla évaluer la distance à parcourir, et à peine fronça-t-il les sourcils avant d'annoncer à Nakutji, sans émotion :

– Je suis prêt...

Il posa ses mains sur le sol, la poitrine contre son genou gauche, la jambe droite tendue reposant sur le bout du pied. La tête rejetée en arrière, les yeux droit devant, les muscles saillants et le corps bandé comme un arc, juste au moment de prendre son élan, il montra soudainement la forêt et cria :

– Là, regardez !

Alors que tous se tournaient vers la peau d'ours qu'il avait lui-même accrochée pour faire diversion, et qui, repliée et bourrée, se balançait à la branche basse d'un chêne, il s'élança.

Dans une immense foulée, son cri était encore dans l'air qu'il avait déjà avalé plus de la moitié de la distance le séparant de la forêt. Surpris, les compagnons de Nakutji tentèrent bien de lui porter des coups, mais ils faillirent et Anjénim arriva sain et sauf entre les souches et les arbres couchés de l'abattis qui précédait les sous-bois. Aussitôt, il roula à l'abri d'un tronc de chêne et vit passer au-dessus de lui une volée de flèches. Cette tentative sournoise de le tuer après qu'il eut réussi à survivre à « la course terrible » provoqua l'ire de ceux dont il était le héros. Ils tapèrent du pied, chahutèrent et dévalèrent la pente à la rencontre des adversaires que la vertigineuse promptitude d'Anjénim avait laissés pour compte.

L'affrontement ne faisait plus aucun doute quand soudain un hurlement traversa la clairière : la figure empreinte de colère, le corps prêt à l'attaque et les bras brandissant la menace de deux tomahawks, Nakutji avait rejoint Anjénim. Penché en avant, ses grandes mains se balançant en parfait synchronisme avec le déploiement tatillon des deux armes qui cherchaient la faille, ce dernier ne paraissait en rien dépourvu.

Une première fois, Nakutji frappa, projetant si rapidement la tête pointue d'un tomahawk qu'on n'en vit que l'éclat dans le soleil avant qu'elle ne rencontre le vide. Ayant esquivé la charge, les mains d'Anjénim reprirent leur valse. Deux attaques suivirent, aussi vaines que la première. Puis les yeux d'Anjénim frémirent légèrement et Nakutji ne vit même pas le geste si extraordinairement rapide des mains qui frappèrent du plat ses poignets et firent tomber les tomahawks.

Avant que l'assaillant ne reprenne son souffle, des doigts forts comme des tenailles l'étranglaient et, au moment où, pantin désarticulé, il allait glisser dans les ronces, Anjénim lui brisait les os de la poitrine en un formidable coup d'avant-bras.

Dans les rumeurs enthousiastes qui emplirent la clairière, il n'eut pour fêter sa victoire que l'humble mouvement de sa main chassant la sueur de son front.

Étrangement, la suite ne donna lieu qu'à l'apaisement, rattaché, aurait-on dit, à la personne même d'Anjénim qui remonta calmement vers le village.

Il fallut bien peu de temps, celui seulement de traîner le cadavre de Nakutji devant la tente des agoskatenhas qui l'oignirent, avant de l'installer sur l'échafaud, et de le recouvrir de peaux et de branchages, que l'on ferait flamber la nuit tombée, pour que la loi du jour impose ses habitudes quotidiennes.

Dès midi, la vie avait repris son cours.

Parmi les habitudes bien établies, celle de l'habile pêcheur Yanatheh était d'aller vérifier ses prises au bord de la rivière des Prairies où il tendait d'étroits filets appâtés des entrailles de poissons pêchés la veille. Le soleil flambait et, quand il s'avança à l'endroit où la rive dessine une rade naturelle – la neige y moulait le dos arrondi des canots retournés pour l'hiver –, il dut porter ses mains au-dessus des yeux afin de se parer de la lumière vive. Pour adapter graduellement sa vue, il projeta son regard au loin et c'est ainsi qu'il aperçut une glace flottante chargée de silhouettes humaines. Étonné par une telle scène à cette période de l'année (au printemps, la chose aurait été commune), il plissa des yeux, concentra toute son attention sur le radeau de fortune qui semblait se diriger vers lui et distingua ce qui lui sembla être des Blancs, deux, dont une femme accroupie près d'une forme étendue.

Lorsqu'il fut persuadé que les jeux de réverbérations ne lui jouaient pas de tour, il se mit en quête d'un bout de bois qu'il entendait jeter contre le glaçon pour servir de passerelle afin de permettre aux Blancs de débarquer sur la rive sans être entraînés dans les remous du sault qui bouillonnait en amont.

Chapitre III

Dès que sa grand-mère eut acquiescé à son plan, François s'était empressé d'agir. Immédiatement, il avait pris César par la bride pour le tirer contre un arbre et l'y attacher. D'une main dénudée, il avait tapoté le cou de l'animal :

– Toi, mon beau, tu vas attendre ici.

Il était presque content. Les yeux rivés sur la fumée qui montait au-dessus d'Ouapanakiab, il s'était répété qu'il ne s'accorderait aucun répit avant d'avoir atteint le village indien.

Il avait ensuite décidé de porter Charlotte sur la glace, tout près de la rive, de sorte qu'il puisse prestement la prendre pour l'embarquer sur le premier glaçon qui passerait à sa portée.

S'arc-boutant pour la soulever, il la trouva si lourde qu'il eut pour sa grand-mère un moment d'admiration médusée : comment avait-elle pu, avec ses vieilles jambes, lever un tel poids ? Il dut avancer à petits pas pour ne pas incommoder Charlotte qu'il réussit à poser en douceur sur la neige en s'agenouillant. Puis, il alla prendre les deux perches qu'il avait déneigées :

« Une seule me suffirait ; mais si je devais l'échapper... »

Restait le traîneau à vider, ce qu'il entreprit pendant que sa grand-mère s'asseyait auprès de Charlotte sur une des peaux d'ours.

Parce que son cou faisait bloc avec toute sa personne, vue de dos, Émilie donnait une impression de force inébranlable. Pourtant, elle demeurait anxieuse et regardait courir l'eau avec inquiétude. Elle appréhendait l'instant critique où il lui faudrait littéralement sauter sur une glace en mouvement; mais elle se répéta jusqu'à s'en convaincre qu'elle saurait être à la hauteur.

Une fois le traîneau vide et César dételé, François – comme s'il réévaluait leurs chances – considéra lui aussi le remuement des glaces que le courant emportait dans une trajectoire essaimée de multiples pépites qui roulaient, coulaient, refaisaient surface dans un périlleux tumulte. Il n'allait pas être facile de s'approcher du bord sans que s'effrite la batture, ce qui pourrait être fatal. Déjà, de nombreuses crevasses dessinaient les contours d'une large surface qui allait céder, puis être entraînée loin de la rive... Mais à cette vue, le garçon soupira de contentement: il venait de trouver le moyen de prendre le courant sans avoir à déplacer Charlotte et sa grand-mère: il allait tout simplement provoquer la rupture du bloc avec la rive où ils se trouvaient.

Il s'arma d'une perche, se dénuda à nouveau les mains pour mieux l'agripper et marcha à la source de la principale fissure qu'il se mit à frapper à grands coups. Un craquement sec l'alerta juste à temps pour qu'il se campe solidement sur ses jambes et qu'il pousse pour libérer la glace soudainement isolée qui vibra, bascula un peu sous son poids pendant qu'il reculait de quelques pas pour la stabiliser. Il se fit alors une brusque secousse et le grondement de l'eau devint un chant profond et sourd aux oreilles du jeune vainqueur qui essayait de regarder partout à la fois pour bien mesurer ce déplacement et en garder la maîtrise.

Plein d'ardeur, il laissa glisser la perche jusqu'à ce qu'elle trouve appui et, d'un geste précis autant que bref, il rectifia la direction du morceau de glace vers le centre du cours d'eau, puis le laissa couler, satisfait mais aux aguets, prêt à intervenir, accroupi sur ses talons pour apaiser son corps et reposer ses muscles douloureux.

Les rives se mirent à fuir rapidement, sauvages et vierges, avec des éclats lumineux dans les aulnes gelés et de grandes taches d'ombres sous les conifères. Ici, des pistes de lièvres disparaissaient dans le sous-bois et des oiseaux bleus s'accrochaient aux branches d'un orme chapeauté de frimas humide qui s'égouttait. Là, des aiguilles de sapin tressaillaient quand la neige tombait en fondant. Ailleurs, l'écorce d'épinette, suintante de gomme, embaumait.

– J'ai soif…

Charlotte, couchée près d'Émilie accroupie, déglutissait difficilement. Son visage frémissait. Elle ne pleurait pas, mais ses paupières battaient avec fébrilité. À sa manière, délicate et sans efficacité, elle luttait contre la fièvre, préférant croire que la sensation de moiteur qui éteignait toutes ses énergies allait en diminuant. Le vent – un souffle, à peine – jouait avec une mèche sur son front. Ses mains avaient repris le massage spasmodique de son ventre. Elle voyait la grosse tête d'Émilie sur un fond de ciel bleu et percevait vaguement le chuintement de l'eau sous la glace. À nouveau, elle dit :

– J'ai soif…

Elle essaya de se soulever un peu mais dut renoncer, brusquement clouée par la douleur. Une éternité passait qui durait depuis le matin et dans laquelle elle s'imaginait à jamais perdue, hors d'atteinte.

François poussait sur sa perche. Il guidait le glaçon – il fallait rester dans le courant sans se faire emporter, éviter la pointe des rochers en surface. Parfois, il appuyait son front contre le dos de ses mains, et l'effort dessinait des rides sur sa figure d'adolescent.

La beauté du décor dans lequel ils avançaient avait beau s'imposer, leur situation gardait quand même sa triste dimension ; ils auraient dû être ailleurs, dans le confort d'une chambre agréable, avec un lit profond pour Charlotte et la présence attentive d'une sage-femme.

Aidée d'Émilie, Charlotte parvint à boire une gorgée à la cruche et pendant un moment ses lèvres luisirent de vie. Mais l'instant d'après, elle répétait : « J'ai soif... » sans y penser, car elle ne pensait plus.

Pour tenter d'entretenir sa conscience et la garder en éveil, Émilie lui demanda, le ton quasi enjoué :

– Et comment nous l'appellerons, cet enfant ?

– ...

– Comment l'appellerons-nous, répéta-t-elle, si c'est, disons, un garçon ?

Dans un souffle, la voix de Charlotte prononça le nom de Joseph.

– Et si c'est une fille ? insista encore Émilie.

Mais Charlotte était déjà retournée si loin de la réalité qu'Émilie ne fut pas dupe lorsqu'elle saisit, l'oreille collée à la bouche de la jeune femme, le nom à peine perceptible de « Marie ». Elle comprit que la réponse de Charlotte ne correspondait qu'à une association d'idées simplistes et involontaires de son esprit engourdi : Joseph, Marie… Marie, Joseph…

La forêt, un mur qui masquait le soleil sur la rive nord, fit soudain place à un champ nu, et Émilie entra dans une clarté jaune lui donnant une allure aux vertus surnaturelles dont, hélas, elle n'était aucunement pourvue. Une boule oppressante obstruait sa gorge, et elle acceptait mal de glisser sur l'eau indifférente pendant que la mort et la vie hésitaient entre la mère et l'enfant. Cette douleur qui dansait dans le ventre de Charlotte, sous la peau lisse et tendue que la tiédeur de l'air caressait en vain et sur laquelle les doigts fébriles de la jeune femme continuaient de se plier et de se déplier, elle aurait bien voulu la faire sienne, car elle se savait mieux préparée à la combattre.

Le soleil frappait de plus en plus dru. Il faisait chaud. François sentait mollir la glace sous ses pieds. Et si la plate-forme devait fondre au soleil avant qu'il n'atteigne Ouapanakiab ? L'angoisse lui mordit le cœur. Il décida cependant de garder pour lui cette nouvelle inquiétude et s'appliqua à bien manœuvrer.

Soudain, un violent raidissement parcourut Charlotte pour aboutir dans ses reins. Elle cria. Ses mains coururent vers son dos, mais la douleur fuit plus bas encore. Une intense poussée tenta de vider son ventre et elle eut la certitude d'une déchirure qui la fit hurler. Aussitôt, Émilie souleva la peau d'ours qui couvrait les jambes agitées. Ses mains cherchèrent, et du sang chaud et abondant coula sur ses doigts qui rencontrèrent ce qu'elle devina être la tête de l'enfant.

Charlotte cria de nouveau. Un cri qui se brisa dans un sanglot lorsque mourut le spasme.

La chaleur exsudait sous la glace. Le soleil se trouvait maintenant au-dessus de François et chauffait sa tête comme en plein été. Le blanc de la neige perdait de sa pureté et fondait dans des tons délavés. Les rives s'éloignaient. Le courant prenait de la force. Des craquements aigus perçaient la rumeur de l'eau ponctuant le combat de la chaleur contre le froid.

Assaillie encore une fois par la souffrance, Charlotte se tendit comme un arc. Elle ouvrit la bouche sans réussir à émettre un son, ses yeux grands ouverts traversés par une succession d'éclairs douloureux. Les gestes d'Émilie se précisèrent. Le sang dessinait maintenant une mare rouge grandissante, et François dut perdre son regard au loin pour ne pas s'alarmer. Il écouta attentivement les effritements de la banquise quand elle se frotta à une pierre et se mit à réfléchir de façon forcenée pour trouver un moyen de regagner la rive avant que la plateforme ne puisse plus les supporter.

Émilie n'eut pas conscience du moment où Charlotte cessa de respirer : les contractions de l'accouchement avaient leur vie propre dans le corps qui saignait, et la femme de Mathurin ne pouvait surveiller deux vies à la fois. Aussi, quand l'enfant vint au monde, qu'il lui emplit les mains d'une chair chaude et vivante, elle ne put réprimer la vague heureuse qui la submergea. Elle s'empressa d'envelopper l'enfant dans la peau d'ours et trouva même le moyen de sourire quand elle leva un regard chargé de fierté vers François qui, la voix grossie par sa volonté d'être calme, s'exclama :

– Bravo, grand-mère !...

Mais songeur, le garçon se dit intérieurement que ce n'est pas ainsi qu'on vient au monde, que les animaux eux-mêmes trouvent davantage de confort pour naître. Sa grand-mère, constatant que s'était éteint le mince feu qui, quelques moments plus tôt, vivotait dans les yeux de Charlotte, se dit, elle, que ce n'est pas ainsi qu'on meurt, à même un morceau d'hiver qui se désagrège. En même temps que François constatait à son tour, dans un murmure d'une infinie tristesse, « Elle est morte… », Émilie annonça, tout bas :

– C'est une fille.

Pendant les secondes qui suivirent, il sembla à François que le silence terrassait les bruits. Puis, un chien aboya et les premières huttes d'Ouapanakiab apparurent derrière une éminence droit devant, là où la rivière formait un coude.

Quand François aperçut Yanatheh qui faisait de grands signes, il comprit que sa grand-mère et lui, ainsi que ce bébé tout nouveau qui vagissait déjà, étaient sauvés. Il guida si bien la glace, qu'il n'eut plus bientôt qu'à tendre sa perche pour que l'Algonquin les tire contre la berge, et ce dernier le fit si bien que le morceau de glace épousa parfaitement la batture. Cependant, dès que François se déplaça vers la lisière de cette banquise rendue fragile par l'effet du soleil, si mince qu'elle menaçait d'éclater en mille morceaux, elle bascula un peu et fut inondée.

Il y eut alors un instant de flottement pendant lequel Émilie glissa le bébé sous son manteau de bouracan, directement contre sa peau. Elle avait cessé de réfléchir, de prévoir, de regretter ou d'espérer. Elle vivait le moment présent, demeurant parfaitement apathique devant le nouveau danger. Être simple, elle n'existait plus : elle n'était que cette vie nouvelle qui battait contre son flanc. Aussi, quand François la pria de ne plus bouger, elle obéit avec une docilité toute candide.

Yanatheh fit comprendre (avec moult gestes et quelques mots en français) qu'il faudrait pousser encore afin d'échouer plus bas, là où la rivière était très peu profonde.

Le temps pressait.

François s'arc-bouta à nouveau à sa perche. Il poussa. Poussa encore. L'ultime détermination qu'il mit dans l'effort épuisa ses émotions. Le ton stimulant de l'Algonquin qui s'agitait pour l'encourager infusa dans ses muscles le surcroît d'énergie qu'il n'aurait su trouver autrement et la glace décolla : paresseuse, elle hésita, puis sans grand élan elle glissa en direction de l'endroit souhaité.

François ferma les yeux sans en prendre conscience et ressentit le mouvement comme une caresse. Avec l'application d'un funambule, il se déplaça vers le bord opposé pour exercer de son poids la pression nécessaire à l'abordage.

Le temps demeurait doux, mais le ciel virait du bleu au gris, et le soleil perdait de sa crudité à cause, sans doute, du nuage de vapeur rose qui maintenant l'enveloppait.

Quand la plate-forme précaire s'ancra enfin, François resta appuyé sur sa perche pour bien la stabiliser.

Paralysée, Émilie semblait attendre qu'on lui dise encore quoi faire. Yanatheh s'approcha d'elle, se mit à genoux et se pencha sur la dépouille de Charlotte. La neige rougie de sang ne l'émut guère, pas plus que de constater la mort de la jeune femme. Il se releva, toisa Émilie, puis François – il avait un drôle de regard, à la fois timide et volontaire – et, comme s'il prenait soudain une décision, dit :

– *Yanatheh éja. Ikwé gayé oshkénawls winawa obla**.

Un instant, il quêta une sorte d'approbation en faisant oui de la tête de façon répétée. Puis, il partit à la course : ses jambes le projetant au-dessus des buissons, il disparut dans une futaie.

Un calme profond régnait, distrait seulement par le bruit fluide de quelque écoulement d'eau sous la glace. L'humidité alourdissait l'atmosphère, un changement de température se préparait.

Agile, Yanatheh revint en brandissant des raquettes. Il s'assit, tira un couteau de son brayet et entreprit de les délacer, obtenant ainsi de longues lanières de cuir. Il alla ensuite prendre les deux perches emportées par François et les déposa en parallèle ; il y fixa les quatre coins de la peau d'ours sur laquelle reposait le corps de Charlotte. Puis, sans dire un mot, il s'attela à ce brancard avec François pour se diriger vers l'entrée du sentier menant au campement. Émilie les suivit, rassurée à l'idée que personne mieux que les squaws – elle le tenait d'une tradition orale implantée par les missionnaires jésuites – ne savaient accueillir une vie nouvelle.

Effrayé par ces présences humaines, un chevreuil fonça de tous ses bois dans la forêt, les sapins refermant immédiatement leurs bras sur l'éclair de son passage et un oiseau roux s'envola dans un ramage aigu.

La fatigue, les tensions apaisées, surtout, muselaient Émilie et François. Les derniers événements se chevau-

* Yanatheh, va. La femme et le garçon, ils attendront.

chaient dans leur tête. Ils avançaient, un peu hébétés, s'en étant entièrement remis à Yanatheh par une connivence tacite et quasi inconsciente. François portait sa part du poids de Charlotte étendue sur le brancard de peaux, et Émilie pressait contre son cœur le bébé tout chaud ; la mort, la vie les accompagnaient, imparables réalités survivant aux événements.

Des chiens jaillirent sur la piste à leur rencontre et se gavèrent de leurs odeurs, ne manifestant aucune férocité, se contentant de sauter sur place et de renifler.

Sur des cercles d'aulnes séchaient des peaux pelées et des hiéroglyphes tracés sur l'écorce de plusieurs bouleaux (des dessins d'oiseaux, l'ovale d'un visage mataché, le profil d'un ours) annoncèrent bientôt l'approche d'Ouapanakiab. D'abord, après un bosquet de jeunes conifères, la petite troupe déboucha dans un pré et, de là, gravit la pente douce du plateau sur lequel se dressaient les pieux écorcés de la palissade du village. Un Indien à la figure balafrée était assis contre ceux-ci et semblait dormir ; en fait, il cuvait son eau-de-vie. Il empestait, mais Émilie se garda bien d'afficher son dégoût.

Sitôt qu'ils eurent franchi la bourgade, les arrivants sentirent, rivés sur eux, les regards de plusieurs enfants algonquins. Occupés à jouer aux osselets en même temps qu'avec deux ratons laveurs qu'ils tentaient d'apprivoiser, ils cessèrent sur-le-champ toute activité et, l'allure un peu taciturne, s'attachèrent aux pas de la petite troupe. Pas tous jolis, pas tous propres, ils fascinèrent cependant Émilie par la vivacité de leur frimousse et le caractère résolu de leur expression.

Au jugé, le village se composait d'une vingtaine de masures, petites et mal entretenues, et de quelques tipis. De la fiente d'animaux maculait le sol et, çà et là, s'entassaient des immondices ; des coussins de feuilles sèches et des tapis de branches de sapin démontraient en revanche des intentions de propreté. Alors que les enfants restaient attachés à leurs pas, Émilie, François et leur sauveteur passèrent devant un feu autour duquel s'agglutinait un essaim de squaws occupées à fumer des pièces de viande. Curieuses, elles firent mine de s'approcher ; mais cette curiosité, semblable à celle du lièvre, ne fit pointer leur minois qu'un instant et, aussitôt, elles s'en retournèrent devant les flammes. L'une d'elles cependant, nettement plus jeune que les autres, plus frêle et plus posée aussi, resta à reluquer François quasi effrontément. Elle avait des cheveux noirs, fous sur ses épaules, et son front, haut mais étroit, était barré d'une ligne rouge qui soulignait toute l'intensité de ses yeux. Son costume de peau, frangé d'épines de hérisson teintées de toutes les couleurs, se tendait sur ses seins juvéniles et ses hanches rondes. Dans un français gauche, avec un accent très particulier, elle salua le garçon :

– Je dis un bonjour à toi, petit homme…

Elle avait de belles dents, des dents blanches sous le rose pulpeux de son sourire, et des reflets d'ingénuité éclairaient son visage. François ne savait s'il devait sourire ou répondre. Sa fatigue, maintenant fiévreuse, cerclait ses yeux et le poids du brancard pesait lourd au bout de ses bras. Sans s'arrêter, il esquissa un sourire malhabile. La jeune Indienne lui emboîta le pas. Émilie jugea cette présence inopportune, mais se garda d'afficher quelque mécontentement.

Enfin, ils arrivèrent devant une hutte beaucoup plus grande que les autres, dont l'entrée était fermée par des fourrures qu'Yanatheh écarta, et ils pénétrèrent dans la pénombre humide de l'intérieur. Une odeur de cuisson montait de trois marmites qui fumaient sur autant de feux autour desquels une vingtaine d'Indiens (hommes, femmes et enfants) se réchauffaient.

Levant les yeux pour savoir où s'évadait la fumée, François vit, pendues dans le haut de la tente, des carcasses d'animaux séchés et des jarres pleines de maïs et de haricots.

Un silence instantané les accueillit. Yanatheh plia les genoux jusqu'à terre et François en fit autant pour y déposer le corps de Charlotte. Puis le jeune Algonquin marcha vers une vieille aux cheveux gris. Elle l'écouta en jetant un regard en coin aux Blancs et, visiblement satisfaite des explications d'Yanatheh, s'avança vers Émilie. Celle-ci pensa un instant qu'elle aurait voulu être ailleurs, mais elle chassa immédiatement ce sentiment de crainte pour le remplacer par la conviction, qu'elle nourrissait depuis son arrivée dans Ouapanakiab, d'être entre bonnes mains. Elle s'efforça de sourire bravement lorsque l'Indienne, l'expression complaisante, désigna avec autorité sa poitrine d'où dépassait la tête de l'enfant endormi. Avec une hésitation qu'elle se reprocha aussitôt, elle libéra le nouveau-né et le remit à la squaw. Cette dernière lui fit une grimace édentée qui devait être un sourire et tint le petit être d'une main pendant que de l'autre, en un va-et-vient, elle effleurait le corps minuscule. Puis, elle appela la jeune fille qui se tenait près de François et lui lança un ordre. L'adolescente acquiesça et, revenant vers le garçon, elle lui dit :

– Je vais prendre l'Ange pour lui venir ici…

Énigmatique, elle sourit et, avant que le garçon ne puisse lui demander quelque précision, elle était sortie. Alors, Yanatheh, sur un ton chargé de mystère et de respect, expliqua :

– Il faut que l'Ange touche l'enfant.

Il faisait chaud dans cette tente. Émilie se sentait si épuisée qu'elle serrait les poings jusqu'à s'en blanchir les jointures pour ne pas perdre contact avec elle-même. Quant à François, il demeurait sans réaction : il voyait Charlotte à ses pieds, et l'enfant qui pleurait, mais tout cela ne le touchait plus que très superficiellement.

Enfin, les peaux de l'entrée s'écartèrent et la jeune Indienne rentra. Elle croisa les bras, ouvrit un peu les jambes et attendit, immobile, que tout redevienne parfaitement calme. Tenaillée d'une bizarre inquiétude, Émilie se persuada cependant de demeurer parfaitement maîtresse d'elle-même dans l'attente de cet ange (« Sans doute le sorcier de la tribu », pensa-t-elle) qui allait apparaître d'un instant à l'autre muni de tous les colifichets d'usage, le visage grimé à faire peur.

Quand toute l'agitation fut apaisée, la jeune Indienne souleva une des peaux et Anjénim apparut. Se déplaçant avec souplesse, il s'approcha du plus grand des feux, celui près duquel la squaw avait déposé l'enfant et ses gestes, quand il toucha ce dernier, se firent des plus harmonieux.

Émilie passa de l'angoisse au soulagement. Le personnage lui redonnait de l'entrain et elle voyait la fin de la longue épreuve qu'elle vivait depuis le matin. Cet Indien – cet ange –, s'il était envoûteur, n'avait rien d'un sorcier, et elle était prête à lui reconnaître un charisme très particulier même si cela heurtait son bon sens. François, lui, se laissait complètement duper par l'apparence de l'Indien et croyait voir enfin un de ces manitous dont les coureurs des bois racontaient les légendes en rentrant de leurs pérégrinations. Il sentait une certaine frénésie le gagner et il aurait aimé être libre de s'extasier. Mais il demeurait coi, gagné par l'atmosphère respectueuse qui flottait autour d'Anjénim.

Et comme il était venu, ce dernier se retira, sans ostentation, l'œil analysant les étrangers avec une expression amène furtivement animée d'un sourire tranquille.

Dans la grande tente, redevenus tapageurs, les Kitcispiwinis entourèrent François et Émilie. Cet engouement impétueux – des enfants les touchaient, des femmes voulaient sentir la bonne odeur d'Émilie, des guerriers tâtaient les muscles de François – n'ébranla en aucune manière le sentiment de sécurité des visiteurs. Ils se contentèrent de sourire – se gardant de rire par respect pour la jeune morte qui reposait près du nouveau-né. Puis ils mangèrent le ragoût qu'on leur servit dans des bols de bois, trouvant cependant malaisé de manger avec leurs doigts la nourriture fumante. François finit par laisser échapper un morceau, et ce fut la jeune squaw aux yeux intenses qui, en ricanant, le lui redonna. Dans le même mouvement, elle s'assit près de lui et raconta avoir déjà vécu chez les Blancs, à Ville-Marie, où elle avait appris le français et… les bonnes manières. Sa voix languide avait des intonations si chaudes qu'elle émut l'adolescent.

Dehors, le soleil maintenant rouge et rond baissait à vue d'œil pour n'être plus bientôt qu'une diffuse lueur rose et jaunâtre. Viendrait ensuite le soir, retardé un peu par le blanchoiement de la neige.

La chaleur aidant, et l'âcre fumée des feux lui piquant les yeux, François éprouva un malaise et ne put lutter davantage contre l'abandon de ses forces : il se retrouva étendu sur le dos, le visage livide, la bouche entrouverte comme s'il laissait échapper son dernier soupir.

Sans s'alarmer outre mesure, mais y voyant plutôt l'occasion de s'approprier ce jeune garçon qui aiguisait sa curiosité et éveillait son désir, la jeune Indienne sollicita l'aide de deux guerriers qui prirent François et le portèrent dehors. Là, refroidissant avec de la neige le visage fermé, elle le ranima. Une espèce de vertige d'abord, puis le réflexe immédiat de se lever, et François dut accepter de s'appuyer sur l'épaule conciliante qu'on lui offrait en le ceinturant à la taille d'un bras délicat mais ferme. Des cheveux en touffes passèrent devant ses yeux et le vent, qui devenait de plus en plus coupant de froid, lui fouetta le sang. Dans une clarté frémissante, sorte de reflet mouvant d'un feu qu'il ne voyait pas, il aperçut l'entrée d'un tipi à l'intérieur duquel l'entraîna l'Indienne.

Une délicieuse lassitude le submergeant, il accepta de s'étendre à nouveau. Il laissa filtrer son regard juste assez pour observer la jeune fille qui attisait un feu dont les flammes dansèrent dans ses yeux, des yeux d'une étrange transparence qui le regardaient de façon impérieuse. Puis, une main souleva sa tête, le goulot d'une vessie de porc effleura ses lèvres et un liquide au goût brûlant coula dans sa gorge, répandant une énergie nouvelle dans tout son corps.

Ensuite, des murmures appuyant ses gestes d'une extrême lenteur, l'Algonquine se déshabilla, et François constata qu'elle avait la peau de la même couleur que sa robe. Des clartés de satin, un ventre lisse qui se perd dans un nid mousseux, des jambes dont il percevait le frémissement des muscles sous la peau douce, telle une enveloppe veloutée, la poitrine fière, fleurie de deux pointes mûres comme des fruits, à la fois gonflée et tendre, et quelque chose dans la vie de ce corps, quelque chose qui vibrait, s'exaltait.

François la regardait, et son admiration l'emportait presque sur son désir. Il la couvrait de ses yeux et il lui semblait qu'elle en gémissait. Un moment, elle posa, ouverte, les mains sur ses hanches, acceptant d'offrir sa nudité comme le premier plaisir qu'elle lui réservait. Elle ferma même les yeux un instant, en soupirant.

Puis, elle s'agenouilla près de lui, ses doigts s'attaquèrent aux vêtements du jeune homme qu'elle lui retira, le souffle court.

De plus en plus ardente, elle finit de le dénuder et s'offrit à son tour le plaisir de le regarder. Elle s'allongea ensuite contre lui : leurs peaux communiquèrent, partagèrent les mêmes frissons. Elle posa sa tête sur la poitrine masculine, tandis que d'une main vivace elle caressa le désir qui l'intimidait sans se soucier de son audace, haletante maintenant et prononçant des mots dans sa langue, des mots onctueux qui le berçaient, comme on encourage un blessé à croire à la guérison. À la manière dont les mains agiles célébrèrent sa nudité, François dut convenir que le moment viendrait où il allait connaître la caresse conjointe dont il était encore vierge.

Bientôt, l'agacement pointu des seins fermes qui excitaient sa poitrine et les mouvements des doigts qui remontèrent vers ses cheveux le tirèrent de sa léthargie contemplative et sa bouche mordit dans l'épaule qui l'avait soutenu quelques instants auparavant. Du coup, il devint plus agressif, ses mains se firent passionnément curieuses et, d'un raidissement de tous ses muscles, il renversa la position. C'est lui qui prit une initiative tout instinctive, ne sachant exactement où le conduirait cette envie irrépressible d'une finalité inconnue qui tendait son corps, et c'est à peine s'il fut guidé pour accomplir ce qu'on souhaitait ardemment de lui.

Le ciel fuligineux se teintait des couleurs encore incertaines de l'aurore et, entre les huttes, une poudre de neige, de la fumée, aurait-on dit, courait et se renouvelait en un flot abondant. Il avait neigé toute la nuit, une neige d'abord pluvieuse et lourde, puis légère et folâtre. Le paysage de la veille était transformé : plus de bois morts, plus de pierres sombres et plus de tous ces objets hétéroclites et détritus qui jonchaient le sol dans le désordre, seulement des formes blanches et propres, doucement arrondies, et de belles étendues soyeuses dans les clairières.

Émilie s'était endormie sans trop s'en rendre compte, engourdie de chaleur et d'épuisement. Autour d'elle, les Indiens s'étaient tus peu à peu et avaient laissé faiblir les feux. La vieille femme avait basculé dans le sommeil en oubliant où elle était, ce qu'elle venait de vivre. Elle n'avait pas noté l'absence de François et avait fermé les yeux dès que son dos éreinté avait touché la terre battue.

Le bruit du vent circulant toute la nuit dans la bourgade, sifflant par moments, hurlant par d'autres, ne l'avait pas atteinte ; elle avait dormi sans interruption jusqu'à ce qu'elle ouvre les yeux avec l'impression de les avoir tout juste fermés.

Dans la grande tente où tous les feux de la veille étaient éteints, elle était seule, et la lumière blafarde, chargée des vapeurs de l'humidité qui émanait des parois, la fit frissonner. Pendant quelques secondes, dressée et inquiète, elle se remémora les derniers moments de la veille, jeta à la dérobée des regards inquisiteurs et parvint à retrouver le bruit insolite et indéfini qui – elle le constatait maintenant – l'avait réveillée. C'était une vague rumeur allant s'amplifiant pour devenir bientôt un mugissement qui gonfla à son tour. En peu de temps, ce fut un hourvari qui la fit se lever aussi précipitamment que le lui permettaient ses vieilles jambes pour aller voir dehors.

Il neigeait, encore. Des flocons duveteux virevoltaient, peu pressés de se poser, et tachetaient le paysage de gros points blancs. Le soleil perçait à peine l'espèce de brouillard qui masquait le ciel et il y avait partout de grands pans d'ombre à l'opposé de surfaces plus éclairées qui recevaient quelques rayons aux reflets irisés.

Sur un talus dominant la bourgade, Émilie aperçut une file d'Indiens qui se déplaçaient, de la neige jusqu'aux genoux. Ils serpentaient entre les boqueteaux nus, avançant lentement en de molles ondulations, descendant les faibles dénivellations et les escaladant dans le même mouvement continu. Et c'est de cette procession d'allure tranquille que montaient des battements de tambourins, des tapements mats et saccadés de mocassins contre le sol dur sous l'épaisseur de la neige, et des onomatopées rauques appuyant tout ce tintamarre.

Voulant connaître les raisons de cette colonne bruyante, Émilie trouva sa bougrine qu'elle passa rapidement et sortit en se boutonnant. Elle dut se frayer un chemin. À la manière d'un canot qui fend les eaux, elle ouvrit une voie dans le blanc qui moutonna de chaque côté d'elle. Sans trop d'effort quand même, elle parvint à rejoindre la piste déjà ouverte par les Kitcispiwinis et s'y engagea pour les suivre, car, le village étant vide, elle était persuadée que François et le bébé de Charlotte étaient parmi eux.

Déjà, elle ne voulait plus voir sa tragique odyssée sur la rivière des Prairies que comme un mauvais souvenir – pouvait-on imaginer de situation plus définitive que la mort de Charlotte ? –, et c'est à la peine de Vadeboncœur, qui venait ainsi de perdre son dernier enfant, qu'elle songeait maintenant. Grâce à Dieu, Charlotte était morte en assurant sa postérité : un lien rompu aussitôt renoué. Dans son cœur de mère expérimentée, forgé à l'épreuve, Émilie voyait dans ce paradoxe les caractères mêmes de la destinée. Si Charlotte n'avait jamais été enceinte, conformément à toute prévision, Vadeboncœur n'aurait jamais eu de descendance. Et elle en venait à conclure que tout était bien ainsi, sur le ton de penser le contraire...

Mais elle décida une fois de plus de cesser de réfléchir pour ne pas perdre ce qui lui restait de courage dans ce matin neigeux qui lui préparait certainement une autre journée difficile. Elle avait faim, et elle avait soif. Elle n'avait plus l'âge des nuits à la dure et des promenades embarrassées de neige épaisse. À bout de souffle, elle se trouvait lourde, lourde.

Un moment, elle perdit les Indiens de vue. Devant elle, la piste toute fraîche se poursuivait au-delà du sommet d'un monticule et, quand elle l'eut escaladé – son élévation était insignifiante –, elle les retrouva en contrebas et comprit qu'il s'agissait vraisemblablement d'un cortège funèbre, les huit Kitcispiwinis qui ouvraient la marche portant les brancards de deux corps recouverts de peaux rasées. Les tout premiers étaient suivis d'un groupe de jeunes enfants brandissant ce qui paraissait être des hochets d'écorce, puis venait François, flanqué de cette jeune Indienne qu'Émilie reconnut, à la masse foncée de ses cheveux, pour être celle qui s'était adressée en français, la veille, à son petit-fils.

Devançant de son regard le mouvement de la troupe, Émilie repéra un trou béant qui fumait légèrement à côté de quelques tas de terre fraîchement retournée. Bientôt, elle vit les Indiens l'atteindre et y déposer tout près les deux corps.

Alors, deux conclusions jaillirent avec fulgurance dans l'esprit d'Émilie : l'un des deux corps était celui de Charlotte et ce trou béant, une fosse où l'enterrer. Son sang ne fit qu'un tour et oubliant les restrictions de son âge, son physique balourd et la faiblesse de ses jambes, elle partit d'un bond pour dévaler le glacis. Son entreprise fut brève : le temps de poser un pied sur la pente, elle tomba, entraînée par son poids, et elle roula sur elle-même de plus en plus vite dans la neige collante, dégringolant ainsi jusqu'en bas. Des ricanements fusèrent alors que François s'empressait de libérer sa grand-mère en labourant la neige de ses mains, aidé bientôt par plusieurs Indiens. Le visage rosi d'Émilie apparut, des cristaux accrochés à ses cils et à la frange de ses cheveux, le souffle emballé et les yeux écarquillés, l'expression plus indignée que douloureuse. Aidée par François, elle se releva et se contenta de sourire, un sourire en coin, discret comme l'aveu d'une faute vénielle. Cette attitude parut aux Kitcispiwinis comme la manifestation d'un courage certain et plusieurs l'encerclèrent pour exécuter quelques pas d'une danse joyeuse. D'autant plus qu'aucun d'eux n'était vraiment en deuil, Charlotte leur étant étrangère et Piwapik'oti – l'autre corps était le sien – aussi, d'une certaine manière. C'est le respect qui leur avait dicté d'honorer ces morts, non le malheur. Ils avaient creusé la fosse dans les toutes premières lueurs de l'aube et l'avaient ensuite tapissée d'écorces. Ils avaient transporté et déjà déposé au fond du trou les armes de Piwapik'oti. Quant à Charlotte, qu'ils devinaient inapte à la chasse et à la pêche, ils avaient déposé dans sa bière, séparée de celle du sachem par une cloison de pin rugueux, du gibier, du poisson et des baies sauvages.

– François, nous ne pouvons les laisser faire…

L'émotion d'Émilie à l'idée d'abandonner la fille de Vadeboncœur Gagné dans cette clairière anonyme faisait trembler sa voix.

– Je sais, grand-mère. J'y ai pensé déjà, mais je n'ai pas pu…

Il avait jugé inapproprié de présenter sa requête au moment de se joindre au cortège qui passait devant le tipi où il avait dormi. Une fois dans le rang, il avait remarqué un Kitcispiwini immédiatement derrière lui, paré d'atours particulièrement beaux : une tunique de peau quasi blanche, brodée de poils d'orignal et frangée d'épines de porc-épic, les uns et les autres d'un vert luisant, plusieurs wampums composés de coquillages et d'osselets mêlés, et de longues mitasses enveloppant la jambe jusqu'aux genoux. Voyant l'intérêt de François, sa jeune amie indienne – elle s'appelait Mégouss (Perle de verre) – lui avait glissé à l'oreille :

– C'est Animikié (le Grand Aigle), notre chef.

François s'était dit qu'au moment opportun, c'est avec lui qu'il allait s'expliquer.

Ce moment était venu.

– Laissez-moi faire, grand-mère…

Digne, il alla se planter devant Animikié en croisant les bras haut sur sa poitrine à la façon indienne.

– Grand chef (mais est-ce vraiment ainsi qu'il devait l'appeler ?), je vous demande de nous laisser partir avec la jeune femme morte et son bébé.

Aucune réaction : le chef le fixait, impassible, l'expression neutre.

Autour d'eux, on ne disait plus un mot et tous les regards écrasaient François. Peut-être cet Indien n'avait-il rien compris ? Fallait-il faire des signes, accompagner les mots de gestes descriptifs ?

Et la neige continuait de tomber, scellant le silence.

François ne voyait plus que ce visage à la peau foncée, dont les yeux noirs le tenaient au bout d'un regard de pierre. Le jeune garçon tremblait un peu ; il allait perdre contenance quand, le bousculant presque, Mégouss intervint et parla d'une voix ferme, avec des vides entre les syllabes et prenant des intonations parfois proches de la violence. Elle fit aussi de grands mouvements des bras et termina son discours en se tournant face à l'ouest, pointant un doigt dans la direction des terres de Vadeboncœur Gagné.

Le chef sourcilla, les rides se multiplièrent sur son front et il tendit un bras devant lui, main ouverte au niveau de l'épaule, paume tournée vers le sol. Il parla à peine, ne prononçant que quelques mots. Puis il sembla se désintéresser complètement de François, lui tournant le dos et marchant vers la fosse.

– Notre chef comprend, dit Mégouss au jeune garçon, il comprend et va ordonner qu'on mette la femme blanche sur une traîne et qu'Yanatheh et son frère, Nipikan, vous accompagnent.

Un chien pointait du museau devant Émilie sans toutefois la toucher et elle suivait des yeux le chef qui acceptait des mains d'une squaw un petit ais rembourré d'où émergeait la tête d'un bébé à la peau claire. Une bouffée de tendresse gonfla le cœur de la vieille femme meurtrie par l'alternance de ses sentiments : la douleur d'un deuil et la liesse d'une naissance. Elle vit le sachem revenir vers François et fixer lui-même l'ais sur son dos.

Puis, le jeune garçon et sa grand-mère chaussèrent des raquettes, sans lesquelles ils n'auraient pu raisonnablement envisager la longue marche qu'ils allaient entreprendre dans la neige molle.

À l'instant du départ, ce fut sans doute sa pudeur vaniteuse qui retint Mégouss de manifester quelque émotion et de se jeter une dernière fois contre François, ne serait-ce que pour le voir rougir encore et retrouver ainsi un peu de ses expressions de leur nuit commune. Il regarda la jeune fille avec candeur et faillit se montrer plus démonstratif qu'elle, mais la présence d'Émilie l'intimida et il adopta une attitude similaire à celle de l'Indienne.

La neige s'était arrêtée. Ainsi, pendant quelques jours, l'empreinte du brancard de Charlotte demeurerait très nette à côté de celle de Piwapik'oti. À cette vue, Émilie pensa deviner un avenir fait à la fois de rapprochement et d'éloignement entre les deux peuples de la

Nouvelle-France, comme si la paix allait venir de la guerre ou la guerre, de la paix.

Et elle ne put s'empêcher de sourire à l'idée qu'une Indienne avait été la première femme à allaiter l'enfant de Charlotte.

Chapitre IV

Intérieurement, il était agité, mal à l'aise. Extérieurement, il était calme.

Il regardait posément autour de lui les murs de bois dorés par les feux d'âtre des hivers successifs, les meubles patinés par les années, et la silhouette, imprécise dans la lumière, de celui qu'il considérait comme son père, Vadeboncœur Gagné.

– Vous avez demandé à me voir…

C'est tout ce qu'il avait dit depuis son entrée dans la pièce. Le rectangle tout en hauteur d'une des fenêtres donnant sur le fleuve Saint-Laurent était trop effervescent pour qu'il puisse deviner les contours de l'homme qui retenait d'un doigt le rideau de batiste d'une blancheur impalpable. Aussi, il ramena son regard vers l'intérieur de la pièce.

En pénétrant dans ce cabinet de travail quelques instants plus tôt, il n'aurait pu vraiment dire s'il s'y reconnaissait ; il revenait de trop loin, il avait été absent trop longtemps. Mais depuis un moment, il retrouvait jusqu'à l'âme des lieux et cette sensation réconfortante, chaleureuse, le rassurait.

Il ressemblait étrangement à sa mère, Marie-Ève de Salvaye : s'il n'avait aucun de ses traits, et si ses yeux – des yeux pâles et apaisants – n'avaient rien du vif chatoiement de ceux de la fille de Thérèse Cardinal (sa grand-mère morte vingt ans auparavant), ses manières, ses expressions, toute sa façon d'être était si proche de la compagne de Vadeboncœur qu'on ne pouvait le voir sans penser à elle.

En un mot, c'était un Cardinal plutôt qu'un de Salvaye, cette famille qui n'avait jamais pris racine au pays. On le disait beau : d'un profil très pur, ses lèvres un peu boudeuses rappelaient celles de Vadeboncœur enfant. Son teint mat – celui de sa mère – lui donnait un air de noblesse sous sa chevelure soignée, d'un brun presque roux.

Il portait une moustache clairsemée et ses joues creusées par la fatigue accumulée lui faisaient un visage long, trop long pour la jeunesse de ses traits.

Lorsqu'il était arrivé au manoir, sa mère lui avait recommandé :

– Olivier, ne dis rien d'abord. Attends qu'il te parle, puis mets-le au courant en lui donnant le *Journal*...

Se tordant les mains d'anxiété et la voix triste, elle avait ajouté :

– Je sais que ce n'est pas le moment, mais il ne s'en trouvera jamais vraiment un pour lui annoncer une telle nouvelle. Alors, aussi bien que ce soit tout de suite.

En guise de réponse, il avait souri légèrement, tout en rectifiant le rabat qui ornait le collet de son pourpoint blanc à poignets bleus, dont il avait tiré les pointes pour bien le lisser autour de sa ceinture, et il s'était dirigé vers l'autre extrémité de la maison afin d'y rencontrer le commerçant, armateur, et ancien bailli de Ville-Marie. C'était la première fois qu'il éprouvait une telle nervosité en sa présence et de savoir que Vadeboncœur allait s'en apercevoir ajoutait à son désarroi. Pour s'aider, se donner de l'aplomb, il toussa.

Les rideaux qui filtraient le jour couchaient des pans lumineux sur le plancher. Cette paix, ce calme... Cette immobilité qui reflétait le confort et l'aisance d'une solide réussite matérielle. Un gobelet en terre du pays fumait au milieu d'un amas de cartes et de devis qui masquaient en partie le dessus ouvragé d'une table derrière laquelle se dressait le dossier galbé d'un fauteuil, autant de choses qu'Olivier n'avait pas vues d'abord.

Toujours perplexe sur l'attitude à prendre, il songea un moment à se lever.

Dehors, le soleil, bas, disparaissait derrière les montagnes. Mais la lumière, tons d'orange et de rouge, persistait et continuait d'embellir le manoir du Bout-de-l'Isle oublié dans le décor agreste d'une clairière enchâssée au milieu de la forêt à l'extrémité ouest de l'île de Montréal. Ses murs blancs, striés de marcottes de vignes, adoptaient pendant tout le jour les couleurs changeantes des heures : ainsi, au fil des saisons, l'humeur du temps s'y reflétait-elle entre matin et soir, comme la vie elle-même sur le visage du temps.

Olivier s'attarda finalement à un détail qu'il avait remarqué le jour de son départ pour les îles : appuyé sur la pierre au-dessus de la cheminée, un blason en bois, représentant une gerbe de blé croisée d'une faucille à dents, armes du sieur Pierre Gagné, le père de Vadeboncœur, mort des suites d'une longue maladie dans ce fauteuil qu'Olivier occupait, justement.

Rien de tout cela ne lui était banal.

Vadeboncœur bougea. Il laissa retomber le rideau, prit sa pipe posée sur une tablette à côté d'une lampe à huile, la bourra, nonchalamment. Son front luisit au-dessus de la mèche de paille qu'il alluma à des cendres chaudes. Il vint s'asseoir derrière la lourde table et le plancher gémit. Il parut à Olivier que la plainte était venue d'un endroit très précis et que ce craquement faisait partie de la vie propre à cette pièce.

Il avait chaud : une goutte de sueur lui chatouillait l'arête du nez. Il l'essuya. Puis sa main glissa de son front humide à ses cheveux dont il lissa une mèche rebelle et il continua d'attendre. « Attends qu'il te parle », lui avait recommandé sa mère.

Une domestique apparut à la porte, l'air curieux, puis contrit, et disparut aussitôt derrière l'huis qu'elle tira doucement.

De nouveau Vadeboncœur se leva, retourna à la fenêtre, appuya le front contre le dos d'une main plaquée sur la vitre. Au-delà de la nouvelle terrasse qu'il avait fait construire et qui s'étendait du manoir jusqu'au sommet du glacis qui descendait jusqu'à l'eau, le fils du sieur Gagné contemplait le mouvement du fleuve, le Grand Fleuve, artère vitale d'un pays sans limites, lien de communication entre des habitants éparpillés sur un territoire aux horizons sans fin, seule voie de pénétration au secours d'une colonie autrement isolée, et seul moyen d'en sortir pour gagner l'océan dont les rives touchaient la France. Le Saint-Laurent, l'allié naturel de ces Canadiens qui, comme Vadeboncœur, avaient compris qu'après le sentiment d'appartenance à la terre il fallait, pour créer un pays, l'enrichir, exploiter ses ressources, développer l'autonomie sans laquelle il ne demeurerait qu'une province française éloignée. Ambition que niait Pontchartrain, le ministre de la Marine. Pas question que la Nouvelle-France fasse concurrence à la métropole : le prestige même de la France risquait d'en souffrir sur la carte de l'Europe. La tutelle devait donc demeurer et, dans ce contexte, toute tentative des Canadiens pour s'en détacher prenait aux yeux de l'Administration des allures de complot séditieux.

Pierre Gagné, immigré en 1653, avait lui aussi souffert de la situation et il avait compris qu'elle entraverait l'éclosion de cette nation nouvelle. Paralysé pendant des mois, si près de la mort qu'on se demandait où se cachaient en lui les restes de vie, l'homme borgne (il avait perdu un œil à la bataille du fort Richelieu) tournait inlassablement le regard vers le cours d'eau tout proche. Une fois, une seule, avec l'espoir le plus fou, Vadeboncœur s'était agenouillé devant le moribond et avait porté à son front une de ses mains inertes. Et il avait essayé d'établir une sorte de communication mystique qui lui aurait permis de saisir la conclusion d'une vie, d'écouter quelque message ultime de celui qui, visionnaire, avait pressenti la tournure de l'Histoire en train de s'écrire.

Mais la main était restée muette, le visage, fermé. Plus tard, beaucoup plus tard, après la mort de son père, il avait compris pourquoi ce dernier avait mis tant de temps – neuf mois ! – à mourir, à laisser s'éteindre la dernière étincelle qui vacillait dans son œil fixé sur le fleuve. C'est que le vieil homme s'était demandé comment pourrait renaître, et survivre, ce fief que les épidémies et les attaques indiennes avaient vidé de ses habitants. À la longue, la force du fleuve – ce géant paisible capable de porter sans fléchir le destin d'un pays et de son peuple – lui avait inspiré l'alliance essentielle : de haut en bas de la Nouvelle-France, d'un port à l'autre comme de ville en ville (puisqu'elles étaient toutes riveraines du fleuve Saint-Laurent), il fallait investir dans le transport maritime.

Cette première réponse ne solutionnait pas le problème de la paralysie de la voie navigable pendant la saison froide. Aussi Pierre Gagné avait-il dû retenir encore sa vie jusqu'au cœur de l'hiver, cœur de glace que seuls les amoureux de cette saison peuvent entendre battre. En février, sans doute avait-il trouvé puisqu'il s'était laissé mourir, sans toutefois avoir pu livrer à son fils le fruit de ses pensées prisonnières.

Vadeboncœur avait repris pour lui-même la longue réflexion de son père. S'appuyant à dessein contre la fenêtre, tout près du fauteuil qui avait accueilli pendant des mois l'immobilité du malade, il avait contemplé maintes fois le mouvement de l'eau qui coulait vers la mer et qui entraînait avec lui le bel avenir des siens. Voilà qu'un matin de printemps il avait compris à son tour, et c'est persuadé d'avoir raison qu'il avait annoncé à Marie-Ève :

– Je serai armateur !

Sans préambule, sans prévenir : « Je serai armateur ! » Tout simplement !

Il avait toujours eu de ces incohérences qui stupéfiaient Marie-Ève ; perpétuellement en mouvement, jamais fixé, depuis le début de leurs amours, il l'avait ainsi emportée d'ambitions en déceptions, de meurtrissures en grandes joies.

Depuis qu'au lendemain de la mort du major de Salvaye elle avait quitté Québec, Marie-Ève vivait avec Vadeboncœur, bien qu'il ne pût devenir son mari à cause de Jeanne de Magny, expulsée de la colonie, mais toujours sa femme. Parce que déjà la réputation de Marie-Ève avait été malmenée lors de la mort de son mari, le major Grégoire de Salvaye, battu en duel par le mari cocu d'une de ses conquêtes (mourir en duel, c'était mourir en criminel), leur liaison les avait longtemps forcés à vivre entre les attitudes lourdes d'insinuations et les reproches allusifs des bien-pensants qui jugeaient leur aventure maudite. Mais leur ténacité avait bientôt triomphé de ces ressentiments éphémères.

– Armateur…

Déjà commerçant, il avait financé des expéditions de traite et importé d'Espagne les liqueurs fort goûtées au pays. Il ne s'était pas contenté de revendre en Europe des peaux de castor, il avait aussi développé le commerce de peaux nouvelles : chevreuil, ours, orignal et raton. Il fournissait la colonie en ustensiles de toutes sortes, dont certains en étain qu'il achetait en Cornouailles, et d'autres en bois qu'il faisait fabriquer par des colons artisans. Ses magasins, situés rue Saint-Paul à Montréal et rue Saint-Pierre à Québec, offraient outils, vêtements, armes et même condiments importés des Antilles françaises. Il était riche : il avait fait fructifier les louis d'or ramenés de Paris après y avoir complété ses études en droit et avait mis en application les rudiments du commerce que lui avaient inculqués les gens de la maison du chevalier de Magny, son beau-père.

– Alors pourquoi, maintenant, armateur ? lui avait demandé Marie-Ève.

– Parce que c'est mon père qui avait raison.

Et il s'était agité, tout son visage s'était animé :

– Écoute. Tout commerce exercé ici et qui n'enrichit pas Paris est condamné d'avance par l'Administration.

Déjà il est défendu de commercer avec les Anglais ou les autres étrangers, on nous refuse les hommes de métiers et les administrateurs dont nous aurions besoin pour améliorer nos productions et gérer nos entreprises... Alors, ce qu'il faut, c'est une affaire où l'État sera à la fois client et fournisseur. Cette affaire, c'est le transport sur le fleuve!

Marie-Ève, le même regard fougueux qu'à ses vingt ans, avait pendant un bon moment laissé la quête d'approbation de Vadeboncœur en suspens. Il avait vu la gravité douce mais inquiète du visage de sa compagne comme une autre manifestation réfléchie de l'affection sans cesse consciente qu'elle lui réservait: elle soupesait le projet. Elle n'allait pas acquiescer d'emblée, comme une amoureuse béate: elle trouverait d'abord ses propres arguments, des motifs plus subtils que ceux, réducteurs, des pratiques commerciales et moins puérils que les certitudes que Vadeboncœur se donnait pour se convaincre lui-même.

Avant qu'elle ne parle, il eut le temps de la trouver tout aussi émouvante et gracieuse que d'habitude. Elle tendit ses mains qu'il pressa dans les siennes et elle dit:

– Tu vois, moi, je crois que c'est ma mère qui avait raison. L'avenir de ce pays est dans ses enfants. Cette idée de vivre par le Grand Fleuve n'aurait pu être celle d'un étranger: beaucoup de ceux qui arrivent songent à le descendre aussitôt pour rentrer en France et beaucoup de ceux qui demeurent parmi nous quelque temps ne supportent leur séjour qu'en se répétant qu'ils vivent à proximité de la voie qui les relie à l'Europe. Mais toi...

– ... mon père, tu veux dire.

– Ton père, et *toi*, Vadeboncœur, toi qui souffrais par cette idée jusqu'à ce que tu la trouves.

C'était une journée gorgée de soleil, exactement comme celle qui ramenait Olivier au manoir après toute une année d'absence, et entourant les épaules de Marie-Ève d'un bras reconnaissant, Vadeboncœur s'était dit que, décidément, cet encouragement achevait de le rendre heureux.

Olivier, qui continuait de l'observer, trouvait qu'à cinquante-quatre ans Vadeboncœur avait un port jeune, le visage encore bien dessiné et quelque chose dans les manières qui donnait à croire qu'on pouvait lui demander n'importe quel effort. Peut-être avait-il bien un peu de cette allure cossue que lui reprochaient certains de ses hommes à gages, mais on disait que lorsqu'il causait avec eux, il le faisait d'une manière si conviviale qu'on oubliait vite ses dehors pour goûter son fond simple. Seul Mathurin Regnault, qui voyait souvent les choses par leur côté saugrenu, le percevait encore comme un personnage transformé en Français condescendant. Même là, c'était davantage pour se flatter de fréquenter des gens importants que le mari d'Émilie cultivait cette image d'un Vadeboncœur hautain.

Pour l'instant, ce dernier ne donnait qu'une impression sereine et le ton de sa voix, quand il parla enfin après s'être assis, ne fit que confirmer la tranquillité de son caractère :

– Marie-Ève me dit que tu as d'importantes nouvelles de Québec ?

Olivier eut-il la tentation d'éviter de répondre immédiatement, voire celle de ne pas répondre du tout ? C'est que, distrait, il s'était laissé glisser dans une sorte de torpeur et son esprit était ailleurs.

– Alors ?

Le ton n'avait rien d'autoritaire, mais il était manifestement décidé. Olivier revint à lui.

– Excusez-moi...

Puisque c'était la première fois qu'il était en présence de Vadeboncœur depuis les obsèques de sa fille, devait-il parler de Charlotte, offrir ses condoléances? Non, s'il s'engageait sur cette voie, il ne saurait comment en revenir. Il se contenta de répondre:

– J'ai d'importantes nouvelles en effet.

Il perçut l'intérêt de Vadeboncœur qui, maintenant prêt à l'entendre, s'avançait un peu sur son fauteuil, posait les coudes sur la table, car les nouvelles de Québec en étaient aussi de la France et, plus particulièrement, de l'Administration de la colonie. Encouragé par cette attitude, Olivier s'anima, prit de l'assurance, s'éclaircit la voix et se permit de soulever davantage encore l'intérêt de son interlocuteur en disant:

– En fait, j'ai pour vous deux grandes nouvelles qui n'ont de cesse de faire jaser les Québécois et... les gens de France aussi, sans doute. L'une est bonne, l'autre est mauvaise...

Dans son désir de le ménager, Olivier avait pris le parti de l'informer d'abord d'un événement heureux.

– Voici. Vous savez sans doute que la marquise de Vaudreuil est à la cour de France depuis environ cinq ans. Eh bien, ces jours derniers, le ministre Pontchartrain a informé le gouverneur que son épouse venait d'être nommée sous-gouvernante des «enfants de France», le duc de Berry lui ayant confié l'éducation de ses enfants.

Vadeboncœur apprécia:

– Bien. Très bien, même.

D'occuper une si belle situation à Versailles était en soi une réussite, mais, à ses yeux, il y avait plus : cela permettrait à la marquise de plaider en faveur de la colonie auprès du roi et de devenir une alliée dans le camp de la métropole. L'enthousiasme provoqué par cette heureuse situation fut cependant de courte durée. Vadeboncœur voulait connaître l'autre nouvelle :

– Et alors, dis-moi, la mauvaise nouvelle ?

Olivier sentit le besoin de prolonger un peu le silence. Il ne recherchait pas tant l'effet que le ton approprié et quand il parla, ce fut d'une voix un peu dure, comme s'il ne voulait glisser sur aucun mot :

– On rapporte que notre roi a concédé aux Anglais le détroit et la baie d'Hudson… Et aussi l'Acadie et l'île de Terre-Neuve, puis toutes les îles qui en sont proches.

– Mais, lança Vadeboncœur, stupéfait, à ce que je sache, nous ne sommes pas en guerre contre les Anglais ? Quelle bataille aurions-nous donc perdue, dis-moi ?

– Ce n'est pas la guerre, mon oncle… C'est la paix, la paix signée à Utrecht entre la France et l'Angleterre pour mettre fin à la guerre d'Europe qui durait depuis douze ans…

Et Olivier se pencha pour prendre dans sa besace le *Journal des Savans* qu'il tendit à Vadeboncœur.

Vadeboncœur déplia le journal. Ses yeux, comme toute son expression, se rembrunirent lorsqu'il lut :

Paris

Signature du traité d'Utrecht.

Douze années de guerre sur la grande scène européenne, une autre de négociation extrêmement complexe en Hollande afin de dénouer l'écheveau compliqué de la diplomatie internationale en quête d'un équilibre entre les grandes puissances, et c'est enfin la signature d'un traité de paix à Utrecht. La guerre de succession d'Espagne est finie : le petit-fils de Louis XIV montera sur le trône d'Espagne alors que le roi Philippe V a dû renoncer, pour lui et ses descendants, à toute prétention au trône de France. La France et l'Angleterre sont les maîtres d'œuvre de cette paix nouvelle dont les termes ont été ratifiés par la Hollande, le Portugal, la Prusse et les deux nouveaux rois de Sicile et de Prusse. C'est l'accession de Philippe V, le petit-fils de notre roi Louis, sur le trône d'Espagne qui avait provoqué une coalition européenne contre la France, fomentée par une alliance anglo-autrichienne. Aujourd'hui l'Autriche n'est toujours pas partie de la paix, mais les négociations évoluent en ce sens avec les plénipotentiaires de notre pays en poste à Rastadt et les autorités autrichiennes. Les principaux compromis qui ont composé l'attitude raisonnable de la France devant son désir pacifique sincère de l'Angleterre sont la renonciation par Louis XIV de son ambition de faire régner en Angleterre un roi catholique de la famille des Stuarts, l'abandon d'importants postes coloniaux, soit Terre-Neuve, l'Acadie et la baie d'Hudson, en Nouvelle-France et l'île Saint-Christophe aux Antilles. S'il apparaît à première vue que notre pays sort perdant de ce marché, il n'en est rien : l'essentiel étant la puissance de la France sur le continent européen, ce grand principe est parfaitement servi par la présence du petit-fils de notre roi à la tête de la cour d'Espagne.

Et dès qu'Olivier s'aperçut que Vadeboncœur levait les yeux du texte, il lui tendit un autre document en le prévenant :

– Et voici un commentaire qui circule sous le manteau à Québec. Il paraît que le gouverneur lui-même l'a lu, mais sans sévir contre son auteur que certains disent être un jésuite proche de l'archevêché…

La Nouvelle-France encerclée.

Il n'aura pas été nécessaire de perdre quelque bataille et il aura été bien inutile de défendre nos frontières pendant deux siècles : par les concessions qui seront faites aux Anglais dans le traité d'Utrecht, la mère patrie va permettre à nos ennemis d'encercler, sans peine et sans effort, la Nouvelle-France. En contrôlant Terre-Neuve, les Anglais contrôleront le golfe Saint-Laurent, donc les communications avec l'Europe ; en occupant l'Acadie, ils nous couperont la voie de la Louisiane ; en reprenant la baie d'Hudson, ils reprendront sur nous l'avantage de pouvoir pénétrer la colonie par les tributaires qui se jettent dans les Grands Lacs et de là dans le fleuve.

– C'est la mort de la colonie par étranglement ! s'exclama spontanément Vadeboncœur, et son poing s'abattit sur la table.

Il n'avait pas pesé ses mots. Il faisait confiance à Olivier : ce dernier n'allait pas juger séditieux qu'on dénonce avec tant de violence une décision royale si injuste pour les intérêts de la Nouvelle-France. Surtout que le traité hollandais effaçait tous les gains fameux de Pierre Le Moyne d'Iberville, qui avait réussi à déloger les Anglais de la baie d'Hudson en septembre 1697 alors qu'avec un seul navire, *Le Pélican*, il avait mis en déroute pas moins de trois vaisseaux ennemis, le *Dering*, le *Hampshire* et l'*Hudson Bay*.

Maintenant, dans le cabinet de travail, l'atmosphère pesait lourd. Une sorte de défaitisme, dont il n'avait pourtant pas l'habitude, s'insinuait chez Vadeboncœur. Mais il n'allait pas donner au fils de Marie-Ève quelque raison de croire qu'il pouvait être faible. Aussi, il trouva une formule qui conjurait la fatalité :

– Aujourd'hui, j'ai enterré ma fille, mon dernier enfant, et on nous attend dans la salle commune pour baptiser ma petite-fille : l'avenir n'est jamais loin du passé. Il *faut* croire en la force du destin et puisque celui de ce pays est de survivre, il survivra.

Il se leva, contourna son bureau et posa une main sur Olivier :

– Viens. Les autres nous attendent.

Chapitre V

Ils sortirent du cabinet au moment même où Marie-Ève venait les chercher.

– On vient. On vient…, lui confirma doucement Vadeboncœur.

Il laissa passer Olivier avant de lui emboîter le pas.

Malgré que Marie-Ève portât une robe de deuil, elle était tout charme et sa taille mince lui conférait un air juvénile. Son visage vivait de toute l'animation de ses yeux noirs exceptionnels, au regard aussi pointu qu'au temps de sa jeunesse curieuse et sa peau paraissait à la fois douce et vivante, à peine hâlée par l'âge. Sa bouche gardait ce pli charmant, un peu provocateur, et ses expressions fascinaient par leur vivacité.

Elle avançait sans parler. La communication intérieure qui les unissait depuis dix-sept ans suppléait tous les mots qu'ils auraient pu trouver et dire dans les circonstances. Ils rentraient du fief de Belle-Vue, à un quart de lieue, où l'abbé de Belmont avait célébré le service funèbre de Charlotte dans la petite église de pierre. Le corps de la défunte reposait maintenant dans le charnier, en attendant que le dégel permette son inhumation.

La veille, selon la coutume, on l'avait exposé sur des planches dans une grande salle du manoir et tard dans la soirée, toujours selon la coutume, il y avait eu réveillon. La famille et les proches s'étaient réunis autour d'un repas au ton grave au cours duquel on avait évoqué la jeunesse de la morte, comme si jamais elle n'avait eu d'âge adulte, tentant par là de filtrer les mémoires pour qu'elles ne conservent de Charlotte que des souvenirs heureux.

L'événement avait rapproché Vadeboncœur et Marie-Ève. Ils avaient déjà connu ensemble d'autres moments difficiles et appris à vaincre les situations adverses. Ainsi des années durant, on les avait montrés du doigt. Il s'était même trouvé que Mgr de Saint-Vallier, à la réputation de religieux étroit, avait manifesté l'intention de les excommunier à cause du concubinage qu'ils affichaient avec tant de naturel. Heureusement, des circonstances imprévisibles avaient fait avorter ce sombre dessein : rentrant au Canada après un voyage en Europe l'ayant conduit jusqu'aux pieds du pape Clément XI, au large des Açores, le prélat fut fait prisonnier par les Anglais. La reine d'Angleterre avait mis quatre ans à négocier sa liberté contre celle du baron de Méan prisonnier en France, et Louis XIV lui avait refusé pendant quatre autres années l'autorisation de rentrer en Nouvelle-France, de peur que son retour dans la colonie – où sa longue absence avait favorisé un relâchement des mœurs et une rumeur d'hostilité envers l'Église – ne provoque un affrontement avec les autorités laïques.

Mais tout cela appartenait à l'histoire et, depuis plusieurs années maintenant, Vadeboncœur et Marie-Ève vivaient leur union sans paraître marginaux et s'il arrivait qu'on parlât encore d'eux, c'était pour en dire du bien.

Tout en marchant contre elle, discrètement, Vadeboncœur caressait le dos de sa compagne d'une main ouverte. Altière, Marie-Ève se cambra et, dans un mouvement à peine perceptible, s'appuya contre lui. C'est ainsi qu'ils pénétrèrent dans la grande salle du manoir.

C'était dans cette même pièce que Pierre Gagné donnait des fêtes à l'époque où la seigneurie du Bout-de-l'Isle portait ses plus belles promesses d'avenir. Si le plancher de bois franc était toujours lisse d'usure sous les mêmes catalognes de couleurs multiples, les murs de pierres massives avaient été lambrissés de boiseries de merisier rouge dont l'uniformité ajoutait au confort chaleureux de cette salle, que d'épais rideaux de serge verte enveloppaient d'un luxe classique rappelant celui des grandes résidences françaises.

Sur les murs on avait accroché en alternance de lourdes tapisseries finement travaillées et des tableaux représentant des scènes indiennes ou des paysages aux couleurs douces. Au centre de la pièce, des fauteuils à doucine recouverts de brocart encerclaient un cabinet d'ébène que Jeanne-Mance, la fondatrice de l'Hôtel-Dieu de Ville-Marie, avait donné au père de Vadeboncœur. Les autres meubles étaient essentiellement des buffets et des vaisseliers, une grande table toute en longueur et un secrétaire.

Une lumière déclinante tombait des grandes fenêtres et éclairait faiblement un petit groupe qui se tenait près de la cheminée. Lorsque Marie-Ève, Vadeboncœur et Olivier s'en approchèrent, une jeune fille un peu excitée et un peu attristée se détacha du lot :

– Elle est belle, tu sais, maman…

C'était Louise-Noëlle, la sœur d'Olivier, qui se dirigeait vers une femme, les bras chargés d'un poupon endormi. Marie-Ève s'approcha à son tour de Marguerite Averty, la fille du scieur de long bien connu de Lachine, dont le mari s'était noyé dans les rapides du Sault Saint-Louis. Elle était venue au manoir offrir ses services dès qu'elle avait appris la naissance de l'enfant et la mort, simultanée, de Charlotte. C'était une fille forte de santé et de caractère, décidée mais facile à vivre, qui savait s'adapter aisément à toute situation. Marie-Ève la connaissait depuis qu'à l'île Bizard elle était venue aider aux travaux des champs avec ses deux frères.

Satisfaite des regards chaleureux qui enveloppaient l'enfant qu'elle avait langée et préparée pour la cérémonie, Marguerite alla la déposer dans le ber à quenouilles, tendu de tulle de coton, qu'on avait transporté dans la salle pour la circonstance.

– Elle a dormi tout l'après-midi : j'ai dû la réveiller pour la faire boire, car je voulais un bébé calme pour le baptême… Regardez, on dirait qu'elle sourit !

Petit être au visage encore indéfini, l'enfant bougeait, agitait ses mains déjà potelées, inconsciente du poids de l'atmosphère qui régnait autour d'elle. En effet, depuis deux jours, la vie au manoir était un éprouvant amalgame de bonheur et de tristesse. On ne savait plus s'il fallait fêter ou porter le deuil. On cherchait le fond des choses, un point d'appui grâce auquel on aurait pu séparer le bon du mauvais et, surtout, dissocier en séquences très nettes la vie et la mort. Vadeboncœur lui-même n'avait cessé de se poser ces questions qui ne rencontrent de réponses qu'au bout d'un certain temps, au bout d'un certain cheminement intérieur : pourquoi est-il permis de mourir si jeune quand on vient tout juste de donner la vie et que cette vie nous appelle à son chevet? Pourquoi mourir alors que la vie n'avait jamais été aussi nécessaire? Il tentait d'ordonner toutes ces idées afin de faire face, de continuer à vivre, car il savait d'instinct que la mort de sa fille ne l'autorisait pas à baisser les bras: il lui restait la responsabilité de ses affaires, bien sûr, mais surtout la responsabilité de l'affection des siens, de l'amour de Marie-Ève et de celui qu'il donnait déjà à sa petite-fille, le prolongement de Charlotte.

Lui, déjà roué par tant de réalités implacables et de problèmes, se trouvait décontenancé devant l'injustice de cette mort. Il aurait aimé pouvoir se projeter un instant hors de lui-même pour analyser l'événement et prendre les décisions adéquates.

Pendant qu'on s'extasiait devant les mimiques du bébé, l'abbé de Belmont sirotait une tasse de bouillon chaud et Émilie, qui se déplaçait de plus en plus difficilement sur ses jambes boudinées, se laissait tomber dans un fauteuil, se vidant les poumons d'un interminable soupir. Mathurin qui tournait ses mains froides vers le foyer grommela en l'observant:

– Tu t'en fais trop, je te dis. Cesse de ruminer comme ça, tu vas en mourir.

– J'aurais bien voulu t'y voir, toi, mon vieux, avec François et moi…

Du regard elle chercha un moment son petit-fils et le trouva debout presque derrière elle. Elle raffermit sa voix:

– Tu n'aurais pas encore repris ton souffle, tiens! On n'imagine pas des choses de même…

Devinant tout le désarroi contenu dans ces mots, l'abbé de Belmont jugea qu'il était de son devoir d'intervenir. Il se leva. Grand et sec, il en imposait par sa prestance réservée et son air d'ecclésiastique confit de paternalisme. Empruntant à son rôle les gestes familiers, il ramena ses mains sous son menton, releva la tête et intensifia sa voix :

– Je vous comprends, madame Regnault. Vous avez vu la mort, vous avez vu la vie, ensemble. Vos émotions se sont croisées : peine et joie, douleur et bonheur. Témoins en même temps de l'événement le plus heureux et du plus pénible, vous en avez gardé une blessure qui ne saura guérir tant que vous la contemplerez. Mais il faut vous souvenir que la mort est si inévitable que l'âme la considère comme de routine. La vie, convenez-en, n'est jamais, au fond, bien longue et on n'y trouve toujours que satisfaction passagère... La mort demeure une grande libération : mais nos sentiments humains l'oublient. J'ai vu la souffrance subie par des gens courageux, fiers et forts qui, pour survivre, avaient choisi des méthodes souvent plus atroces que la mort elle-même, et qui ont rendu leur âme dans un moment de grand calme, étonnés de découvrir une telle sérénité à l'heure de la mort. Bien sûr, la naissance est facile à comprendre et nous rallie à l'idée d'un Dieu qui donne la vie ; on comprend moins bien cependant qu'il la reprenne... Peut-être est-ce parce que la naissance est tangible et la mort, impalpable. Quand naît un enfant, on a l'impression que c'est la première fois que se produit le phénomène et on en est transporté ; on éprouve la même impression quand l'un de nos proches meurt, mais on en est atterré. On ne s'habitue pas, on ne s'habitue jamais.

On ne s'habitue jamais... Les dernières paroles du prêtre avaient rejoint Olivier, qui, sous l'effet de la chaleur, somnolait maintenant sur une chaise droite. Un instant, il entrouvrit les yeux, puis sombra à nouveau dans son engourdissement. C'est que, depuis son arrivée, il était dans un état d'épuisement total. Si à Ville-Marie l'hiver était en veilleuse, à Québec, ce début de mars respectait tout à fait sa tradition de mois de tempêtes et, jusqu'aux Trois-Rivières, il avait dû voyager dans des conditions pénibles. Les congères avaient rendu les chemins impraticables et souvent il lui avait fallu descendre pour tirer son cheval par la bride et l'aider à labourer la neige de son poitrail. Bientôt il avait dû abandonner sa carriole pour continuer en cavalier, les raquettes au dos, sanglé de toutes ses munitions et provisions. Il avait dormi à la belle étoile et il s'était réveillé au matin enfoui sous plusieurs pouces de neige, complètement perdu, le blanc ayant recouvert tous ses repères.

Un bruissement de robe lui fit tourner la tête. Il vit Louise-Noëlle qui se penchait pour prendre l'enfant. Comme tous ceux qui s'étaient déjà approchés d'elle, il trouvait sa sœur exceptionnellement belle. Les cheveux noirs, elle avait des yeux d'un bleu si pâle qu'on aurait pu la croire myope. Ses traits étaient la finesse même, quoique son expression portât l'empreinte d'un caractère fougueux. C'était un être à part, qui soulevait les passions. Pourtant, elle paraissait toujours parfaitement à l'aise et innocente, bien loin des sentiments vifs qu'elle provoquait. On répétait de par toute la colonie que sa réputation portait loin, jusqu'à la cour de France où quelques nobles ayant séjourné au pays vantaient sa beauté. Quand elle apparaissait, des images venaient embellir l'imagination de ceux qui la voyaient et, souvent, s'installaient le silence, la gêne. En fait, elle ressemblait aux héroïnes des tragédies classiques qu'on lui avait enseignées chez les ursulines. Mais, pour l'instant, elle ne jouait aucun rôle. L'absence du père du bébé était de plus en plus douloureuse alors qu'approchait le moment de bénir l'enfant. En effet, Joseph Devanchy était toujours retenu à Québec où, à cause de la tempête, le messager envoyé pour lui rapporter les événements n'était certainement pas encore rendu. D'ailleurs, Olivier ne devait lui-même sa présence au manoir qu'aux ordres du capitaine de port qui l'avait envoyé au Bout-de-l'Isle pour informer Vadeboncœur des dernières nouvelles de Paris.

Voyant que l'abbé de Belmont prenait ses ornements et venait vers Louise-Noëlle, tous se levèrent. Et pendant que le prêtre ondoyait l'enfant, qu'il récitait quelque prière latine sur le ton de quelqu'un qui se parle à lui-même, le bébé se mit à pleurer.

Si l'on avait déjà informé l'officiant que Louise-Noëlle serait la marraine et François, le parrain, on ne lui avait pas indiqué le nom de l'enfant.

– Comment l'appellerons-nous ?

Et comme si cela allait de soi, c'est vers Vadeboncœur, le grand-père, qu'il se tourna pour obtenir la réponse.

Mais c'est Émilie qui, revivant l'instant où le délire avait habité l'esprit de Charlotte, répondit d'un ton appelant l'évidence :

– Marie…

CHAPITRE VI

Au campement des Algonquins, le printemps puis l'été furent remplis du souvenir de ces Blancs accompagnés d'une jeune morte et d'un bébé naissant qui, un jour, avaient débarqué d'une glace à la dérive. À force de redites et d'évocations, l'événement perdit peu à peu ses derniers contours réels pour se loger dans la légende.

Cependant, tout à l'opposé, la vengeance de Piwapik'oti prit les dimensions d'une implacable réalité aux conséquences de plus en plus menaçantes. Au début, on crut pouvoir oublier l'odyssée du vieux chef ou à tout le moins la considérer comme un épisode appartenant à l'histoire de son clan disparu. Mais bientôt, il fallut regarder les choses autrement : on ne pouvait ainsi impunément exécuter des Blancs sans risquer d'encourir les coups de leur justice. Depuis la paix de 1701 à Montréal, des gestes comme ceux de Piwapik'oti prenaient les proportions de meurtres, ni plus ni moins. Si des Blancs devaient répondre du massacre des siens, c'est à la justice blanche que le vieil Indien aurait dû recourir. On n'en était plus au temps des escarmouches au cours desquelles les Indiens assaillaient les habitants de Ville-Marie sortis travailler aux champs. Les attaques de guérilla n'avaient plus cours, le fameux traité ayant définitivement tourné cette page de l'Histoire. Aussi l'inquiétude muette qui avait couvé dans le campement à la nouvelle des exécutions de Piwapik'oti devint-elle bientôt une crainte manifeste de quelques représailles.

Un matin de septembre, alors qu'il rentrait au pays, Wapana, le fils aîné du chef Animikié, s'enferma dans sa tente sans parler à qui que ce soit. Une telle attitude était éloquente : le jeune Indien avait quelque chose à cacher. En s'isolant, il se garantissait contre toute sollicitation et pouvait espérer qu'on l'oublie.

C'est au bout de quelques jours seulement que ses parents, ses amis, puis bientôt tous ceux qui le connaissaient, n'y tenant plus, demandèrent :

– Mais que devient donc Wapana ?

Animikié décida alors qu'il devait connaître les raisons de l'isolement de son fils et força l'entrée de sa tente.

D'abord, le jeune Indien refusa de lui parler. Puis, il se perdit en balivernes, sur un ton haché et rapide. Il fallut que son père le somme de cesser de fuir en lui-même pour que Wapana le regardât en face et libérât ce qu'il s'était obstiné à garder prisonnier en lui. Un long moment s'écoula ainsi avant que le chef sorte de chez son fils, et quand on s'informa des résultats de sa démarche, il dit :

– Mon fils jongle avec des idées énormes comme des nuages qui roulent dans sa tête prête à éclater.

Et même s'il était encore tôt – la coutume voulait que ces séances se tiennent plutôt à la brunante –, il réunit immédiatement le Conseil des anciens, signifiant par là que la question était très grave.

Dans la grande tente, les agoskatenhas s'accroupirent en cercle, le calumet à la bouche pour se garder l'intérieur bien au chaud pendant les discussions, et, au milieu d'eux, le sachem aborda d'une voix lourde les propos qu'il devait leur tenir :

– Mon fils a ramené avec lui des histoires qu'on ne connaît pas et qui racontent que les Blancs sont près de découvrir que nous avons accueilli parmi nous celui qu'ils recherchent parce qu'il a tué plusieurs des leurs.

Il prit une grande respiration, ferma un moment les yeux, puis continua aussitôt sur un ton neutre qui seyait à son rôle. Ménageant ses mots, il expliqua que, par ses agissements, Piwapik'oti avait trahi le traité de paix et que le village risquait d'en subir les conséquences. En effet, depuis cette entente, tous les peuples indiens se gardaient d'attaquer quelque Blanc, et s'il demeurait possible qu'un conflit majeur oppose un jour à nouveau les deux races, il était convenu qu'il originerait d'un mouvement commun une fois cette décision sanctionnée par l'assemblée des représentants de chacune des tribus. Pas autrement. L'exécution des Français par Piwapik'oti paraissait donc comme une initiative condamnable des Kitcispiwinis, et ils pouvaient s'attendre au pire, car, si la tribu n'était pas châtiée de façon exemplaire, les Blancs allaient croire à la reprise des hostilités.

Déjà, au pays des grandes rivières, d'où revenait le fils d'Animikié, on semblait bien connaître l'histoire de Piwapik'oti, le massacre des siens, puis sa vengeance, et on la colportait avec un tel fracas qu'elle n'allait pas tarder à atteindre les oreilles des Blancs.

Par déférence, avant de conclure autrement ses explications, le chef reconnut les mérites de l'ancien Oncle :

– Piwapik'oti s'est grandi pour ennoblir le souvenir des siens…

Et tous, l'ayant depuis le début écouté en hochant la tête, ponctuèrent ses derniers propos d'un « hogue » non équivoque. Alors, Animikié en arriva à l'essentiel :

– Les Blancs exécutés par Piwapik'oti sont une déclaration de guerre, croiront les autres Blancs. Pour préserver la paix, tous nos frères leur donneront raison contre nous.

En dépit de l'importance du sujet, il avait choisi de se garder d'influencer l'assemblée. Un moment, il attendit quelque commentaire. Comme aucun ne vint, il se permit de goûter un peu de ce silence approbateur dans les crépitements du feu. Puis, il conclut :

– Voilà ma pensée sur cette question.

Les anciens étaient devant le fait accompli. Il leur appartenait maintenant de trouver dans les replis de leur sagesse le moyen d'éviter le pire.

Alors, dans un mouvement laborieux qui mit visiblement les muscles de ses jambes à rude épreuve, le vieux Makamik se leva. Du haut de sa frêle stature, il soutint avec arrogance les regards insistants qui le couvrirent, et il parla :

– L'esprit du Blanc est tortueux. On sait que la mort de Piwapik'oti ne lui suffira pas, et je dis que la mort de toute notre tribu ne lui suffirait pas davantage. C'est un étranger, il ne comprend pas l'Indien et il s'en méfie comme d'un renard : il va préférer la guerre à cette paix qu'il croit maintenant piégée.

Après une brève hésitation, les assistants l'approuvèrent par des hochements de tête empreints d'inquiétude.

Animikié demanda à Makamik s'il entrevoyait malgré tout une solution.

– Le Blanc parle beaucoup, répondit l'ancien, et il aime beaucoup parler. Aussi je dis qu'il faut lui expliquer, lui parler, car pour parler le Blanc se met toujours à nos côtés et il écoute.

Le chef répliqua :

– Mais qui de nous sait parler au Blanc ? Qui de nous le Blanc aura-t-il envie d'écouter ?

Il y eut chez le plus ancien des anciens l'esquisse d'un sourire, sorte de satisfaction qui éclaira son visage fripé. Il attendit que le silence reprenne tout son poids et quand il fut certain que tous étaient suspendus à ses mots, il les livra un à un en mesurant leur effet :

– Il faut parler à un onontio (chef blanc) qui, lui, saura se faire entendre des autres Blancs. Le fils de Na'ogate est un onontio et notre guerrier Anjénim est le Kitcispiwini qu'il voudra écouter.

Le chef Animikié se leva à son tour, ne maîtrisant le calme qu'il devait afficher qu'au moyen d'une tension intérieure qui aiguisait son regard. Il déclara :

– Quand Makamik dit qu'il faut parler au Blanc, Makamik parle bien. Mais quand il dit qu'il faut parler au fils de Na'ogate (Celui-qui-n'a-qu'un-œil), il parle comme celui dont la cervelle serait renversée. Est-ce que Makamik a oublié que Na'ogate était devenu un grand ennemi des Indiens après que les Iroquois lui eurent pris un œil à la bataille du fort Richelieu ? Pourquoi son fils ? Pourquoi son sang serait-il différent ?

Makamik vint rejoindre Animikié au centre de la tente. Se drapant de toute sa fierté, le dos aussi droit qu'un poteau de feu, il répondit, en prenant l'assemblée à témoin de l'énorme révélation qu'il allait faire :

– Makamik n'a pas oublié et sa cervelle n'est pas renversée : c'est seulement que Makamik sait...

Une rumeur montait de dehors où un attroupement se formait, puis grossissait : c'est que la séance durait bien longtemps et déjà qu'on ne comprenait pas qu'elle soit tenue si tôt le matin...

– Ce que vous ignorez, continua le vieil Algonquin, c'est que l'onontio Vadeboncœur se mettra à côté d'Anjénim pour l'écouter, parce que Anjénim, c'est le fils de Vadeboncœur.

L'entrée fracassante de Grand Ours Gris, l'otem de la tribu (le dieu protecteur) foulant, toutes griffes sorties, le sol de la tente, n'aurait pas davantage frappé l'esprit des agoskatenhas : les souffles, jusque-là réguliers, syncopèrent et les lèvres, soudainement impatientes, versèrent une litanie de commentaires.

Animikié ne crut bon d'intervenir, la cause étant dûment entendue.

Chapitre VII

Le matin était promesse d'un jour parfait.

On eût dit que c'était l'été et que c'était dimanche. Il y avait dans l'air une euphorie estivale et les cloches de la chapelle de l'île Bizard avaient sonné à toute volée, faisant écho à celles, plus faibles mais tout aussi gaies, du manoir du Bout-de-l'Isle. En réalité, on était lundi, un lundi d'octobre, et ce temps doux était celui d'une courte saison de quelques jours seulement qui, chaque année, revenait ainsi au milieu de l'automne.

Sur le chemin sinueux de l'île Bizard, entre les champs récemment essouchés et tout juste rasés de leur généreuse moisson, descendait une charrette dont les roues soulevaient une poussière dorée comme le sable que broyaient les frettes, avec un bruit sec et rocailleux.

Déjà haut, le soleil plombait.

Assis sur le siège luisant d'usure de cet attelage, Mathurin Regnault suait abondamment à force de tirer sur les guides pour retenir la fougue de César, qui s'engageait au trot dans une descente abrupte menant à l'embarcadère de la traille, laquelle permettait de traverser le fleuve pour rejoindre l'île de Montréal.

– Une chaleur de même en plein mois d'octobre! Jamais vu ça…

Et il passa une main impatiente sur son front dégarni.

Malgré l'événement heureux qui le conviait au manoir, l'humeur du vieux domestique des de Salvaye était sombre : en quittant cette maison que Marie-Ève avait fait construire sur le fief que lui avait légué le major, son mari, et où avaient vécu Charlotte et Joseph, la charrette avait buté contre une roche en travers du chemin. Une roue s'était brisée et Mathurin avait dû, en maugréant contre la terre entière dans son bel habit du dimanche, la changer ; cet incident allait – c'est sûr – le mettre en retard, lui qui était toujours à l'heure et qui, prévoyant, était parti avant même l'envolée des cloches.

Émilie et François étaient assis à ses côtés. Le garçon, quoique habitué au caractère bougon de son grand-père, se tenait coi. Sa grand-mère, elle, malgré sa fatigue, manifestait une certaine sérénité – on aurait pu dire confiance – devant l'humeur pour le moment brouillée de son mari. Souriant du bout des lèvres, elle apaisait les regards quelque peu inquiets de François et, dans son cœur, se trouvait bien heureuse d'avoir été invitée au mariage d'Olivier de Salvaye.

À leur passage, une grive solitaire, qu'en ce pays on appelait rouge-gorge, s'envola de la branche de chêne où elle s'engourdissait de chaleur. Elle virevolta un moment sans but, puis disparut au-dessus des champs. De là-haut, elle pouvait apercevoir dans sa totalité l'île dont les contours ne faisaient pas trois lieues et dont seulement le versant ouest était défriché. Au bord du lac des Deux Montagnes, la seule maison de l'île, celle de Marie-Ève, ses bâtiments de ferme et son moulin, se dressait à la limite d'une vaste clairière gagnée sur la forêt. Le reste, tout le reste de l'île demeurait à l'état sauvage, c'est-à-dire couvert de cette forêt dense que distrayaient seulement quelque cours d'eau ou étang marécageux. Elle avait été cédée en 1678 par le comte de Frontenac, alors gouverneur de la colonie, à un Suisse, Jacques Bizard, qui ne l'avait jamais habitée. À sa mort, ses héritiers – sa femme et ses cinq enfants – n'en avaient pas davantage fait cas. Seuls les de Salvaye, Marie-Ève et ses deux enfants, Louise-Noëlle et Olivier, y avaient vécu avec le couple Regnault avant d'emménager au manoir du Bout-de-l'Isle et d'abandonner les lieux à Charlotte et à son mari.

La rumeur colportait que l'île serait un jour entièrement concédée à Marie-Ève. De fait, cette éventualité était devenue certitude dans l'esprit de chacun et personne n'avait encore jugé nécessaire d'entreprendre quelque procédure pour que le bon et valable titre – autre que celui, précaire, conféré au major Grégoire de Salvaye pour une partie seulement – confirme la propriété de la famille. On avait tellement connu d'exemples de seigneuries remises entre les mains de ceux qui les avaient développées au détriment de ceux qui les avaient abandonnées ou mal administrées, que l'on prenait cette méthode pour une coutume dûment établie. Et Marie-Ève de Salvaye avait tant développé et entretenu son coin de terre qu'il était devenu un domaine enviable revalorisant l'île tout entière.

Depuis quelques instants, César accélérait son trot, faisait tressauter les menoires et donnait de brusques coups de tête pour se libérer du licou.

– Il sent l'eau : on arrive au bac, dit Mathurin d'un ton où ramollissait sa mauvaise humeur.

Il avait raison. Depuis quelques instants, la pente s'accentuait, descendant si brusquement vers la rivière qu'il dut se lever pour bien maîtriser la bête. Les mouvements rétifs de César inquiétèrent Émilie qui manifesta ses craintes en pressant la main de son petit-fils. Ce dernier la rassura d'une boutade :

– N'ayez pas peur, César n'a pas plus que vous l'intention de débouler.

Elle se cramponna si fort au siège qu'elle en eut les jointures blanches et les muscles des avant-bras endoloris. Lorsqu'ils atteignirent la rive, elle ne put retenir un soupir de soulagement et constata qu'elle aussi était en nage :

– T'as raison, mon vieux, pour un mois d'octobre, c'est bien chaud !

Et du revers de la main, elle s'épongea délicatement les joues.

Quand l'attelage parvint, sans encombre, aux premiers madriers de l'embarcadère, elle fut la première à descendre de voiture et prit bien garde de ne pas salir sa tunique noire qui traînait presque à terre. Pour la première fois, elle la portait ornée des délicats passements qu'elle avait elle-même ajoutés au vêtement déjà vieux de plusieurs années. Croisée sur son opulente poitrine, une exceptionnelle crémone, sorte de fichu si large qu'il habillait ses épaules et couvrait presque sa blouse de serge blanche. Mais pas un seul bijou pour allumer cet habillement austère.

Après avoir posé ses sabots de cuir bien à plat dans l'herbe haute, elle tendit la main à François. Mais ce dernier ne répondit pas à son invite : il semblait regarder vaguement devant lui et Émilie crut qu'il revoyait des images de glaces flottant entre les rives enneigées et se remémorait l'instant extrême où il avait décidé de sauver Charlotte coûte que coûte... La vieille femme elle-même frémit à ce souvenir, mais, fidèle à sa résolution de ne plus s'en faire une tristesse, elle pensa plutôt fortement à la petite Marie qu'elle presserait bientôt dans ses bras. Elle allait convaincre François d'en faire autant quand elle remarqua qu'il observait un point précis, qu'il fronçait les sourcils, cherchant, aurait-on dit, à distinguer quelque chose dans les fourrés de l'autre côté du bras d'eau.

– Qu'est-ce que tu regardes comme ça? demanda-t-elle.

Mais le garçon ne broncha pas. Elle pensa qu'il se méprenait et demanda à Mathurin, qui tenait César par les montants pour l'aligner à l'intérieur des bornes de l'embarcadère:

– Tu as aperçu quelque chose, toi, mon vieux?

Mais ce fut la voix excitée de François qui répondit:

– Là, là! Grand-père, là!

Mathurin se retourna. Ce faisant, il lâcha la bride. Soudain libéré de toute contrainte, le cheval vira, ses sabots heurtèrent le bord du quai flottant, que d'un bond il enjamba. Heureusement, la plate-forme n'était pas très élevée et le niveau de la rivière, plutôt bas. Mathurin dut quand même utiliser toute la force de ses bras pour attraper les guides, les retenir, et contenir l'élan de l'animal.

Cependant, il ne put empêcher le plongeon de François dans la rivière et il en fallut de peu pour que l'adolescent ne soit piétiné par le cheval. Réduite à l'hébétude, Émilie, qui avait retraité juste à temps, en oublia de respirer pendant un bon moment. Elle vit l'eau rugir autour de son petit-fils qui gesticulait pour reprendre pied et pour éviter les fers du cheval jaillissant en éclairs près de son visage. Plusieurs fois, il retomba et, chaque fois, elle se retint d'aller le secourir, se maîtrisant comme on dompte sa colère. La pensée lui vint que la rivière était froide et que le garçon serait malade, qu'il pourrait en mourir, et quand, enfin, dans un calme miraculeux, elle le vit se déplier au-dessus des bouillonnements, elle s'aperçut qu'elle s'était avancée, qu'elle avait de l'eau jusqu'aux chevilles. Mais sa surprise fut plus grande encore lorsqu'elle entendit le garçon – tête renversée et gorge déployée – s'emporter dans un rire frénétique. Elle faillit croire qu'il riait d'elle, puis comprit que l'émotion, la peur suivie de la joie, était responsable de cet heureux délire. Elle rit donc, elle aussi.

Immobile comme un pieu planté dans l'eau, Mathurin, dans son pourpoint gris égayé d'un rabat de soie blanche qui couvrait ses trousses seyantes, semblait, lui, hésiter entre la bonne humeur et la colère. Il se pinçait les lèvres et se grattait le dessus du crâne en plissant le front, l'air soucieux. Quant à César, redevenu sage, il buvait paisiblement, et autour d'eux c'était le décor champêtre et quiet des roseaux et des aulnes se réconciliant avec le mouvement régulier de l'eau. Tout compte fait, Mathurin n'opta ni pour l'hilarité ni pour la fureur : il hocha sèchement la tête et ponctua :

– Bon ! ben...

Car il avait quand même des problèmes plein les mains. Il lui fallait faire un feu pour sécher François, amener l'attelage sur la berge en espérant que le timon ne soit pas rompu, puis voir un peu comment ils pouvaient encore espérer se présenter tous trois au manoir, avec leurs chaussures trempées et leurs vêtements souillés. Pendant qu'il essayait de trouver rapidement des solutions, une question refit surface dans son esprit. Qu'observait donc François avant l'incident?

Recroquevillé, les lèvres bleues et frémissantes, les cheveux perlés qu'il chassait de son visage d'une main nerveuse, le jeune garçon se massait vigoureusement les épaules et les bras pour se réchauffer. Le cri d'une sarcelle, suivi d'un battement d'ailes, attira son attention. Curieux, il fouilla le ciel dans l'espoir de voir le bel oiseau, mais tout au plus distingua-t-il un léger mouvement au faîte d'un vieux tremble dont la base gardait les marques cicatrisées de morsures de castors. Sa curiosité fut quand même récompensée par le spectacle d'un écureuil noir se lançant à l'assaut d'un orme blanc dont l'écorce était bien connue des Hurons et des Iroquois qui en faisaient les parois de leur cabane. Il s'apaisa et il en vint même à ne plus trembler du tout comme si, simultanément, son corps s'était épuisé. Le voyant si calme, Émilie, contente, dit à son mari:

– Je crois qu'il va s'en tirer sans mal…

Le cheval hennit quand Mathurin le cravacha pour qu'il bondisse et libère les roues du fond vaseux de la rivière. Du jonc resta accroché aux bricoles et une forte odeur animale, l'une, du cuir vivant de la bête et l'autre, du cuir mort des harnais, s'exhala. Au sec, le vieux paysan attacha les guides à un orme et son premier réflexe fut de prendre au fond de sa poche une chique: mais sa main jaunie ne ramena qu'une substance visqueuse et compacte qu'il jeta, visiblement déçu.

Grimaçant de dépit, il se dirigea vers sa femme et François qui tordaient les vêtements mouillés et les couchaient sur des roches plates pour qu'ils sèchent. Le garçon était presque nu, à l'exception d'une chemisette et d'un caleçon long en étoffe du pays, mais l'incroyable douceur du temps lui chauffait suffisamment la peau pour qu'un feu ne soit pas nécessaire.

– François, dis-moi donc un peu ce que tu as vu tout à l'heure ?

– Des Indiens, des Iroquois. Plusieurs et aussi…

Il fit une pause, gêné par l'invraisemblance de ce qu'il venait de dire ou peut-être par celle, plus grande encore, de ce qu'il s'apprêtait à ajouter. Mathurin, le visage pointilleux, puis adouci par l'esquisse d'un sourire incrédule, le relança :

– Et aussi ?

– Aussi, un Blanc… Qui ne semblait pas être leur prisonnier. Il parlait avec eux, comme ça, en riant…

– Es-tu certain ? Des Iroquois, et un Blanc… Mais d'abord, comment sais-tu que c'étaient des Iroquois, pas des Hurons ?

– Ben voyons, c'est facile : leur chevelure tressée, ramenée sur la tête, plantée d'une grande plume… Les Hurons ne sont pas comme ça, ils…

– Je sais, je sais…

– C'est leurs têtes que j'ai vues au-dessus des buissons, juste derrière le sentier de l'autre bord. Quand ils m'ont vu, ils se sont cachés derrière les feuillages et c'est là que j'ai aperçu l'autre, le Blanc. Il a tout de suite tourné le dos et ses épaules tressautaient quand il s'est éloigné : pour moi, il était à cheval…

Ce n'était pas tant la présence des Iroquois qui rendait l'événement inquiétant puisque eux aussi vivaient en paix avec les Blancs depuis le traité de 1701. Non, c'était plutôt le fait que l'île Bizard et ses alentours étaient hors des voies coutumières de ces Indiens, et cela, depuis toujours. Même au temps de leurs attaques répétées contre les colons, à l'époque de la traite féroce des peaux de castors, les guerriers iroquois ne s'étaient jamais approchés de cet endroit qu'ils jugeaient sans intérêt.

Mathurin resta silencieux quelques minutes, puis regarda son petit-fils, l'air de se demander s'il devait avoir confiance en ses dires.

L'idée lui vint d'interroger davantage François, mais il n'en fit rien : il reconnaissait au garçon un naturel raisonnable.

Il se dressa, fit volte-face et marcha vers César dont il caressa doucement le chanfrein. Émilie, attentive, devina qu'une décision obscure donnait un nouvel allant à son mari et elle fit signe à François de se rhabiller. Le garçon crut nécessaire d'insister :

– C'est vrai, tu sais, grand-papa. Ils devaient être au moins quatre...

Tournant vers lui un visage sincère, Mathurin faillit sourire et répondit :

– Je te crois.

Puis à nouveau, il entreprit d'aligner le cheval entre les montants de la plate-forme, et en réponse au regard insistant de sa femme, il annonça :

– On va au manoir !

Comme pour expliquer sa décision, il ajouta en bougonnant :

– Vois-tu, ma vieille, même si Marie-Ève ne mariait pas son Olivier aujourd'hui, avec ce que vient de voir François, il faudrait qu'on y aille quand même !

CHAPITRE VIII

Ailleurs en ce même matin, mais au son d'autres cloches, celles du couvent des hospitalières sur la rue Saint-Paul à Montréal, l'abbé de Belmont quittait l'ambiance cloîtrée de la chapelle des religieuses où il venait de célébrer la messe.

Alors qu'il allait franchir les portes ouvertes sur les bruits de la rue, mère Marie Morin, la directrice de l'Hôtel-Dieu, le rattrapa :

– Monseigneur ! Monseigneur, en ce jour d'allégresse au manoir du Bout-de-l'Isle, permettez-moi de vous demander de transmettre nos meilleurs souhaits à M. Olivier et à sa fiancée. Et, de la part de toutes nos religieuses, rappelez au bailli Vadeboncœur qu'il fut heureux ici, petit garçon ; nous lui sommes reconnaissantes d'avoir toujours eu pour notre œuvre le plus empressé des égards. À la mort de sa fille, sa peine fut aussi la nôtre et nous n'avons cessé de prier pour Marie, sa petite-fille que nous espérons connaître bientôt.

L'abbé acquiesça chaleureusement même si, intérieurement, il ne put s'empêcher de remarquer que la mère supérieure évitait de parler de Marie-Ève. C'était pourtant son fils qu'on mariait aujourd'hui. La raison des hommes, constatait le religieux, demeure décidément la plus forte : comme si les liaisons coupables n'étaient que le fait des maîtresses et pas du tout celui de leurs amants, la religieuse préférait ignorer le fait que Vadeboncœur, un homme marié, affichait aussi ostensiblement sa liaison avec la veuve de Salvaye.

Il sortit et avant même qu'il ne cligne des yeux sous l'effet de la lumière vive, ses grandes jambes heurtèrent le corps massif et dur d'un porc. L'animal hurla, un cri strident à s'en déchirer les tympans, et le prêtre évita de justesse de s'étendre de tout son long au milieu d'une mare de couleur douteuse. Il faillit appeler pour qu'on l'aide à se saisir de l'animal : un règlement bannissait les cochons des rues et autorisait quiconque qui y en trouvait un à se l'approprier. Mais le curé angoissa à l'idée que lui, un homme d'Église, un confesseur, puisse un seul instant songer à s'emparer du bien d'autrui.

Grand et mince, avec cette allure aristocrate qu'il avait sans doute acquise à la cour de France où il avait été page de la reine, puis perfectionnée alors qu'il était magistrat du Dauphiné, l'abbé de Belmont, fils d'un conseiller du parlement de Grenoble et petit-fils du président de ce même parlement, était un gentilhomme. Ses manières, son élocution et sa grande culture, son érudition même – il parlait plusieurs langues, était bachelier en théologie de la Sorbonne, excellent peintre et bon musicien – donnaient à ses paroissiens des motifs de légitime fierté. Seigneur de Montréal, il administrait sa seigneurie avec beaucoup de compétence et d'imagination, la maintenant au premier rang de toutes celles de la Nouvelle-France. Vigoureux, portant la tête droite sur des épaules encore solides, d'une personnalité si impérieuse que plusieurs le trouvaient de prime abord sec et froid, l'abbé savait malgré tout faire tomber les gênes et soulever la sympathie par son sourire à la fois humble et paternel.

Ce matin-là, il était pressé d'aller bénir le mariage d'Olivier de Salvaye. Pour parvenir jusqu'au manoir du Bout-de-l'Isle, il lui fallait compter au moins quatre heures de route, et encore, à la condition de disposer d'un cheval alerte et bien entraîné.

La rue Saint-Paul luisait au soleil, mais, à la suite d'une averse tombée à l'aube sur la ville, on y pataugeait dans une boue riche, lourde. Le curé dut se réfugier sur la banquette en relevant les pans de sa soutane, découvrant ainsi des hauts-de-chausse aux couleurs parfaitement profanes, rouge et blanc, étranglés dans des bottes françaises. Le vieux tonnelier Pierre Perrat, avisant ces coquetteries, lança :

– Voilà une soutane qui cache un bien beau costume : vous êtes un homme plein de surprises, monseigneur !

L'ecclésiastique toisa le personnage fluet, à la mine réjouie, qui se tenait parmi ses tonneaux rangés devant sa boutique et ne put s'empêcher de rire tant il était drôle de voir le tonnelier longiligne planté au milieu de ces objets bas et rebondis.

– Et vous, mon ami, vous êtes un homme bien mal assorti à son métier.

Perrat ne saisit pas le plein sens de la boutade, mais fit semblant. Son rire en cascade déboula jusqu'à la place d'Armes où il fit pointer les oreilles des chevaux attachés aux anneaux du muret de la cour de l'Hôtel-Dieu.

Ayant perdu tout le temps qu'il pouvait se permettre de perdre, l'abbé de Belmont accéléra le pas.

L'odeur de pin fraîchement plané qui vint à sa rencontre devant la nouvelle demeure du maçon Pierre Couturier, dit Bourguignon, où on n'en était qu'à terminer les planchers, servit son naturel optimiste. Il promena son regard sur les cadres de pierres piquées qui faisaient relief sur celles dégauchies des murs, et il trouva du style aux linteaux des portes et fenêtres alignées harmonieusement. Il se dit que ces soucis d'esthétique témoignaient de l'intention de s'installer à demeure, d'habiter avec élégance la colonie.

Un peu plus bas, des odeurs moins agréables vinrent à sa rencontre depuis l'étable où, en pleine ville, Antoine Jousset gardait ses bestiaux. Il n'était pas le seul, ni le pire : Louis Heurtebise y maintenait un cheptel composé de deux chevaux, un poulain, huit bœufs, trois génisses, une truie, onze cochons, douze poules et quatre dindes – pas moins de quarante-deux animaux tous logés dans une maison-bloc, donc sous le même toit que sa famille !

Plus loin, à l'angle des rues Saint-Gabriel et Notre-Dame, le prêtre s'arrêta pour admirer la magnifique demeure que Jean-Baptiste Deguire, dit Larose, venait de bâtir pour le sieur de La Gauchetière. Construite en bois à la façon normande, c'est-à-dire avec charpente de pièces à l'horizontale et colombages séparés par des surfaces de torchis, elle s'apparentait à celle, plus ancienne, du prospère taillandier Jean Drapeau.

Reprenant son pas empressé, le prêtre passa devant le vieux séminaire. Sur le seuil de la porte entrouverte, une femme en noir le salua en inclinant la tête. Il eut la tentation, une fois encore, de s'arrêter et de soulager par quelques paroles judicieuses la peine de la veuve d'Urbain Gervaise, mais cette dernière disparut à l'intérieur avant qu'il ne succombe à sa compassion. Il traversa la place d'Armes pour aller rejoindre la rue Saint-François.

Derrière lui, la coque d'un navire de la marine royale, qui s'imposait au milieu d'un essaim de pinasses, heurtait mollement le quai des Barques, et ses mâts découpaient le ciel en grands lambeaux bleu tendre. Plus loin derrière, sur la surface légèrement fumeuse du fleuve, quatre Indiens à la hure caractéristique ramaient vers la berge dans leur canot d'écorce. Sur le quai lui-même, devant le corps de garde, des miliciens, justaucorps bleus à poignets rouges ornés de boutons blancs, et bottes dont le cou-de-pied scintillait d'une pièce de cuivre, devisaient avec un sergent des Compagnies franches de la Marine vêtu de beige, presque de blanc, et qui portait, lui, les bottes à talons rouges de son grade. Des rires fusaient.

L'abbé de Belmont parvint ensuite à la jonction de la place Royale et de la rue Saint-François où un pilori le fit sourciller. Il trouvait bien cruel cet instrument de justice, admettant mal que l'on doive châtier criminels et filous en public pour inculquer le respect des lois. Afin de conjurer les fantômes des suppliciés qui rôdèrent un instant dans sa mémoire, il se signa. À l'angle de la rue suivante, une taverne affichait une fleur de lys et même si tôt, portant bonnets et ceintures voyantes, quelques marins que l'hiver laisserait bientôt dans le désœuvrement y buvaient en compagnie de coureurs des bois en partance pour les « pays d'en haut », ces régions de la colonie situées au nord-ouest de l'île de Montréal.

Enfin, il déboucha sur la rue Notre-Dame qu'il remonta vers le séminaire. Il longea le nouveau cimetière qui remplaçait peu à peu l'ancien situé sur les rives du ruisseau Saint-Martin, derrière le magasin de poudre de la garnison, puis il dépassa l'église Notre-Dame, véritable monument dressé à la mémoire de Dollier de Casson, son prédécesseur, qui l'avait construite sur le modèle de l'église Saint-Sulpice à Paris.

Il arriva devant la cour du séminaire et aperçut Jean Arnoul, l'homme à tout faire des messieurs de Saint-Sulpice, qui s'affairait autour d'un attelage, cheval bai et cabriolet deux bancs. Tout en fredonnant pour lui-même un air de son ancienne province d'Aunis, le domestique vérifiait l'attache des menoires, resserrait les harnachements, puis passait devant la bête pour donner un peu de mou à l'encolure. Compagnon de l'abbé de Belmont au cours de plus d'une aventure, alors qu'il avait fallu porter les derniers sacrements à quelque paroissien dans des conditions impossibles d'orage et de pluie battante ou, pis encore, de tempête de neige liguée au froid, il partageait avec ce dernier une exceptionnelle complicité où se mêlaient le respect et l'admiration.

– Allons, mon bon Jean, vous avez pris mes ornements à la sacristie ?

– Oui, monseigneur, ils sont là, sur le banc avec votre *Rituel*.

– Alors ne perdons plus de temps ; ce n'est pas parce qu'on vient de loin qu'on est pardonnable d'être en retard !

– Surtout que la route de Lachine doit être un vrai bourbier.

– Comme vous dites, mon bon… Mais puisque la foi déplace les montagnes, elle facilitera notre voyage, vous verrez.

– On ne devrait pas tarder à le savoir. Dès que nous aurons franchi les murs…

Les murs dont il parlait étaient ceux de pierres qui avaient remplacé l'ancienne palissade de pieux pourrie par les années. Quoique plus solide, ce mur ne payait pas autrement de mine, car ayant été construit par corvées imposées aux résidants, ces derniers y revenaient régulièrement en prélever des matériaux pour leur usage personnel. Aucun citoyen de Montréal n'était innocent de ce larcin. Même pas Jean Arnoul qui, lorsque l'abbé de Belmont fut bien installé sur son siège, claqua de la langue et donna quelques coups brusques des poignets sur les guides. Le cheval se mit en marche. Au pas, car il était « interdit de trotter à moins de dix arpents de l'église », ce règlement étant devenu nécessaire pour freiner l'orgueil des jeunes gens qui coursaient sur leur monture au sortir de l'office. Déjà qu'il y avait trop de chevaux à Ville-Marie et qu'il avait fallu en limiter par décret le nombre à un maximum de deux par famille, plus un poulain.

De grands chênes, des ormes et des frênes bornaient la rue Notre-Dame, artère principale de la ville, et le cabriolet avançait sous une arcade de branches d'où fusait une luminosité toute particulière.

Rue Saint-Michel, tout près de la maison des pères récollets, un homme vint subitement se planter devant la voiture. Le cheval, une bête citadine habituée aux mouvements inopinés, s'immobilisa avec indifférence. Le sulpicien se dressa et reconnut le notaire Antoine Adhémar qui se tenait, penaud, debout au milieu de la rue.

– Eh ben ! ne put retenir Jean Arnoul.

Pendant ce temps, le prêtre s'enquérait :

– Mais qu'est-ce qui vous arrive, maître Adhémar?

Les yeux du notaire disparaissaient dans les replis de son visage empâté. Replet, court sur pattes, il se tenait cependant si droit qu'on l'estimait généralement plus grand qu'il ne l'était.

– Je dois absolument me rendre au manoir du Bout-de-l'Isle, dit-il. Mais voilà, Grisette – c'est ma jument – a la goutte et…

– Mais je vous en prie…

Comment refuser? Le notaire monta s'asseoir aux côtés du prêtre: tout l'attelage s'en trouva déséquilibré et franchit ainsi les murs par la porte des Récollets. Aussitôt, l'abbé demanda:

– Alors, Jean, comment se présente la route?

Il apercevait le tracé qui tranchait à peine sur les champs avant de disparaître au loin dans la forêt.

– Je ne crois pas qu'il soit facile de voyager aujourd'hui: la pluie a tout ramolli et mon cheval trouve la charge bien lourde.

Sa remarque ne sembla atteindre d'aucune façon l'inconscience heureuse du gros notaire…

Lorsqu'ils furent dans la nudité de la campagne, la lumière se fit plus vive. Ils avançaient lentement, irrégulièrement. Le cheval tirait avec une énergie impatiente et il lui arrivait de donner des coups.

À ce rythme, le notaire calcula qu'il faudrait plus de quatre heures pour atteindre le Bout-de-l'Isle. Un silence tacite s'installa, et dans l'ennui reposant qui porta les voyageurs à la somnolence, l'apparition d'un renard roux, qui disparut aussitôt dans le sous-bois, ne vint aucunement distraire l'abbé de Belmont de ses pensées qui l'avaient emmené ailleurs, au manoir déjà, à

Vadeboncœur, à Marie-Ève, à Olivier. À la petite Marie, à Charlotte aussi… Se tournant vers son compagnon, il demanda :

– Dites-moi, vous avez connu la mère de Charlotte, vous ?

– Jeanne ? La femme de Vadeboncœur, la fille de sieur Geffroy-Hébert de Magny, capitaine de cavalerie, commissaire à l'armée, lieutenant du roi et chevalier, originaire de la Picardie et ayant résidence à Paris, rue de Grenelle ?

Le notaire avait débité ces titres avec une emphase ironique et il regardait l'abbé de Belmont, l'air de dire qu'il répondait sur sa vie à toutes les questions qu'on pourrait lui poser. Le prêtre dut revenir à la charge puisqu'en fait il n'y avait pas eu de réponse :

– Mais vous l'avez connue, ou pas ?

– Je l'ai connue, oui. Même que j'ai participé à l'avènement de son exil. Ainsi, quand elle fut formellement accusée de sorcellerie, à la suite de la mort de son fils, j'ai dû assister à la remise de l'acte de dénonciation en mains propres, chez elle, rue Saint-Paul. La nouvelle, vous vous en doutez, faisait vibrer tout Ville-Marie, et on racontait que Vadeboncœur lui-même risquait d'être jugé pour complicité à cause de son refus de donner raison aux accusateurs. À Québec, Mgr de Saint-Vallier désirait éviter à tout prix un procès, et plus encore une exécution, car il craignait d'entretenir ainsi la croyance aux présences maléfiques au sein de notre population. Aussi avait-il imposé un compromis : le bannissement des coupables. Ces coupables, c'étaient, bien sûr, la femme de Vadeboncœur et sa domestique, une Italienne honnie de tous, et dont personne n'avait jamais vu sourire le visage belliqueux. Une créature détestable, s'il en fut… Je me souviens de son attitude railleuse, de cette volonté d'insulter qu'elle mettait dans sa voix, son ton ironique – je parle de la domestique, bien sûr, et non de la femme de Vadeboncœur…

– J'ai compris, j'ai compris…

– Jeanne, elle, se retranchait dans sa dignité. À l'observer ainsi hautaine et dédaigneuse, je me dis qu'elle était bel et bien la personne à qui on avait reproché d'avoir traité vertement de sauvages les gens d'ici, y compris son mari ! Elle se rebiffait, posait ses yeux brillants de colère sur les soldats venus la chercher. Bénigne Basset, mon prédécesseur, m'avait raconté que Vadeboncœur, dont il était un intime, déplorait que sa femme n'ait jamais accepté de l'avoir suivi en Nouvelle-France. Elle détestait, lui avait-il confié, ce pays difficile et trouvait nos gens rustres, sans éducation, et surtout parfaitement indignes de son rang. Pourtant, cette femme, il avait dû l'aimer, à Paris… Hélas ! de toute évidence elle n'avait ni la force ni la conviction de nos colons et, lui, il aimait trop son pays pour le sacrifier à cette étrangère… enfin, je veux dire…

Le notaire parut mal à l'aise d'avoir porté un tel jugement et il l'atténua par cette expression à la fois humble et repentante qu'il servait souvent aux gens venus dans son étude signer quelque document qui leur coûtait.

– Mon cher notaire, l'image que vous vous faites de Jeanne de Magny me paraît bien sommaire, non ?

– Peut-être. Mais, voyez-vous, le costume ne peut déguiser le tempérament, et même le fard le plus épais dont Jeanne de Magny aurait couvert la peau pourtant lisse de son visage n'aurait réussi à cacher sa hargne. Je garde d'elle une image très désagréable.

– Quel âge avait-elle ?

– Peut-être... trente ans. Pourquoi ?

– Parce que j'essaie de comprendre ce refus absolu de s'adapter. Il m'a toujours semblé qu'une femme jeune s'adaptait plus facilement qu'un homme dans les mêmes circonstances.

– Certaines personnes n'ont jamais eu de jeunesse et je connais des femmes plus butées que tout un régiment de vieux soldats ! Ma profession me donne souvent l'occasion de voir...

– Mais quand même, tant de dureté, d'intransigeance.

Devant eux, la pointe du clocher de l'église des Saints-Anges, de Lachine, dépassait les toits d'un hameau. Plus près, des silhouettes descendaient d'une colline coiffée d'un bosquet et, autour d'elles, un chien sautillait en jappant.

– Tiens, voilà sans doute des trappeurs heureux...

– Mais dites-moi encore, notaire, étiez-vous là lorsqu'elle est partie ?

– J'y étais, oui. Comme tout Ville-Marie d'ailleurs. Imaginez un peu ces deux femmes qui s'avancent sur les quais, qui viennent de traverser presque toute la ville (Vadeboncœur avait obtenu qu'elles ne soient accompagnées d'aucun milicien) et qui se dirigent, vêtues avec l'élégance des grands départs, bien au-dessus des accusations qui les chassent, vers la passerelle du *Nom-de-Jésus*.

« Une journée splendide de printemps, des fleurs déjà au rebord des fenêtres et des enfants enjoués ignorant la gravité du moment. Vadeboncœur est là, il se tient un peu à l'écart près de la passerelle et quand sa femme s'y engage, il voudrait s'avancer… Mais non : il ne bouge pas. Visiblement, il ne sait pas ; personne ne sait que faire. Une foule entoure cet homme, cette femme, une foule compacte, silencieuse et immobile. Il me semble, moi, que Jeanne tremble un peu, qu'elle hésite devant l'irrémédiable, et que le rose fiévreux qui colore sa figure fermée n'est pas seulement la couleur de la colère mais aussi de la peur. Soudainement, en effet, elle a peur, elle doute d'elle-même : dans ses yeux, il y a de la panique et elle ignore certainement qu'elle garde sur les lèvres une sorte de sourire méprisant qui risque de provoquer tous ces gens qu'elle déteste… »

Me Adhémar se tut. Comme s'il se réfugiait dans ses pensées pour revivre toute la scène pendant que l'abbé de Belmont restait suspendu au récit et n'osait le relancer. Jean Arnoul lui-même semblait retenir les mouvements du cheval afin d'éviter toute brusquerie qui aurait couvert la voix du notaire. Il tendait l'oreille, attendait la suite, se tournait vers le prêtre, cherchant à préciser son impression.

Il devait être près de midi. Il y avait dans l'air un fond de fraîcheur gaie et il leur semblait deviner des odeurs de cuisson poussées par la brise légère venue du village dont ils approchaient. Depuis la dernière demi-heure, le soleil ayant séché la terre, le chemin s'améliorait, et le cheval peinait moins. La voix du notaire reprit :

– … cela a duré longtemps. Au moins dix grosses minutes. Dix minutes d'un vide absolu. Une situation absurde. Une foule qui assiste à un drame et qui scrute l'attitude des principaux acteurs avec l'air de ne pas s'en mêler, car, c'est vrai n'est-ce pas, toute cette histoire ne les regarde pas. Plus tôt le matin, entre les lambeaux de neige fondante du vieux cimetière, on avait enterré dans le sol détrempé le fils de Vadeboncœur et de Jeanne. La veille, on avait interminablement discuté la question d'un service religieux pour cet enfant mort des suites des incantations de la domestique italienne. Un enfant du Diable dans la maison de Dieu ? Heureusement, il s'était trouvé quelqu'un pour se rappeler les prescriptions de Mgr de Saint-Vallier ordonnant que rien ne vienne servir une rumeur de sorcellerie. Au-dessus de la fosse, il y a eu un moment où Vadeboncœur et sa femme ont été tout près l'un de l'autre. Lui n'est pas apparu tout de suite et on ne l'avait pas vu, avant, à l'office. Il est arrivé comme quelqu'un qui ne veut pas provoquer. Le visage clos, il était fin seul, c'était l'homme le plus seul qu'on ait jamais vu. Et elle, enfermée dans les apparences d'une profonde piété depuis le début du service, économe de sentiments et les yeux au-dessus de tous, elle était aussi seule que lui. Dans une nappe de brume fine, en retrait près du ruisseau Saint-Martin, se tenait l'âme damnée, la vraie sorcière de cette histoire, Ursule, la domestique repoussée plus tôt, dès le parvis de l'église.

« Quand il a fallu jeter les premières poignées de sable sur la bière de chêne, Jeanne et Vadeboncœur l'ont fait en même temps. C'est lorsqu'elle a repris sa place que Jeanne a prononcé le nom de son fils, Jean. Sa voix était calme, mais ses mains ont immédiatement couvert son visage et quelque chose a vibré en elle. J'ai cru qu'elle allait pleurer, livrer sa peine, se libérer en quelque sorte. Mais non – étais-je naïf ! –, la fille du chevalier de Magny n'allait quand même pas fléchir devant la foule à l'affût de sa moindre faiblesse. Pourtant… Pourtant, voyez-vous, si elle avait éclaté en sanglots, là, si près de l'épaule de Vadeboncœur, qui sait si… »

Le notaire leva mollement une main résignée pour signifier que si Jeanne avait réagi comme une mère sur la tombe de son fils, tout aurait probablement été encore possible.

– Mais elle est restée imperturbable comme elle l'était encore au pied de la passerelle du *Nom-de-Jésus*… Et quand l'immobilité de ce matin-là fut absolument intenable et le silence, si parfait qu'on aurait pu entendre les pierres chauffer au soleil, une enfant, Charlotte, âgée de dix ans seulement mais déjà grande, s'avança vers Jeanne d'un pas net, comme si de rien n'était. Alors l'atmosphère s'allégea un peu. L'intrigue allait se dénouer et l'occasion était donnée de briser l'obsession orgueilleuse qui paralysait les uns et les autres. Vadeboncœur s'approcha lentement de sa fille et de sa femme. L'image familière et apaisante d'un couple et de son enfant fit oublier le drame qu'ils jouaient.

« Aussi, lorsqu'il fallut la force de trois hommes – des marins habitués à larguer les grandes voiles et à jouer les gabiers dans les haubans – pour entraîner Jeanne à bord et lui faire abandonner Charlotte à son mari, la scène heurta même les plus endurcis. Et je ne suis pas certain que Vadeboncœur à ce moment-là se soit lui-même jugé innocent. Pris au piège de la compassion qui pesait sur lui comme une menace, il dut soudainement trouver son destin presque aussi médiocre que celui de sa femme – mais là, c'est mon cœur qui parle… »

Jean Arnoul et l'abbé de Belmont, quoique bouleversés par le récit du notaire, ne pouvaient deviner jusqu'à quel point le départ de Jeanne de Magny avait été un moment intense de l'histoire de Ville-Marie. L'événement, s'il était resté gravé dans les mémoires, avait surtout longuement torturé les consciences et plusieurs s'en repentaient encore. Mais comme la vie elle-même doit tourner ses pages, Me Adhémar s'obligea à conclure :

– La suite, c'est un bateau qui quitte le quai dans le crissement léger des mâts et dont l'étrave ouvre sans heurt les eaux du fleuve. Il laisse dans le port un homme et une enfant qui sont comme veuf et orpheline, et on sut bientôt qu'avant de rentrer de Québec Vadeboncœur avait démissionné de sa charge de bailli de Montréal parce que, justement, il trouvait trop inhumaine l'administration de la justice dans la colonie.

Chapitre IX

Plus tard, le même jour, dans l'allée cavalière partant du manoir du Bout-de-l'Isle pour se perdre profondément dans la forêt, le cheval de Jacques Le Ber fils se cabra dans un hennissement rebelle, raidit son cou contre la tension des guides, puis, brusque, s'enleva en projetant des mottes de terre avec ses sabots. La poussière fusa en un nuage épais enveloppant sa croupe fumeuse et celles des autres chevaux lancés avec lui au galop.

– Mais pourquoi lancent-ils ainsi leurs montures? Ils vont les tuer, ces pauvres bêtes!

Marie-Ève de Salvaye se tenait sur la terrasse et ses mains ouvertes d'indignation recueillaient, blanches, tout le soleil qui plombait. Elle portait une robe bleue, une robe à paniers qui lui faisait la taille mince et qu'une mante à large capuchon recouvrait d'un bleu violacé. Son visage resplendissait de vivacité et elle paraissait à la fois heureuse et enjouée:

– Non, mais… Je vous le demande!

Poliment, en guise de réponse, Mme de Repentigny lui sourit. Son visage serein et ses traits doux donnaient à penser qu'elle était la complaisance même; pourtant, c'était une femme au caractère volontaire et sans propension au compromis, dont la réputation n'était plus à faire ; mais avec Marie-Ève, sa sévérité s'atténuait, son caractère s'amendait. Ce jour-là pourtant, elle portait en elle une grave déception : les autorités de la métropole avaient fermé sa manufacture. Et cela, en dépit du fait que ses toiles, tissées sur des métiers fabriqués pour elle au pays, avaient été d'un grand secours aux Canadiens lorsque, en 1700, le commerce des pelleteries s'était effondré au point de tarir leur source de devises et de priver les colons des moyens de se procurer du tissu en Europe. Au début, novice en ce domaine, elle avait utilisé la compétence de huit jeunes tisserands anglais faits prisonniers par les Hurons lors d'une échauffourée en Nouvelle-Angleterre. Bientôt le lin et la laine de la colonie n'avaient plus suffi et, novatrice, elle avait composé ses tissus avec certaines fibres de bois, de l'ortie, des poils de bœuf et de la laine de bouc. Mais, par son commerce, cette femme d'affaires contrecarrait l'hégémonie économique de la métropole : ses produits remplaçaient ceux de Paris ! Malgré l'intervention personnelle de Philippe de Rigaud, marquis de Vaudreuil, gouverneur de la Nouvelle-France, le ministre de la Marine avait ordonné la fermeture de la fabrique.

Aussi grande que Marie-Ève, mais plus lourde et d'apparence plus âgée, Mme de Repentigny prit la défense des jeunes cavaliers qui débridaient leurs chevaux :

– Ils sont jeunes. On leur interdit de trotter à Ville-Marie, et partout ailleurs près des bâtiments. Alors, ici, ils en profitent.

Marie-Ève, le front humide, de deux doigts fit glisser son léger capuchon sur ses épaules. Ses cheveux, en torsades plusieurs fois repliées, étaient d'un noir pâlissant : des mèches blanches couraient dans ses tresses.

– Dites-moi, madame, que ferez-vous maintenant que l'on a fermé votre boutique ?

La question, sans malice, était directe et c'était bien là toute la manière de Marie-Ève qui se permettait parfois de parler ainsi sans réfléchir, sans nuancer, pour provoquer.

– Il me reste toujours mon commerce de sucre d'érable…

Ce commerce était une autre initiative d'Agathe de Saint-Père de Repentigny qui confectionnait tous les printemps des pains de sucre d'érable dont la vente lui rapportait jusqu'à trente mille livres par an.

Marie-Ève, observant que son interlocutrice avait joint gravement les mains au moment de lui faire cette confidence, prit ce geste pour une conjuration contre le mauvais sort.

– Craindriez-vous de perdre aussi cette affaire ?

Mais Mme de Repentigny choisit de ne pas répondre, évitant ainsi de discuter ouvertement des décisions de l'Administration. De toute manière, sa voix aurait été couverte par le bruit des chevaux qui, à bride abattue, revenaient vers le manoir. Ils passèrent tout près de la terrasse ; ils étaient cinq, montés par de jeunes cavaliers – les coudes écartés, le corps se soulevant, puis retombant sur la selle – se relançant par des cris confus accordés au rythme des galops, et ils tournèrent pour descendre vers le fleuve.

Quand la poussière et la fureur furent apaisées, les deux femmes virent Jean Groulx, un riche fermier de la région, qui s'avançait vers elles en faisant des arabesques compliquées avec ses doigts, comme s'il avait voulu les délier de quelque entrave, et qui, un peu abruptement pour un sujet aussi inattendu, commença à les entretenir de la santé des cochons en Nouvelle-France :

– Saviez-vous, mesdames, que nos cochons sont en meilleure santé, qu'ils sont plus gros et plus durs que ceux des Anglais de la Nouvelle-Angleterre ? Cela vous étonne, vous fait rire ? Sachez pourtant que c'est là une vérité importante, car, grâce à eux, nos soldats – étant mieux nourris – sont plus vigoureux et plus aptes à gagner des batailles ! Je n'irais pas (tout en parlant, il se déplaçait sans cesse, de gauche à droite, en pivotant allégrement sur ses talons) jusqu'à dire que ce sont les cochons qui vont repousser la menace anglaise ; mais ils mériteraient sûrement de figurer sur quelque bannière flottant au-dessus de nos troupes !

Secouée de rires, Marie-Ève parvint cependant à demander :

– Mais pourquoi nos cochons sont-ils tellement supérieurs, dites-moi ?

– Tout simplement parce que ceux des Anglais s'élèvent et se nourrissent dans les bois où, d'ailleurs, plusieurs se perdent et sont dévorés la nuit par des hardes de loups. Les nôtres, au contraire, sont élevés par nos gens dans de riches pâturages où ils deviennent bien gras et s'abritent la nuit pour dormir paisiblement.

En parlant de graisse, le menton du fermier Groulx soutenait confortablement son visage rougeaud et, lorsqu'il riait, toute cette chair frétillait de bonheur. À ce rire des plus francs et à celui des deux femmes qui rivalisaient de gaieté s'en ajouta un quatrième, accompagné d'une boutade irréfutable :

– Contrairement à ce que vous affirmez, mon cher Jean, tous les cochons de ce pays ne sont pas gardés dans les enclos. J'en connais même à Ville-Marie qui... Je parle de ceux qu'on croise trop souvent, en liberté dans les rues. Avant de venir ici, j'ai buté contre l'un d'eux en sortant de chez les Dames hospitalières... Même que j'ai failli me laisser tenter et l'emporter au séminaire...

– Hé bien! moi, je vous le dis, ce devait être un cochon anglais: il fallait le capturer, le faire prisonnier, tiens!

Les deux femmes s'esclaffèrent et l'abbé de Belmont, même s'il se retint d'en faire autant, sut qu'il partageait avec elles de sombres pensées au sujet des Anglais dont, en fait, la présence rôdait dans l'esprit méfiant et inquiet de tous les Canadiens. En effet, ils n'avaient pas oublié l'angoisse qui avait étranglé la colonie exactement deux ans auparavant, en 1711, quand une flotte de navires anglais, qui comptait autant de soldats que la Nouvelle-France d'habitants, s'était avancée vers la colonie en remontant le Saint-Laurent vers Québec pendant qu'une armée marchait en direction de Montréal. Rien ne permettait raisonnablement de croire qu'on puisse repousser cette invasion. Seul un miracle pouvait empêcher l'inévitable. Et c'est ce qui s'était produit: dans la nuit du 2 au 3 septembre, une tempête avait dispersé l'escadre et huit de ses bâtiments s'étaient échoués contre les récifs de l'Île aux Œufs, entraînant la mort de pas moins de mille hommes et, par voie de conséquence, le repli des fantassins en route vers Ville-Marie.

La présence des Britanniques à la frontière n'en continuait pas moins d'entretenir une insécurité permanente et plusieurs dirigeants affirmaient que l'opposition héréditaire des nations anglaises et françaises trouverait un jour en Amérique son vrai champ de bataille.

Marie-Ève décida d'entrer. Elle se dirigea vers les portes déjà ouvertes de la grande salle. Avant qu'elle n'atteigne le seuil, Vadeboncœur vint à sa rencontre.

Il portait un tricorne sans plumes sur sa perruque brune qui tombait d'aplomb, et son justaucorps, rouge, descendait sur une culotte assujettie au moyen de jarretières à des bas de soie unis. Cette mode masculine allait avec l'habitude de poudrer le justaucorps ; mais Vadeboncœur trouvait cette pratique risible :

– Poudrer un justaucorps ? Et ressembler à un âne qui sort d'un moulin, blanchi de farine ! Non, très peu pour moi.

C'était là tout son caractère. Conciliant en même temps que rebelle, animé d'une puissance qui ignorait les objections trop réfléchies et brisait les obstacles, il poursuivait le même rêve que ceux qui, prosaïquement, semaient la terre, soit celui de construire un pays. Il tenait de son père le goût de l'absolu et il n'allait pas freiner par des considérations rigoureuses ses élans passionnés. Sa lucidité l'amenait à voir comme un fléau les arguments fatalistes qui réduisaient la colonie à un territoire trop rude pour être civilisé. Il imposait plutôt ses certitudes ainsi que des évidences : cette colonie était un pays, et les gens de sa génération composaient le premier peuple d'une race nouvelle. À la mort de sa fille Charlotte, ses pensées avaient erré pendant quelque temps. Il avait même failli s'embrouiller, doutant presque de ses propres convictions, ce qui ne lui ressemblait guère. Ces hésitations avaient duré le temps qu'il accuse le coup et qu'il atteigne le fond de sa peine. Il avait cependant gardé la force de rester lui-même et s'était bientôt tourné vers la petite Marie, s'acharnant à rêver qu'elle porterait aussi bien que sa mère tous les espoirs qu'il avait mis en elle. À l'extrême pointe du raisonnable, il s'était consolé en acceptant la mort avec la même résolution que la vie : Charlotte était morte, Marie vivait. Le reste n'était qu'état d'âme.

Ainsi, il s'était convaincu qu'il se devait de demeurer entièrement disponible à son rêve et à tous ceux qui le partageaient. Détendu, souriant presque, il accompagna Marie-Ève à l'intérieur.

Si la plupart des cinquante invités étaient groupés par îlot de cinq ou six, il s'en trouvait un groupe beaucoup plus important dans un coin de la salle, qui entourait François, qui l'écoutait et le questionnait avec grand intérêt :

– Mais, je les ai vus comme je vous vois ! affirmait le garçon.

Et son grand-père de corroborer :

– Vous pouvez le croire… Moi-même, j'étais là.

– Et ils étaient combien, crois-tu ?

C'était la dixième fois au moins qu'on lui posait la question, sur le même ton perplexe, et il répondait encore, de bonne grâce, flatté de l'attention qu'on lui portait :

– Quatre, ils étaient quatre…

Et il enchaînait en répétant, pour la énième fois, devinant qu'autrement on le lui redemanderait :

– Des Iroquois… C'étaient des Iroquois.

Juste avant, il avait parlé d'un Français, vu de dos.

– Tu saurais le reconnaître ?

– Mais comment ? Je ne l'ai vu que de dos…

– Oui, mais s'il entrait ici, sa perruque, son chapeau et, même, sa veste ? Non ?

François regarda son grand-père comme s'il eût cherché une réponse. Mathurin l'encouragea d'un geste de la main accompagné d'un regard approbateur.

– Peut-être, avança-t-il alors prudemment. Sa veste était verte, et j'ai vu un peu son visage avant qu'il disparaisse derrière les buissons. Juste un petit peu... Il portait la barbe.

Autour de lui, il y avait, entre autres, le baron de Longueuil. Longtemps délégué des Français auprès des Indiens, il connaissait bien ces derniers; du moindre de leur comportement, il pouvait déduire leurs intentions, saisir le sens de leurs gestes. De tous ceux qui entouraient François, il était le plus apte à comprendre l'événement que rapportait le jeune homme. Aussi, c'est lui qui menait l'interrogatoire. Son expression ne trahissait aucun des doutes qui l'assaillaient, et il affichait son détachement coutumier comme s'il considérait de haut les propos de François. Sa personnalité – c'était connu – ne souffrait pas le moindre à peu près et ses opinions, toujours emphatiques, classaient souvent de façon définitive des situations jusqu'alors imprécises. C'est pourquoi il n'eut pas à se faire très persuasif pour convaincre les Prat, de Lanaudière, Adhémar, Saint-Ours et de la Chassaigne, tous gentilshommes qui se tenaient près de lui, que le garçon avait assisté à la trahison d'un Français.

C'est que depuis l'effondrement du commerce des pelleteries, résultat de l'augmentation excessive du nombre de coureurs des bois ayant accumulé des réserves de fourrures et du rétrécissement des marchés européens dû aux mésententes étatiques, l'intendant Antoine-Denis Raudot avait, en 1709 déjà, interdit la traite pour une période indéterminée. Mais cette mesure n'avait force, bien sûr, qu'en Nouvelle-France. Juste à la frontière, en Nouvelle-Angleterre, des commerçants continuaient d'acheter aux Iroquois, à très bon prix, toutes les pelleteries que ces derniers pouvaient leur livrer, trahissant ainsi les intérêts de la colonie et frayant avec les alliés des Anglais.

Le baron sembla en arriver à une conclusion et ses yeux firent le tour de ceux qui se tenaient à ses côtés. Puis, comme s'il s'était adressé à une grande assemblée, il affirma :

– Le seul instinct de certains hommes, c'est l'argent…

La gravité de la remarque et son ton dogmatique mirent un terme aux allures figées du conciliabule ; les visages s'animèrent d'expressions entendues, fatalistes. Mais pour ne pas gâcher l'ambiance heureuse de cette journée qui les réunissait, chacun garda ses réflexions pour soi.

Soudain beaucoup moins intéressant, François ne se trouva plus de raison pour demeurer dans le cercle de ces dignitaires. Il n'eut pas le temps de se demander ce qu'il ferait que la musique non harmonisée de quatre musiciens accordant leurs instruments dans un coin de la pièce attisa sa curiosité. Il y avait là deux violonistes, dont l'un avait le nez presque aussi long que son archet. Son regard se concentrait sur l'instrument, le fixait dans un labeur entêté, comme s'il avait quelque lutte à finir avec la musique. Ses cheveux, pourtant rares, trouvaient le moyen de retomber sur son front strié de soucis et il s'obstinait à chercher ses notes dans de grands mouvements qui soulevaient, puis rabattaient ses avant-bras.

À le voir, on aurait dit un aigle incapable de s'envoler malgré tous ses efforts. À ses côtés, sage, un musicien plus jeune, vingt ans environ, adoptait une attitude studieuse et traitait son violon avec considération. Près d'eux, debout et l'air absent, un abbé accordait posément sa viole et n'attendait qu'un signe d'Antoine Malibu, chef de cette formation qui tenait en main un tambour de basque, pour entamer l'air de *Vive la Lurette*, lequel entraînerait toute la compagnie dans un pas de deux.

Si les tympans du jeune garçon frémirent d'agacement aux notes discordantes de ces musiciens en quête d'harmonie, ses yeux pétillèrent de gourmandise lorsqu'il les promena sur la longue table de merisier, chargée de victuailles et de boissons, qui s'étirait au centre de la pièce entre les hauts dossiers de quinze chaises à la capucine. Au centre, une représentation de quelque Bacchus versant dans des coupes vénitiennes du vin d'un rouge léger, une sorte de fontaine à la richesse un peu criarde qui trônait parmi les tourtières et autres pâtés à la viande et était flanquée d'oies blanches – six, en tout – dont le fumet mettait tout le monde en appétit. Des oranges importées des Antilles, ainsi que des fromages du pays et d'autres de Parme, étaient joliment disposées parmi les gâteaux et les beignets sucrés. Toutes ces tentations gourmandes prirent encore davantage de couleur lorsque soudainement un domestique s'avisa d'écarter les lourdes tentures qui masquaient un soleil radieux.

Des jets de lumière descendirent alors des grandes fenêtres et l'un d'eux vint toucher la fille de Marie-Ève, Louise-Noëlle, qui penchait la tête, l'air d'attendre quelque chose, ou quelqu'un. Immobile, elle se tenait à l'écart et ce n'était pas parce qu'on l'ignorait : tous avaient déjà jeté sur elle un regard, ne serait-ce qu'à la dérobée. Mais, manifestement, elle était absorbée par quelque préoccupation qui la prenait tout entière.

Son expression d'attente désœuvrée atténuait l'éclat habituel de son visage et donnait à ses yeux tout le relief de leur remarquable originalité ; ils perçaient sous une frange de cheveux noirs, plus noirs que la plus noire des plumes de corbeau. Elle portait une robe de mousseline de Decca, aussi légère qu'elle, ceinte d'un large ruban bleu, et comme seuls bijoux, au cou une modeste croix d'or émaillée et dans sa chevelure, des peignes de nacre ayant appartenu à sa grand-mère.

À la regarder, qui ne regardait personne, on aurait pu croire que la fête n'existait pas encore pour elle, qu'elle n'existerait pas avant que n'arrivât ce qu'elle souhaitait.

Au fur et à mesure que se présentaient les invités, les groupes continuaient de se former au hasard dans la grande pièce. Marie-Ève et Vadeboncœur allaient de l'un à l'autre, souriants et attentifs.

Le notaire Adhémar circulait lui aussi parmi les invités, jouissant de sa prestance, réceptif à toute déférence qu'on lui manifestait. De plus, il s'amusait à entretenir la curiosité de chacun sur le motif de sa présence en répétant, en queue de phrase : « Vous verrez, vous verrez… »

Alors qu'il s'approchait de Mathurin et d'Émilie, on entendit le son clair et pointu d'une clochette d'argent. Tous se tournèrent et regardèrent du côté de l'abbé de Belmont qui l'agita de nouveau ; son expression sévère révélait qu'il n'en était pas à sa première tentative pour attirer l'attention, la clochette étant le dernier de ses moyens. Un moyen qui se révéla d'ailleurs efficace puisque même les invités qui étaient à l'extérieur comprirent le message et envahirent la grande salle qui, dès lors, sembla trop petite pour les accueillir tous. Quand le mouvement fut achevé, un personnage à part, un Huron, grand et massif, Mitionemeg, l'associé de Vadeboncœur dans toutes ses entreprises, apparut dans un costume indien absolument splendide, confectionné entièrement de peaux d'orignal rasées, frangées à la poitrine et aux poignets. Il s'avança près du curé et lui murmura quelque chose à l'oreille. Puis, les deux têtes, celle de l'aristocrate seigneur de Montréal et celle tout aussi noble du Huron, se tournèrent vers le fond de la salle, en direction des portes qui donnaient sur les autres pièces du manoir.

Un silence communicatif s'installa et tous suivirent le regard du Huron dans l'espoir de voir apparaître Olivier et sa fiancée. Mais personne ne vint.

Bientôt, on chuchota, on s'agita un peu.

Dehors, les couleurs de l'automne allumaient d'ocre et d'or les murs blancs de la résidence. Les feuilles accrochées aux érables allaient bientôt joncher le sol encore vert où elles commençaient à couvrir les couleurs de l'été ; le ciel, d'un bleu certain, n'avait aucune des traînées blanches propres à cette saison si proche de l'hiver. Et le fleuve, avec une lenteur sereine, jouait du soleil sur des vagues qui renvoyaient des éclats joyeux dans les fenêtres de la longue bâtisse.

Enfin, la fiancée d'Olivier apparut. Délicate, petite même, jolie mais sans véritable particularité, à part des lèvres pulpeuses, elle entra accompagnée d'un homme – son père, à n'en pas douter – qui lui tenait la main à la manière précieuse d'un cavalier entraînant doucement sa compagne dans un pas de menuet. Sa robe était blanche, en mousseline, ceinte d'un étroit ruban vermillon du même ton que la rose de jardin plantée dans ses cheveux. Elle souriait, figée un peu, visiblement embarrassée par tous ces regards qui fonçaient sur elle. Elle avançait de façon charmante et on n'aurait pu dire si la légèreté de sa démarche tenait à sa seule féminité ou à sa jeunesse, car on lui donnait à peine douze ou treize ans.

Une enfant : on allait marier une enfant. Mais la chose était courante, car la colonie manquait de femmes à marier et il fallait donc, nécessairement, marier les jeunes filles aussitôt que nubiles.

Du bout des lèvres, affectant une fausse placidité, plusieurs s'enquéraient :

– Qui est-elle, déjà ?

– N'est-ce pas la fille de… de… ?

– On la connaît, non ?

Non, on ne la connaissait pas. Personne ne la connaissait, sauf, bien sûr, le marié, ses parents et quelques proches. C'était voulu : on saurait bien assez tôt qu'Olivier de Salvaye allait prendre pour épouse une Anglaise…

Son père, Thomas Fotherby, avait été fait prisonnier par des soldats de la garnison de Québec en expédition à Wells, en Nouvelle-Angleterre, et l'un d'eux avait pris sur lui d'amener la fillette jusqu'à Québec pour la confier aux ursulines plutôt que de la laisser, abandonnée, dans le village ravagé. L'enfant avait été accueillie par les sœurs comme l'une de leurs élèves, sans distinction d'origines, de religion ou de langue. Ce traitement n'avait d'ailleurs rien d'original puisqu'elles acceptaient ainsi communément de telles pupilles depuis qu'au cours des dernières années maints prisonniers anglais, libérés après quelques années de captivité, avaient choisi de demeurer en Nouvelle-France et d'y faire venir femme et enfants. Bientôt, ils s'étaient francisés et convertis. Le gouverneur Rigaud de Vaudreuil lui-même avait adopté la fille d'un capitaine anglais, et deux jeunes Anglaises étaient entrées en religion, l'une chez les ursulines et l'autre chez les hospitalières de Québec. En fait, en cette année 1713, on comptait pas moins de quatre-vingts anciens prisonniers qui avaient demandé et obtenu ainsi leur naturalisation.

Thomas Fotherby, charpentier raboudeur de son métier, était de ceux-là. Mitionemeg l'avait embauché pour Vadeboncœur, et depuis, il était devenu maître charpentier du chantier naval de ce dernier au Cul-de-Sac dans la ville de Québec.

Le voyant conduire sa fille devant le sulpicien de Belmont, plusieurs invités ne pouvaient s'empêcher de savourer les paradoxes de la situation : quelque temps auparavant, les sulpiciens prêchaient le jeûne et la mortification, organisaient des processions dans les rues de Ville-Marie, pour obtenir du ciel, à tout prix et par tous les moyens, l'anéantissement des Anglais, ceux de Boston surtout, qui constituaient la menace la plus immédiate contre la colonie. Et peu après, apprenant qu'un incendie avait ravagé plus de quatre-vingts habitations de la petite ville de la Nouvelle-Angleterre, ces mêmes sulpiciens pavoisaient et rendaient grâce à Dieu d'avoir répondu à leurs prières. Aujourd'hui, c'était avec les bras ouverts d'un père que le premier d'entre eux accueillait un Anglais dont la fille désirait remplir le rôle le plus important de la race naissante, celui de mère de famille.

Marie-Ève vint rejoindre l'abbé de Belmont et Olivier apparut à son tour, accompagné de Vadeboncœur.

Les musiciens cessèrent de jouer. Comme les invités, ils se firent spectateurs, passifs mais intéressés, et l'abbé de Belmont demanda au futur époux :

– Olivier, ne voulez-vous pas avoir Jane qui est ici présente pour femme et légitime épouse ?

Revêtu d'un simple surplis et d'une étole blanche, flanqué d'un servant portant le *Rituel* et un bénitier, il avait adopté un ton d'une étonnante douceur pour des propos aussi solennels. On sentait son cœur dans sa piété : la cérémonie reflétait l'humanité qui le caractérisait dans l'exercice de son ministère.

– Oui, monsieur.

Et lorsque l'épousée eut répondu de même, que les anneaux furent bénis et qu'un chaste baiser eut scellé l'union, on aurait pu s'attendre à une longue homélie où auraient été réconciliées toutes les idées divergentes qu'on devait se faire sur ce mariage dépareillé. Mais non. À la surprise de tous, l'abbé de Belmont expédia le tout d'un « Soyons bref… » et fit signe au notaire Adhémar de prendre en quelque sorte la relève.

Les invités, intrigués par le rôle de premier plan soudain donné au tabellion, échangèrent des regards interrogatifs.

Les mains épaisses du notaire déroulèrent alors un parchemin dont tombaient des rubans de soie rouge retenus au papier par un sceau de cire. Après avoir toisé l'assistance, il tendit le document presque à bout de bras afin de permettre à ses yeux de s'ajuster aux caractères stylisés du document. Puis, il prit une respiration profonde et lut :

Le septième octobre 1713

Nous avons été informés par le maître Pierre Vadeboncœur, fils de feu le sieur Pierre Gagné et de feue Marie Pacreau, âgé de cinquante-quatre ans (ici, il s'abstint de lire à haute voix : *marié à Jeanne de Magny*, et lut la suite sans qu'il y paraisse), *avocat et déjà bailli, commerçant, armateur et bourgeois habitant le fief du Bout-de-l'Isle, de son intention de prendre pour fils pour en faire un Gagné comme s'il était natif de sa propre famille le ci-devant Olivier de Salvaye, enfant majeur de feu le major Grégoire de Salvaye et de Marie-Ève née Cardinal ici présente et acceptant…*

C'était donc ça ! Et Olivier, lui-même premier intéressé, ne s'en était même pas douté.

Cet entracte avait quelque chose de pathétique. Les invités regardaient maintenant davantage Vadeboncœur et Marie-Ève que les jeunes mariés, car cette adoption était la consécration d'un couple que tous souhaitaient unis officiellement. L'ombre de Thérèse Cardinal passa dans les mémoires comme un rêve longtemps renié qui se réalisait enfin : sa détermination, cet entêtement inaltérable qu'elle avait toujours soutenu à être libre de sa vie et de ses opinions trouvaient raison chez Marie-Ève, sa fille, comme elle animée d'une indépendance farouche.

Après une pause, qu'il avait souhaitée et obtenue, le notaire toussota pour ramener l'attention sur sa personne et entreprit de poursuivre la lecture précieuse de l'acte d'adoption.

Mais le premier mot s'étrangla dans sa gorge. Un cri pointu, poussé par plusieurs voix, féminines surtout, déchira la quiétude attentive dans laquelle – croyait-il – on allait boire ses dires. Il leva un regard furieux où roulaient tous les reproches d'un maître envers ses élèves indisciplinés et vit d'où venait l'agitation. Alors, il cria à son tour, un petit cri ridicule qu'heureusement personne n'entendit dans l'ahurissement général : dans le jardin derrière les grandes fenêtres, la peau matachée de couleurs vives et vêtus seulement de brayets tombant sur leurs chevilles nues, s'avançaient cinq Algonquins, dont l'un tranchait sur les autres par la pâleur de sa peau et la douceur de ses traits.

Leurs silhouettes interceptaient le soleil et leurs têtes se détachaient autant que celles des tableaux accrochés aux murs. Leur apparition avait quelque chose d'irréel, de mythique et de théâtral à la fois.

Un silence compact déferla, et l'immobilité se fit parfaite.

Quand le plus jeune des Indiens, celui qui avait la peau presque blanche et les cheveux flottant sur les épaules, se dirigea résolument vers le manoir, il y eut dans l'assemblée un mouvement de recul. Réagissant à l'appel de son instinct de soldat, un officier de la garnison, invité au mariage, porta les mains à ses pistolets.

CHAPITRE X

– Anjénim !

Comme s'il entamait quelque déclaration solennelle, l'Indien pâle répéta en se frappant la poitrine du plat de la main :

– Je m'appelle Anjénim.

Il avait le verbe sonore, mais, grâce à un parfait contrôle de lui-même, il parvenait à dompter la nervosité qui flambait dans son regard.

– Je suis venu de mon village pour rencontrer le grand onontio et j'arrive heureux de le voir dans un si beau festin.

Dans sa voix, les notes graves s'accordaient singulièrement à celles d'une troublante légèreté. Vadeboncœur et ses invités le toisaient avec une curiosité prudente, les hommes se méfiant, les femmes ne sachant trop, partagées entre une crainte indéfinie et le ravissement que leur inspirait la beauté particulière d'Anjénim.

Mais de toutes les personnes présentes, c'était Louise-Noëlle la plus émue : une chaleur agréable l'avait envahie dès qu'elle avait aperçu Anjénim et elle l'observait attentivement, enchantée de son apparence. Elle trouvait ainsi une diversion à son attente décevante, s'amusant à céder aux illusions qu'elle se faisait au sujet de l'Algonquin à l'expression amène, au charme viril.

À voir ainsi ces Indiens et ces Blancs dans la même salle de fête, attentifs à leur attitude respective, on aurait pu croire qu'il s'agissait d'une scène préméditée que chaque acteur se devait de jouer à la perfection. Chaque personnage s'efforçait de s'adapter à la situation et cherchait le ton seyant à la circonstance.

Vadeboncœur, qui ne connaissait pas plus Anjénim que ses compagnons, mais avait appris de son père le protocole indien, savait que cette ambassade n'avait rien de suspect ; tout au plus était-elle impromptue. Quant à Marie-Ève, elle se contentait de froncements de sourcils, et Olivier tenait contre lui sa Jane, qui ne bougeait ni du corps ni de la tête.

Parmi les Indiens, il s'en trouvait un très vieux. Tout gris, les muscles longs et quasi détachés, la figure boucanée et striée, il hochait sans cesse la tête. C'était Makamik, qu'Anjénim avait convaincu de venir chez les Blancs et qui se rapprocha de lui alors qu'il poursuivait :

– Les agoskatenhas de ma tribu ont décidé qu'aujourd'hui était venu le jour pour révéler au grand onontio le secret de l'Anjénim, car dans notre village une légende est morte quand Makamik (il tendit un bras vers le vieil Indien) a dit que Anjénim n'était pas un fils du manitou de Winneway, mais de l'onontio.

Le silence devint bruissement. Vadeboncœur accusa le coup d'un simple pincement des ailes du nez. Il respira profondément, mais avec une lenteur telle qu'il n'y parut pas. Le vieux Makamik oscilla sur ses jambes étiques et ses poignets firent pivoter des mains expressives. Puis il trancha d'un « J'ai dit... » – qu'on interpréta comme définitif – dans les derniers doutes qui sourdaient sur les physionomies atterrées.

Sans qu'il le désire, le corps d'une jeune squaw, dont il avait découvert les secrets doux et chauds de la peau pourtant rugueuse, revint à l'esprit de Vadeboncœur, et la sensation fugitive du plaisir lui rappela les reproches de son père apprenant qu'une Indienne attendait un enfant de son fils. Pierre Gagné était contre le métissage de ses descendants et, pour éviter d'avoir à reconnaître un jour un tel fait accompli, il avait envoyé Vadeboncœur en France pour quelques années.

Pendant qu'il se faisait ces réflexions, autour de lui l'anxiété culminait.

Mme de Repentigny pensa intervenir par quelque remarque, quelque question peut-être, mais ne trouva rien. Le baron de Longueuil, lui, dans le regard de qui certains cherchaient des réponses, fixait Vadeboncœur : il attendait une réaction à laquelle il ne voulait en aucune manière participer, la question étant à la fois trop personnelle et trop importante pour qu'il s'en mêlât.

Plusieurs n'avaient pas compris les propos d'Anjénim en langue algonquine. Ils se taisaient, mais ils auraient bien voulu savoir pourquoi cette pièce qu'on jouait tantôt avec tant de légèreté était soudain devenue si grave. De ce nombre, il y avait Émilie Regnault, qui s'inquiétait de la tournure des événements alors que son mari, fidèle à son caractère, maugréait à fond plutôt que de s'alarmer.

Marie-Ève pressait le bras de Vadeboncœur. L'émotion troublait ses yeux noirs. Ce n'était pas les prétentions d'Anjénim, appuyées par l'ostentation de Makamik, qui l'ébranlaient, mais toute la démarche, depuis l'intrusion en tapinois dans le manoir jusqu'à la résolution de se faire entendre absolument. Sa méfiance intuitive cherchait une explication, mais comment expliquer une chose pareille? La lourdeur de l'atmosphère augmentait à chaque seconde et avant qu'elle ne devienne impossible à supporter, la compagne de Vadeboncœur se tourna vers Mitionemeg: lui devait savoir comment désamorcer cette tension et ce que signifiait l'attitude singulière des Algonquins.

Si tous se disaient qu'Anjénim aurait dû faire ses révélations en privé plutôt que d'une façon aussi incommodante, Mitionemeg au contraire jugeait la méthode et le moment on ne peut mieux choisis.

Il ne doutait pas un instant de la véracité des dires de l'Indien et se réjouissait même d'apprendre que Vadeboncœur, dont l'amitié lui était acquise depuis si longtemps qu'il en avait fait son frère blanc, était le père de l'enfant d'une Algonquine.

Pendant que tout s'était figé, sauf la course des réflexions de chacun désirant apprécier au plus juste les dimensions de l'incident, le notaire Adhémar n'en finissait pas de se désoler. Quoi? Un Indien, avec sa troupe d'originaux, lui avait volé la préséance et rendu dérisoire, voire déplacé, le discours grandiloquent qu'il allait prononcer sur la générosité de Vadeboncœur et sur la reconnaissance sans mesure – c'était son expression – que lui devrait Olivier? Et que penser de la présence subite d'un bâtard – aussi son expression – au milieu de tous ces gens bien, et de Vadeboncœur lui-même qui se serait commis avec… une Sauvagesse?

L'abbé de Belmont aussi considérait cette « erreur de jeunesse » et donnait dans un authentique fatalisme religieux: il est certains péchés qui marquent la vie d'un homme, quelle que soit la miséricorde qu'on lui accorde, parce que la réalité n'a que faire du pardon. Il avait écouté Anjénim avec tristesse et il trouvait maintenant au mariage d'Olivier un arrière-goût de gâchis.

Ce qui n'était visiblement pas le sentiment de Louise-Noëlle qui gardait ses yeux bleus grands ouverts sur le personnage imprévu de la fête. De haute stature, le corps harmonieusement musclé, les membres effilés pleins d'une vie forte qu'on voyait battre sous la peau, il avait les traits bien dessinés et son visage ressemblait à celui d'un dieu grec. Sa chevelure ondulée lui était plus seyante que la plus belle des perruques poudrées. La jeune femme trouvait que tout cela avait quelque chose de provocant. Et que cet être soit le fils du compagnon de sa mère ne la freinait pas le moins du monde : cela, elle l'oubliait déjà.

Vadeboncœur aurait pu croire qu'il s'agissait d'un coup monté par des commerçants, ou des armateurs concurrents pour saper sa réputation, la lutte étant à ce point sans pitié entre gens d'affaires dans la colonie ; mais cette pensée ne l'effleura même pas. Ses idées travaillaient pourtant et il faisait un effort de concentration pour ne pas en perdre le fil.

Il savait quel devait être son comportement, car il tenait de son père un certain flegme. Par ailleurs, à Paris il avait assez assisté au spectacle des grandes manières pour en distinguer les fatuités et n'en retenir que les leçons de diplomatie. Il n'avait pas cette faiblesse de désirer plaire à tout le monde et il préférait l'efficacité à la vanité. Habitué à la discussion, il évitait les approches pathétiques qui faussent le fond et choisissait plutôt d'agir.

Aussi lui sembla-t-il qu'il ne devait ni parlementer ni interroger, car, comme il en était pour son ami Mitionemeg, la révélation d'Anjénim ne soulevait chez lui aucun doute : sa connaissance des Indiens le plaçait au-dessus de ce genre d'incertitude futile. En fait, s'il hésitait, ce n'était pas tant à cause des Algonquins mais de ses invités, devant lesquels il devait ménager sa réaction et cela l'ennuyait d'autant qu'il espérait les gagner, tous, immédiatement, à cette vérité extravagante : il était le père d'un Indien. Il se disait que le moyen de les convertir à cette idée était de demeurer parfaitement digne et de tirer de cette affaire une certaine fierté.

Respectueux, il choisit de s'adresser à Anjénim en algonquin par l'intermédiaire de Mitionemeg. Le procédé était habile : il parlerait à voix basse à l'Indien qui, lui, porterait ses paroles à voix haute avec des mots que personne ne comprendrait, à part Anjénim et les siens. De cette manière, Mitionemeg et les Indiens se retrouveraient seuls au milieu des autres et Vadeboncœur pourrait se permettre de parler sans rien révéler des choses qu'il voulait taire, se réservant de conclure pour tous à sa manière.

Au début, Mitionemeg se limita à traduire exactement les propos de l'un et de l'autre, un échange de politesses et de compliments, des remarques aimables et sans portée sérieuse liant progressivement les interlocuteurs au nœud du sujet. Et Anjénim conclut avec déférence :

– Je suis le plus heureux parmi mes frères d'être le fils de l'onontio…

– Et je suis flatté de ce bonheur, traduisit Mitionemeg.

Mais il fallut bientôt quitter le discours facile des banalités pour en venir aux motifs qui avaient rendu nécessaire de révéler ce jour-là, précisément, l'exceptionnelle filiation : la mort d'une légende indienne n'arrive pas d'elle-même, un événement capital en était l'origine. Aussi Mitionemeg devança-t-il Vadeboncœur et s'enquit amplement pour connaître toute l'histoire, depuis le massacre du village de Piwapik'oti jusqu'à la vengeance définitive de ce dernier. Il se fit également expliquer la première solution envisagée par les Kitcispiwinis et celle proposée en complément par le vieux Makamik.

Ensuite, il répéta le tout à Vadeboncœur dont l'expression demeura de marbre. Et ce fut un autre moment de silence, durant lequel on réfléchit de part et d'autre.

Puis, l'hôte du manoir du Bout-de-l'Isle s'adressa à ses invités :

– Mes chers amis, ce jour sera plus grand que nous ne l'avions prévu... Cet Indien a parlé d'une légende morte dans sa tribu ; moi, je vous dis qu'il en naît une nouvelle, ici, maintenant. Je n'ai pas le talent de certains conteurs de chez nous pour faire le récit de ce genre de choses, mais je vais m'efforcer de bien dire la fabuleuse histoire qui vient de trouver son dénouement devant vous et qui restera gravée dans les mémoires des générations à venir, autant chez nous que chez nos frères – il appuya sur le mot *frère* –, les Algonquins.

Il frotta ses mains l'une contre l'autre en penchant la tête, comme s'il eût été en quête d'inspiration, et avança de quelques pas pour se détacher et n'être partie d'aucun des deux groupes. Machinalement, on fit cercle autour de lui et les Indiens eux-mêmes se trouvèrent mêlés à cet auditoire prêt à savourer le beau moment qu'on allait lui offrir.

Et Vadeboncœur parla. Tout doucement pour se donner le temps de trouver les mots. Sur le ton de la confidence et celui des grandes révélations, il raconta une histoire aux accents légendaires, sorte de parabole adaptée au cœur des Indiens et à la faculté d'émerveillement de ses invités. Il dit que plus de trente ans auparavant, alors que les Français et les Iroquois se déchiraient entre eux, les Algonquins étaient déjà les amis indispensables des colons à qui ils enseignaient comment vivre et survivre d'une saison à l'autre dans ce pays. Ainsi, pendant qu'on s'entretuait avec les Iroquois et qu'on croyait que l'hiver était une saison invincible, avec les Algonquins on s'entraidait et on commençait à considérer le climat comme nécessaire aux générosités de la nature. De la même manière, il arrivait que, faisant la guerre aux attaquants qui jaillissaient de la forêt, on fasse l'amour aux filles demeurées au fond des bois. La violence des uns avait pour contrepoids la douceur des autres et cela ressemblait tout à fait au pays, pays d'hiver à pierre fendre et d'été à pierre fondre.

Dans la guerre et dans l'amour, le temps avait trouvé la trame d'une histoire composée de morts et de naissances, d'oublis et de souvenirs, un enchaînement impératif que demain on appellerait l'Histoire.

Tout en parlant, Vadeboncœur scrutait tous et chacun pour s'assurer d'être bien compris et pour se donner raison d'avoir choisi d'accueillir la demande d'Anjénim, d'avoir accepté la mission qui lui était proposée. Visiblement, il aimait aussi le rôle qui lui était assigné, celui d'orchestrer les destins d'êtres différents.

Il parla d'un autre « petit été » alors qu'il n'avait pas vingt ans : au milieu de l'automne, quelques jours chauds lui avaient procuré des enthousiasmes printaniers et il avait aimé une jeune Algonquine. Peu de temps après, à son grand regret, il avait dû quitter la colonie pour éviter de devoir donner suite à cet amour. Plus tard, il était revenu pour rester.

Aujourd'hui l'occasion lui était fournie de parfaire encore ce retour en se réconciliant définitivement avec ce qu'il avait été avant de partir pour la France.

Pendant que certains guerroyaient, lui aimait ; et voilà que des années plus tard, après qu'on eut enterré la guerre pour que fleurisse la paix, un Algonquin, qu'on croyait fils de manitou dans son village, apparaissait comme l'ultime moyen d'empêcher de nouveaux affrontements qu'appellerait la vengeance de Piwapik'oti. Grâce à Vadeboncœur et Anjénim, tous les habitants de ce pays pourraient continuer de vivre en paix.

– J'ai appris de mon père, conclut Vadeboncœur, qu'en France on appelle « été de la Saint-Martin » cet été court et soudain qui perce l'automne au mois d'octobre. Dans notre pays, pour nous souvenir que la paix demeure et demeurera possible entre nos peuples, nous l'appellerons l'« été des Indiens », et nous nous souviendrons de la légende d'Anjénim…

Puis, prenant tout à coup un ton plus enjoué, il lança, se débarrassant ainsi de toute l'émotion qui autrement l'aurait peut-être mis mal à l'aise :

– Et maintenant que tous les discours sont terminés, passons à table et… fêtons !

Mais il était dit qu'en ce jour on ne saurait oublier aucun des éléments composant la légende nouvelle.

Ainsi, avant que le moindre murmure ne vienne redonner vie à l'assemblée, des vagissements annoncèrent une autre présence et, pendant qu'on s'étonnait et que tournaient les têtes, Louise-Noëlle, frondeuse, vint se planter devant Vadeboncœur à qui elle remit un paquet langé.

L'ancien bailli n'eut aucune hésitation : il accepta le colis en souriant et, levant la tête vers ses invités, il dit :

– Le destin est imprévisible. Qui eût dit que les circonstances de la naissance de ma petite-fille, Marie, allaient donner l'occasion de perpétuer la paix entre les deux peuples de la Nouvelle-France ? Voilà donc une enfant qui, à six mois seulement, a déjà participé à notre Histoire.

Sur ce, il regarda le visage du bébé, le caressa d'une main et, d'un ton joyeux, relança la fête :

– Allons, mes amis, comme je viens de le dire, un événement aussi riche doit être célébré. Alors, je le répète, tous ensemble fêtons !

Il y eut d'abord une hésitation. Puis quelques conversations s'animèrent, bientôt ponctuées de rires, et il s'ensuivit un déplacement quelque peu indiscipliné vers la table offerte à toutes les gourmandises.

Les Algonquins hésitèrent davantage. Puis, ils acceptèrent de se joindre aux convives avec une gêne que certains prirent pour une réserve civilisée.

Les vins pétillèrent bientôt dans les yeux, et les peaux féminines les plus blanches rosirent d'effervescence. D'aucuns, sans doute ceux plus habitués à ce genre d'agapes, conservèrent une politesse glacée qui fit dire à Marie-Ève, tournée vers Vadeboncœur :

– Certains sont déjà tout à fait prêts pour les froidures de l'hiver.

Elle tournait dans sa main un verre de vin d'Espagne et si ses yeux étaient encore calmes, Vadeboncœur, lui, reconnaissait déjà l'expression amusée qui redessinait ses traits. Il fit remarquer :

– Le vin que tu bois me donne le goût de t'aimer...

Elle posa un doigt sur sa bouche et se déplaça un peu pour être davantage contre lui :

– ... en buvant ce vin, je t'aime déjà.

Derrière eux, tout à la fois sous le choc de l'apparition d'Anjénim et déçue dans son attente, Louise-Noëlle semblait ailleurs.

Soudain, elle fronça les sourcils. Son regard se fit plus étroit et elle fixa la porte d'entrée qui bâillait au soleil : un personnage, barbu, portant l'uniforme des gardes du gouverneur Rigaud de Vaudreuil (bleu et blanc avec manchettes de dentelle, chapeau à panache, ceinture large et rapière), se tenait dans l'embrasure, propre comme s'il venait tout juste de revêtir ce costume. Le visage de la jeune femme se détendit de satisfaction et, pendant qu'elle se demandait si elle devait aller au-devant du nouveau venu, Vadeboncœur s'exclama :

– Louis, Louis Forté, toi ici !

– Mais... j'ai été invité.

Comme c'était son habitude, le soldat avait répondu d'une voix traînante qui semblait vouloir dire : « Il faut m'excuser, je croyais que... »

– Sois le bienvenu ! fit encore Vadeboncœur, mais approche-toi donc.

Et ce disant, c'est lui qui s'approcha de l'invité de la dernière heure en lui tendant les mains.

– Tu arrives au bon moment. Comme tu peux le voir, tout l'ennuyeux de ce genre de réunion est terminé et nous n'en sommes plus qu'à fêter.

Le jeune homme s'avança, s'inclina poliment devant son hôte (« Voilà des manières de cour… », pensa Vadeboncœur, flatté malgré lui), puis il resta sur place, ne sachant où se diriger, ni que faire. Il avait gardé à la main son chapeau à large bord. Sa barbe ne parvenait pas à masquer l'expression de fatigue qu'il essayait de cacher dans un sourire.

– Tu arrives de… ?

C'est bien innocemment que Vadeboncœur avait posé la question et il fut le premier étonné de la réaction de Forté qui chercha ses mots pour répondre et en vint presque à balbutier :

– De… J'arrive de Ville-Marie. J'ai dû faire un détour par… par le fief de Belle-Vue et…

Plusieurs lui portaient attention, mais leur intérêt ne tenait ni à ses propos ni à son attitude. Au lieu, tous avaient remarqué la réaction de Louise-Noëlle et attendaient, de fait, que ces deux-là se rejoignent.

Louis Forté prolongeait le silence, ne trouvant pas de conclusion à sa réponse inachevée. Un moment, ses yeux croisèrent ceux de Louise-Noëlle, où il trouva l'aplomb nécessaire pour couper court à cet entretien :

– J'ai dû faire ce détour pour rencontrer le charretier Melrose : M. le gouverneur m'avait demandé de…

Il parlait à Vadeboncœur sans détacher son regard de Louise-Noëlle et il devenait de plus en plus manifeste qu'il désirait être libre de s'approcher d'elle.

– Mais au fond, qu'importe d'où vous venez. L'important, c'est que vous êtes là, non ?

Vadeboncœur avait lancé sa remarque en prenant l'assemblée à témoin et il partit d'un rire bonhomme.

Le soldat marcha enfin vers Louise-Noëlle. Elle lui sourit, lui prit la main et l'entraîna sur la terrasse où le soleil jetait tout son poids de lumière. Personne ne sembla alors remarquer l'expression songeuse de François qui les suivait des yeux…

Vadeboncœur et Marie-Ève allèrent de nouveau d'un invité à l'autre, ne donnant ici et là que quelques mots à la fois, évitant de s'engager dans des conversations afin de se réserver pour tous plutôt que pour quelques-uns.

Dehors, Louise-Noëlle demeurait étrangère à la fête, toute prise qu'elle était par la joie d'accueillir son amoureux.

Qu'il était beau dans son uniforme! Le bleu lui allait à ravir et, sanglé comme il l'était dans l'étoffe seyante, ses épaules paraissaient larges, sa taille, étroite et ses jambes, bien faites. Elle se pressa contre toute cette force pour mieux savourer la douceur d'un baiser qu'il déposa au creux de son cou. Elle souhaitait ce moment depuis des jours. Il lui avait dit, «Je serai là», et il y était. Tout devenait donc possible. Le ciel, bleu aussi, était absolument sans faille et Louise-Noëlle croyait qu'il ne pouvait en être autrement: un bonheur semblable ne s'accorde que par une journée radieuse. Les mains de Louis Forté, de vraies mains d'homme, à la fois caressantes et exigeantes, se promenèrent, ouvertes, dans son dos et, à travers le tissu de sa robe, leur chaleur imprima sur sa peau, déjà moite, une délicieuse sensation de bien-être. Elle l'aimait depuis quelques mois seulement, mais elle l'aimait déjà pour la vie.

Elle l'avait d'abord aperçu un jour de parade, en mai, puis elle l'avait revu au fort de Montréal lors de la visite de Vaudreuil au gouverneur de Montréal. Devant son insistance – elle ne cessait de le regarder –, il lui avait fait une drôle de mimique. Ensuite, quand il avait pu sortir des rangs, il s'était approché d'elle :

– Il n'est pas bien de faire fondre un militaire qui est au garde-à-vous !

Elle avait ri. Franchement. D'un rire haut perché à cause de sa gêne et de son audace mêlées. Elle se savait provocante et ses yeux railleurs cherchaient dans ceux du jeune homme des lueurs de complicité. Dès lors, il comprit déjà qu'elle pourrait bien être amoureuse et feignit de ne pas en être autrement flatté. De fait, il était trop suffisant pour l'être ; mais cela, Louise-Noëlle ne pouvait encore s'en apercevoir.

Sur la terrasse du manoir, en ce bel après-midi de juillet, elle s'avouait le connaître peu et avoir été prévenue par sa mère contre l'engouement déraisonnable qu'est souvent l'amour ; mais elle se répétait que son cœur et son corps ne pouvaient se tromper tous deux à la fois. Une gaieté subite l'envahissait dès qu'il paraissait et, chaque fois, fébrilement, elle se donnait toutes les chances d'en profiter. Peut-être sa mère trouvait-elle à Louis un manque de dignité – sa personnalité était brusque, parcimonieuse d'égards, et il lui arrivait souvent de maugréer. Toutefois, il se dégageait de lui une telle assurance, que la fille de Marie-Ève ne doutait pas un instant d'avoir raison. Surtout qu'il savait l'aimer avec des gestes si habiles qu'elle en était chaque fois transportée au-delà d'elle-même, sans remords ni regret, sans conscience presque, et il lui arrivait de croire qu'elle pourrait tout accepter, quoi qu'il lui demandât. Avait-elle un sursaut de raison qu'il mourait dès que l'homme l'étreignait, et la plus enfiévrée des passions soudain l'animait.

La chaleur vibrait dans la lumière et Louise-Noëlle épousait les intentions qui étincelaient dans les yeux de son amant. Persuadée que dans l'agitation de la fête on ne remarquerait pas leur absence, elle s'éloigna avec le jeune homme, acquiesçant d'emblée à son désir. Ils se rendirent près du moulin, détachèrent deux chevaux et se mirent en selle.

Excellente cavalière, Louise-Noëlle saisit d'une main ferme la bride de sa monture et se courba sur l'encolure dès que son compagnon poussa la sienne au galop. Le vent emplit ses oreilles, et elle resserra ses mouvements pour éviter de se heurter aux branches lorsqu'ils traversèrent le petit bois séparant les champs de blé de la rivière des Prairies.

À un moment, la jeune fille aperçut un groupe d'Indiens, près de la rive. Debout sur ses étriers, elle reconnut des Iroquois. Elle se tourna vers Louis : comme elle, il les avait aperçus et, visiblement, il fonçait droit vers eux. Alors, elle se cambra, retint son cheval de toute la force de ses poignets ; mais il lui fit signe de continuer et, redonnant du mou à la bête, elle le rejoignit. Dans un nuage de poussière, ils s'immobilisèrent au milieu des quatre guerriers, et posèrent pied à terre. Elle ne comprenait pas ; les visages iroquois l'effrayaient. Louis entoura ses épaules d'un bras.

– Ne t'en fais pas ; ils ne te veulent aucun mal, au contraire.

Il y avait dans sa voix des intonations inconnues et on aurait dit qu'il s'adressait bien davantage à eux.

Momentanément, elle fut sans réaction. Une crainte monta en elle, avec des souvenirs de conversations entendues en diverses circonstances, et elle pressentit exactement ce qui l'attendait.

Elle bondit, voulut courir vers son cheval, mais Louis se jeta sur elle et, lui ramenant les deux bras derrière le dos, la tint prisonnière. Son ton était à la colère :

– Tu ne vas pas faire l'enfant, quand même…

Elle prit le parti de crier plus fort que lui :

– Misérable !

Mais une gifle, reçue de plein fouet, lui coupa le souffle et la voix. Elle crut que sa tête allait éclater : était-elle en train de devenir folle ? Elle tamponna sa lèvre fendue du revers d'un parement. Louis l'empoigna énergiquement, la ramena contre lui et lui écrasa les lèvres dans un baiser violent qui la souleva de dégoût.

Folle. Oui, elle devenait folle !

Autour d'eux, les Indiens s'excitaient. Des mains lui frôlaient les flancs. Elle se débattit. Alors qu'elle croyait s'être libérée, elle trébucha et, le dos contre les cailloux qui la meurtrissaient, elle sentit qu'on lui plaquait les bras au-dessus de la tête. On déchira sa robe, et elle perdit conscience.

Après, il lui resta cette douleur cuisante et l'odeur forte des quatre Indiens qui collait à sa peau. Ses cheveux étaient en désordre, ses mains, sales de boue, et ses vêtements bâillaient à la taille et à la poitrine. Elle se leva avec l'envie de hurler, mais la réalité de ce qui venait de lui arriver l'enveloppa d'un sentiment de honte qui n'allait plus la quitter. Elle rentra au manoir par une porte dérobée et réussit à gagner sa chambre sans croiser qui que ce soit. Personne n'allait savoir que son amant l'avait troquée, comme une vulgaire marchandise, contre quelque privilège de traite en pays iroquois.

La mort d'un héros

Chapitre XI

1719, Montréal.

Quand Marie s'éveilla, la chambre baignait dans une lumière jaunâtre et le rideau oscillait légèrement sous l'effet d'un courant d'air. Elle avait dormi tard : la veille, son oncle Olivier était arrivé à l'improviste, ce qui avait bousculé les habitudes de la maison de la rue Saint-Paul – rachetée à grands frais pour Louise-Noëlle. Venu de Québec avec Jane, pour préparer la prochaine saison du magasin général de Vadeboncœur, Olivier avait retrouvé Marie avec un tel bonheur, lui qui ne l'avait pas vue depuis plus d'un an, qu'on avait feint d'oublier l'heure et mis l'enfant au lit bien après minuit.

Après s'être longuement frotté les yeux de ses deux poings, elle les rouvrit et décida de se lever. Elle roula vers le bord du lit, se tourna sur le ventre, lança ses pieds dans le vide et atterrit sur les fesses et la paume des mains : décidément, même si elle était maintenant une grande fille de six ans, ce lit à quenouilles était beaucoup trop haut pour elle.

Parce qu'elle avait dormi en bouillant comme un chaton, malgré la fraîcheur matinale qui avait envahi la pièce, son teint était tout rosé et ses cheveux collaient à son front moite. Elle était alourdie de sommeil et ses lèvres étaient gonflées comme si elle avait pleuré. Pieds nus, elle marcha vers la fenêtre et, grimpant sur une chaise, elle s'installa sur l'épais rebord, les jambes croisées à l'indienne, pour regarder le spectacle de la rue. D'abord, la brise lui chatouillant les cuisses, elle frissonna et dut tendre sa chemise autour de ses genoux pour se réchauffer. Puis, fermant les yeux un instant à cause de la crudité du soleil, elle les entrouvrit ensuite tout doucement, le regard protégé par la soie de ses cils.

Le printemps, le vrai, celui qui libère définitivement de l'hiver et de l'isolement forcé, celui qui sent bon les promesses de l'été et contient toutes les énergies nouvelles, chantait dans les rues de la ville et les cœurs des Montréalistes. Les portes et fenêtres des maisons hermétiquement fermées pendant des mois bâillaient maintenant joyeusement dans l'air presque chaud, mais encore humide. Le sol de la rue Saint-Paul pouvait bien ressembler à celui d'un enclos à bestiaux avec sa boue épaisse, mélange de neige sale et de terre mouillée sans cesse pétrie par les badauds venus en ville ce jour-là depuis des lieues à la ronde, cela n'altérait en rien l'ambiance folle qui flottait autour des échoppes sur la place du Marché. Il s'y trouvait même quelques drilles – qu'en d'autres circonstances on aurait rappelés à l'ordre – qui, l'humeur en parfait accord avec cette atmosphère déraisonnable, se permettaient d'être ivres en public. Des groupes de jeunes gens, garçons habillés en apprentis ou en fermiers, jeunes filles vêtues du costume bleu de l'école des dames de la Congrégation, allaient d'un étal à l'autre en ricanant, achetaient des bonbons, puis prenaient place sur les bancs de bois appuyés aux devantures des magasins et boutiques qui bordaient la rue.

Marie perçut la voix forte d'un crieur public qui annonçait quelque proclamation royale et celles des marchands qui vantaient leurs marchandises. Montaient aussi des bruits d'altercation, dont l'agressivité était ici et là compensée par les retrouvailles éclatantes de vieux amis qu'avaient séparés les conditions hivernales. Et il y avait les gestes galants des jeunes hommes bien mis, auxquels répondaient les attitudes affectées, parfois timides, des jeunes femmes flattées par tant de manières, mais dont le souci premier demeurait d'éviter de se salir dans la mare bourbeuse où s'enlisaient leurs bottes dites « à la française ».

À voir les couleurs bigarrées des cottes et des jupes, des crémones et des écharpes, des manchons et des passements, ainsi que la variété des tissus, laine, serge, coton, soie, taffetas, ratine et bien d'autres encore, un visiteur se serait cru dans la métropole, même si Paris n'habitait pourtant l'esprit d'aucun. Les jeunes soupçonnaient les plus âgés d'assister avec indulgence à leurs manœuvres de séduction seulement parce qu'on était en mai et que le printemps autorisait de tels débordements.

C'était le printemps, donc, et la Nouvelle-France vivait le miracle de sa renaissance après un long assoupissement.

Deux événements marquaient l'arrivée de la saison nouvelle qu'on se rappelait avoir tant souhaitée au creux de l'hiver, quand la vie se résumait à l'oisiveté : la débâcle qui fracassait les glaces du fleuve pour libérer l'eau vive et, quelques semaines plus tard, l'arrivée de plusieurs groupes d'Indiens descendus de l'Ouest pour la Foire des pelleteries. Ils se regroupaient d'abord à Michillimakinac (la baie Verte) dans la région des Grands Lacs et parcouraient ensuite plus de cent lieues en canot pour venir traiter avec les Blancs. Dès que les premiers d'entre eux apparaissaient sur le lac Saint-Louis, les gens de Lachine leur faisaient de grands signes de bienvenue, et un souffle d'allégresse déferlait jusqu'aux quais de Montréal où le trafic des fourrures était de nouveau autorisé depuis un an.

Colorés, cérémonieux et chahuteurs, les Indiens accostaient leurs frêles embarcations aux quais de la place Royale et, sur les terrains vacants qui séparaient les remparts sud de la ville de la limite des hautes eaux, ils déchargeaient leur cargaison, dressaient leurs tentes de peaux et préparaient leurs feux.

Pendant ce temps, à l'extrémité est de la ville, près de la citadelle, arrivaient des pinasses, de grosses chaloupes et la barque du marchand Jacques Le Ber, qui effectuait la navette entre Québec et Montréal en saison. L'événement attirait les marchands-équipeurs de toute la colonie ainsi que les dignitaires de l'Administration qui avaient tout intérêt à favoriser, par leur présence, la paix avec les Peaux-Rouges.

La reconnaissance en paternité du Métis Anjénim par Vadeboncœur Gagné alimentait encore les conversations, et il était connu de par toute la Nouvelle-France qu'ainsi un foyer d'affrontement entre la justice des Blancs et le code d'honneur des Algonquins avait été éteint. Ce climat de détente autorisait les uns à assouvir leur curiosité à l'égard des autres ; aussi les Français n'avaient-ils aucune hésitation à observer et même à interroger ouvertement les Indiens sur leurs habitudes, leur territoire et leurs ambitions. Il en allait de même pour les Indiens qui, bavards, n'avaient de cesse de s'enquérir de la vie des Blancs.

Tout ce beau monde envahissait la ville pour lui conférer un panache unique et donner ainsi tacitement raison à son fondateur, M. de Maisonneuve, qui avait toujours affirmé que Montréal serait la métropole de la Nouvelle-France.

Ces visiteurs quintuplaient la population de la ville et certains résidants s'inquiétaient de voir ainsi les rues envahies par des étrangers : ils se muraient dans leur maison comme si le froid de l'hiver les y eût encore contraints. Ceux-là, les plus vieux, les plus Canadiens, ne fêtaient le printemps que lorsque le calme permettait d'entendre fondre la neige achevant de s'égoutter en ruisselets. Ils savouraient alors le retour des beaux jours avec un bonheur tout particulier, en connaisseurs, leur sentiment d'appartenance l'emportant sur l'euphorie passagère d'un jour faste.

Légèrement penchée vers l'extérieur pour voir si quelqu'un venait, Marie aperçut la tête et les épaules d'un homme. Elle battit des mains et voulut appeler ; mais déjà l'homme disparaissait sous la corniche.

Déçue, elle laissa ses pieds couler vers le plancher dont la rugosité lui rappela d'enfiler les souliers que Mitionemeg avait expressément conçus pour elle. Ils étaient faits de peau de vache et munis de souples lanières de cuir qui étranglaient, sans blesser, ses chevilles trop fines pour retenir toute autre chaussure, et elle les appelait ses « godines ».

Elle revint près du lit, s'accroupit pour regarder dessous, se traîna jusqu'au gros coffre-bahut à base chantournée, chercha encore, une main dans la poussière, souleva ensuite l'édredon qui avait glissé à terre. Rien. Elle ne trouva rien. Elle se laissa distraire un moment par sa poupée de maïs qui gisait sur la catalogne et, la pressant contre elle, elle reprit ses recherches : il n'y avait en tout et pour tout qu'un chausson de laine près d'une patte de la table de chevet. Elle le mit, à l'envers, et satisfaite du résultat de ses efforts, oubliant que son autre pied était nu, elle sortit de la chambre.

Dans la pénombre du corridor, elle se guida en faisant courir une main sur le mur. Elle parvint ainsi à l'escalier de service qui débouchait dans les cuisines de l'ancienne maison du bailli Vadeboncœur et dont la cage résonnait de toute l'activité qui régnait autour des poêles. Personne ne s'aperçut de sa présence quand elle circula, petit bout de femme à la démarche tatillonne, entre les bonnes et autres domestiques affairés aux chaudrons. Elle observa un moment les mains de la grosse Jeanne Marot qui volaient, blanches, au-dessus de la pâte, et fut fascinée par la rapidité avec laquelle le père Simon, la moustache gauloise perlée de sueur et le crâne, dégarni, luisant comme une pièce de porcelaine, coupait les tranches de bajoue de porc fumé. Sur un banc, elle vit un bol en loupe d'orme rempli d'un liquide onctueux, si onctueux qu'elle ne put résister à l'envie d'y tremper un doigt qu'elle porta à sa bouche. Mal lui en prit, la crème sûre la fit grimacer. Soudainement, toute cette agitation l'importuna et elle se sauva.

Elle traversa la salle à manger déserte, et entra dans le salon où trois femmes, bellement vêtues, conversaient sur un ton feutré. La fillette n'en regarda qu'une, celle qu'elle trouvait la plus jolie, qui avait des yeux d'une remarquable douceur, Louise-Noëlle, sa marraine. Elle s'approcha d'elle, reconnut la dentelle qui ourlait le bas de la jupe et les poignets de sa blouse, et courut se jeter dans les bras qui s'ouvraient. Elle rit aux éclats en couvrant de multiples baisers le visage dont elle huma l'agréable parfum. Comme elle allait se blottir contre la poitrine accueillante, sa marraine, mi-enjouée, mi-sérieuse, constata :

– Mais qu'est-ce que c'est que ce chausson ?

Et alors que l'enfant, l'air de descendre des nues, regardait ses pieds dépareillés, Louise-Noëlle s'enquit encore :

– Qu'as-tu encore fait de tes godines, Marie ?

Un rire en cascade agita l'enfant qui étreignit affectueusement le cou de la jeune femme.

La lumière vive et les odeurs crues du matin pénétraient par un carreau ouvert. Des fougères tendaient leurs frondes au-dessus des pots de cuivre.

L'arrivée de Marie avait interrompu la conversation entre Marie-Ève, Louise-Noëlle et Jane, qui fit remarquer :

– Voilà une petite fille qui a trouvé une maman…

Son accent empêchait qu'on oublie ses origines. L'éducation reçue chez les ursulines lui avait composé un langage à la fois précieux et érudit, mais elle articulait ses mots à la manière de la Nouvelle-Angleterre, traînant un peu sur certaines syllabes pour ensuite en escamoter d'autres. De plus, elle s'étourdissait de paroles sur un ton toujours gai, léger. Quand elle se taisait, ses yeux gardaient une telle intensité, qu'on doutait qu'elle écoutât :

ses lèvres demeuraient aux aguets et elle ne manquait jamais de placer un mot pour peu que l'occasion lui en soit donnée. Une expression enfantine, celle qui avait tant étonné le jour de son mariage, animait souvent son visage, quand ce n'était pas plutôt cette espèce d'attitude fantasque qui la faisait tenir, par certains, pour une exaltée. Au fond, c'était une personne heureuse, un être limpide qui coulait une vie sans accroc. Déjà au temps de ses études à Québec, son caractère était bien connu des soldats et des commerçants qui reconnaissaient de loin son rire perçant et goûtaient la bonne humeur qu'elle semait sur son passage. Elle portait souvent ses cheveux libres sur ses épaules et cela aussi la distinguait, car il n'était pas coutume d'aller ainsi, la chevelure folle. Elle avait la réputation d'une jeune femme urbaine et distinguée, ce qui l'avait jusqu'ici gardée à l'abri de certaines attitudes adoptées par plusieurs dans la colonie à l'endroit des Anglais qui y vivaient.

Sa remarque avait fait tiquer Louise-Noëlle qui semblait réfléchir, l'air absent. Puis, battant des paupières comme si elle s'ébrouait les idées, elle fit :

– Mais, c'est *ma* fille. Je suis sa mère... puisqu'elle n'en a jamais eu d'autre. Non ?

Elle avait dit cela comme une évidence, sur un ton poli mais qui couvait une décision irrévocable, une volonté farouche. C'est que cette femme exceptionnellement belle (bien droite, elle portait cet après-midi-là une coiffure en volutes, et son fichu, ses paniers ainsi que le corselet qui étranglait sa taille fine étaient autant d'atours qui enjolivaient sa personne, depuis son visage superbe jusqu'à ses chevilles délicates), femme si parfaitement désirable, qui séduisait sans même besoin de le vouloir, avait retranché sa vie derrière cette enfant. On ne la voyait jamais accompagnée de quelque galant et elle se tenait ostensiblement éloignée des hommes, soulevant pourtant des passions. Elle, autrefois si chaleureuse, ne gardait plus – aurait-on dit – d'affection et de tendresse que pour Marie, qu'elle élevait et dorlotait comme sa propre enfant. Certains lui avaient fait la cour, mais peu de temps après la naissance de Marie, pour quelque motif mystérieux et qu'au mieux on rattachait à quelque événement ayant eu effet de fêlure dans sa vie, elle s'était fermée à toutes les avances et on se tenait pour dit qu'elle était inaccessible. Manifestement, quelque chose minait son cœur, et son humeur s'en ressentait alors que tout chez elle aurait dû appeler l'amour. S'il lui arrivait parfois de frayer avec les hommes, c'était pour leur tenir tête et afficher son mépris.

L'avènement de Marie l'avait sauvée de l'aigreur absolue, lui avait conservé un peu d'humanité. Au début, elle n'avait que remplacé la mère décédée et le père absent (retenu à Québec), comme l'aurait fait une nourrice sèche. Mais très bientôt ses gestes s'étaient faits plus affectueux et ses regards pour Marie, plus ensoleillés. Avec le temps, l'enfant était devenue le but de son existence autrement stérile.

Pendant que Louise-Noëlle tenait sur ses genoux Marie qui jouait dans ses cheveux et lui baisait le front, Marie-Ève l'observait et s'attristait de son attitude hermétique. Maintes fois elle avait cherché à comprendre pourquoi sa fille avait réduit ses sentiments à ceux d'une mère adoptive. Seule la fillette pouvait encore provoquer chez la jeune femme ces joies fugitives, ces éclats soudains qui allument momentanément la vie et en chassent les ombres quotidiennes. Et cette froideur, cette sécheresse du cœur ! La dernière fois que Louise-Noëlle s'était laissée aller dans les bras de sa mère, c'était au cours de l'hiver d'avant, dans un moment d'abattement extrême où elle avait voulu mourir. Marie-Ève rentrait au manoir avec Mathurin, et César, reconnaissant l'odeur des bâtiments proches, s'était emballé et avait débouché dans la cour au galop au moment où Louise-Noëlle venait à leur rencontre. Les naseaux fumants, entraînée par le poids de la carriole, la bête avait eu peine à freiner pour éviter de heurter de plein fouet la jeune femme qui s'était jetée dans la neige. Sous le cheval dressé dont les antérieurs battaient l'air, Louise-Noëlle était demeurée immobile, parant à peine son visage de ses avant-bras, livrée aux sabots de César. Mathurin s'était précipité en criant et avait frappé la bête avec les guides pour qu'elle vire et reprenne son sang-froid. Profitant de cette diversion, Marie-Ève s'était lancée vers sa fille qu'elle avait cueillie dans ses bras. Comme on le dit à un jeune enfant, elle avait murmuré :

– Ce n'est rien… Ce n'est rien.

Mais à ce moment, elle était plus que jamais persuadée qu'au contraire, c'était énorme, qu'une peine sans limite habitait sa fille, qu'un lourd secret la dévorait, tel un feu intérieur flambant toute sa belle jeunesse. Louise-Noëlle s'était laissé entraîner et, une vague reconnaissance fondue dans son demi-sourire, s'était enfermée dans sa chambre. Depuis ce jour, portant le fardeau du malheur abstrait de sa fille, comme une veuve, son deuil, Marie-Ève attendait l'oubli, ou le miracle, qui libérerait son enfant.

Les trois femmes poursuivaient calmement leur conversation quand soudain le trot d'un cheval heurta la terre battue de la cour du manoir.

Le menton appuyé sur l'épaule de sa marraine, Marie aperçut à travers le tissu clair tendu devant la fenêtre la silhouette d'un cavalier qui passa, puis disparut du côté jardin. On entendit un crissement de sabots sur le gravier, et la fillette s'échappa des bras de Louise-Noëlle, se faufila sans effort vers l'arrière de la maison et s'immobilisa entre les battants de la porte. Elle reconnut alors son père qui mettait pied à terre.

Un observateur la connaissant bien aurait perçu l'ombre de déception qui altéra les traits de l'enfant. En vérité, elle aurait préféré voir arriver Vadeboncœur Gagné qui, malgré ses multiples responsabilités, arrivait souvent ainsi à cheval, sans prévenir, pour passer avec sa petite-fille de longs moments. Il lui racontait alors tout un passé qui ressemblait de très près à l'histoire de la colonie, qu'il enjolivait et mettait à sa portée, et dont les moments forts étaient ces événements particuliers vécus par son père, le sieur Pierre Gagné, et par lui-même depuis sa plus tendre enfance. Il l'entretenait des Indiens, puis de la France, de la beauté du fleuve et de celle de ses bateaux qui voguaient jusque dans les îles chaudes d'où ils ramenaient toutes sortes de trésors. Ses propos pêle-mêle mettaient en place les différents éléments d'un univers dont on devinait qu'elle était le centre. Parfois, il lui arrivait d'aborder des sujets qui la mystifiaient : elle prenait alors un air pensif et posait des questions, et des questions, à n'en plus finir. Dans ces occasions, puisque déjà elle était elle-même une conteuse diserte, elle lui présentait une autre vision des choses et il était maintenant acquis qu'elle lui avait fait redécouvrir la candeur, cette franchise désintéressée que souvent l'égoïsme adulte enterre sous des masses de mauvais prétextes.

Parfois, lorsqu'il devait se rendre aussi loin qu'à Québec pour voir à l'administration de certaines de ses affaires, Vadeboncœur l'emmenait avec lui. Elle se souvenait surtout de la première fois où il lui avait montré ses frégates, qui mouillaient dans la rade du Cul-de-Sac, et l'avait entraînée à bord de l'une d'elles, la plus belle, la plus grosse, *L'Étoile des Isles* ancrée au large.

C'était un jour de printemps. La veille, il avait plu, de sorte que, dans les rues étroites de la basse ville, les murs de pierre des maisons luisaient au soleil. Sur la grève, la marée montante avait abandonné un ruban de joncs morts, secs et jaunes, que de petites vagues détachaient du bord, puis ramenaient dans les flots.

Marie-Godine avait levé les yeux et aperçu les frégates dont les coques gracieuses tanguaient régulièrement en tirant sur leurs câbles. Il devait bien s'en trouver une dizaine. Au pied des mâts, comme autant de troncs d'arbres dont les branches auraient porté voiles plutôt que feuilles, on distinguait une activité fébrile, émaillée de sifflets et de beuglements d'ordres lancés de toutes parts. Depuis les hautes figures de proue jusqu'aux poupes en bois sculpté, se dégageait de ces bâtiments la certitude qu'ils pouvaient porter bien au-delà du réel. Marie-Godine en frissonnait de la tête aux pieds. Quels beaux navires!

À ses côtés, Vadeboncœur, chez qui la vue de ses frégates faisait monter un sentiment de fierté, semblait tout aussi émerveillé qu'elle. De nombreux petits bateaux, caboteurs, barques de pêche, pinasses, profitaient de l'abri et de la protection offerts par le mouillage de plus gros qu'eux pour s'ancrer aussi dans la rade, et un canot glissait vers le quai. Jetant un coup d'œil complice à Marie-Godine, comme pour la prendre à témoin de sa décision soudaine, Vadeboncœur mit ses mains en porte-voix et cria :

– Ohé, du canot !

Son cri, amplifié par l'écho et jeté ainsi aux mouettes criardes dont les ailes battaient presque au niveau de l'eau, fit se retourner le matelot qui manœuvrait la petite embarcation et, aussitôt, il bifurqua pour venir droit sur cet homme, qui, accompagné d'une enfant, lui faisait de grands signes.

Il eut tôt fait de reconnaître l'armateur Vadeboncœur Gagné et de se ranger de telle manière que ce dernier puisse monter dans le canot en compagnie de la fillette.

– Conduisez-nous à *L'Étoile des Isles*...

À mesure qu'ils s'étaient approchés de la frégate, Marie-Godine l'avait vue grandir et bientôt les dominer totalement. Ne s'intéressant plus à rien d'autre, elle n'aurait voulu être nulle part ailleurs. Elle rêvait, mais son rêve n'avait rien d'un rêve mensonger comme elle en faisait parfois : celui-là était vrai, elle était bien éveillée.

C'est ainsi qu'elle était montée à bord. Ils avaient été accueillis par un homme de haute taille, assez lourd d'allure et portant un uniforme avec des boutons d'argent, à qui Vadeboncœur s'était adressé sur un ton de commandement. De nombreux matelots avaient interrompu leurs activités pour les regarder en silence : avant l'accostage, certains avaient même grimpé aux vergues pour les voir approcher, intrigués par la silhouette d'une enfant au fond du canot. Marie-Godine s'était efforcée d'être calme, le regard mutin, la bouche pincée, ses cheveux battant quelque peu son visage sans qu'elle y prête attention.

Elle avait tout de même été touchée par la présence insistante de tous ces inconnus qui l'avaient observée, et elle éprouvait relativement à sa visite de la frégate un sentiment indéfinissable qui l'émouvait encore profondément.

Cela ajoutait à la dimension irréelle de son souvenir, et elle n'en croyait que davantage son grand-père quand il lui répétait, d'une voix qu'il n'utilisait jamais qu'avec elle, que les bateaux étaient autant de rêves possibles, rêves de puissance et de force.

Perdue dans ses pensées, Marie-Godine était sortie dans la cour et avait marché jusqu'à se jeter presque dans les pattes du cheval qui recula brusquement, s'ébroua et hennit. Joseph Devanchy, descendu du côté opposé, vint aussitôt se placer devant la bête, posa une main sur ses naseaux et, de l'autre, entreprit de lui lisser la crinière, essayant de calmer cette nervosité un peu inquiétante :

– Allons, allons, ma douce, tu fais peur à Marie…

– Non, non. Je n'ai pas peur moi…, déclara l'enfant en s'approchant, le regard quand même un peu inquiet.

Mais la bête piaffa, leva la tête. Ses prunelles flamboyaient.

– Holà, ho ! fit Joseph en haussant le ton.

Et il fit signe à son palefrenier de venir prendre les guides pour conduire la jument à l'écurie.

– Voilà, dit-il, en marchant vers Marie. C'est une bonne bête, mais elle est jeune et ne connaît pas les enfants. Tu es pour elle un drôle de petit animal ! L'autre jour, elle s'est emballée à la vue d'un troupeau de moutons !

Sur ces mots, il se pencha et saisit Marie à bout de bras. Il la secoua un peu pour la dérider et constata :

– Mais… Tu as encore un pied nu !

La fillette éclata de rire. Il la ramena contre lui. Le contact froid d'un pommeau d'épée contre sa cuisse fit plisser le front de l'enfant d'une manière comique :

– C'est quoi, ça ?

– Ça, c'est ma rapière, ma belle. Mon sabre de cavalerie !

L'air moqueur, il s'esclaffa, riant de lui-même avec bon cœur. Puis, comme sous le coup d'une brusque décision, il lança :

– Allez, viens ! On va voir ton oncle Olivier.

Et il l'entraîna par la main dans l'agitation de la rue Saint-Paul. Ils marchèrent en direction du magasin et, quand ils arrivèrent à la hauteur de la chapelle de Notre-Dame-du-Bon-Secours, les portes de celle-ci s'ouvrirent, laissant se déverser sur la place du Marché une ribambelle d'enfants tapageurs qui les cerna avant de se noyer dans la foule heureuse de ce premier mai.

– Accroche-toi bien ! recommanda Joseph en tenant fermement la main délicate.

Un rire joyeux lui répondit au-dessus de la rumeur. Il dut l'entraîner ainsi à travers les mouvements imprévisibles de la marée grouillante jusque devant le magasin de Vadeboncœur.

Olivier se tenait appuyé contre un des poteaux de la véranda. Il fumait sa pipe d'écume, tout à fait serein au milieu de l'excitation générale, vêtu d'un bel habit de droguet garni de boutons de cuir et coiffé d'un tapabord qui lui masquait les yeux d'ombre. Des marchandises – cordages et haussières, pots, pintes et demiards, coffres et barils, tilles de charpentiers et gros marteaux de carrière à deux pointes, et même deux grands miroirs – étaient disposées en demi-cercle devant lui et balisaient un espace vide qui s'étendait jusqu'au milieu de la rue, frontière tacite que tous contournaient.

– Bonjour, mon oncle !

– Bonjour, ma belle.

Joseph enjamba une pile chancelante de raquettes, aida Marie à en faire autant et ils se retrouvèrent ainsi dans l'îlot calme au milieu du courant de la foule montante.

Au bout d'un moment, la fillette, plissant les sourcils, demanda :

– C'est qui, ça ?

Elle montrait du doigt une jeune fille se tenant aux côtés d'Olivier.

– *Ça*, c'est Mlle Vivianne Drouet : c'est son père qui pose des fers aux pieds des chevaux…

La mine mi-enjouée, mi-embarrassée, la fille du maréchal-ferrant accepta la curiosité de Marie avec un sourire ironique. Simple et jolie, elle se sentait toujours bien en compagnie des gens de la maison de Vadeboncœur et elle profitait de toutes les occasions pour s'y trouver.

Avant que, plantée au milieu de la rue, Marie ne fasse un pas de plus, François – qui était venu aider au grand ménage du magasin – apparut dans la porte et lui fit signe. L'apercevant, l'enfant se précipita vers celui qu'elle considérait comme son grand frère. Il tendit la main pour qu'elle se hisse sur la banquette et la pressa ensuite un moment contre lui. Il aimait cette enfant, sans réserve. Il existait entre eux une complicité telle que souvent les mots devenaient inutiles : un regard suffisait pour qu'ils se comprennent.

François demanda :

– Et si on entrait ?

– Si tu veux, répondit Olivier. Mais moi, je trouve que le magasin est imprégné de toutes les odeurs mortes de l'hiver. C'est d'ailleurs pourquoi j'ai ouvert portes et fenêtres et sorti tout ce fatras.

Vivianne devança François à l'intérieur. Avant que la pénombre ne noie sa silhouette, sous sa robe légère les courbes de son corps se découpèrent dans le contre-jour et le jeune homme en goûta la beauté. Chez elle, tout n'était qu'harmonie et cette vivacité qui souvent anime les jeunes femmes irradiait de tout son être. Soudain plongée dans la fraîcheur de l'intérieur, elle constata, frissonnante :

– On dirait bien que le printemps n'a pas encore franchi la porte…

Elle parlait d'une voix étonnamment chaude, une voix de femme tout à fait inattendue chez une jeune fille de son âge. François continuait de la considérer de la tête aux pieds jusqu'à ce que son regard se pose sur les bras nus dont la chair blanche rayonnait délicieusement dans la pièce sombre. Alors, se souvenant qu'il avait jeté sa veste de peau sur le comptoir, il la prit et la lui tendit. Lorsqu'elle fit mine de l'accepter, il s'enhardit, s'approcha davantage et la lui posa sur les épaules. Elle se contenta de sourire, une pointe de complicité perçant dans ses prunelles vives. Il ne dit mot, feignit l'indifférence et s'éloigna d'elle pour terminer au fond du magasin le ménage qu'il avait entrepris avant qu'elle n'arrive.

Se penchant, il ramassa un bout de bois qui traînait dans la poussière. Il souffla dessus. Une inscription apparut, modeste et fine : *URBAIN CARDINAL*. Alors, il revint vers Vivianne, Olivier et Joseph :

– Qu'est-ce que c'est ?

– Oh, ça…, dit Olivier. C'est ce qui reste d'un coffre en cèdre qu'un ami de l'arrière-grand-père de Marie avait emporté avec lui de sa Bretagne. La femme de ce dernier, Thérèse Cardinal, la mère de Marie-Ève de Salvaye, s'en servait pour ranger en été les vêtements d'hiver, puis, à sa mort, il s'est retrouvé à la maison de la rue Saint-Paul. Il y est encore je crois, mais la plaque portant le nom de son propriétaire a dû s'en détacher lorsque Vadeboncœur Gagné l'a entreposé ici avant de racheter la maison.

François annonça à Olivier :

– Tu sais que c'est grand-père qui a conduit les hommes en forêt pour abattre le grand sapin qu'on va dresser dans la cour du vieux fort ? Il paraît qu'ils sont allés jusqu'au pied du mont Royal par le vieux chemin de la montagne. C'est là qu'on trouve les arbres les plus hauts de l'île.

– Oui, je sais. J'ai vu les hommes revenir ce midi. César tirait un beau tronc droit.

En ce premier jour du mois de mai, il était de vieille tradition – dont on avait d'ailleurs oublié l'origine – qu'on fête l'arrivée du printemps en plantant l'arbre de mai.

Ainsi, pendant qu'Olivier s'entretenait avec François, des femmes ornaient le sapin, ramené par Mathurin Regnault et ses compagnons, de fleurs en papier, de rubans multicolores et de babioles diverses. Tout près d'elles, des hommes creusaient un trou profond dans lequel on le ficherait.

– Et ta grand-mère, demanda Olivier à François, elle n'est pas venue ?

– Non. Depuis la mort de…

Mais il s'arrêta, se refusant d'évoquer devant Joseph la mort de Charlotte. Avec des gestes vagues, il signifia que la santé d'Émilie chancelait :

– Elle a comme un poing dans la poitrine qui l'essouffle. Parfois, elle respire à grands coups et nous regarde, l'air apeuré…

– Faut admettre qu'elle n'est plus très jeune…

Ils se turent sur les mêmes pensées : Émilie, ses airs alanguis et sa dyspnée, son regard aigu, son corps trop lourd pour elle. Ils sortirent, comme si le silence associé à la fraîcheur de la pièce les avait brusquement mis mal à l'aise. Une flambée de soleil les accueillit, qui chassa leur morosité. Ils distinguèrent alors un remuement vers le fond de la place et entendirent les premières notes d'une musique aiguë de fifres, rythmée par des battements de tambour, qui montaient depuis le pont de la Petite Porte, enjambant la rivière Saint-Pierre, sur un fond solennel de marche militaire, et des chevaliers de la maison du gouverneur, habillés de bleu et de blanc, casque haut sur la tête et longue tresse dans le dos, débouchèrent entre le magasin du roi et le corps de garde qui fermaient la place du Marché, côté fleuve.

– Marie, Vivianne ! Venez voir, c'est la parade…

Derrière les chevaux, dont les crins de la queue avaient été enrubannés et poudrés, suivaient plusieurs colons, bien en rangs, quatre de front comme des soldats, portant de longs fusils, des cornes de poudre en bandoulière et une hache passée dans leur large ceinture de cuir, l'air ravis d'être presque en uniforme et de prendre part à la manifestation du premier mai.

Partout en Nouvelle-France, ce jour-là, on défilait ainsi au cœur des villages; mais nulle part ailleurs l'événement n'avait autant de panache qu'à Ville-Marie à cause de la présence des dignitaires de l'Administration. Tous galonnés, tous chamarrés, précédant immédiatement le gouverneur, l'intendant et leur suite, marchaient des officiers dont plusieurs dévisageaient les spectateurs, en quête de jolies dames qu'ils désiraient impressionner par la majesté de leur port. S'avançaient ensuite le gouverneur lui-même, le marquis de Vaudreuil, et l'intendant, Michel Bégon, qui saluaient à la manière hautaine de souverains. Derrière eux, encore plus colorés que tous ceux qui les précédaient, les chefs indiens (Iroquois, Hurons, Algonquins, Abénaquis, Cris, Outaouais, etc.) matachés et vêtus de leurs habits d'apparat, le visage intensément expressif, donnaient par leur tenue un spectacle très primé. Fermant ce cortège hétéroclite, des enfants s'étaient joints au mouvement et ils riaient, indisciplinés et moqueurs, se prenant pour leurs aînés dont ils mimaient la puérile fierté.

La foule, d'abord ouverte par le passage du défilé, se referma sur lui et se laissa entraîner dans son sillage vers la seigneurie. La place se vida peu à peu, accentuant le contraste entre l'ombre et la lumière: d'un côté les maisons baignaient dans le soleil, toits étincelants et fenêtres rutilantes, et, de l'autre, toutes les façades étaient plongées dans le demi-jour.

Ne restaient plus en ces lieux soudain presque déserts que les marchands devant leurs étals et quelques badauds préférant le calme à l'euphorie.

– Tiens, voilà ta tante, Marie ! lança François, désignant Louise-Noëlle qui s'approchait de la fontaine logée dans la niche d'un mur de l'ancienne maison du baron de Longueuil qui l'avait offerte aux Montréalistes à l'occasion de son anoblissement par le roi Louis XIV.

L'eau y coulait dans une vasque de pierre verdie de mousse, et des cornets en écorce de bouleau étaient accrochés sous une devise gravée dans la pierre : *Puise, mais n'épuise.* Olivier l'aperçut alors qu'elle se penchait pour boire dans le creux de ses mains et il fit remarquer :

– Elle aura été surprise par le défilé et se sera sans doute rangée sous un porche pour éviter la bousculade.

Il se trompait de peu : en fait, Louise-Noëlle avait trouvé refuge sur le seuil de *La Chaumière*, le cabaret de la place d'Armes. La porte était ouverte juste assez pour subir l'agression des odeurs avinées et entendre la rumeur des voix qui volaient au-dessus des tables. Ce qui ne l'avait pas empêchée d'observer à loisir les gentilshommes qui paradaient.

Une fois de plus, elle avait dû admettre pour elle-même que les hommes à galons et ceux de la noblesse auraient pu la séduire. Les militaires ordinaires la hérissaient, car elle croyait, au plus profond d'elle-même et sans l'ombre d'un doute, que c'étaient tous des barbares incapables d'endiguer les exigences de leurs instincts. Mais quelque part dans les replis de son âme, elle parvenait à distinguer des caractères de grande valeur. Et il lui arrivait ainsi de croire un moment en un possible avenir fabuleux qui allait la tirer des banalités de son quotidien pour la mener aux portes des châteaux.

Quand le dernier des dignitaires s'était noyé dans la marée houleuse de la foule, elle avait quitté sa retraite. Elle traversait maintenant la place en direction du magasin, avançant avec précaution pour ne pas buter sur un galet.

Un homme qui la croisa ne put s'empêcher de l'évaluer du regard, ni de se retourner pour admirer le balancement de ses hanches et le mouvement libre de ses cheveux. Avant qu'il ne disparaisse dans l'ombre de la rue Saint-François, il se félicita d'avoir vu la première fleur du printemps et Louise-Noëlle pénétra dans le magasin.

– Bonjour tout le monde! lança-t-elle.

Vides, les lieux lui parurent bien grands.

– Il y a assez de place pour dire la messe ici, tiens! Et puis, c'est aussi froid que dans une église...

Elle souriait, d'un sourire de bonne humeur; son frère l'en complimenta:

– Il fait frais parce que le printemps hésite à entrer. Maintenant que tu es là, gageons qu'il va se décider.

Elle goûtait la galanterie de son frère comme un enfant savoure la tendresse des adultes: son affection lui était précieuse. Il lui plaisait de croire qu'il la comprenait mieux que personne. Leur mère le répétait: « Ces deux-là, ils se comprennent », tout en ignorant si vraiment Olivier en savait plus qu'elle.

– Ce qu'il faut maintenant, c'est laver, puis brosser le plancher, fit remarquer Joseph en s'emparant d'un seau de bois. Je vais au ruisseau. Tu viens avec papa, Marie?

Mais Louise-Noëlle s'interposa gentiment :

– Il serait peut-être davantage indiqué que je la ramène à la maison. Elle ne ferait que vous embarrasser. Et puis, je ne crois pas qu'elle apprécie beaucoup l'odeur de bois sale détrempé et encore moins celle de l'encaustique… Tu viens, ma chérie ?

Joseph ne dit mot. C'était évident, cette enfant ne lui appartenait plus. Ne lui avait jamais appartenu d'ailleurs. Depuis sa naissance, depuis la mort de Charlotte, il en avait toujours été ainsi. D'abord parce qu'il avait rarement pu s'en occuper, ensuite parce que, de toute façon, sa vie se serait mal accordée avec celle d'une enfant. Comment cela aurait-il été possible ? Il travaillait à Québec, vivait seul, en célibataire, et n'avait rien à offrir à Marie-Godine en comparaison avec le confort et les affections nombreuses qui entouraient l'enfant au manoir du Bout-de-l'Isle et, rue Saint-Paul, chez Louise-Noëlle.

La mort de sa femme l'avait laissé meurtri ; il ne s'en remettait pas. Et alors qu'on croyait que son ressentiment parfois très manifeste tenait à ce que son unique enfant soit une fille et non un garçon, la vérité était plus insoutenable encore. Il avait compris dès le départ que cette enfant n'était pas la sienne, mais celle de Vadeboncœur Gagné. Pour lui, c'était l'évidence même : Marie-Godine remplaçait toute la descendance que sans elle Vadeboncœur n'aurait pas eue. Aussi, même s'il n'en parlait pas, il n'en pensait pas moins : sa fille, c'était le sang des Gagné.

N'ayant obtenu aucune réponse, Louise-Noëlle demanda une fois de plus :

– Alors, Marie… Tu viens ?

Prenant sa figure la plus sévère, Marie ne répondit rien. Au lieu, elle fixa un point sur le sol, le doigt tendu, la voix inquiète :

– Là…

Suivant son regard, Louise-Noëlle la rassura :

– Ce n'est rien. Un mille-pattes. Il aura dormi tout l'hiver et il vient de se réveiller.

– C'est pas méchant ?

– Pas du tout.

L'enfant s'accroupit, se pencha en avant. L'insecte disparut entre deux lames du plancher. La voix rieuse, Louise-Noëlle conclut :

– Comme tu vois, mille pattes, ça permet de courir vite !

Tous rirent en cœur de l'expression médusée de Marie qui resta un bon moment interdite. Au moment de partir, Louise-Noëlle demanda :

– Tel que convenu, on se retrouve donc tous au manoir demain ?

– Pas moi, s'empressa de répondre François, demain je retourne à la garnison…

Il y avait dans sa voix autant de fierté et d'aplomb que six mois auparavant lorsqu'il avait annoncé son choix pour la carrière militaire. Ce choix répondait au sentiment général, car depuis la signature du traité d'Utrecht, au fur et à mesure que s'accroissait l'écart entre la population de la colonie et celle de la Nouvelle-Angleterre, on croyait en l'imminence de la guerre. Au lendemain de la signature du traité, les Anglais disposaient en effet de 60 000 soldats entraînés, auxquels la Nouvelle-France n'aurait pu opposer que 4500 miliciens environ, ce nombre représentant absolument toutes les forces disponibles, depuis les adolescents de quatorze ans jusqu'aux vétérans sexagénaires ! Quant aux compagnies du roi, si elles étaient au nombre de 28, elles ne comptaient en tout que 600 soldats. Aussi, dans l'évidente nécessité de fortifier le pays, le marquis de Vaudreuil avait-il décidé d'armer le peuple lui-même, d'en faire une sorte d'armée territoriale dont l'unité de recrutement serait la paroisse, l'unité sociale même du pays. Tous les Canadiens, depuis les paysans jusqu'aux gentilshommes, avaient donc dû s'enrôler. Mais à cause du piètre état de l'économie, ces miliciens improvisés devaient payer eux-mêmes leurs armes, l'Administration ne pouvant supporter que les coûts d'aménagement des ouvrages de défense dont l'un, le plus fameux, allait être la forteresse de Louisbourg sur l'île Royale (cap Breton), qui, à l'entrée du golfe Saint-Laurent, devrait parer aux tentatives d'invasion par la mer.

D'abord recruté selon les termes de l'enrôlement obligatoire, François avait rapidement manifesté un intérêt particulier pour la carrière des armes et, malgré ses vingt ans, déjà sergent il ambitionnait de faire partie de l'éventuelle garnison de Louisbourg :

– Je veux être de ceux qui fermeront le pays aux Anglais !

Pourtant, dans la lumière de cette journée printanière, il avait l'air si jeune qu'on aurait dit un adolescent, un adolescent aux joues de jeune fille, aux cheveux presque blonds, ou plutôt châtain pâle, et dont la lèvre supérieure était garnie d'une mince moustache. Ses enthousiasmes avaient des accents si naïfs, son regard savait prendre un sérieux tellement innocent, qu'on aurait pu croire que c'était un soldat de pacotille. Il n'en était pourtant rien. Il saurait se battre avec courage !

Olivier l'avait vu porter l'uniforme de son grade avec une telle dignité que, pour peu que les talons de ses bottes aient été rouges, on l'eût pris sans hésitation pour un noble. Quand même, la boucle d'argent qui ceignait son cou-de-pied lui conférait une grande distinction que le port de gants blancs complétait pour l'élever bien au-delà de ses modestes origines. Paré ainsi et virilisé par les rudesses de la vie militaire, il avait perdu son âme de petit garçon et était devenu une sorte de gaillard, presque un homme.

Louise-Noëlle le considéra un moment : cette absurde frénésie des hommes... Dans ses yeux de femme, l'ombre d'un mépris – oh ! un cillement à peine – passa et elle ironisa :

– Dis-moi, François, est-ce la guerre qui fait les soldats ou les soldats qui font la guerre ?

– Que voulez-vous dire ?

– Oh ! rien : je pensais tout haut, comme ça..., répondit-elle, l'air de flotter au-dessus de ses propos.

Et désinvolte, elle prit la main de Marie, salua la compagnie et repartit vers la rue Saint-Paul.

– Tu sais, François, dit alors Olivier qui regardait s'éloigner sa sœur, contrairement à ce qu'on veut croire, bien des femmes n'aiment pas les militaires. Elles croient que l'esprit guerrier qui les anime est la manifestation de ce qu'il y a de plus mauvais chez l'homme.

– Mais, il faut bien défendre le pays.

– Il le faut, oui.

Il entoura les épaules du jeune homme d'un bras paternel :

– Il le faut... Mais admets que, sans ce besoin absolu de chacun de manifester sa puissance, la paix serait bien autre chose qu'une phase entre deux guerres. On dirait que les hommes ont besoin de contradictions : ils font la guerre pour préserver la paix ! Je ne sais pas, moi, mais n'a-t-on jamais envisagé de s'allier aux Anglais, puis de partager la Nouvelle-Angleterre et la Nouvelle-France en respectant les droits territoriaux de chacun ? Personnellement, je ne crois pas que les Anglais soient responsables de tous les maux de cette colonie : il faudrait plutôt en accuser l'ostracisme de la métropole et c'est là, en France, qu'il faudrait aller pour convaincre, mener la guerre des arguments, plaider notre cause afin d'obtenir les moyens nécessaires à notre survie. Ce n'est pas en faisant la guerre que nous formerons des hommes de métier, pas plus qu'en s'armant que nous nous enrichirons.

Il fit une pause. Ralluma sa pipe. Sembla peser ses mots avant de poursuivre :

– Je ne dis pas que nos dirigeants manquent de sincérité ; je crois qu'ils confondent cause et effet, tout simplement.

François demeurait impassible. Lui qui sentait les choses avec toute l'impétuosité du soldat, au point de trouver médiocre tout quotidien dépourvu de manœuvres militaires, jaugeait intérieurement la logique séditieuse d'Olivier et la force mystique de ses convictions. Il marqua une longue hésitation. Le fond de son cœur voulait donner raison à son oncle, mais ce n'était pas si simple, car, pour cela, il lui aurait fallu considérer en même temps l'avers et l'envers de la situation. Il n'allait pas changer d'opinion par seule affection pour Olivier, mais il n'allait pas non plus se dresser contre lui. Sur un ton que certains auraient pu prendre pour de l'indifférence, mais qui n'était qu'une manière détachée de répondre sans prendre parti, il conclut :

– Je vous comprends...

Puis, sans transition, il se tourna vers Vivianne qui, un peu à l'écart, observait les gestes répétitifs d'un marchand qui tendait des tissus de couleur, des tissus d'Espagne fort probablement, devant son échoppe.

– Vous m'excuserez, mon oncle, mais je crois bien que j'aimerais aller au fleuve pendant que plombe encore le soleil. Vous venez avec moi, Vivianne ? On pourra marcher jusqu'à la rivière Saint-Pierre en suivant la berge...

La jeune fille acquiesça discrètement comme si elle n'eût pas voulu se commettre, et ils partirent ensemble. Ce fut seulement lorsque l'agitation de la place risqua de les éloigner l'un de l'autre qu'ils marchèrent main dans la main.

Joseph Devanchy était revenu au magasin au moment où François invitait Vivianne. Voyant le jeune couple se diriger vers le fleuve, songeur, il confia à Olivier :

– Charlotte était une grande amoureuse du fleuve. Elle disait qu'elle le connaissait par cœur, qu'il avait ses humeurs, qu'il coulait comme la vie elle-même et qu'un jour on reconnaîtrait que sans lui ce pays mourrait.

– Son père pense la même chose, lui dit Olivier. Même qu'il croit que le fleuve, c'est le salut de la Nouvelle-France.

Et sachant très bien ce que l'un et l'autre ils avaient à faire, ils se turent et entreprirent de laver le plancher.

Chapitre XII

1719, région des Grands Lacs.

Deux semaines plus tôt, François goûtait le plaisir gratifiant d'être aimé d'une belle fille.

Dans la touffeur d'une matinée pluvieuse, le cœur de Vivianne battait contre sa poitrine. Nue, sa peau collait à la sienne et, pressés l'un contre l'autre, ils ne faisaient qu'un, les sens en effervescence, suspendus au bord de la jouissance comme au bord d'un moment de panique qu'ils auraient délibérément souhaité.

D'abord, ils avaient marché dans les champs derrière le manoir. Puis, ils avaient couru dans la forêt et débouché près de la rivière juste en face de l'embarcadère de l'île Bizard. L'orage les avait surpris alors qu'ils s'approchaient de la remise à canots. Une belle pluie, une eau généreuse et lourde, précédée seulement d'une ombre soudaine devant le soleil, et qui s'était mise à tomber, abondante, fouettant la végétation et ravivant des odeurs sucrées. Un bon moment, ils étaient restés sous le déluge, à rire et trembler comme des enfants. Ils étaient ensuite tout naturellement rentrés dans la cabane.

Les vêtements mouillés de Vivianne sculptaient son corps et François en avait deviné tous les secrets avant de la prendre dans ses bras. Ses mains ouvertes avaient épousé l'étroit du dos féminin jusqu'à ce qu'elles atteignent la forme pleine des fesses et, dans une bouffée de passion, il avait soulevé Vivianne seulement en la pressant plus fortement contre lui. Resserrant ses bras autour de son cou, cherchant ses lèvres avec avidité, d'une détente féline, la jeune fille avait ouvert les cuisses et bouclé ses chevilles derrière la taille du garçon. Ce dernier avait à peine vacillé, embrassant sa partenaire à en perdre le souffle. Prenant garde de ne pas la heurter, il avait basculé sur elle dans la paille qu'on remisait là pour solidifier le pont de glace en hiver.

Quittant la bouche de Vivianne, ses lèvres avaient voyagé jusqu'à la pointe hérissée des seins et la jeune fille s'était renversée, tête en arrière, pour se cambrer et mieux s'offrir. Il l'avait caressée et embrassée dans le désordre de son désir et quand il s'était arrêté, à genoux au-dessus d'elle pour se rassasier de cette nudité nouvelle, aucunement intimidée par l'excitation dont elle se savait responsable, Vivianne avait entrepris à son tour de le caresser. Et elle l'avait fait si bien, que, en dépit de la moue lascive qu'elle avait opposée à ses gestes de refus, il avait dû la repousser, de peur de ne pouvoir se réserver pour la prendre.

Chaque mouvement qui les avait rapprochés du plaisir les avait scellés l'un à l'autre dans une sorte d'envoûtement. Devancés par leur corps, le cœur de l'un rythmant les battements de celui de l'autre, ils avaient chaviré au même moment, s'agrippant de toutes leurs forces à ce qui leur restait de conscience.

Puis, libérés du désir, ils s'étaient calmement regardés, sans mot dire, et François avait tracé d'un doigt chercheur le contour moite du visage de Vivianne.

Ensuite, toujours nus, ils étaient sortis sous la pluie. Cheveux dégoulinants, pieds glissant sur l'herbe, ils s'étaient poursuivis et rattrapés, avaient chuté et s'étaient relevés, grisés de rires.

En rentrant au manoir, Vivianne avait lancé cette boutade :

– Puisque je l'ai épuisé, mon petit soldat ne peut plus faire la guerre et va demeurer près de moi. Non ?

Non. Le lendemain, François partait en expédition dans les Grands Lacs.

Parti dans l'aube brumeuse qui promettait cependant une belle journée, François s'était donc retrouvé dans un canot à ramer contre le courant, sachant qu'il allait bientôt affronter l'ennemi. Dans la nappe de brouillard où tout venait se résoudre, où l'eau et le ciel ne faisaient qu'un et où les berges du fleuve s'estompaient dans un mélange de couleurs diaprées, il se sentait singulièrement tendu, avait une impression de grandeur et se persuadait d'avoir le cœur taillé dans la pierre.

Il allait se battre !

La lumière diffuse dans laquelle glissait son canot vira au jaune poudroyant quand percèrent les premiers rayons du soleil. Un à un se silhouettèrent les autres canots de l'expédition : d'abord ceux des miliciens, uniformes blancs à gros boutons de cuir jaune, puis ceux des coureurs de bois pour la plupart vêtus à la façon indienne : vêtements de peau et mocassins aux pieds. Suivaient une douzaine d'autres embarcations remplies de provisions et habilement manœuvrées par des Hurons.

Placé sous les ordres du capitaine Louis de Laporte, ce détachement avait pour mission de mater une fois pour toutes la tribu des Renards, ces Indiens originaires de la baie des Puants, qui semaient la discorde et risquaient de réduire à néant les intentions du traité de la Grande Paix de Montréal signé en 1701. Les hostilités avaient débuté lorsque, ayant épuisé les réserves de castors de leurs territoires, ils avaient entrepris de troquer le passage des lots de fourrures des coureurs de bois et des autres tribus contre une part du commerce qu'ils ne pouvaient plus exercer. En août 1711 déjà, le gouverneur les avait sommés de cesser leurs manigances. Rien n'y fit. Non seulement ils n'avaient pas obtempéré, mais ils s'en étaient pris à d'autres tribus alliées, puis aux Français installés dans le fort Pontchartrain. C'est ainsi que les autorités avaient décidé d'organiser cette expédition pour les déloger et les mettre au pas.

François rama pendant douze jours. Douze jours épuisants, à lutter contre la fatigue des muscles et à entretenir dans son esprit un feu d'idées belliqueuses afin de rester tendu pour le combat. Et quand on cessa de solliciter la force de ses bras, ses jambes durent prendre la relève pour une interminable marche en forêt. Deux jours à lutter contre le poids de son sac à dos et l'assaut des insectes.

Ce pénible voyage lui permit de mettre son courage à l'épreuve et de le distinguer de la simple bravoure. Et malgré sa fatigue, son imagination lui servit les plus hauts faits d'armes dont il allait, à coup sûr, être le héros.

Au bout de ce long voyage, imitant ses compagnons, appuyé sur l'extrémité du canon de son mousquet, il avait contemplé la bourgade des Renards, un essaim de tentes fumantes d'où parvenaient, portées par les ailes légères de la brise, des bouffées irrégulières de cris d'enfants, d'appels de squaws, de paroles confuses, le tout habitant le silence qu'observaient les soldats tapis derrière les halliers qui bordaient la prairie au centre de laquelle se dressait le village.

Mangeant du bout des dents sa ration de pain, anxieux de se jeter dans la bataille, François eut une pensée pour Vivianne bien ancrée dans son cœur.

Il était dit qu'il aurait tout le temps d'imaginer ce qu'il allait vivre : en effet, il apprit que l'attaque n'aurait lieu que le lendemain, à l'aube. Une nuit noire était descendue, piquetée seulement de quelques feux mourants devant les tentes des Indiens endormis.

Au matin, il faisait un temps radieux et il s'était même trouvé un soldat, aussi jeune et fringant que François, pour faire remarquer, en désignant tout le bleu du ciel :

– Ce sera une belle journée... Dommage qu'on ne soit pas seulement en promenade !

À peine éveillé, François se demandait encore s'il avait peur ou s'il n'était qu'impatient de se jeter dans la bataille. Intérieurement, il tremblait, et lorsqu'il voulut prendre à son tour la parole, les mots s'étranglèrent dans sa gorge. Tout son corps accusait la fatigue du voyage : ses bras pesaient lourd d'avoir tant ramé, la plante de ses pieds brûlait d'avoir tant marché et son dos demeurait courbé sous l'effet de la charge qu'il avait transportée. Mais dans ses yeux cuivre flambaient des étincelles et son regard buté laissait croire qu'il se sentait capable de tout.

Tenant solidement son fusil en travers de sa poitrine, le fourreau de son sabre pendant à sa hanche, il descendit avec les autres vers le village, ses pas assourdis par l'herbe humide de rosée (des nuages de brume matinale étaient encore accrochés aux sapins). À la lisière de l'ombre, en plein soleil, il dut se jeter à plat ventre et continuer d'avancer en rampant. En moins de temps qu'il ne l'aurait estimé, il fut si près des tentes qu'il put observer des femmes indiennes assises sur des nattes et qui tressaient des joncs en devisant. Près d'elles, des enfants jouaient en s'interpellant. Un peu en retrait, des guerriers vérifiaient un inventaire de flèches posées sur le sol pendant que d'autres, à droite et à gauche, s'occupaient à diverses activités.

François était tout yeux : ces images ne correspondaient en rien à celles qu'il s'était forgées de cette tribu qu'on lui avait décrite sanguinaire, cruelle, capable des pires monstruosités. Mais quoi ! Ces Indiens semblaient paisibles comme des Hurons. Et ces femmes, ces enfants... Déjà, la veille, des souvenirs dérangeants, ceux d'Ouapanakiab, de sa grand-mère Émilie, de la mort de Charlotte et de la naissance de la petite Marie, l'avaient sournoisement hanté et il les avait chassés en se répétant qu'un milicien ne devait pas se laisser aller à de telles émotions. Mais voilà qu'au moment d'aller se battre les images des Renards et des Algonquins vaquant calmement à leurs tâches quotidiennes se confondaient en lui et un sentiment visqueux, sorte d'angoisse exaspérante parce qu'elle ébranlait la haine, qu'il croyait nécessaire pour tuer l'ennemi, s'insinuait en lui et il s'en trouvait complètement bouleversé. Il aurait voulu faire appel à sa raison, mais les événements décidaient pour lui :

– À l'attaque !

Complètement hébété, avec une docilité qui l'étonna lui-même, François emboîta le pas, s'avança dans la rumeur qui montait, montait jusqu'à mêler les cris des assaillants avec ceux des assiégés.

D'innombrables silhouettes se dressèrent devant lui, lui laissant à peine le temps de choisir : allié ou ennemi ? Il fit tournoyer son sabre au-dessus de sa tête, ce qui l'isola ; il put constater qu'il se tenait au centre du village, que les squaws s'enfuyaient, que les enfants se pressaient en grappes les uns contre les autres et que les guerriers indiens se battaient corps à corps contre les Français (« Il faut toujours les surprendre, leur avait dit le lieutenant Souvigny, car s'ils ont appris à manier le mousquet, ils n'en ont pas pour autant perdu leur habileté au tomahawk, et ils disposent donc d'une arme de plus que nous. »).

Les yeux exorbités, François vit encore un milicien rattraper une femme et la décapiter d'un seul coup de lame : le corps bascula dans une mare d'eau immédiatement rougie de sang. Un autre se retourna juste à temps pour devancer le coup de tomahawk d'un Indien qu'il transperça si bien de son sabre que, pour retirer son arme, il dut s'arc-bouter d'un pied ferme sur le ventre secoué de spasmes. Une Indienne qui se précipitait sur ce cadavre fut arrêtée net d'une décharge de fusil en pleine poitrine…

Dans cette fureur, des enfants tombaient, piétinés malgré leurs hurlements, et les Indiens qui tentaient de gagner la forêt étaient tirés à vue. Un milicien prit une branche qui dépassait sous une marmite et s'en servit comme d'un tison pour mettre le feu aux vêtements d'un guerrier qui flamba aussitôt comme une torche. Puis, en criant « Hourra ! », il fonça droit sur les wigwams pour les incendier également. En tous sens, les Renards allaient, hystériques, paniqués, incapables de se ressaisir, des lueurs de bêtes suppliciées dans leurs yeux fous.

C'était un délire, une terreur sans nom. Le sang fade, la fétidité des entrailles, l'odeur piquante de la chair roussie firent vomir François, horrifié au point de perdre toute perception des couleurs et de la substance même d'une réalité pourtant sans équivoque.

Bientôt, les corps éventrés, tailladés, déchiquetés jonchèrent le sol rouge.

– Assez! gueula le capitaine de Laporte, en passant sa chique d'un côté à l'autre de sa bouche.

Le bras droit dans les airs, il tenait à la main un sabre ruisselant de sang qui rougissait tout son avant-bras.

– Assez! Rassemblement!

Peu à peu, constatant n'avoir plus aucun Indien à écharper, ses hommes se calmèrent. Quand ils furent regroupés, ils aperçurent à l'orée de la forêt quelques Renards qui les narguaient, hors de portée des fusils. Ils entendirent l'un d'eux crier:

– Nous nous vengerons!

Et les Indiens disparurent avant qu'on ne se mette à leur poursuite.

C'est alors seulement que François se vit indemne au milieu de tous, qu'il prit conscience de n'avoir en rien participé à la bataille et d'être resté tout ce temps immobile au milieu du chaos, oublié par l'événement autant que par les belligérants eux-mêmes. Planté au centre du combat, il était demeuré, tel un rocher, inutile et ignoré: une brusque griserie le submergea, liée aussitôt à un intense dégoût qui crispa douloureusement son estomac. L'horreur dansa à nouveau devant ses yeux ivres de fatigue et il comprit qu'il serait considéré comme un héros, alors qu'il ne pourrait s'accepter lui-même, réprouvant la barbarie de ses compagnons et se reprochant, en même temps, d'en avoir été exclu. Appréciant sa chance, il s'en voulait de ne pas avoir eu à défendre sa vie. Il avait choisi d'aller à la guerre, mais la guerre n'avait pas voulu de lui. L'absurdité de cette situation heurtait sa raison. Mais, quelque part en lui, il constatait détenir le premier souvenir qui allait changer son caractère. Ses idées prendraient d'autres tournures, il serait plus conséquent et cesserait d'imaginer le côté facile des choses aussi sérieuses que la guerre. Peut-être était-il devenu un homme ?

Enfermé dans ses réflexions, il prit le chemin du retour sans avoir pu prendre de repos. Les rangs s'étant relâchés, arriva un moment où il se retrouva seul. Alerté à la fois par le silence soudain et un craquement sec de branche, il leva la tête. Aux aguets, il perçut une présence insolite derrière un buisson touffu. Prudent et intrigué, il roula dans une ravine et se retrouva à demi baigné dans l'eau trouble d'un ruisseau. Il se figea dans la plus parfaite des immobilités, ses yeux cherchèrent, puis découvrirent la cause de sa retraite précipitée : une enfant, petite Indienne aux cheveux noirs qui courait, insouciante, d'une talle de violettes à une autre, et se penchait pour cueillir une à une les fleurs mauves dont déjà sa main gauche était pleine. Petit être inoffensif, elle ignorait son imprudence et ses gestes affichaient cette imprévoyance qui n'appartient qu'aux enfants. Elle allait, gracieuse comme l'un des oiseaux qui s'envola à son approche.

L'image de cette fillette ramena François à Marie. Son cœur se gonfla de tendresse. Simultanément fusèrent des idées de vie et de mort, de plaisir et de souffrance, de beauté et d'horreur. Il revécut encore une fois cet épisode douloureux où la mort de Charlotte avait livré la vie de Marie, puis, par quelque instinct, il se revit uni au corps de Vivianne, comme si l'un et l'autre de ces moments avaient participé à la même réalité: la primauté de la vie.

Il se trouva que l'enfant vint tout près de lui et que, l'apercevant, elle laissa échapper un cri. Plutôt que de s'enfuir, elle se mit à sangloter convulsivement.

François se leva. S'approcha d'elle. Mit un genou à terre pour mieux regarder le visage arrosé de larmes. Il n'osait parler, n'osait toucher, de peur d'effaroucher ce petit animal aux yeux polis d'écureuil. Autour d'eux, la nature était intacte après la furie meurtrière et l'eau du ruisselet chantait le calme revenu.

L'enfant était peut-être un peu plus jeune que Marie, mais il y avait dans son expression la même disponibilité affectueuse que chez la fille de Charlotte, que François aimait comme jamais il n'avait aimé, ni n'aimerait personne d'autre au monde.

Avant qu'il ne trouve l'attitude à prendre pour briser l'ébahissement qui les figeait l'un face à l'autre, la petite squaw, vive comme l'éclair, déguerpit et François se retrouva seul au milieu d'un massif de fougères que d'abord il n'avait pas remarqué.

Moulu des pieds à la tête mais l'âme réconfortée par cette rencontre, il se trouva encore assez d'énergie pour rejoindre rapidement les autres.

Sous un soleil blanc, dans la chaleur étouffante, chassant machinalement la sueur qui inondait son visage, il rentra dans le rang de ces militaires dont – il en était maintenant profondément convaincu – il n'était plus.

Chapitre XIII

1720, manoir du Bout-de-l'Isle.

Marcher comme en ce beau jour d'été dans l'odeur des joncs chauffés au soleil d'un après-midi de juillet, les pieds nus pataugeant dans la glaise qui caresse la peau avec une fraîcheur sensuelle, et observer la grâce d'un héron préoccupé par sa quête de quelque aliment qu'il avale ensuite en relevant la tête, étirant son long cou et se déplaçant précieusement sur les tiges de ses pattes gris bleu.

Avaler cet air humide chargé de toutes les saveurs du fleuve, à la fois sucrées et amères avec des relents d'eau douce qui sentent un peu le poisson. En même temps, inscrire dans sa mémoire la surface étale du fleuve pailletée des lamelles d'or du soleil. Ces parfums, ces couleurs, cette lumière – ce pays!

Depuis le plus loin de son enfance, Vadeboncœur Gagné ne voulait conserver que des souvenirs de cet ordre-là. Il les entretenait, les embellissait, s'en délectait quotidiennement. Il lui arrivait de trouver les mots pour les décrire aux étrangers qu'il rencontrait ainsi qu'à tous les gens de la colonie qui tardaient à prendre racine, regardant toujours un peu du côté de la France avec l'envie d'y retourner.

Le manoir du Bout-de-l'Isle bourdonnait depuis le matin de la vie intense de ceux qu'il appelait les siens : Marie-Ève, Louise-Noëlle, la petite Marie et Joseph, son père, Olivier – maintenant père de deux fils, Jérôme et Nicolas – et le couple Regnault. L'occasion en était le départ d'Olivier pour Paris.

On attendait beaucoup d'invités, mais, avant de les accueillir, Vadeboncœur avait choisi de s'isoler pour caresser le projet qui occupait tout son esprit depuis quelque temps.

Immobile, il se tenait la tête haute pour ne rien manquer des splendeurs du paysage. Intérieurement, il était fier de lui, fier de l'énorme décision qu'il venait de prendre : il allait tenter de briser l'isolement dont était victime la colonie pendant les trop longs mois d'hiver. Il en avait le moyen et y croyait comme en son propre destin. Le fleuve toujours : il s'était tourné vers le fleuve pour y trouver, cette fois, le salut de son pays.

Quelques années encore lui seraient nécessaires pour mettre au point cette idée hardie, folle peut-être : traverser en France dès le début de mars, en profitant des quelques jours de dégel qui chaque année libèrent le centre du fleuve. Si cela devait réussir, c'est toute l'histoire de la Nouvelle-France qui en serait transformée. Que Vadeboncœur débarque à Paris et qu'il se présente à la cour dans la première quinzaine de mars et l'intérêt de la métropole pour la colonie serait définitivement éveillé. Il se créerait un mouvement sympathique qui changerait les attitudes, Vadeboncœur en était persuadé. Fort de cet appui, il saurait se faire entendre du régent, Philippe d'Orléans. En somme, il pourrait bien sauver la colonie du désintéressement qui de plus en plus l'amputait des ressources essentielles à sa survie. Cela avait déjà été fait, d'une autre manière: Pierre Boucher, l'ancien gouverneur de Trois-Rivières, avait réussi à provoquer ce genre d'enthousiasme en 1664 lorsqu'il avait publié à Paris son *Histoire véritable et naturelle des mœurs et productions du Pays de la Nouvelle-France.* La lecture de ce livre avait convaincu le roi Louis XIV d'envoyer au Canada un régiment pour mater les Iroquois et permettre ainsi aux colons de défricher plutôt que guerroyer.

Un cri d'enfant tira Vadeboncœur de ses pensées: Marie dévalait le glacis pour venir à sa rencontre. Elle courait dans les herbes hautes, regardant à peine devant elle, connaissant ces lieux par cœur, ses pieds nus évitant les pierres, les bouts de bois qui traînaient. Sa voix tressautait sur les mouvements de sa course.

– Grand-père! Grand-père! Ils sont arrivés!

Entraînée par son élan, elle se jeta sur Vadeboncœur qui la saisit au vol, l'éleva près de son visage et lui embrassa bruyamment les deux joues.

– Qui est arrivé, ma belle?

– Il y a M. le curé et le gros monsieur…

L'abbé de Belmont et Jean Groulx, traduisit pour lui-même Vadeboncœur qui demanda:

– Et François? Et Vivianne? Ils sont là, aussi?

– Pas François. Vivianne, oui. Elle est arrivée avec les autres…

– Bon…

– Il y a Anjénim aussi.

Le visage de l'enfant prit une expression plus enjouée encore. Pour un peu, elle aurait tapé des mains.

Le personnage du Métis la fascinait et l'intriguait en même temps. Elle l'écoutait et elle l'observait avec toute l'effronterie de l'enfance, et lui était amusé par ses réactions chaque fois que, gauche, il découvrait avoir commis quelque entorse aux usages ou aux manières de ces Blancs chez qui il venait parfois par curiosité, voire par amitié. Car il partageait sa vie entre les Algonquins et les Français, ne se sentant étrangement ni à l'aise ni chez lui nulle part.

Quoique âgé de plus de trente ans, lorsqu'il venait passer quelques jours au manoir, il était un enfant chez les adultes, et le fait qu'il n'ait aucune crainte du ridicule colorait sa présence. Parlant un français rudimentaire, il tentait de se rattraper en utilisant, pas toujours à bon escient, des expressions glanées au hasard et il arrivait que cela accentuât le comique de situations déjà cocasses. On ne comprenait pas encore très bien qui il était vraiment, et du coup on admettait facilement qu'en vérité on connaissait mal les Indiens. S'il pouvait dire l'heure selon la position du soleil, et prédire le temps qu'il ferait à partir seulement de certaines odeurs venues du fond de l'air, il était incapable de planifier plus d'une journée à la fois, et ne goûtait guère tout ce qui était confort et sécurité. Enfin, il avait parfois une rudesse soudaine qui surprenait, et il lui arrivait de se montrer tout à coup méfiant sans que l'on sache trop pourquoi.

Vadeboncœur prit la main de Marie et l'entraîna avec lui.

– Allons rejoindre les autres…

Ils eurent à peine le temps de faire quelques pas qu'un bruit de sabots attira leur attention et, dans un nuage de poussière, ils distinguèrent un chevalier qui, immobilisant sa monture contre la terrasse, sauta sur le sol : c'était nul autre que François. Aussitôt, Marie lâcha la main de son grand-père pour se précipiter vers le nouvel arrivant.

Vadeboncœur observa la scène avec un brin de nostalgie : il adorait cette enfant, mais – c'était évident – elle lui préférait François. Elle préférait même ce dernier à son père. Et c'était réciproque : en toutes circonstances lorsqu'il était là, ils ne se quittaient pas d'une semelle. C'était lui qui, à force de la voir pieds nus, s'était amusé à l'appeler Marie-les-godines pour la taquiner. Bientôt, il avait coupé court et elle était devenue Marie-Godine. Maintenant, certains l'appelaient ainsi et le nom lui allait si bien que ceux-là en avaient oublié l'origine.

Vivianne, qui attendait à l'intérieur du manoir, les vit se confier quelque secret et ensuite monter sur la terrasse. Ils composaient un tableau charmant, mais cette image ne sembla pas la toucher outre mesure. Si elle conservait le souvenir des temps heureux ayant précédé l'expédition des Grands Lacs, son cœur n'était plus aussi serein lorsqu'elle pensait à son amour pour François. Le jeune homme était rentré physiquement indemne de l'aventure, mais il n'était plus le même. Elle avait constaté que quelque chose en lui s'était brisé. Il ne l'aimait plus de la même manière : on aurait dit que son amour était devenu un rapport de force, et ses brusqueries inexplicables et imprévisibles effrayaient parfois la jeune fille. Il se comportait souvent avec excès, étalant sans restriction les soubresauts d'un tempérament de plus en plus dur.

Par exemple, la veille : en route pour le manoir, traversant le village de Lachine alors que des fêtards sortaient guillerets du cabaret *Folle-Ville*, il leur avait crié de se ranger et, sans prévenir, avait lancé le cheval d'un coup de fouet. La bête avait bondi et le cabriolet, fonçant dans le groupe, avait failli en happer plusieurs, évitant de justesse un vieil homme soudain figé de peur au milieu de la rue. La secousse avait été telle que Vivianne, ballottée par les mouvements de la voiture, avait heurté de la tête le bois du dossier et s'était meurtri les jambes au garde-crotte. Des cris de colère avaient tonné, et elle avait été stupéfaite d'entendre alors François éclater de rire.

– Mais François, tu es fou ! Tu aurais pu tuer quelqu'un !

– Mais non. Faut rien exagérer : jamais personne n'est mort d'une belle frousse !

Elle était furieuse. Il avait ralenti son cheval, puis s'était tourné vers elle :

– Ma mie, il faut mettre du piquant dans sa vie.

– De là à risquer la vie des autres, il y a une marge !

Ce regard mauvais qu'elle avait surpris chez lui au moment où il avait poussé la bête, et qu'accompagnait un étrange sourire, elle en frémissait encore aujourd'hui. Néanmoins – et c'était là le plus étonnant –, François donnait toujours cette impression de candeur, d'extrême jeunesse, de fragilité même, lorsqu'on l'observait sans fixer le fond de ses yeux.

Le regardant délaisser Marie-Godine pour venir à sa rencontre, Vivianne lui trouva un profil fin, un visage courtois. Aussi hésita-t-elle avant de charger son expression de l'attitude butée qu'elle lui opposait souvent depuis un certain temps. Il avait gardé quelque chose d'intensément attachant et, quand il s'approcha d'elle, malgré son aplomb face à une situation qu'elle croyait bien maîtriser, elle frissonna de la tête aux pieds. Après tout, il demeurait son premier amant, la source de ses souvenirs les plus marquants.

Il ne put taire le désir qui lui vint à la voir ainsi, la taille étranglée dans une robe de couleur vive s'épanouissant comme une fleur à la poitrine. D'ailleurs, ainsi vêtue, les épaules blanches sous la masse foncée de ses cheveux, et son cou délicat orné d'un modeste collier, Vivianne aurait allumé n'importe quel regard masculin. Elle était pourtant d'une beauté difficile à définir, ses traits manquaient de finesse et ses yeux n'avaient rien de particulièrement évocateurs. En somme, et c'était son mystère, on la trouvait jolie sans pouvoir dire exactement pourquoi.

Une explosion de rires fusa près d'eux. Complices polis, ils sourirent. Les yeux pétillants de prétention, François regardait Vivianne comme si elle lui avait appartenu. Dans une position proche du garde-à-vous, il lui demanda, sur le ton arrogant :

– Tu as eu peur que je ne vienne pas, n'est-ce pas ?

Elle faillit lui répondre qu'elle ne l'avait même pas attendu, que sa présence ou son absence l'indifféraient. Mais, gentille, et jugeant puéril de vouloir lui rendre la monnaie de sa pièce, elle se retint et dit plutôt :

– Pas vraiment ; mais je suis heureuse que tu sois là...

Il prit ses mains qu'elle lui tendait. Il les baisa.

Elle avait déjà cru que son affection pour François avait les caractères de la destinée et qu'elle en ferait son bonheur ou qu'elle la subirait. C'était quand elle l'aimait avec un sentiment d'urgence, désirant avant tout se marier, fonder une famille. Puis, pendant son absence en expédition, des incertitudes l'avaient ébranlée. Quel était l'avenir d'un militaire prêt à mourir demain pour la patrie? Et l'avenir de sa famille ainsi promise, jeune, à la mémoire d'un père tombé au combat? Aussi, ses premiers élans amoureux, s'ils l'avaient transportée, n'avaient pas fait d'elle une femme totalement éprise. Elle goûtait les joies de l'amour, depuis la tendresse jusqu'aux caresses, et même, en un sens, jusqu'à la violence de la possession, mais doutait maintenant d'être tout à fait amoureuse de celui qui lui avait prodigué ses premiers instants de volupté.

Elle agitait ces idées autour de sa frustration de François toujours pressé en toute chose: elle aurait tant voulu qu'il sache attendre, qu'il soit patient et ne brusque ni leur amour ni leur avenir. S'il avait été pour elle un éblouissement, elle le désirait maintenant sage. Elle l'aurait même aimé hésitant.

Elle avait vécu trois mois de solitude à l'attendre douloureusement, puis à penser à lui raisonnablement et, depuis qu'elle l'avait retrouvé, on aurait dit que, dans cette relation, c'était elle-même qu'elle cherchait.

François passa un bras autour de sa taille. Une main chaude épousa la rondeur de sa hanche et, un peu perdue dans ses pensées, elle se reprit en soutenant le regard obtus du jeune homme qui se penchait vers ses lèvres. Elle le crut sur le point de l'embrasser et le souvenir de leur premier baiser lui brûla les lèvres : il n'allait pas être facile de renoncer à lui…

Pour s'étourdir et se soustraire à la situation, elle lança :

– Allons voir M. Olivier.

Le fils de Marie-Ève se tenait au fond de la salle devant un portrait en pied de Pierre Gagné et conversait allégrement avec le curé de Belmont et le fermier Jean Groulx, qui éclatait de rire en réaction à l'une de ses propres drôleries.

Vivianne, morose, trouva cette hilarité déplacée dans les circonstances : Olivier n'allait-il pas partir pour plusieurs années ? Dès le lendemain, il se mettrait en route pour Québec où il s'embarquerait à bord de *L'Heureux de Bayonne*. Et ce départ n'avait rien de l'envie de voir du pays ou d'un caprice d'homme en mal d'aventures. Il s'agissait plutôt d'une stricte nécessité. De fait, Olivier appréhendait ce voyage, car il redoutait de se retrouver parmi les gens de la métropole, qu'il devinait d'une éducation nettement au-dessus de la sienne et de mœurs sophistiquées, et au milieu desquels il allait trancher comme le ferait une vulgaire corneille sur tout le blanc de la neige. Mais avait-il seulement le choix ? Le Bout-de-l'Isle n'était pas différent du reste de la Nouvelle-France étranglée par la pire crise économique de sa jeune histoire.

La situation tenait au manque criant de numéraire. La monnaie métallique s'était raréfiée dès 1685 et, pour y suppléer, le gouverneur Denonville avait alors inventé le système de la monnaie de carte : sur l'endos de cartes à jouer, on inscrivait un montant dont la valeur était ensuite confirmée par les signatures du gouverneur et de l'intendant. En 1708, toute la monnaie métallique avait disparu et on émettait, sans réel contrôle, cette monnaie de papier gagée sur des fonds fictifs. Le résultat ne s'était pas fait attendre : les marchands de la métropole discréditèrent ces traites et, puisque chaque nouvelle émission n'était pas davantage honorée que la précédente, cette devise perdit graduellement de sa valeur, ce qui provoqua une irréversible inflation. Pour la contrer, la Cour des monnaies racheta, pour la moitié de leur valeur, 1 600 000 livres de cartes émises, une perte de moitié pour les Canadiens. Comme à cette dernière s'ajoutaient les pertes de 3 500 000 livres accumulées par le trafic maritime au cours des vingt dernières années et celles de 2 000 000 résultant de la crise du commerce des fourrures, la Nouvelle-France était au bord de la faillite.

Le ministère des Colonies n'en continuait pas moins de s'obstiner dans des attitudes qui rendaient dérisoires toutes tentatives de redressement. Ainsi, si la superficie des terres agricoles avait doublé depuis 1706, on manquait tragiquement de main-d'œuvre. Et si on avait développé les nouvelles cultures de chanvre et de lin, on manquait de tisserands : les stocks s'accumulaient, se perdaient, faute d'être traités.

Dans ce climat, les affaires de Vadeboncœur avaient, bien évidemment, périclité. Ainsi, la plupart de ses bateaux mouillaient en rade, les carnets de commande pour les radoubs à son chantier du Cul-de-Sac étaient presque vides et ses magasins de la rue Saint-Paul à Montréal et de la rue Saint-Pierre à Québec ne pouvaient faire davantage que de vendre ce qu'on achetait, et comme les colons étaient sans le sou…

Vadeboncœur avait convoqué Olivier au manoir :

– Vois-tu, on ne peut faire des affaires que si on dispose de moyens pour en faire. Actuellement, même nos meilleurs clients sont incapables de payer. De toute manière, ils nous paieraient avec quoi ? Nous accumulons donc des créances ; pour ce que ça vaut… Et nos meilleurs hommes, ceux-là que j'ai choisis moi-même, menacent maintenant de nous quitter. Pas pour se faire embaucher ailleurs : pour survivre, tout simplement. Ils désirent être libres d'aller piéger le gibier, de pêcher, de cueillir ce que la nature offre encore de comestible, et qui ne coûte rien.

Il s'était levé, l'air accablé, s'était passé une main dans le visage, puis, planté devant les grandes fenêtres, avait regardé le fleuve qui vibrait à peine.

– Mais cette situation ne durera pas éternellement. On ne va pas renoncer à ce pays. La France elle-même est au bord de la faillite et pourtant personne ne croit en sa déchéance : elle s'en sortira, c'est certain. Suffit de tenir…

Revenant vers Olivier, le ton plus léger, il avait ajouté :

– À une certaine époque, j'ai accepté que des clients importants – certains personnages de la cour, le ministère de la Marine et celui des Colonies, entre autres – me paient au moyen de lettres de change, à demande.

Il avait pris un air résolu :

– Le moment est venu de traiter ces effets…

Et avant qu'Olivier n'ait compris pourquoi Vadeboncœur le prenait ainsi à témoin de l'état de ses affaires, il lui avait annoncé :

– Tu iras donc à Paris percevoir mes créances.

Jean Groulx, qui se faisait toujours sérieux pour les questions d'argent, et même curieux lorsqu'il flairait de grosses sommes (ses yeux s'agrandissant au fur et à mesure qu'il en imaginait l'importance), demanda à Olivier :

– Vous croyez vraiment que les sommes à percevoir valent le voyage ? Traverser l'océan, c'est une pénible aventure.

– Ces sommes valent le voyage. L'aller, le retour, et quelques années sur place en sus...

– Alors, là...

Et Jean Groulx prit pour dit qu'il n'en saurait davantage. Sur ce, François, qui s'était jusque-là tenu en retrait au côté de Vivianne, s'avança et posa une main sur l'épaule d'Olivier. Celui-ci se retourna et fit remarquer :

– Eh bien ! Voilà un autre voyageur, qui revient celui-là, au lieu de partir.

– Et de plus loin qu'il n'y paraît, mon oncle, car si la région des Grands Lacs, ce n'est pas la France, la tribu des Renards, ce n'est pas tout à fait la cour de Versailles !

Le cynisme de la remarque fit tiquer l'abbé de Belmont et le fermier Groulx faillit en rire. Olivier lui, sur un ton paternel, se contenta d'encourager le jeune soldat :

– On le sait, il faut du courage pour pratiquer le métier de la guerre.

Puis, souriant :

– Ce qu'on sait moins, généralement, c'est qu'il faut aussi de l'humour : la guerre ne saurait être plus sérieuse que ceux qui la font.

– Mais vous parlez comme un vieux général, mon cher Olivier ! conclut avec superbe Jean Groulx, qui s'écarta pour faire place à Marie-Ève et Jane qui arrivaient.

– Quand même, dit Marie-Ève sur un ton de gentil reproche, il faudrait le laisser un peu à sa mère, ne croyez-vous pas ?...

Et elle prit son fils par le bras, appuya sa tête contre son épaule. Olivier lui tapota le coude :

– Vous savez bien, maman, que mon cœur restera ici, près de vous...

– Pas tout ton cœur, j'espère, lança Jane, l'air coquin. Il faudrait bien en emporter un peu pour moi, non ?

– Bien... Oui.

Il sembla au jeune homme s'être fait prendre à quelque piège. Aussi rectifia-t-il sans attendre :

– À Paris, tu seras la plus belle des Parisiennes. Et jamais on n'aura vu une Parisienne à l'accent plus joli.

« Et je ne serai plus montrée du doigt comme l'Anglaise », pensa Jane. Depuis quelque temps, en plusieurs occasions, elle avait senti se durcir les attitudes envers ses origines. Fatalement, dans un pays où l'on ne vivait qu'en préparation d'un affrontement avec les Anglais.

– Voilà que vous parlez comme un jeune fiancé !

La boutade de Jean Groulx secoua les pensées de Jane, chassa l'ombre de mélancolie qui couvait dans les regards attendris. Pour éviter qu'on ne verse davantage dans l'émotion, Olivier suggéra :

– Et maintenant, si on faisait de la musique ?

La proposition sembla si pertinente qu'elle ne suscita nul commentaire. Chacun approuva discrètement.

Olivier s'avança vers le milieu de la pièce et, d'une voix chaleureuse, annonça :

– Mes amis... Mes amis, je suggère qu'on écoute maintenant le violon du père Belhumeur, ne serait-ce que parce que je ne veux pas quitter le pays autrement qu'avec sa musique plein la tête.

On applaudit sa suggestion et un vieil habitant, tout courbé par l'âge et tout intimidé d'être en aussi distinguée compagnie, se détacha d'un groupe d'invités pour aller prendre son instrument posé sur une table. Il n'avait pourtant pas l'air réjouissant, ce vieillard : il marchait difficilement et tout son corps se désaccordait avec le mouvement de ses jambes. Vêtu proprement mais sans plus, il portait aux pieds des souliers de vache avec, cependant, une touche coquette : des boucles blanches en coton qui, d'ailleurs, tranchaient avec toute sa personne.

Un frisson d'allégresse traversa la salle lorsqu'il appuya son violon contre son cou noué qu'il amaigrit encore en tirant du menton. Son archet hésita un peu, puis chercha quelques sons brefs. Il fit mine d'accorder son instrument et, enfin, dans un mouvement plus ample et plus précieux, il étira un premier accord, le rabattit brusquement, en fit traîner un deuxième sur une note claire qu'il porta à l'aigu, d'un geste quasi violent. Et il s'adoucit à nouveau, un sourcil et un doigt levés, pour tendre son corps vers le violon en déplaçant tout son poids sur la pointe de ses pieds.

Vivante et gaie, la musique jaillit alors de source, abondante et limpide. Il alla la chercher au fur et à mesure, en se baissant, puis en se redressant ; les mimiques indéfinissables de son visage marquaient chacun de ses efforts. N'eût été la qualité de son auditoire qui l'impressionnait, il y aurait mis de la passion ; il se contenta de jouer mieux que jamais.

Peu à peu, il parvint même à oublier son public. Aux envolées vertigineuses succédèrent des mesures plus sages et bientôt le rythme appuya les premières mesures d'un menuet. Il y eut un bruissement et les invités se tournèrent l'un face à l'autre sur une rangée qui bientôt traversa la salle à pas élégants.

Marie, qui était restée dehors en compagnie d'Anjénim à qui elle racontait avoir déjà aperçu des ours à l'orée de la forêt et avoir voulu les approcher, sauta du muret sur lequel elle était assise jambes ballantes et, entraînant son compagnon par la main, pénétra dans la grande salle, conquise par la musique. Anjénim resta en retrait, mais la fillette vint tout près du violoniste qui sembla se courber davantage pour mieux la rejoindre.

Louise-Noëlle observait la scène, prête à intervenir. Mais le tableau formé par le musicien et la petite fille ne méritant d'aucune manière d'être retouché, elle se contenta de l'admirer avec une pointe de tendresse. Même en cette occasion, la marraine de Marie-Godine demeurait cet être renfermé dont le secret rendait la beauté inutile.

Sur ce fond de musique invitante, Joseph Devanchy se présenta devant François et Vivianne qui observaient en silence les danseurs :

– Tu permets, François ? demanda le père de Marie.

Puis, se tournant vers Vivianne :

– M'accorderiez-vous cette danse, mademoiselle ?

Il accompagna sa proposition d'une révérence de cour qui fit sourire la jeune femme. Elle fléchit légèrement les genoux tout en retenant les pans de sa robe et, moqueuse :

– Mais, avec plaisir, monseigneur.

Joseph lui présenta son bras. Elle y posa sa main. L'excitation empourprait ses joues et, ainsi, son teint paraissait absolument sans défaut et ses yeux, d'un noir à la pureté inégalée. Ils se mêlèrent aux autres et entamèrent les premiers pas d'un quadrille – le père Belhumeur avait glissé du menuet à cette forme musicale plus près de lui, plus près de ce qu'il était, lui.

Le soleil allait bientôt disparaître mais, avant, il donnait de son meilleur, éclairait directement les danseurs à travers la ramure d'un érable qui se dressait près des fenêtres. La clarté de ce bel après-midi changeait de ton : elle devenait à la fois plus fragile et plus irréelle.

– Il fait chaud, ne trouvez-vous pas ?

– En effet…

Joseph regardait Vivianne avec une insistance qui soulevait chez elle des vagues d'émotions. Déjà qu'après la suffisance de François elle était au bord des larmes…

Ils se tenaient au milieu d'une tache d'ombre – lui surtout, ce qui amenuisait l'aigu de son visage et lui conférait une douceur qu'elle était heureuse de retrouver chez un homme – et le flot des mouvements qui s'agitait autour d'eux les isolait.

– Si nous allions dehors marcher un peu ? demanda encore Joseph.

Vivianne demeura muette, mais le précéda vers la terrasse.

L'après-midi était encore chaud. Cependant, une faible brise chargée d'humidité montait du fleuve et on devinait qu'aussitôt le soleil disparu la brunante serait fraîche. Il ferait bon. Des fleurs égayaient les abords de la terrasse, mais leur couleur semblait un peu passée, comme si elles ne pouvaient appartenir qu'à l'été.

– Vous venez ?

La jeune fille prit la main de Joseph. Cela ne suffit pas ; il dut l'aider à franchir l'espace fleuri en la soulevant légèrement par la taille. Bien qu'encore un peu triste, après quelques pas à côté de ce grand type qui effleurait de ses doigts distraits la tête des hautes herbes, elle parvint à chasser sa morosité et fit remarquer, d'une voix claire et dégagée :

– Ça sent l'eau, vous ne trouvez pas ?

C'était vrai. Dans la chaleur, cette odeur allégeait le fond de l'air.

Ils atteignirent un bosquet qui jouxtait la rive du fleuve. À cet endroit, l'eau était peu profonde et le fond, couvert de roches plates. Un jour, l'année d'avant, Vivianne et François s'étaient baignés à cet endroit.

L'air vibrait de bourdonnements d'insectes et l'immobilité de l'eau exerçait dans la chaleur un attrait auquel François, le premier, n'avait pu résister. Il avait enlevé sa chemise, puis tout le reste, en regardant Vivianne avec la même lueur de plaisir que lorsque c'était elle qui se déshabillait devant lui. Elle s'était assise pour l'observer. Le soleil caressait les épaules du jeune homme, allumait des reflets dans ses cheveux. Vivianne souriait, un brin d'herbe entre les dents.

– Alors, tu me suis ?

Sans gêne, l'air candide, il avait fait glisser son brayet. Avant d'entrer dans l'eau, il lui avait baisé le front en lui tenant le visage à deux mains.

Elle s'était déshabillée à son tour, lui tournant le dos. Mais ne savait-elle pas comment François la trouvait belle vue de dos, justement ? Son regard s'était attardé sur la ligne nette des hanches, embrassant cette chair satinée dont il connaissait déjà toute la douceur et les secrets.

Ensemble ils s'étaient éloignés de la berge et avaient nagé l'un près de l'autre pendant un long moment.

Ensuite, ils s'étaient étendus sur l'herbe pour se faire sécher. François avait goûté à l'odeur des cheveux trempés de la jeune femme et sa main avait épousé un sein tiède. Mais Vivianne l'avait doucement repoussée et s'était levée. Sans fausse pudeur elle s'était rhabillée, l'air provocante et malicieuse :

– Chaque chose en son temps...

Et lui, au bord du désir, avait dû accepter le jeu. Il s'était rhabillé en s'efforçant de taire sa passion et se promettant de la manifester plus tard. Mais depuis qu'il était rentré des Grands Lacs, cette passion s'était faite exigeante et égoïste, et il semblait à Vivianne qu'il lui faisait l'amour guidé par sa virilité plus que par un sentiment profond.

– Voyez...

Joseph montrait du doigt un canot d'écorce qui remontait le fleuve avec, à son bord, quatre Hurons :

– Ils se rendent sans doute au poste de traite de Lachine.

Vivianne ne commenta pas. Des ondes frémissantes venaient mourir à ses pieds depuis le mouvement des rames et elle se baissa pour toucher l'eau.

– L'eau est si belle aujourd'hui qu'on serait tenté de s'y baigner, fit observer Joseph, innocemment.

Elle frémit intérieurement. Il ne dit plus rien, et elle se mit à l'observer discrètement en se disant qu'il devait être bon d'aimer un homme capable d'attendre, calme et pas pressé de prendre, de vaincre, de conquérir.

Le soleil sombrait rapidement. Déjà l'après-midi faisait place à un début de soirée, et le ciel s'enflammait à l'est.

– On rentre ?

Tout compte fait, ils n'avaient presque pas parlé.

François aussi était sorti prendre l'air. Pas tant à cause de la chaleur que par urgence de se retrouver seul avec lui-même.

Depuis son expédition au pays des Renards, ses sentiments demeuraient étroitement entrelacés à la trame des émotions, non éteintes, qu'il avait connues là-bas. Souvent, des obsessions l'accaparaient au point qu'il en perdait le contact avec la réalité. Lorsque, malgré ces bouleversements, il parvenait à garder une conscience assez exacte de lui-même, il se retirait pour cacher son humeur ; mais ces états d'âme étaient le plus souvent incontrôlables. Il réapparaissait la plupart du temps chargé d'une agressivité fébrile, incapable alors de communiquer avec qui que ce soit sans attaquer.

Appuyé sur les pierres fraîches du muret qui séparait la cour et le jardin, François avait d'abord suivi rêveusement du regard le mouvement des ailes du moulin banal, voilées de toiles blanches, qui tournaient mollement.

Il avait essayé de s'intéresser aux enfants qui jouaient aux Indiens près des bâtiments de la ferme, et sa gorge s'était serrée au spectacle de cette joie librement exprimée. Puis il avait admiré le feu du soleil dans les carreaux des grandes fenêtres du manoir, avait pris de profondes respirations et l'odeur des chevaux, attachés tout près, lui avait plu : il avait même surpris un petit garçon qui tendait une poignée de foin à son cheval.

– Qu'est-ce que tu fais, mon oncle ?

Perdu dans ses pensées, il n'avait pas vu Marie s'approcher de lui. D'une pâleur radieuse, un fond de rose dans son teint délicat, elle le regardait avec sa gravité tout enfantine. S'ébrouant pour sortir du sérieux de ses réflexions, il s'accroupit et la prit dans ses bras :

– Je pensais justement à toi, ma belle.

Seule cette enfant savait encore le rendre à ce qu'il avait été et, en sa présence, quelque chose de sensible s'allumait toujours dans son cœur.

Au moment où il allait rentrer avec l'enfant, il distingua les silhouettes de Vivianne et Joseph dans la poussière soulevée par les roues des cabriolets et les sabots des chevaux des invités qui partaient :

– Voilà ton père qui vient, annonça-t-il à Marie blottie contre lui.

Et il accueillit le couple avec un tranquille détachement, visiblement plein d'indifférence au fait qu'ils s'étaient isolés au milieu de la fête.

Ce qui ne fut pas le cas de Louise-Noëlle qui, debout sur la terrasse, avait aussi aperçu le couple et se disait qu'un rapprochement entre Joseph et Vivianne pourrait bien un jour menacer le seul rôle qu'elle ait choisi : celui de mère adoptive de Marie-Godine.

Chapitre XIV

1722, à Québec.

Ce matin-là, l'ombre du Cap-aux-Diamants couvrait le quartier du Cul-de-Sac et Joseph Devanchy, debout sur le quai, frémissait dans la fraîcheur du port. Pourtant, le soleil était déjà haut ; mais la masse du cap, coiffé du château Saint-Louis, l'interceptait et le reportait sur la falaise de Lévis où il prenait des tons de chaleur rousse avant de couler sur le fleuve.

Le père de Marie se tenait droit et son regard, qui suivait la perspective des rues étroites débouchant sur le port, puis s'accrochait à la splendeur du cap qui le surplombait, avait la dureté des gens en autorité. Mais malgré l'assurance apparente qu'il donnait à se tenir ainsi, il était chargé d'appréhension. Un rictus résolu durcissait ses lèvres et de multiples interrogations sollicitaient sa concentration.

Il portait un tricorne marron, frangé de plumes d'oie, un justaucorps de même couleur, une culotte grise et des bas blancs. Ce costume de gentilhomme lui allait bien. Il respirait à pleins poumons l'air frisquet qu'enfumait son haleine et demeurait immobile, captif du spectacle des activités du port réveillé en plein hivernage.

Des bancs de neige empêtraient la foule des marins et des ouvriers qui allaient à gauche, à droite, chargés de ballots, de rames, de filins et de cordages, d'armes et d'outils et même, pour un, de lanternes. Des chevaux, les flancs luisants de sueur, tiraient des traînes, des charrettes, et dans tout ce grouillement, il se trouvait des hommes en habit du dimanche, accompagnés de femmes et d'enfants, venus en curieux et qui embarrassaient les manœuvres.

Tout respirait l'eau, et des reflets mouillés accentuaient la vivacité des couleurs. De grands bruits perçaient la rumeur et des déplacements par bandes créaient des courants dans cette marée humaine. Des bateaux, dont la coque restait figée dans la glace, mêlaient à cette multitude leur figure de proue et de poupe, pendant que d'autres, moins fiers, basculés sur le côté, offraient leur ventre aux travaux de radoub et de carénage exécutés par les charpentiers qui s'y affairaient.

Les volets des maisons de la rue Champlain bâillaient au-dessus de ce peuple qui s'agitait, vociférait, se moquait, riait. Tout Québec battait au rythme de la tension qui montait du port et, devant la ville encore à demi ensevelie sous la neige, comme un miracle venu d'une autre saison, une magnifique frégate, *La Marie*, tanguait, sereine, au milieu du fleuve, sur l'eau vive de la fissure ouverte dans la banquise par le temps doux des derniers jours. Une frégate toute neuve, à trois mâts et deux ponts, de 98 pieds de quille et jaugeant 200 tonneaux, construite pour Vadeboncœur Gagné par le maître charpentier Jacques-Fabien Badeau.

Dessinés par l'ingénieur royal Chaussegros de Léry, la quille, l'étrave, l'étambot et les croupes avaient été façonnés et assemblés dans les hangars de la rue du Sault-aux-Matelots pendant l'hiver de l'année d'avant. Au printemps, on avait disposé ces pièces sur le quai principal et, pendant l'été, puis l'automne, on avait entrepris d'élever la charpente du bâtiment, c'est-à-dire d'assembler les couples, les varangues, les genoux et les allonges. On avait terminé à temps pour poser les bordages avant les gelées, et depuis décembre jusqu'à mars, on avait terminé le corps du navire, les ponts, l'aménagement intérieur et dressé les mâts. Ensuite, il avait fallu préparer les hauts pour y accrocher les voiles.

Mais lancer un navire en hiver n'allait pas être une mince affaire. Le gabarit de lancement allait de l'extrémité de la jetée à la sortie de la rade. Pour éviter que la glace ne rompe avant la trouée dans laquelle on lancerait le bateau, on avait disposé des traverses de douze pieds tous les cinq pas sous tout le parcours du ber.

Un matin de la fin de février, les brises de terre et de mer, faibles, s'accordaient parfaitement sous un ciel assez clément pour qu'on puisse travailler en plein air. En présence du gouverneur Rigaud de Vaudreuil, de l'intendant Michel Bégon et de leur cour respective, Mgr de Saint-Vallier, selon la volonté de Vadeboncœur qui désirait dédier le bâtiment à sa petite-fille, avait béni la frégate en lui donnant le nom *La Marie*.

Plus tard, quand la lumière du soleil avait éclairé le pied du cap et toute la largeur du fleuve, les Québécois s'étaient attroupés sur les battures pour voir la mise à flot du bateau de Vadeboncœur.

L'extraordinaire opération devait à jamais rester gravée dans les mémoires. D'abord, parce que le bâtiment devait parcourir un bon quart de mille avant d'atteindre l'eau, le capitaine Prat ayant décidé qu'on le déhalerait par la force cumulée de seize percherons bien ferrés, attelés à autant de palonniers attachés aux câbles reliés à l'arrière de *La Marie*, huit à tribord et huit à bâbord, tendus jusque de l'autre côté du courant, en parallèle. Ensuite, parce qu'une partie de la quille était en acier et qu'on craignait que son poids ne l'entraîne dans un irrémédiable plongeon ; pour l'alléger, on le délesta des deux mille livres de ses ancres qu'on coula à l'endroit où on voulait l'encalminer. Des canots, habilement manœuvrés par des Hurons choisis par Mitionemeg, gardèrent à flot les amarres pour les monter sur le premier pont au moment opportun. Et quand le gigantesque attelage fut prêt, que les chevaux, tête baissée, manifestèrent leur impatience en piaffant, le visage rude de Louis Prat se tourna vers Vadeboncœur qui acquiesça d'un signe de tête. Alors, de sa voix éraillée, le capitaine du port lança :

– Attention !

Son œil exercé embrassa en un court instant tous les détails de la scène. Puis, satisfait, il se déplaça un peu en se tournant vers les hommes qui retenaient avec peine l'énergie des chevaux et fit un grand geste de ses bras en criant :

– Allez, vous autres !

Dans un crépitement ponctué de craquements inquiétants, la masse imposante et paresseuse de *La Marie* glissa lentement vers l'eau qui charriait des glaçons à toute vitesse, forçant les canots indiens à louvoyer sans cesse. Quand elle arriva au bout du gabarit et qu'elle toucha l'eau, elle sembla subir une grande secousse et on crut un moment voir disparaître dans les vagues le bout-dehors du beaupré. Mais non : dès que le tableau arrière cessa d'être remorqué par les chevaux, elle se calma, tangua légèrement comme si elle faisait son nid et, fière, flotta tout doucement.

Avant que le courant ne l'entraîne, les Hurons l'escaladèrent, tirèrent sur les cordes liées aux amarres et l'ancrèrent. Des deux berges montèrent des cris joyeux. Le gouverneur ordonna qu'on tire une salve de douze coups de canons et on fêta tard dans la nuit.

– Alors, vous croyez vraiment qu'elle tiendra le coup ?

Le père de Jane, Thomas Fotherby, était lui aussi descendu à Québec pour aider aux préparatifs du grand départ. La veille, il avait travaillé sur *La Marie* pendant qu'on commençait le chargement. Il avait goûté la fièvre des grandes expéditions quand les voiles faseyent, appellent le vent, et que les mâts crissent d'impatience pendant que les cordages, en couinant, prennent leur place définitive. Avec les premiers membres de l'équipage, il avait vérifié l'étanchéité des écoutilles et la fiabilité de la barre du gouvernail.

– Je l'espère de tout cœur en tout cas, lui répondit Joseph qui prêtait une attention toute particulière à un groupe d'enfants dévalant un glacis en risquant de glisser sous les pas des chevaux.

Avant qu'il n'ait à intervenir, une grosse femme, avec une voix encore plus grosse qu'elle, leur cria de s'enlever et, dans un geste bien servi par sa corpulence, en attrapa deux à bout de bras.

– Mais, monsieur Fotherby, vous ne m'avez pas dit ce que vous en pensez, vous, de cette entreprise ?

Du fond de ses yeux, Thomas Fotherby sonda Joseph Devanchy. Il savait qu'en réalité la question n'en était pas une : c'était plutôt une quête d'encouragement à la foi qu'il avait dans le projet de Vadeboncœur Gagné. Les deux hommes, quoique d'âges très différents, étaient de même stature, à cela près que la silhouette du plus vieux fléchissait un peu aux épaules. Tous deux avaient connu maints navigateurs, entendu mille et un récits et posé en retour mille et une questions. Aussi, ils pouvaient, en connaissance de cause, parler de l'entreprise de Vadeboncœur, en évaluer les risques et en admirer l'intrépidité.

– Je suis sceptique… Je me répète que c'est une folie. Mais, en même temps, je souhaite tellement qu'il réussisse que j'arrive à y croire.

– C'est là aussi mon sentiment, dit Joseph. Ceux qui ont fondé ce pays ont choisi d'être braves avant d'être raisonnables et, aujourd'hui encore, lorsqu'on regarde en arrière, on parle de leur « folle entreprise ». Mon beau-père aussi a choisi la bravoure plutôt que la raison et, jusqu'à maintenant, les événements semblent lui donner raison. Qui aurait cru qu'on pouvait lancer un bateau sur la banquise !

Une cohorte de gens bruyants passa près d'eux, et ils durent se ranger contre un mur. Puis, Joseph jeta un dernier coup d'œil sur le va-et-vient du port. Il constata que le jour y jetait maintenant toute sa lumière. De menues avalanches de neige poudreuse tombaient des toits quand les minces remparts de glace glissaient des corniches. Le chuchotis de l'eau révélait la présence de ruisselets sous les congères. Persuadé que la journée était bien lancée et que le travail allait dûment s'accomplir pour permettre le départ de *La Marie* au milieu de l'après-midi, Joseph convia Thomas Fotherby devant un gobelet de vin d'Espagne chez l'aubergiste Laurent Normandin qui tenait le cabaret *Le Signe de la Croix*, rue Saint-Pierre, tout près de la place Royale.

Ils traversèrent la rue boueuse, s'enlisant à chaque pas jusqu'aux chevilles, obligés de relever les pointes de leur justaucorps pour éviter les éclaboussures, et ils durent renoncer à couper à travers le terre-plein pour plutôt s'engager sur la banquette longeant la rue Champlain jusqu'à la rue des Roches. Le soleil pesait sur le bois mouillé, et une odeur chaude flottait dans l'air, puis s'évaporait dans la fumée des pipes de quelques ouvriers, marchands ou soldats. La rumeur de la rue les incitait à parler plus fort. Des officiers, vêtus de l'uniforme militaire de Louis XV, conversaient devant la maison de grosses pierres qui, adossée au cap, fermait la rue des Roches. Ils observaient l'agitation de la place, une main posée fièrement sur le pommeau de leur épée.

– Cette maison, indiqua Joseph, est celle où Thérèse Cardinal, la mère de Marie-Ève de Salvaye, a tenu boulangerie pendant plusieurs années. Sa fille y a vécu jusqu'à ce qu'elle épouse le major…

Un ecclésiastique, portant le chapeau des dignitaires de l'église, s'approcha des militaires – des gardes du gouverneur, visiblement – et se mêla à leur conversation. Le groupe sembla s'apaiser un moment, puis les rires s'enflèrent à nouveau.

Joseph et Thomas débouchèrent sur la place Royale : c'était comme si tous les citoyens de Québec et des environs s'étaient dirigés vers le Cul-de-Sac. Ainsi, la place restait presque vide dans la lumière généreuse du moment. Devant les portes ouvertes de la petite église de Notre-Dame-des-Victoires, qui lui renvoyaient du silence, le buste de Louis XIV imposait son expression prestigieuse.

Une maison tranchait sur les autres avec sa façade travaillée et sa porte de chêne à deux battants dans lesquels était sculptée une gerbe de blé aux épis détachés. Cette propriété, construite en 1690 par le major de Salvaye, appartenait toujours à la famille de Marie-Ève. Elle était à présent habitée pas les familles de deux des fils de Petitclaude, un ancien associé de Vadeboncœur, décédé en 1701. Ils y géraient les affaires de ce dernier à Québec, soit le chantier naval et le magasin général, rue Saint-Pierre.

– Si mon beau-père devait réussir, lança Joseph qui allait bon train – ses talons battant à plaisir le sol maintenant aussi dur que la pierre –, c'est toute l'histoire de cette colonie qui s'en trouverait changée.

– *Absolutely!* lui rétorqua Thomas Fotherby qui s'essoufflait un peu à essayer de rester à la hauteur de Joseph.

Le projet de Vadeboncœur Gagné faisait parler la colonie depuis deux ans. Et si l'entreprise divisait les opinions, elle ne laissait personne indifférent.

Lorsque les deux hommes s'engagèrent dans l'étroite rue Saint-Pierre, ils frémirent : la fraîcheur entretenue par les façades de pierre trop rapprochées pour que le soleil les réchauffe les surprit après la chaleur de la place. Un peu de sueur se figea sur leurs membres et sur leur dos, comme une nuée de gouttelettes d'eau fraîche, et Joseph accéléra encore le pas.

Un flot de bavards sortit du cabaret *Le Signe de la Croix*, laissant les lieux pratiquement vides. Ici aussi, il régnait une odeur de bois et cela était dû au plancher neuf, de merisier, terminé quelques jours auparavant seulement.

De grandes fenêtres donnaient sur le fleuve, et on aurait dit que les bruits qui venaient de ce côté avaient une résonance particulière. Le temps de prendre place et déjà des gobelets étaient posés devant les deux hommes. La soif leur fit faire une longue pause et lorsque Thomas parla, ce fut les lèvres luisantes de vin qu'il affirma :

– Dans tous les cas, Vadeboncœur sera un héros, car il ne sera pas plus facile de revenir à terre si son navire est fait prisonnier des glaces qu'il ne l'est de parier tout un équipage contre l'isolement de l'hiver.

Parier tout un équipage… Au début, toutes les théories et toutes les certitudes de Vadeboncœur Gagné s'étaient heurtées à la difficulté qu'il éprouverait – croyait-il – à convaincre une cinquantaine d'hommes de partager sa témérité – cette passion irraisonnée, mélange de courage et d'espoir fou devant l'aventure. Mais étonnamment, sitôt ses intentions connues, il s'était trouvé plus de volontaires que nécessaire. Une famille de la baie Jacques-Cartier, petite anse à la jonction des eaux du ruisseau Lairet et de la rivière Saint-Charles dans la basse ville de Québec, avait proposé son fils aîné à peine âgé de quatorze ans, et il avait fallu à Vadeboncœur toute l'expérience de sa diplomatie pour leur refuser l'occasion d'en faire un héros. Des commerçants avaient offert, eux, leurs marchandises ; un prêtre du séminaire, l'abbé Crespel, son ministère ; un écrivain, ses compétences, et un maître valet, ses connaissances en matière de conservation des vivres. En quelques semaines, un équipage composé des plus convaincus et des plus déterminés avait été formé, et ces partisans de la grande aventure avaient prêché aux quatre coins de la ville un enthousiasme sans bornes : le voyage de Vadeboncœur devint l'événement le plus fameux depuis la signature de la Grande Paix de Montréal.

Le Signe de la Croix faisait corps avec l'auberge de Laurent Normandin, et Thomas Fotherby y avait loué une mansarde, le temps de participer aux manœuvres du grand départ. Aussi, lorsqu'un nouveau groupe de clients – des matelots cette fois, parmi lesquels sans doute plusieurs appartenaient à l'équipage de *La Marie* – envahit le cabaret, proposa-t-il à Joseph de se réfugier sous les toits. Saisissant une bouteille de clairet et des gobelets des mains de Juliette, la fille du cabaretier, ils montèrent l'escalier étroit menant aux étages. La chambre de Thomas donnait sur le cap et, après avoir ouvert les battants de la fenêtre, Joseph s'y pencha, se sortit jusqu'à mi-corps, puis releva la tête : son regard suivit les murailles qui couronnaient le rocher, rejoignaient la galerie du château Saint-Louis puis, de là, montaient en douceur jusqu'aux Hauteurs d'Abraham où flottait le drapeau de la France. Pendant un moment, le père de Marie-Godine savoura la blancheur des glacis enneigés qui descendaient vers le château, masse imposante jusqu'à la prétention, dont les pierres lisses de la façade chatoyaient au soleil et dans la grande salle duquel, il le savait, toute la cour coloniale allait célébrer, en quelque sorte, l'intrépidité de Vadeboncœur Gagné. Ce dernier, accompagné de son inséparable Mitionemeg, attendait cette manifestation d'admiration avec le stoïcisme appris des Indiens : depuis qu'il avait démissionné de son poste de bailli de Montréal, il acceptait l'Administration de Québec et ses pompes comme un mal nécessaire et évitait de prendre parti dans les discordes entre la colonie et la métropole.

D'ailleurs, même la position de Vaudreuil à cet égard n'était pas claire. Malgré ses racines coloniales – il était le premier gouverneur qui soit né en Nouvelle-France – son ambition trahissait souvent ses administrés. Il aimait plus gouverner que se commettre avec et pour ses colons victimes de l'indifférence, voire de l'oubli, de Paris. Le projet de Vadeboncœur, s'il se justifiait d'abord par le besoin d'éveiller l'intérêt d'Armemouville, le ministre de la Marine responsable des colonies, trouvait chez lui d'autres vertus : si la Nouvelle-France devait être plus justement considérée, il deviendrait gouverneur d'une colonie plus prestigieuse, ce qui le grandirait d'autant.

Au moment où Joseph observait la résidence du gouverneur, ce dernier, entouré de quelques officiers et de gens de sa cour, arpentait la galerie de fer. Il s'arrêta, tourné vers le fleuve pour admirer la vue qui donnait jusqu'à l'île d'Orléans et même au-delà, jusqu'à la chaîne des Laurentides. Puis, il baissa son regard vers le croisement des rues étroites de la basse ville, sillons grouillants de vie d'où les voix et les bruits de toutes sortes montaient jusqu'à lui, et cela lui donna l'heureuse sensation d'être un monarque au-dessus de ses affaires. Vantant, de quelques remarques, la vitalité de la colonie, il se tourna ensuite vers le château et se dirigea, avec sa suite, vers la salle d'audience où déjà l'attendaient nobles, courtisans, bourgeois et dignitaires de l'Église, sans oublier Vadeboncœur, Mitionemeg ainsi que Louise-Noëlle, venue à Québec profiter de cette occasion de frayer avec le « grand monde » et d'accompagner Marie pour qu'elle assiste à la cérémonie donnée en l'honneur de son grand-père.

La petite fille, du haut de ses neuf ans, affichait une certaine fermeté qui masquait presque parfaitement sa fébrilité. Silencieuse au sein de l'assemblée qui causait du bout des lèvres, singulière parmi tous ces personnages impeccables de costume et de maintien qui emplissaient la salle, ses yeux couraient sur les boiseries encadrées d'arabesques finement sculptées, où était suspendue toute une galerie de portraits – des rois et des ministres de France, des gouverneurs et des intendants de la colonie –, puis se haussaient vers les plafonds hauts et cintrés, supportés par des colonnes de chêne doré, ornés de frises travaillées à feuilles multiples, avant de revenir vers les planchers de marqueterie aux couleurs si riches qu'on s'étonnait qu'ils soient d'essences exclusivement canadiennes.

Un trône, couvert d'un tissu rouge brodé d'or, surmonté des armes royales croisées sur un écusson blanc semé de lis d'or, emblème de la souveraineté française, et placé entre des portraits en pied de Louis XIV (mort en 1715) et de Louis XV, le roi régnant, constituait la pièce maîtresse de l'ameublement autour duquel s'organisait tout le décor. Juste devant, une longue table avec, à son extrémité la plus éloignée du trône, un fauteuil de vice-roi, en l'occurrence celui de l'intendant Bégon, et de chaque côté, des chaises rappelant les séances du Conseil souverain qui s'y tenaient chaque mois.

Contre les murs, d'autres fauteuils, et à l'autre bout de la pièce, un piano, des chaises pour les musiciens et des lutrins. Puis, un buste de Jean Talon, l'intendant génial qui avait donné à la colonie ses premières prétentions commerciales en exportant des textiles et plusieurs produits agricoles, et un autre de Mgr de Laval, le premier évêque dont l'influence guidait encore certaines décisions de l'Église et de l'État. Enfin, à droite du trône, peinte à même la cloison par l'abbé Piquet, le sulpicien dit « le missionnaire du roi », une carte géographique de toutes les possessions de la France en Amérique du Nord, depuis les territoires du Nord-Ouest jusqu'en Louisiane…

Un froissement soyeux de robes et des commentaires discrets accompagnèrent le gouverneur. Lentement, il prit place sur son siège, l'air suffisant et taciturne. Pendant que de la main droite il se tamponnait le visage avec un mouchoir d'un tissu délicat, il constata l'absence de l'intendant Bégon. L'événement n'avait rien d'original : respectueux d'une déplorable tradition, gouverneur et intendant ne s'entendaient guère et ce retard était dans l'ordinaire de leur discorde alimentée par l'un ou l'autre. Mais, avant que ne s'installe le malaise, on entendit les tambours de la garde battre l'appel au-dessus d'une clameur qui s'amplifiait du côté de la rue Sainte-Anne et un mouvement se fit en direction des fenêtres donnant de ce côté.

Marie pressa la main de son grand-père et se colla contre lui. Un frisson la parcourut, mais sa curiosité l'emporta sur tout sentiment de crainte, et elle pointa le menton vers les grandes fenêtres, impatiente de connaître la raison de ce branle-bas.

Précédée par le cliquetis des armes et le piétinement des bottes militaires, une troupe, sur deux colonnes, passa sous les arcades de l'enceinte fermant la cour intérieure, pour venir s'arrêter devant la porte principale. Puis, quand cessèrent les cris de la rue et que s'immobilisèrent les soldats, un ordre fusa, les colonnes se distendirent et l'intendant Bégon, sa femme, trois de ses enfants, précédés par deux gardes, remontèrent jusqu'à l'entrée.

Telle arrivée servait à ravir le personnage : Michel Bégon de la Picardière était petit-cousin de Jean-Baptiste Colbert, le premier ministre de Louis XIV, et son père avait lui-même été l'un des plus grands intendants du Roi-Soleil en plus d'être le naturaliste le plus renommé de son temps (la plante ornementale bégonia lui devait son nom). Débarqué dans la colonie à l'automne 1712, cet avocat, ancien inspecteur général de la marine, conservait de la métropole le caractère présomptueux de son ascendance et exigeait un grand respect du protocole. Malgré cette préciosité, on le tenait pour un homme fort attachant, généreux, et d'une grande dignité. En cela, il ressemblait au gouverneur et, malgré leurs nombreux désaccords, tous deux étaient fort vénérés et inspiraient une grande confiance chez leurs administrés.

Lorsque s'apaisa l'animation provoquée par l'arrivée remarquable de l'intendant, il y eut quelques minutes de flottement. L'ombre de deux grands érables effeuillés dessinait des lignes foncées sur le plancher, sur les murs et même sur les visages. L'odeur de la neige persistait dans le soleil et en faisait frissonner plusieurs qui souhaitaient qu'on ferme au plus tôt les portes de la galerie.

Maintenant devant un parterre de gens dont toute l'attention était tournée vers lui, Vaudreuil soupirait d'aise et ne disait mot, laissant ses invités attendre la suite. Lorsqu'il lui sembla évident – de par le silence dense qui alourdissait l'ambiance de la salle – qu'il était de nouveau seul maître du jeu, il quitta son air songeur et rompit le silence :

– Mes amis… Je ne me souviens pas m'être promené sur ma terrasse à cette période de l'année autrement que vêtu d'un lourd manteau ; je ne me souviens pas, non plus, avoir vécu d'occasion plus heureuse de nous réunir en cette saison que d'aucuns disent morte.

Soignant son prestige en marquant ses propos de quelques pauses, il continua :

– Quand on m'a informé du projet de Vadeboncœur Gagné, l'entreprise me parut d'abord un défi insolent lancé à l'histoire de cette colonie dont le rythme de vie doit nécessairement s'accorder à celui des saisons. De vraies saisons, froides en hiver, chaudes en été, naissantes au printemps, moribondes en automne, des saisons avec lesquelles on ne peut tricher. Mais, bien entendu, ce projet ressemble plutôt à une tentative de survie en ce pays malgré les durs hivers : il y a des trous dans la férocité de cette saison et Vadeboncœur Gagné, né comme moi ici, veut s'y glisser pour briser l'isolement qu'elle nous impose. Je n'oublie pas qu'autrefois la saison froide nous encabanait pendant des mois, la neige dans les rues demeurait presque aussi vierge que dans les champs, et ce n'était qu'au printemps qu'on cessait notre vie d'ermite. De nos jours, on vit l'hiver sans le fuir, on en profite même, et les rues – hélas ! (il eut ici un sourire indulgent) – sont aussi malpropres en janvier qu'en juillet! C'est donc un aboutissement, celui de l'adaptation de notre peuple en Nouvelle-France, que de croire qu'on peut déjouer le climat pour entrer dans une ère nouvelle. Si, selon vos plus chers voeux, le sieur de Gagné réussit, qui sait si cette contrée ne deviendra pas une province de France!

Cette dernière phrase porta: des exclamations percèrent le calme qu'imposait l'étiquette, et cela, pas tant à la perspective d'accéder au rang de province française que parce que le gouverneur avait utilisé la particule devant le nom de Gagné. Du gouverneur, l'attention se porta sur Vadeboncœur: on devinait qu'on allait l'honorer de quelque façon. Le fils de Pierre Gagné affichait une tête froide mais sans arrogance, juste un peu de raideur dans le port et un sourire de circonstance.

Le gouverneur se leva et, d'une voix solennelle, proclama:

– Monsieur Vadeboncœur Gagné, venez recevoir de mes mains la croix de Saint-Louis.

L'honneur dépassait l'attente du héros du jour: la croix de Saint-Louis, la plus haute distinction remise en Nouvelle-France par le représentant du roi, reconnaissait les officiers émérites. Jamais encore, on ne l'avait décernée à un civil. Sans préméditation, les invités du gouverneur s'étaient rangés, laissant une allée vide entre Vaudreuil et Vadeboncœur. L'ancien bailli s'avança d'un pas, puis, soudain, il se rappela qu'il tenait Marie par la main. Il se tourna vers elle et tous suivirent son regard: ce fut comme si, maintenant seulement, on découvrait la présence de l'enfant qui ne semblait nullement troublée par cet intérêt qu'on lui portait tout à coup. Elle n'avait pas très bien compris pourquoi son grand-père allait être récompensé, mais d'emblée elle trouvait l'idée superbe. Elle se demanda pourquoi les yeux du gouverneur s'étaient posés sur elle, et après un instant d'étonnement, un éclair de compréhension ayant jailli dans son esprit, elle emboîta le pas à son grand-père. Rendu devant le gouverneur, Vadeboncœur jugea convenable de baisser la tête et Marie-Godine fit de même.

Quand peu après Vadeboncœur se redressa, portant la croix dorée, il trouva quelque formule appropriée pour remercier le représentant du roi. Pendant qu'autour de lui et de sa petite-fille on s'agitait pour le féliciter, les images successives de son père, de Thérèse Cardinal et de Marie-Ève défilèrent dans sa tête comme dans son cœur.

Au-delà de ces visages aimés, il ne put s'empêcher de s'interroger sur la pertinence d'un tel honneur, lui qui ne recherchait nullement ce genre de reconnaissance. Mais alors, un autre visage s'imposa, levé vers lui, souriant. Il fléchit les genoux pour se mettre au niveau de Marie, et se dit qu'il ne pouvait refuser au seul fruit de sa descendance un titre, l'unique peut-être, qui lui resterait s'il devait échouer dans son entreprise.

Chapitre XV

Solide et nerveuse, *La Marie* se comportait admirablement.

Les ris pris dans les huniers, elle louvoyait depuis le matin pour utiliser un vent debout et fonçait à vive allure dans le golfe du Saint-Laurent avec une énergie propre à soulever l'enthousiasme de son équipage qui, dans cet élan résolu, voyait tous ses espoirs permis. Au large de l'île d'Anticosti, compas au sud-est-quart-est, ses écubiers plongeaient fermement dans le creux de la lame et s'en relevaient, la proue bavant d'écume. Elle allait droit à la mer et s'y rendrait pour peu qu'on lui donne de l'eau libre et qu'elle puisse s'allier les forces du vent un jour de plus. Un jour seulement et plus aucun obstacle ne pourrait se dresser entre elle et les quais de La Rochelle.

Le visage fouetté par les embruns, Vadeboncœur, les mains derrière le dos, arpentait la dunette, se déplaçant à grandes enjambées pour amoindrir l'effet du roulis. D'une voix qui perdait de son mordant dans la bourrasque, il donnait des ordres à un colosse debout sur le gaillard d'avant. Une tête rude, un visage dur au teint buriné, une moustache débordant de sa lèvre supérieure et un regard à la vivacité intimidante, c'était le capitaine Leblanc, choisi personnellement par Vadeboncœur à cause de sa réputation de pilote expérimenté. Il ne savait ni lire ni écrire, mais la navigation n'avait aucun secret pour lui : comme personne il pouvait flairer l'humeur de la mer, ses colères et ses accalmies, et il s'orientait sur l'eau, comme d'autres sur terre, avec une sorte d'instinct animal qu'il n'aurait pu lui-même expliquer.

Pendant les trois jours suivant son départ de Québec, le temps doux avait accompagné la frégate. La veille encore, les voiles gorgées d'une brise généreuse, elle voguait à grande vitesse entre les battures gelées qui rappelaient l'hiver à finir et l'ampleur du défi lancé à ce dernier par le fils de Pierre Gagné. Vers la fin de l'après-midi, tout l'équipage était monté sur le pont pour goûter les derniers rayons de soleil plongeant au pied des Laurentides. Juste à l'entrée de la rivière Saguenay, sur une clairière semée de maisons en rondins et de huttes indiennes, le village de Tadoussac était encore enseveli dans le silence de la neige.

À cet endroit, l'hiver rappelait la mésaventure tragique de Pierre Chauvin, explorateur du début de la colonie qui, à l'automne de 1600, y avait débarqué seize de ses compagnons pour qu'ils établissent un comptoir, puis était reparti pour la France. À son retour au printemps, il n'avait retrouvé que cinq survivants, les autres étant décédés des suites du scorbut, cette terrible maladie qui allait également faire des ravages dans les rangs de l'équipage de Samuel de Champlain, le fondateur de Québec, tuant ses meilleurs hommes. Depuis, on avait découvert que les fruits, tout simplement, et certaines boissons ensoleillées, le rhum, entre autres, gardaient du scorbut. On avait aussi appris qu'il était possible de domestiquer l'hiver à la condition de s'y préparer de façon adéquate. C'est pourquoi on pouvait raisonnablement prétendre que toute la vie en Nouvelle-France s'organisait autour de cette saison dont Vadeboncœur voulait percer l'armure, briser l'étau.

Plus tard, à l'heure où, comme le vent, le jour tombait, *La Marie* avait croisé à moins de quinze brasses un îlot nu et rocheux, l'Île aux Œufs, où s'était fracassée une partie de la flotte anglaise qui allait assiéger Québec en 1711. C'était Agénor Gravel, un marin de plusieurs traversées dans « les vieux pays », qui l'avait montré du doigt. Quelques années auparavant, il avait participé à une expédition dont le but était de récupérer des épaves du naufrage anglais tout objet ou marchandise qui pouvait profiter à la colonie. Dans la soirée, alors que la mer était si calme qu'on avait pu faire du feu sur le pont et griller des éperlans pêchés le matin, il avait raconté ce qu'il avait vu en abordant la petite île aux rivages troués par les fouilles répétées des chercheurs de trésors au cours des deux derniers siècles :

– C'était à l'heure du coucher du soleil et le ciel était rouge. Des bancs de gros nuages sombres se déchiraient à l'horizon. La grève était jonchée de cadavres, les autorités disaient deux mille, disposés dans des postures les plus navrantes, certains, sur les coudes et les genoux, semblaient s'agripper au sable, et d'autres, assis contre les rochers, portaient encore les mains à la tête, comme s'ils étaient morts en s'arrachant les cheveux. Quelques-uns étaient à demi enterrés, d'autres s'étreignaient dans de folles embrassades…

Agénor fit une pause. Le souvenir de l'horreur jetait dans ses yeux des ombres de tristesse et, à l'évocation de ces images qui soulevaient à la fois son respect et son dégoût, son visage se crispa. Il ajouta :

– Il y avait même des femmes, jeunes et qui avaient dû être jolies, mortes en se tenant par la main : elles formaient une sorte de chapelet, une chaîne dont chaque maillon avait sans doute cru se retenir à la vie en s'accrochant à l'autre… Et la marée est venue raviver l'odeur pestilentielle de tous ces morts, elle les a déplacés, bousculés, modifiant leurs positions, renouvelant sans cesse cette scène de cauchemar. En m'éloignant de la grève, pour me distancer de ce charnier, j'ai découvert d'autres cadavres encore, nichés au creux de troncs d'arbre, leurs hardes dévorées par des animaux.

On connaissait les talents de conteur d'Agénor Gravel. De plus, il utilisait une langue riche qu'il cultivait constamment au contact des gens instruits qui le fréquentaient pour recueillir maintes anecdotes dont on tirait un enseignement nécessaire à la connaissance du pays. Il continua :

– Pendant le jour, sous l'ardeur du soleil, c'était irrespirable sur l'île. Aussi, dès l'aurore, nous nous réfugiions sur les bateaux. Ceux-ci s'éloignaient d'un quart de lieue au moins de la côte, puis y revenaient à la nuit tombante. Là, dans les lueurs des torches, pendant plus d'une semaine nous avons enseveli les morts. Ensuite nous avons chargé les cales : ancres, canons, boulets, chaînes de fer, ferrures, cloches et des agrès de toutes sortes. Et de beaux habits, des couvertures, de la vaisselle, des épées d'argent et des tentes doublées… Nous sommes rentrés à Québec avec cinq bâtiments pleins, et notre arrivée fut suivie d'une fête populaire au cours de laquelle un encan monstre a permis à chacun d'acquérir une part de cet extraordinaire butin.

Son récit terminé, il avait laissé à chacun le soin d'y réfléchir : le silence autour du jeu des flammes semblait aller de soi.

Ailleurs sur le pont, immobile, appuyé sur les écoutes du petit foc qui battait sec contre son dos, Mitionemeg observait Vadeboncœur. Le vent s'amplifiait et la mer prenait des couleurs sales. Le ciel bas, sournois, préparait sans doute le pire, et de là à imaginer le retour du froid et la vengeance de l'hiver contre le temps doux, il ne fallait qu'un peu d'intuition. Mitionemeg en avait beaucoup.

Vadeboncœur continuait d'arpenter le pont. Puis, un moment, il s'arrêta net. Défiant de tout son entêtement l'eau qui fonçait dans ses yeux, il regarda les vagues furieuses du golfe Saint-Laurent qu'il apercevait déjà à quelques nœuds devant, des vagues géantes capables de prendre sa frégate d'assaut.

– Dis-moi, Mitionemeg, tu dois savoir, toi, comment deviner le temps qu'il fera ?

Bien sûr que le Huron savait. Il savait prévoir l'hiver, son arrivée, sa durée et même s'il serait beaucoup ou peu neigeux. Il lui suffisait pour cela de considérer la hauteur des nids des oiseaux hivernant au pays, d'apprécier la couleur des lièvres à l'automne et la résistance des fruits sur les branches du cormier aux premiers jours de la froidure. Toutefois il prédisait plus difficilement les sautes d'humeur d'une saison qui s'était momentanément laissé surprendre par une autre. Pour l'instant, ses muscles et ses os lui disaient que le lendemain serait fait d'autre chose, que le soleil printanier ne reviendrait qu'au printemps ; mais il n'aurait su dire si tout l'hiver, avec sa procession de bourrasques, de poudrerie, de chutes de neige et de froid, reprendrait aussitôt l'offensive :

– Je devine le temps qu'il fera dans les territoires de chasse et les champs de culture mais, sur la mer, je ne vois aucun des signes que je connais. Nous savons tous les deux que le temps se gâte et je n'en sais pas plus.

Il désigna Leblanc, personnage rubicond qui l'impressionnait :

– Lui pourrait te dire…

Le vieux capitaine, flatté qu'on s'en réfère à lui, répondit sur le ton solide de quelqu'un qui ne doute aucunement de ses compétences :

– Le vent fraîchit. Il saute tantôt au nord-ouest, tantôt au nord-est, et là, il se jette au sud-sud-est. Bientôt, il va souffler en tempête. Voyez la lame se creuser, devenir de plus en plus fatigante.

Pour lui donner raison, de forts coups de roulis heurtaient *La Marie* qui donnait de la bande à droite et le grand hunier de tribord se plaignait de devoir tirer les bordées qu'on lui imposait. Avant que Vadeboncœur n'ait le temps d'estimer qu'un sort contraire se préparait pour réduire à néant son aventure, Leblanc, soudain davantage empourpré, lançait :

– Là, voyez !

Un mur blanc, mouvant, se déplaçant comme un pan de brouillard, ou plus exactement comme la poudrerie poussée par un vent de tempête, montait, opaque, contre *La Marie*. Terrible, la menace fermait l'horizon, occupait tout l'espace, comme si elle avait déjà tout pris, la terre, le ciel et la mer. Au fur et à mesure que cette masse gigantesque s'approchait, un grondement sourd l'enveloppait d'une violence près d'éclater, et avant qu'il ne soit possible d'en évaluer la distance exacte, elle se jetait sur le navire dans un grand souffle capable de tout aspirer sur son passage.

À partir de ce moment, tout se déroula si vite que Vadeboncœur et Mitionemeg durent se contenter d'être spectateurs des manœuvres d'urgence de Leblanc. Dans la rafale, une cloche tinta, appelant l'équipage sur le pont pendant que le navire effectuait un virage désespéré vers les rives de l'île d'Anticosti dont on avait plus tôt aperçu le rivage de rochers plats. D'énormes paquets d'eau embarquèrent alors par bâbord et projetèrent les matelots les uns contre les autres et contre l'escalier de la dunette avant. Puis, dans un craquement sinistre de la coque, *La Marie* toucha le fond, le racla sur une bonne distance et s'immobilisa malgré la force du vent qui gonflait ses voiles qu'on n'avait pu ramener.

Dans la folie des pantoires et des vergues qui chutèrent sur le pont, entraînant avec elles câbles et aussières, comme des membres brisés, il fallut rompre le mât d'artimon qui tomba sur la hanche de tribord, faisant ainsi prêter de la bande de ce côté, pendant que, de l'autre, la chaîne des ancres se rompait et réduisait en bouillie le visage d'un ancien maître canonnier nommé Têtu.

Les hommes, précipités pêle-mêle par les vagues et le vent enragé, perdirent tout contrôle sur eux-mêmes et, dans le chaos le plus complet, les ordres fusèrent en vain.

Impuissant devant la furie des éléments, Vadeboncœur assista à la fin de son rêve. Il se maintint de toutes ses forces au parapet de la dunette, ne voulant céder d'un pas, sachant, cependant, que sa grande ambition allait être complètement emportée par la tempête, comme neige charriée par le vent. Et il crut que tout l'équipage allait périr avec lui.

Mais c'était ignorer le sang-froid des loups de mer qui n'en étaient pas à leur premier naufrage. Ceux-là décidèrent qu'au risque de périr il fallait courir celui de survivre : ils se précipitèrent dans la soute aux provisions pour se charger de ballots de nourriture et de fusils et ramenèrent même une trentaine de gargousses ainsi que deux barils de poudre. Une vague, plus forte que les autres et qui présageait l'intensité encore à venir de la tempête, emporta le gouvernail de *La Marie* et ajouta à la confusion. Dans la rumeur des éclats de voix brisées, révoltées, vingt matelots se retrouvèrent côte à côte pour hisser une chaloupe sur ses portemanteaux et s'y embarquer ; mais quand le dernier y eut pris place, un palan manqua et l'embarcation ne fut plus retenue seulement que par l'arrière. Plus de la moitié des matelots tombèrent à la mer. Les autres, les pieds ballants au-dessus du vide, s'agrippèrent aux plats-bords. Mitionemeg, qui avait vu la manœuvre, accourut et ordonna qu'on file le dernier palan jusqu'à ce que la chaloupe touche l'eau. Hélas, le temps que, déséquilibrée, l'embarcation atteigne le creux d'une vague, en deux lames elle était rasée de la surface et coulait à pic…

Il aurait fallu un grand silence pour ponctuer le drame. Mais il n'y eut que le court répit des cris de panique qui cessèrent brusquement jusqu'à ce que Mitionemeg, tournant le dos à la catastrophe, ordonne qu'on mette à l'eau une autre chaloupe à bord de laquelle lui-même embarqua en compagnie de ceux qui s'étaient munis de provisions.

Vadeboncœur, d'abord surpris par cette retraite de son ami, s'expliqua à lui-même que le Huron n'avait écouté que les directives de son cœur et de son courage en tentant le tout pour le tout afin de sauver le plus de vies possible. Du haut du navire dans lequel il avait investi tout son espoir de briser l'hiver, il vit son compagnon près de sombrer quand la houle s'empara de la chaloupe et la malmena, essayant de la ramener contre la coque de *La Marie.* Heureusement, il se trouvait à bord un sous-officier de la Franche-Marine qui manœuvra assez habilement pour éloigner l'embarcation avant le heurt, et Vadeboncœur aperçut encore un instant l'image floue de Mitionemeg debout à l'avant, trempé et transi, et qui, déjà, distinguait l'atterrage de l'île battu par le ressac.

Ramant de près, les rescapés entreprirent de réciter à voix haute le *Confiteor* et, plutôt que de venir jusqu'au navire et ainsi informer le reste de l'équipage qu'ils n'avaient pas coulé, leur prière se perdit dans les mugissements de l'eau. Soudain la chaloupe fut enlevée, soulevée par une vague plus grosse que les autres, et chacun se retrouva, pantin désarticulé, sur les galets enneigés, inconscient de sa chance et même pas tout à fait sûr d'être encore en vie.

Pressentant que la chaloupe allait être emportée par une dernière vague qui la repousserait au large, Mitionemeg avait passé un grelin dans un organeau enroulé à son poignet et avait sauté à terre. De l'eau jusqu'à la ceinture, il réussit à retenir l'embarcation au bord jusqu'à ce que la vague se retire.

En quelques enjambées, il rejoignit les autres et leur ordonna de se presser de gagner la terre ferme, car la mer avait relâché sa proie sur un îlot qu'allait rapidement couvrir la marée montante. Ils traversèrent à gué le bras d'eau glacée qui les séparait de la plage, grimaçant sous la morsure du froid. Et là, le père Crespel, qui venait de tenter le destin avec eux, se tourna vers la forme changeante de *La Marie* qui disparaissait presque derrière un rideau de poudrerie, et s'agenouilla en se signant. Tous l'imitèrent pendant que Mitionemeg constatait qu'il manquait deux matelots.

Après quelques heures à chercher en vain du bois pour faire un feu, ils distinguèrent les mouvements téméraires d'un petit canot, monté par six personnes seulement, qui venait du bateau et qui réussit à toucher la batture sans se briser. Agénor Gravel, l'initiateur de cette nouvelle tentative pour échapper à la fin certaine de la frégate, leur rapporta que Vadeboncœur, le capitaine Leblanc et dix-sept matelots avaient décidé de passer la nuit à bord, même si le navire, vaincu de toute part par la mer furieuse, risquait d'être éventré à tout instant.

Et, de fait, la tempête guerroya contre *La Marie* jusque vers minuit. Puis elle l'abandonna à l'hiver, à l'étau du froid qui se referma comme un poing vengeur sur l'ambition insolente du fils de Pierre Gagné. Dans le jusant qui déshabillait le corps du navire pour n'en garder d'immergé qu'un mince cinquième, Vadeboncœur écouta le calme cynique de la saison morte qui, irrémédiablement, avait tué son projet. Qui, à jamais, éteignait tout espoir pour la colonie de se rapprocher de la métropole. Cette terre de la Nouvelle-France avait été la terre promise de son père et elle le demeurerait:

aucune charnière avec le vieux pays n'allait lui donner des allures de province ! Les hivers longs et jaloux continueraient de préserver la grande solitude d'un peuple oublié qui allait devoir créer de lui-même les liens nécessaires à sa survie.

Sur la dunette balayée par les rayons de lune perçant les derniers nuages de la tempête, Vadeboncœur accusait le coup de sa défaite avec une certaine compréhension affectueuse pour le caractère orgueilleux de son pays. Il avait les idées moins promptes qu'au départ quand il lui avait fallu y croire absolument et il prit un air humble, plus qu'embarrassé, devant le capitaine Leblanc qui, lui, se montrait complètement dépité et ne savait plus commander tellement son chagrin était grand. La chute dans la réalité avait tout du retour amer de la raison sur le rêve, mais avec un peu d'optimisme Vadeboncœur découvrit une évidence : parce que la Nouvelle-France n'allait jamais être une province de France, elle allait forcément devenir un pays.

Il se leva, dut s'appuyer fermement pour ne pas glisser vers une écoutille béante et se tourna vers le rivage, cherchant de vaines ressemblances entre le blanc vaporeux de la neige tout juste soufflée par le vent – le ciel complètement dégagé faisait fuser toute la clarté de la lune sur l'île d'Anticosti – et le blanc parfait des champs qui fuyaient derrière le manoir du Bout-de-l'Isle. Il constata que le silence sans limite était le même, l'odeur du froid aussi ; mais il y manquait la lisière de vie de la forêt et un scintillement heureux des cristaux de glace semés ici et là sur les congères. Il soupira, imagina Marie-Ève, un châle sur les épaules, et qui devait regarder le fleuve gelé : sûrement qu'elle pressentait la fin de l'aventure. Comment réagissait-elle ? Il l'avait quittée tendue mais résignée : dans ses yeux amoureux, il avait reconnu une peine cachée et elle avait préféré ne pas l'accompagner à Québec afin de leur éviter une séparation trop déchirante. Mais elle croyait, elle aussi, à cette entreprise, car elle devait y croire avec lui. En cet instant d'échec, il aurait voulu que les mains de sa maîtresse caressent son visage et que sa voix – cette voix chaude de Marie-Ève – épanche son malheur : il aurait voulu, surtout, être certain de la revoir bientôt pour vivre avec elle, tout doucement, le temps de devenir vieux et de mourir réconcilié avec ce pays si exigeant.

L'œil inquisiteur et l'expression triste de Leblanc l'obligèrent à parler :

– On y était presque.

En effet, dans la lumière de la lune maintenant au milieu d'une nuit piquée d'étoiles, on pouvait apercevoir au loin l'agitation évanescente de l'océan. Provocation, défi impossible : image narquoise de la mer qui se refuse.

– Presque...

Le froid pénétrait jusqu'au cœur, et la nuit veillait à ce qu'il ne se disperse pas : il faisait nuit et il faisait froid, rien d'autre. Vadeboncœur avait cessé de s'agiter intérieurement et, posé du corps à l'âme, il n'avait plus la hantise de réussir ou d'échouer. Non, il se donnait raison d'avoir tenté de vaincre l'hiver. Sans lui, tous en Nouvelle-France auraient vécu dans le regret de ne pas avoir au moins essayé, alors que sa tentative permettrait désormais à toutes les énergies de se tourner résolument vers l'autonomie plutôt que d'attendre davantage le soutien avare de la mère patrie. Il était persuadé que l'histoire garderait de son aventure un souvenir allant bien au-delà d'un funeste naufrage.

Dans la solitude des heures vides qui suivirent, ses pensées le ramenèrent dans l'intimité familière du manoir cerné d'hiver ensoleillé, quelque quarante années auparavant. Au cours d'un long entretien, le sieur du Bout-de-l'Isle avait alors expliqué à son fils que, puisqu'il était de la toute première génération d'un peuple, il lui appartenait d'assumer les responsabilités morales incombant à cette destinée. Depuis, Vadeboncœur avait suivi les intentions pressantes de son père et, partout dans la colonie, son nom portait haut et bien. On l'estimait à la façon dont on respecte certaines traditions durables et souhaitées, et sa famille comptait pour l'Administration autant qu'une institution des plus honorées.

Au matin, après une nuit de veille qui le laissait étrangement serein, Vadeboncœur s'accordait tout à fait à lui-même. Il se dressa, prêt à vivre la suite sur un ton courageux, bien décidé à tenir jusqu'au bout. La neige tombait de nouveau. Épaisse, lourde. Et la fumée blanche des feux allumés sur le pont se confondait avec le blizzard.

Avant d'abandonner *La Marie*, Vadeboncœur ordonna qu'on ramène de la cale tout ce qui restait de provisions et on embarqua aussi, dans les chaloupes presque ensevelies, des outils, du goudron et plusieurs voiles. La veille encore, à la même heure, le fleuve n'était que lumière et effervescence, et on pouvait apercevoir les rives d'une terre aride, des pierres presque noires, pas l'ombre d'un arbre, pas même la distraction du moindre piton. Une terre désolée qu'on disait maudite et que

Jacques Cartier avait baptisée Terre de Caïn. Mais dans ce matin, écrasés de lassitude et de dépit, les derniers occupants de *La Marie* qui gagnaient l'île d'Anticosti à leur tour ne distinguaient plus que la forme inutile du navire qui se précisait, puis se brouillait selon les mouvements de la poudrerie. Les flots aussi s'étaient calmés après les assauts de la tempête et ils ne bougeaient plus qu'à peine, permettant aux rames de battre aisément, de sorte qu'en un rien de temps on crut apercevoir la côte. D'abord, on départagea mal les rochers et les compagnons de Mitionemeg, puis on vit des bras se tendre et des mains tirèrent les embarcations. Le Huron lui-même accueillit Vadeboncœur en le pressant contre son cœur et, pendant qu'à l'aide des rames et des voiles on élevait des tentes à la manière indienne, les deux hommes envisagèrent des solutions.

La plus évidente des perspectives était d'attendre de deux à trois mois, soit jusqu'à l'ouverture de la navigation fluviale, pour s'embarquer sur le premier bateau auquel on enverrait les signaux. Mais les vivres manqueraient avant : bien réparties en rations quotidiennes, il y en aurait pour quarante jours tout au plus.

– Et le gibier, s'il s'en trouve sur cette île, doit être rare et maigre, précisa Mitionemeg.

L'implacable réalité les rejoignait et ils avaient beau chercher, ils ne trouvaient pas de solution. Cependant, Vadeboncœur finit par se souvenir que, chaque hiver, sur la côte nord du fleuve, des Français s'installaient à Mingan pour y chasser le loup marin. Rejoindre ce poste pouvait signifier le salut, car on y trouverait des abris confortables et des moyens de passer décemment le reste de la saison.

– Mais pour s'y rendre, il faudra parcourir pas moins de quarante lieues sur les battures en direction de la pointe nord-ouest de l'île et, là, traverser douze lieues de haute mer, fit remarquer Mitionemeg.

– Il faudra surtout tirer les embarcations sur toute cette distance…

– Ça… On va les charger de vivres, elles vont servir de traînes. On n'a pas tellement le choix.

– À tout considérer, non.

Sans s'emballer, ils retinrent l'idée, mais Mitionemeg en proposa aussi une autre afin d'augmenter les possibilités de survie. Il suggéra qu'on partage l'équipage en deux groupes dont un premier demeurerait sur place dans l'attente du passage éventuel de quelque explorateur, pendant que l'autre irait à la recherche des chasseurs de loups marins.

Si tous convinrent de ces solutions, il resta à décider qui partirait et qui resterait. Il allait de soi que Mitionemeg, à cause de son sens inné de l'orientation, de son esprit inventif et de ses ressources innombrables de survie en tout milieu, conduirait l'expédition de Mingan. Mais voilà, tous voulaient le suivre, jugeant plus certain d'aller vers les secours que de rester à les attendre : il y a plus d'espoir à faire quelque chose qu'à attendre l'improbable.

La matinée se passa à inventorier et à partager les munitions, pendant que le charpentier Jacques Lemire taillait dans un espar (l'une des vergues du mât d'artimon) une nouvelle quille pour que la chaloupe glisse aussi aisément qu'un traîneau. Il la calfeutra également avec soin et remit à neuf l'étambot et les bordages.

Peu après midi, la neige cessa. Le soleil perça. Un monde fermé s'ouvrit sur une luminosité fluide, nébuleuse par endroits, surtout à la crête des bancs de neige qui vallonnaient la grève comme le sable du désert. À perte de vue, la succession monotone de monts et de creux qui au loin se découpaient sur un pan de ciel bleu, paysage irréel figé dans l'uniformité du froid.

La journée s'acheva sur une brise à peine âpre qui souffla des couleurs vives sur les visages et cette renaissance des figures hâves la veille ressembla à un peu de joie. Le père Crespel en profita pour prononcer une homélie vigoureuse au cours d'une messe qu'il célébra le dos au fleuve. Personnage pourtant valétudinaire, il projeta tant de conviction dans sa voix ferme qu'il réussit à donner aux naufragés le souffle des conquérants et le goût de s'offrir une ultime victoire, celle de rentrer un jour sains et saufs à Québec :

– Ceux qui reviennent ont toujours raison…

Après cette cérémonie tonifiante, une sorte de miracle s'opéra : la moitié de l'équipage, soit vingt-quatre des survivants, décida de rester avec Vadeboncœur et consentit à hiverner sur la batture jusqu'à l'arrivée de quelque secours. Ces hommes étaient, pour la plupart, ceux de la première heure que l'aventure avait tentés au-delà des lauriers éventuels d'une gloriole éphémère. Puisqu'ils avaient déjà parié avec la mort au moment de s'embarquer sur *La Marie*, ils n'entendaient pas maintenant se trahir eux-mêmes.

Le père Crespel entendit au cours de la nuit la confession de ceux qui resteraient avec Vadeboncœur et, dans les lueurs de la barre du jour, les deux groupes se séparèrent en s'engageant de part et d'autre à des retrouvailles prochaines.

Vadeboncœur fit ses adieux à Mitionemeg et, sous le ciel dont la nuit se retirait lentement, il regarda s'éloigner la moitié de ses hommes en serrant les poings pour se convaincre qu'il avait tort de croire qu'il ne les reverrait jamais.

Chapitre XVI

Le mouvement paisible des vingt-quatre silhouettes qui progressaient sur les battures de l'île d'Anticosti constituait un ultime combat contre le froid, la faim et la fatigue. Dix d'entre elles étaient liées dans un effort surhumain pour pousser, tirer, guider la grosse chaloupe contenant les armes et les vivres pendant que les autres, qui les relayeraient à leur heure, suivaient, tête baissée, au creux du sillon ainsi ouvert dans l'épaisseur de la neige. Les haleines fumaient, les visages, poudrés de frimas, et les vêtements, confits de lamelles de glace, craquaient. Les pieds traînaient et plusieurs avaient croisé les bras pour se réchauffer, les mains sous les aisselles.

En tête de ce défilé qui avait quelque chose de solennel dans son rythme hésitant et grave allait Mitionemeg. Sans piste et sans chemin, il suivait, en direction de la pointe nord-ouest de l'île, une voie que seul son instinct connaissait. Il avait dû chausser ses raquettes, mais cela ne l'embarrassait d'aucune manière : ses « pattes d'ours » ne l'empêchaient ni de courir ni de sauter avec l'agilité d'une bête légère. Des mitasses de peau souple, ajustées à mi-cuisses et retenues aux hanches par la ceinture de son brayet, lui habillaient chaudement les jambes et, par-dessus la tunique de peau de chevreuil qui lui couvrait le torse, il portait une cape, sorte de robe confectionnée de différentes fourrures assemblées entre elles sans souci esthétique. Sa nature inébranlable et la perfection de son organisme, qui caractérisaient sa race, lui rendaient l'épreuve acceptable même s'il jugeait l'aventure quasi désespérée. Son stoïcisme et sa faculté bien exercée de vivre le moment présent sans l'entacher de sombres perspectives lui conféraient une solidité hors du commun.

Il avançait dans un décor nu, où rien ne bougeait, où rien ne vivait, et était convaincu d'être au pays où la terre finit. Ou encore, là où elle avait commencé, car il lui arrivait de croire qu'il foulait l'île qui avait sauvé Ahtahentsic (la lune), cette divinité à l'origine de la naissance du monde. En effet, selon la tradition orale huronne, au début il existait au-dessus du ciel un pays peuplé de bons esprits, parmi lesquels Ahtahentsic qui, un jour de grands bouleversements où le ciel s'était déchiré, avait chuté vers l'océan. Elle allait y disparaître quand une tortue avait convaincu tous les animaux aquatiques de construire une île pour la recevoir. Et c'est sur cette île qu'aurait été enfantée l'humanité.

Les mouvements disciplinés de Mitionemeg lui permettaient de réserver ses énergies pour les moments les plus difficiles : il ne se fatiguait guère à avancer : la situation était taillée à sa mesure, mais il savait que ceux qui le suivaient n'avaient pas les mêmes moyens. Plusieurs manqueraient de force, morale et physique, pour supporter toutes les cruautés de l'expédition et, s'il était une présence étrangère qui rôdait sur cette grève gelée, c'était celle de la mort. Parfois, l'Indien pensait à Vadeboncœur. Il l'imaginait là-bas, parmi le reste de l'équipage, impatient d'être secouru, bientôt rendu impitoyable par les morsures du climat et prêt à tout pour survivre. Vadeboncœur risquait de se retrouver seul au milieu d'une horde et il allait devoir user d'une fermeté surhumaine pour la maîtriser. Mais Mitionemeg savait que son ami était de la trempe du sieur Pierre Gagné, son père, et qu'il avait le charisme d'un héros porté par sa légende; il savait surtout que les Blancs, contrairement aux Indiens, n'avaient souvent besoin que d'un bon chef pour être capables de la plus grande vaillance. Et Vadeboncœur était un meneur d'hommes hors pair.

Mitionemeg et Vadeboncœur étaient unis par des liens fraternels. Depuis plus de soixante ans maintenant, leurs vies suivaient les mêmes voies: ils avaient subi les mêmes revers, surmonté les mêmes difficultés et partagé les mêmes succès. Le père de Mitionemeg était mort en combattant les Iroquois aux côtés des Français à la bataille du Long-Sault. La petite vérole et les attaques répétées des Iroquois ayant, en 1649, complètement décimé le peuple huron, les quelques survivants avaient alors trouvé refuge et amitié chez les Blancs de Ville-Marie, Trois-Rivières et Québec. Plus tard, en respect de cette alliance, lorsque les Agniers étaient descendus par la rivière des Outaouais pour anéantir Ville-Marie, quarante Hurons s'étaient joints aux Français pour faire barrage à l'ennemi. À leur tête, le Huron Mitionemeg. Hélas, tous avaient péri à cause de l'explosion d'un baril de poudre malencontreusement balancé dans le fortin français. La mort avait ainsi uni Blancs et Peaux-Rouges dans la même catastrophe qui avait sauvé Ville-Marie. Aussi Anatoha, le fils de Mitionemeg, était-il devenu l'objet de vénération de la part des Français et, pour qu'il demeure le symbole vivant de l'amitié entre les deux peuples, amitié qui n'allait jamais se démentir, ils lui avaient donné le nom de son père. Et le jeune Huron avait été très souvent accueilli à la maison de la veuve Cardinal où il s'était lié d'amitié avec Vadeboncœur enfant. Depuis, il n'avait pas quitté le cercle des familles de Vadeboncœur et de Marie-Ève qui le considéraient comme un être exceptionnel, jamais emporté et jamais défaitiste : il manifestait rarement ses sentiments, ne portait aucun jugement et on n'aurait pu trouver exemple d'une plus grande fidélité.

Il avait plus de soixante-dix ans, et on ne lui donnait plus d'âge : les rides de son visage traçaient un dessin précis, ressemblant dans sa symétrie aux tatouages des grands sachems, et tout son corps avait gardé cette rigidité des hommes rompus au travail des muscles et dont la force couve sous la peau, prête à servir. Il se savait encore capable de grands exploits et pressentait que sa vie ne s'arrêterait que lorsque lui-même jugerait avoir assez vécu.

Le harcèlement du vent qui bientôt enveloppa les hommes avec une violence glaciale donna à Mitionemeg l'impression d'affronter tout l'hiver d'un coup. Ses yeux cherchèrent la source de ce revirement soudain des éléments qui, quelques minutes plus tôt, se contentaient d'être froids et denses. Il trouva : tout près, la rivière du Pavillon se jetant dans le fleuve entretenait une masse d'eau libre au milieu de la surface gelée. Le mouvement des flots – c'était la marée montante – poussait de grosses vagues vers les rochers contre lesquels elles s'abattaient dans un fracas d'ouragan. Un brouillard fumeux s'élevait au-dessus de cette mêlée et, chargé de gouttelettes d'eau, venait couvrir les vêtements, alourdir les membres et sceller les yeux. De peur de voir ses compagnons se figer en statues de glace, Mitionemeg leur ordonna de s'agiter, de courir même. Les dix hommes attelés à la chaloupe se retrouvèrent sur un sol dur facilitant la manœuvre et les autres purent se disperser, n'ayant plus à suivre de sentier tracé par l'embarcation. Mais la fatigue des deux derniers jours – les nuits passées sur l'estran dans la chaleur incertaine et mouvante d'un feu dont le vent rabattait la fumée sur les visages ne l'avaient en aucune manière soulagée – en fit tomber plusieurs. Le temps qu'ils chutent et déjà on les confondait avec la neige, leur forme étant immédiatement givrée. Aux cris déchirants de ceux qui résistaient, Mitionemeg revint sur ses pas pour prêter main-forte aux hommes qui s'efforçaient d'aider à relever ceux qui, engourdis, ne le souhaitaient même plus.

L'un d'eux, le vigoureux Guy Perron, matelot de plusieurs traversées d'océan et reconnu pour son mauvais caractère, utilisa même ses dernières énergies pour repousser les mains secourables qui voulaient le ramener à la vie. Il se fâcha et s'attaqua au Huron en l'agonissant d'insultes :

– … maudit Sauvage !

Mitionemeg n'allait pas apprendre le courage à un désespéré ; il se résolut à le gifler pour lui faire reprendre tout à fait ses esprits et il eut sur les bras un personnage implorant qu'on lui pardonne.

Après une heure d'efforts douloureux, la troupe réussit à franchir l'espace venteux et embrumé. Le jour déclinait, le ciel se marbrait des couleurs du couchant et le froid se faisait plus pénétrant. On s'arrêta pour la nuit.

Mitionemeg fit un feu à l'aide de deux morceaux de bois sec : il en maintint un avec ses genoux et y inséra le bout pointu de l'autre, qu'il fit tourner entre ses mains ouvertes en les frottant l'une contre l'autre. Un filet de fumée serpenta bientôt au-dessus d'une petite mèche placée à la jonction des deux pièces. Les flammes allaient tenir les loups éloignés – s'il s'en trouvait sur l'île – et permettre un semblant de chaleur pendant qu'on dormirait.

Au matin, ils se réveillèrent dans la tempête. La nuit noire céda à un jour blanc, d'une blancheur opaque qui ne permit pas d'abord de découvrir immédiatement les cadavres de trois hommes qui avaient dormi trop loin du feu. Parmi eux se trouvait Martin Vaudry, un cultivateur de la côte de Beauport qui s'était rallié au projet de Vadeboncœur surtout parce qu'il aurait ainsi l'occasion de voir les vieux pays.

En guise de cérémonie funèbre, le père Crespel administra discrètement les derniers sacrements, dans le plus fort de la bourrasque qui charriait ses mots au fur et à mesure qu'il les prononçait. Et, pendant que le prêtre priait, autour de lui les hommes relançaient le sang dans leurs membres en dansant une sorte de gigue simple qui cadrait mal avec la tristesse de la situation.

Alors qu'ils allaient manger leur ration de morue sèche, accompagnée de quelques gouttes de colle de farine détrempée dans de la neige fondue, deux renards argentés vinrent rôder. Mitionemeg et le jeune Joseph Brisson, déjà coureur des bois à ses heures, les mirent en joue et les deux fusils à silex claquèrent simultanément. Les bêtes bondirent sous le coup de la même brûlure mortelle et, dépecées, furent mangées sur-le-champ, à la manière indienne, le cœur et le foie crus.

Quelque peu réconfortée par cette petite victoire, la troupe se remit en route. Mais la tempête épaissit. La poudrerie unit le ciel et la terre, et il devint téméraire de croire qu'on avançait, alors qu'on ne savait plus avec certitude si l'on tournait le dos aux lieues déjà parcourues. Pour ne pas s'égarer et perdre une partie des hommes, Mitionemeg décida de se rapprocher de la forêt aux arbres clairsemés dont il avait aperçu la lisière depuis la grève. Il expliqua comment on pouvait, avec du sapin, construire des abris pour les hommes et pour les vivres. À l'aide des haches de traite, dont le défaut majeur était de perdre rapidement leur tranchant contre le bois franc, on coupa les branches les plus fournies qu'on disposa en faisceaux autour de poteaux. Trois abris furent ainsi érigés, de même qu'une hutte, plus basse, devant servir de magasin. On avait eu soin de situer cette dernière de telle manière que personne ne puisse s'en approcher sans aussitôt être vu par les autres. Cette tâche accomplie, quelques hommes vidèrent la chaloupe et transportèrent l'approvisionnement aux cabanes pendant que d'autres ramassaient des fagots. Un sentier fut balisé vers la forêt. Pour redonner des forces à chacun, on fit dégeler un peu de vin qui réconforta les gosiers et répandit dans les corps un feu vivifiant. Quand les esprits furent ainsi ranimés, Mitionemeg, qui avait consulté le père Crespel, établit les rations quotidiennes: un peu de farine et autant de viande de renard. Pas davantage. Et, une cuillerée de pois par semaine pour enrichir ce menu. De plus, les exercices physiques devinrent obligatoires afin de lutter contre l'emprise du froid.

Le temps devait demeurer mauvais pendant six jours. Six jours de neige et de vent, sans la moindre pause, la moindre accalmie qui permît de reprendre contact avec la réalité. Des journées interminables, puis des heures qui tournaient au ralenti, dans la plainte lancinante de la poudrerie contre les faibles parois des abris exigus et insalubres. Et, au milieu de cette outrance du climat, la maladie : des ophtalmies causées par la fumée dans les huttes, et de la constipation due à la pauvreté de la nourriture délayée à la neige fondue.

Au matin du septième jour, le soleil donna le spectacle hallucinant d'un monde à la blancheur immaculée. La neige, dans toute sa splendeur, éblouissait à perte de vue sans laisser le plus petit point terne percer son uniformité. Visible et invisible à la fois, la batture se perdait sous le blanc. Lents, faisant comme des taches sales sur la neige, les compagnons de Mitionemeg émergèrent de leur tanière. Ils regardèrent le ciel, puis la neige. Les yeux hagards et le visage creusé par les privations, ils essayèrent de se réjouir du retour du beau temps ; mais ils ne trouvèrent dans toute la somptuosité de ce matin nouveau aucune raison d'être heureux. La nature leur parut plus vide que belle, et leur isolement, plus évident que jamais. Comment allaient-ils pouvoir se déplacer dans cette neige à hauteur de poitrine ? C'était un mur à l'épaisseur infinie.

Le capitaine Leblanc proposa une solution qui en valait bien d'autres : il suggéra qu'on pousse la chaloupe jusqu'au fleuve. La tempête apaisée, l'eau calme permettrait de ramer jusqu'à la pointe de l'île. Un premier groupe partirait, dont quelques-uns reviendraient chercher les autres. Puisqu'on trouve dans la mesure où l'on cherche, l'enjeu justifiait le risque : ne rien faire qu'attendre eût été choisir la résignation. Il n'était que prévisible que le vent se lève à nouveau et que le froid s'intensifie, alors qu'il était évident que les vivres manqueraient dans une semaine tout au plus.

– Une chaloupe vogue mieux sur l'eau que dans la neige, conclut-il en regardant Mitionemeg, l'air las, tandis qu'autour de lui les autres s'accrochaient à son idée comme à leur dernière planche de salut.

Mitionemeg ne dit mot. Il s'éloigna, voulant s'isoler du délire de ses compagnons convaincus de mourir s'ils ne s'embarquaient pas dans cette effrayante chimère : croire qu'ils avaient encore la force de ramer pendant des heures. Il souhaitait entendre de nouveau sa raison et retrouver sa logique. Il fixa l'horizon où le bleu et le blanc se rencontraient, se démarquaient parfaitement, et pressentit qu'au bout de la batture l'eau du fleuve était libre. L'idée du capitaine Leblanc lui ressemblait. Un vieux loup de mer ne croit qu'aux vertus de la navigation ; mais où trouver l'énergie nécessaire pour manœuvrer cette lourde chaloupe ? L'Indien se tourna du côté des abris de branchages et observa un moment les silhouettes, aux vêtements mangés par la vermine, qui attendaient sa décision, comme des bêtes affamées, leur pitance. L'on n'est sauvé que par soi-même, pensait-il, que par la foi qu'on puise en nous : donner à ses hommes un peu d'espoir serait leur donner autant de courage.

Il revint sur ses pas. Avec une brièveté qui contrastait avec la lenteur de sa décision, il annonça :

– Le père Crespel et moi allons choisir les quinze plus vigoureux d'entre vous : ils iront avec le capitaine Leblanc.

La mine un peu compassée du prêtre à ces mots donna à penser à Mitionemeg que ses vues n'étaient pas partagées par tous. Dans les circonstances dramatiques, il se répéta qu'il devait imposer ses directives avec d'adroits ménagements, de peur que les hommes passent de l'exténuation à la révolte. Considérée objectivement, la décision de choisir les plus forts était la seule précaution intelligente, même si ce n'était pas l'assurance parfaite contre le doute. Il vit immédiatement Léger, Freneuse et Foucault se diriger vers la chaloupe recouverte d'un banc de neige et creuser avec leurs bras dans la matière poudreuse. Leur fougue avait tout de l'excitation incontrôlée et cette même ardeur aveugle anima ceux qui les aidèrent, puis chargèrent l'embarcation de la part des vivres revenant à ceux qui partaient. Avant de se quitter, les deux groupes se jurèrent d'être bientôt réunis. Puis, s'arc-boutant aux bords de leur nacelle, ils la poussèrent contre la résistance de la couche de neige.

Une heure plus tard, ils disparaissaient dans la zone lumineuse du soleil qui dansait au loin sur la grève.

Et l'attente commença...

Une formidable immobilité s'installa et toutes les idées s'arrêtèrent au sauvetage que le plan de Leblanc permettait d'espérer. Hélas, à peine la nuit tombée, une nouvelle tempête s'éleva. La force du vent renversa un abri, elle déplaça et reforma les congères, fouetta à mort un renard qui s'était risqué hors des bois pour flairer l'odeur humaine. À l'aube, le calme revint, accompagné d'un froid brûlant. La neige durcit assez pour supporter le poids des hommes et, en suivant le rivage, Mitionemeg partit à la recherche du groupe de Leblanc. Il marcha pendant plusieurs heures. Maintes fois, il pensa rebrousser chemin mais son intuition lui dicta de continuer : grand bien lui fit car il aperçut bientôt un wigwam et deux canots d'écorce protégés par une épaisseur de branches d'épinette.

Il appela. Fit claquer son mousquet à plusieurs reprises. Rien que le silence glacé de l'hiver désertique. Il pénétra dans l'abri indien, y trouva des quartiers de loup marin, des peaux séchées et de la graisse. Il s'en chargea et tira un des canots qu'il renversa sur ses épaules, persuadé que son vol allait provoquer le propriétaire qui partirait à sa recherche. C'est ainsi que, forcément, viendrait du secours. Triomphant, il se rappela un vieil adage huron: « Le mauvais temps ne peut durer toujours », et choisit d'oublier la véhémence des dernières épreuves pour se concentrer sur sa volonté de survivre absolument. Et c'est en longeant la chaîne aiguisée des brisants qu'il trouva mêlés à la glace des débris de bois et de glace qu'il reconnut être des pièces de la quille de la chaloupe refaite par Lemire. Sans étonnement, à quelques pas de là il découvrit, pressés les uns contre les autres, cinq corps aux visages paradoxalement vivifiés de rose: les vestiges de l'expédition du vieux capitaine, proies faciles de la dernière nuit furieuse.

Pendant un court moment, Mitionemeg resta en suspens, assailli par le sentiment bizarre d'avoir atteint un certain point d'absurdité où tout perd son sens, et la vie, sa valeur. Mais il réagit aussitôt et, exaltant toute l'aigreur de son cœur en bandant ses muscles pour ne pas ployer sous le poids de sa charge, il laissa sa raison l'emporter et marcha énergiquement vers le campement des derniers rescapés. Le silence souligna le crissement de ses bottes de peau sur la neige dure et le soleil lui dessina une ombre toute en longueur qui l'accompagna jusqu'aux abris de branches où il arriva avec le déclin du jour.

L'abbé Crespel vint à sa rencontre, la mine presque réjouie :

– ... et il y a aussi Brisson et Perron qui ont trouvé un coffre plein de vêtements que le hasard des vagues a tiré de la cale de *La Marie* et fait échouer sur le rivage.

Mais sa bonne humeur ne dura qu'un éclair : Mitionemeg lui apprit aussitôt le naufrage de Leblanc et de ses hommes. L'ecclésiastique ajouta à cette mauvaise nouvelle celle de la mort de Jacques Lemire, le maître charpentier, foudroyé par quelque maladie indéfinie qui s'était manifestée par une énorme enflure des jambes.

Autour du feu, ce soir-là, les huit survivants dévorèrent la viande de loup marin ramenée par Mitionemeg qui ne put modérer leur voracité : cette brutale rupture de jeûne faillit les tuer. Quand les flammes faiblirent, deux volontaires partirent chercher de nouveaux fagots. Mais le froid était tel qu'ils revinrent bredouilles en se traînant sur leurs coudes et genoux, leurs extrémités étant gelées au point de ne pouvoir se tenir debout. On les soigna tant mal que bien en les pansant de lambeaux, imbibés d'urine, arrachés à même les vêtements des morts. Piètre médecine appliquée trop tard : au bout d'une semaine, les pieds et les mains malades se détachèrent, putréfiés. L'horreur inspira le désir du suicide à plusieurs et le père Crespel dut soigner les âmes avec toutes les ressources de sa foi pour les convaincre du devoir de vivre.

Puis, contre toute attente, par un clair après-midi, apparut à l'orée de la forêt la silhouette, d'abord incertaine, d'un Indien. C'était un Montagnais qui venait réclamer ses vivres et son canot d'écorce. Mais on l'accueillit avec de tels transports qu'il s'effaroucha et prit aussitôt la fuite ! Mitionemeg heureusement le rattrapa. Il utilisa le peu d'idiomes montagnais qu'il connaissait pour expliquer la situation au visiteur et lui demander de retourner vers les siens chercher des vivres et des traînes. Quoique un peu effrayé, l'Indien acquiesça puis, en un débit haché, il promit sur la tête de ses ancêtres de revenir avec tout le nécessaire pour nourrir, soigner et transporter les malheureux compagnons de Mitionemeg. Et il partit avec la promptitude de quelqu'un qu'on libère, oubliant son embarcation.

Trois jours passèrent encore. La mort continua son œuvre, emportant deux autres hommes au bout d'une atroce agonie. Ne restaient plus que Mitionemeg, le père Crespel, Brisson et le matelot Perron. Alors, tout devint simple : ils enduisirent de graisse le canot du Montagnais pour redonner à l'écorce toute sa souplesse et son étanchéité, ils dégrossirent des branches d'épinette pour en faire des avirons et chargèrent leurs minces provisions au fond de l'embarcation.

Pour ne pas être rejetés sur les épines de glace qui hérissaient le littoral, ils durent s'éloigner de la batture jusqu'à environ dix longueurs de canot. Ce qui les avantagea, les libérant des effets du ressac.

Ils avironnaient depuis peu lorsqu'un coup de feu retentit. D'un accord tacite, ils cessèrent tout mouvement. Un deuxième coup éclata. Une sorte de vertige monta à la tête des voyageurs. Ils se tournèrent vers Mitionemeg qui se contenta d'abord de froncer les sourcils.

Son regard devint pointu et fouilla le rivage. Une fumée blanche montait au-dessus d'un bosquet de feuillus dénudés. Se guidant sur ce signe d'une présence évidente, Mitionemeg manœuvra seul le canot jusqu'au bord et réussit aisément à le coincer entre deux rochers. Osant à peine un sourire inquiet, les quatre hommes se dirigèrent ensuite vers l'oasis qui les appelait et arrivèrent devant une solide cabane de bois rond. Tendues sur des cercles d'aulnes, des peaux de renards séchaient et, plantées dans la neige, des raquettes dégelaient au soleil. Des barils de graisse de loup marin étaient empilés près de la porte et dégageaient une senteur nauséabonde qui vint à la rencontre des arrivants.

Ceux-ci, ivres d'espoir, se lancèrent vers la porte, hésitèrent une seconde, la respiration haletante, et frappèrent avec le peu de force qui leur restait.

L'air complètement ahuri de se trouver devant de tels personnages fantomatiques, un Français leur ouvrit. Comme transporté soudainement dans l'irréel, il resta paralysé pendant un bon moment avant de les inviter :

– Entrez... Mais entrez donc.

Et pendant que ses compagnons se réjouissaient sans réserve de leur résurrection, Mitionemeg, lui, pensa à Vadeboncœur.

La veille, il ne restait déjà plus que lui et le jeune Lavoie qui allait mourir et le savait : délibérément, ce dernier avait choisi de se livrer au froid. Comme si de rien n'était, il avait fermé les yeux, et la mort n'avait été qu'un bienfaisant engourdissement. Un cadavre de plus sur la neige.

Toute la nuit, Vadeboncœur avait lutté contre le sommeil et entretenu sa lucidité à l'aide de souvenirs de son passé. Il avait revu les jours heureux de Ville-Marie quand son père, seul survivant de la bataille du fort Richelieu, était rentré de chez les Iroquois, et il avait vibré intérieurement au sentiment de fierté qu'il gardait encore d'être le fils du premier Blanc à revenir du pays des ennemis jurés des Français. Puis, au moment où la lune perçait entre deux masses de nuages et qu'une lumière pâle et incertaine tombait à ses pieds dans son abri de bois d'épave, il avait revécu certains moments fastueux de son adolescence au manoir du Bout-de-l'Isle, quand la nature, la liberté et l'amour s'étaient révélés à lui comme autant de plaisirs passionnants. Plus tard, encore vainqueur de la fatigue, il avait goûté la vanité de ses années parisiennes quand, rue de Grenelle, un noble véritable, le chevalier de Magny, avait fait de lui son gendre.

Au matin, dans l'aube brumeuse dont l'air glacial et humide avait broyé ses derniers relents de confiance, c'est l'image de Marie-Ève qui avait retenu encore sa raison près de chavirer. Un visage difficilement dessiné par son esprit trop las, mais des yeux parfaitement présents, contenant tous les regards de l'amour et de la complicité : elle l'approuvait, comprenait qu'il avait dû ainsi partir et qu'il n'allait pas revenir.

En rampant sur ses membres gelés, il était sorti de son abri de misère pour contempler la paix sans fin qui s'étendait autour de lui. Au milieu de nulle part, il n'était rien. Lui, le dernier rescapé de l'impossible aventure, il n'allait pas survivre.

Il regrettait de ne pas être à quelque combat où il aurait pu s'épuiser contre le destin. Tant qu'à mourir en paix, il aurait souhaité que ce fût dans un lit chaud, avec, à son chevet, les paroles douces de la femme aimée.

Des lambeaux gris voilaient le ciel et les respirations lentes du vent soufflaient légèrement la neige. La clarté avait la pauvreté des journées pluvieuses. Au cours de la nuit, il avait connu des tendresses subites, suivies d'éclats d'espoir. Mais, maintenant que la noirceur s'était levée sur la batture pour dévoiler toute la désolation du monde, il ne lui restait que la certitude d'être au moment de sa fin. Perdues les forces de son imagination, de ses illusions et celles de ses espoirs.

La fatigue et la maladie l'avaient complètement défait : il aurait aimé pouvoir se regarder en face. Il se devinait un visage hagard à faire peur. Sa peau avait la translucidité fabriquée par le manque de saine lumière et ses gestes, rares et hésitants, la lenteur d'un moribond. Au fond de lui, sa vie battait encore assez pour qu'il sente le besoin d'être le centre de quelque chose, et il aurait voulu livrer à quelqu'un sa certitude de mourir, juste pour être le maître de ce dernier événement.

Il n'admettait pas de rendre l'âme sans avoir compris la cruauté de la vie, mais de réfléchir davantage n'allait rien y changer.

Aussi, il se traîna, s'éloigna de son pauvre abri, contourna plus d'un compagnon mort gelé avant lui, et, quand il fut assez loin pour se sentir plus seul encore, il hurla sa mort.

Et son cri ne brouilla aucunement le souffle régulier de la poudrerie qui s'élevait.

C'est l'instinct qui conduisit Mitionemeg au-dessus de cette forme anonyme, sorte de monticule parmi d'autres qui distrayaient l'uniformité de la surface gelée, et il s'y arrêta, après avoir longtemps marché, certain d'avoir retrouvé Vadeboncœur. Il posa un genou sur le sol, retira ses moufles de rat musqué, et ses mains nues balayèrent respectueusement la neige poudreuse qui recouvrait le corps. Le froid l'avait si bien conservé que le visage gardait une expression vivante où se lisait une sorte d'apaisement: on eût dit que la mort était venue à l'heure que Vadeboncœur avait choisie. Cette résignation plut à l'Indien, car pour lui la mort n'était pas une rupture définitive avec la vie, mais le passage souhaité d'un monde à un autre. Il devinait l'esprit de son ami à ses côtés et se félicitait que leur amitié l'eût conduit à mourir dans la sérénité indienne.

Après un moment, Mitionemeg se redressa. Ses yeux cherchèrent quelque indice réconfortant dans le paysage sans fond. Il ne distingua d'un côté qu'une nappe de brouillard flottant au-dessus du fleuve et, de l'autre, la ligne bleutée de la maigre forêt à un quart de lieue. Le ciel semblait vouloir se gâter, des nuages en boules serrées montaient au nord. L'air mordait la peau et le blanc de la neige s'allumait au soleil jusqu'à faire mal aux yeux.

Soudain, il lui parut impérieux de ramener Vadeboncœur au manoir du Bout-de-l'Isle et, se penchant sur le visage de son ami, il crut y discerner un sourire, ce qui acheva de le convaincre. Alors, résolu, il s'éloigna, le temps d'aller chercher des planches de cèdre arrachées aux chaloupes éventrées. Puis, dans les coffres déportés sur le rivage par la force des vagues, il trouva les outils et les clous nécessaires à la fabrication d'une bière résistante à laquelle il fixa des lames pour qu'elle glisse aisément sur la neige. Avec des précautions de verrier, il y déposa le corps gelé de Vadeboncœur. Ses gestes étaient cérémonieux, mais il refusait de s'attrister. Il sentait la présence invisible de l'âme du mort rôdant encore autour, mais qui allait bientôt s'éloigner pour gagner sa demeure éternelle, et il savait que ce voyage serait long, qu'il durerait plusieurs mois, que l'âme devrait traverser un grand fleuve en risquant d'y faire naufrage, qu'elle aurait à se défendre contre l'attaque d'animaux sauvages et peut-être même contre l'adversité d'autres âmes guerrières, elles aussi en route pour l'éternité. Son projet de ramener Vadeboncœur l'accordait donc tout à fait avec les grands Esprits, car ainsi le corps et l'âme de son ami entreprendraient presque le même voyage. En effet, il avait le fleuve à franchir et des bêtes sauvages à repousser, au moins deux longs mois à marcher, des villages à éviter afin qu'aucun étranger ne brouille sa solitude jusqu'à ce qu'il atteigne Montréal et rende Vadeboncœur à Marie-Ève.

Il partit à l'aube du lendemain, après avoir dormi, roulé dans la peau d'ours qui, tout le jour, tenait son dos au chaud. Il s'attela à sa traîne originale et inclina la tête vers le sol, n'oubliant pas que, malgré la mission dont il s'était chargé, il n'était qu'un vieux Huron.

Lorsqu'il monta dans la grosse chaloupe avec son fardeau, il ne douta pas un instant qu'il réussirait à la manœuvrer jusqu'aux rivages inhospitaliers de la terre de Caïn, en face. Il rama dans le sens du courant, s'accordant au rythme saccadé des vagues et traversa le fleuve sans prendre de repos. En quelques heures, il avait atteint la rive opposée et, quand son embarcation buta contre une pierre, il salua sa victoire par un cri de joie. Il posa le pied dans le décor d'au-delà : des couleurs mortes au sommet des rochers perçant la neige sale et la désolation des troncs rabougris d'arbres sans énergie. Rien d'autre pour le regard, rien pour inspirer la vie. Et sa silhouette se détacha sur un fond de ciel délavé qui ressemblait à une menace d'humeur mauvaise, comme celle de quelque manitou ennemi.

Ce ne fut que lorsque l'Indien alluma un feu, et que les flammes donnèrent un cœur à ce tableau indéfinissable, que la présence d'un être humain dans ces lieux damnés s'imposa. Épuisé par la traversée, Mitionemeg ne songea pas un instant à reprendre immédiatement la route. Il se reposa. Il se reposa de toutes les fatigues accumulées depuis le naufrage de *La Marie*, le sommeil traversé par le masque de tous ses compagnons morts et ceux laissés avec le Français sur l'île.

Au réveil, il était libéré de ses fantômes, comme lavé de toutes les souillures d'un drame passé.

Alors, personnage de sa propre légende, il chaussa ses raquettes et se dirigea vers l'ouest.

Chapitre XVII

1722, Montréal.

Ce fut l'arrivée la plus discrète : au vrai, personne ne vit Mitionemeg pénétrer dans Montréal par la porte du Chemin des Sauvages. Ensuite il avait longé le cimetière jusqu'à la rue Notre-Dame sans croiser âme qui vive.

On était en mai. C'était dimanche.

Sa longue traversée de la Nouvelle-France depuis l'île d'Anticosti l'avait rendu méconnaissable : maigre, filiforme même, l'épuisement lui avait redessiné un visage dont le teint gris faisait presque peur. Il avançait, le corps raidi contre le poids de la boîte de bois qu'il tirait, les épaules et le cou brisés par la tension de la corde qui s'opposait à sa démarche régulière et laborieuse.

Montréal s'offrait au soleil qui chauffait les dernières traces de l'hiver, quelques amas de neige fondante qui couvraient encore le sol fumant. Des ornières profondes laissées par les roues des berlines, des charrettes, cabrouets et autres cabriolets ayant remplacé traîneaux et carrioles depuis peu striaient les rues qui, ainsi labourées, étaient devenues de véritables bourbiers dans lesquels le Huron remorquait sa charge à grand-peine.

Depuis plusieurs mois déjà, des coureurs de bois et d'autres voyageurs rentrés de Québec racontaient avoir aperçu la silhouette furtive d'un homme à l'orée des bois, près des villages, le long du fleuve. Près de Québec, des trappeurs sur la piste de leurs collets l'avaient vu de plus près et avaient remarqué cette boîte qu'il tirait. Certains, qui connaissaient Mitionemeg, en étaient déjà venus à la conclusion qu'il ramenait le corps de son ami, conclusion qui n'avait toutefois pas rallié tout le monde. Plusieurs croyaient l'exploit impossible, prétendaient plutôt que la boîte contenait des provisions ou, mieux, quelques objets de valeur tirés des flancs de *La Marie* qu'on savait maintenant échouée dans le golfe.

Portée d'un village à l'autre aussi certainement qu'une volée de pigeons voyageurs, la nouvelle n'avait guère mis de temps à parcourir la colonie. Déjà au début d'avril, elle avait atteint Montréal, puis le manoir du Bout-de-l'Isle. C'est Mathurin, rentrant de Lachine où il avait fait ferrer les chevaux, qui l'avait rapportée discrètement à Marie-Ève.

Sur le coup, la compagne de Vadeboncœur Gagné avait été à ce point envahie par la peine qu'elle était demeurée pantelante. Ébranlée, elle était restée muette, le temps que s'apaise son tumulte intérieur. Puis, d'une voix confuse, elle avait demandé :

– Et… où est-il ?

Près des grandes fenêtres du cabinet de travail de Vadeboncœur que le soleil inondait, elle était assise là où il avait l'habitude de s'asseoir, et, d'une main distraite, elle effleurait un document qu'il avait laissé sur la table. Elle se souvint de leur première étreinte, de toute cette vie exigeante battant contre elle, de cette passion qui les avait étourdis jusqu'à en faire des êtres à part. Au plus profond d'elle-même, elle eut l'impression que la perte de Vadeboncœur plaçait sa vie définitivement derrière elle. Tournant la tête, elle adressa à Mathurin un sourire engageant qui tranchait avec son regard où dansait une lueur de méfiance, comme si elle eût redouté la réponse qu'il s'apprêtait à lui donner.

– Certains disent..., avait commencé le vieux domestique.

L'émotion le privait de mots et le contenu de sa réponse lui donnait des hésitations.

– On raconte que Mitionemeg le ramènerait à Montréal.

– Est-ce possible?

Mathurin avait haussé les épaules et, avec à-propos, Marie-Ève avait conclu:

– Il ne le ramènera certainement pas à la vie.

Elle avait appuyé sa tête contre le dossier du fauteuil et Mathurin lui avait trouvé l'air très fatiguée. Fatiguée ou abasourdie? Sans mot dire, elle s'était levée, avait croisé les bras très près de son corps pour apaiser un frisson. Mathurin ayant fait mine de s'approcher pour la soutenir, elle avait secoué la tête et s'était tournée vers les fenêtres.

– Ça va... Ça va aller.

Et discrètement, Mathurin avait quitté la pièce.

Les jours suivants, divers états d'âme avaient secoué Marie-Ève: meurtrie, exaltée par ses souvenirs, puis résolue à éviter de faire un deuil constant de sa merveilleuse histoire d'amour, elle s'était promis d'essayer par tous les moyens de concilier un extraordinaire passé avec sa solitude nouvelle.

Peu à peu et parce qu'elle le voulait absolument, elle s'était trouvée capable d'apprivoiser la mort de son compagnon. Elle avait appris à imaginer sans répugnance son corps sans vie et était parvenue, la nuit, à retrouver sa chaleur, son odeur, et même à avoir la nette impression de lui tourner le dos lorsqu'elle cherchait le sommeil du côté extérieur du lit.

Elle entretenait ainsi son amour heureux.

Pendant un temps, personne n'avait osé annoncer à la petite Marie la mort de son grand-père. Le manoir coulait de longues journées creuses depuis plusieurs mois déjà et se ressentait de l'absence du maître, sans qu'on ait décidé de l'attitude à prendre. Mais voilà qu'un matin, sûrement sensible à l'atmosphère de tristesse qui régnait, l'enfant qui soupçonnait quelque chose avait demandé :

– Est-ce que grand-papa ne rentre pas bientôt ?

Sa marraine avait senti son cœur se ramollir. Marie lui avait posé la question avec son aplomb coutumier, la dévisageant jusqu'au fond des yeux. Impossible de ne pas lui répondre. Il était pourtant difficile pour Louise-Noëlle d'imposer un aussi grand chagrin à une enfant dont la joie de vivre calmait ses propres souffrances. Aussi l'avait-elle longuement considérée avant de parler :

– Tu sais…

Mais elle s'était arrêtée aussitôt, car le regard de Marie était tel qu'il lui avait semblé que les mots perdraient leur sens. Elle avait soupiré et dans ce soupir s'étaient déversés tout son chagrin et toute la tendresse qu'elle avait pour la fillette.

Et c'est Marie qui avait parlé, d'un ton qui cherchait à consoler :

– Grand-papa ne reviendra jamais, je le sais.

Elle l'avait compris depuis un bon moment. Au-delà des paroles, elle avait deviné que son grand-père avait définitivement été emporté par son beau rêve.

C'était comme si déjà elle avait l'habitude de cette mort, comme si son grand-père était devenu un personnage trop prestigieux pour continuer d'être comme les autres. Elle s'était souvenue qu'il lui avait dit un jour que « les bateaux, c'étaient des rêves vrais », par rapport aux autres, mensongers, qu'on fait en dormant. Et quand il était monté à bord de *La Marie*, il avait prodigieusement grandi à ses yeux.

Puis, elle en était persuadée, son grand-père était mort en héros. Louise-Noëlle observait ce visage chatouillé de paillettes de soleil, et une fois de plus elle s'étonnait de constater qu'en toute occasion, lorsque sa Marie était ballottée par les événements, elle en émergeait intacte. Elle était lointaine, et l'étincelle de son regard s'éteignait rarement lorsqu'elle devait affronter une contrariété.

À neuf ans, l'enfant donnait déjà l'impression de se préparer à quelque rôle exceptionnel et d'avoir grandi jusque-là dans le respect constant d'une délicieuse certitude : la puissance du rêve.

La mort de Vadeboncœur constituait l'une de ces mystérieuses inscriptions qui, dans son cœur, s'ajoutait à tant de choses qu'il lui avait dites, et elle allait lui garder une affection sans pareille, une vénération qui lui procurerait l'énergie nécessaire à l'accomplissement de ce qu'il avait lui-même entrepris.

« Ce qu'on construit ici, lui avait-il déjà dit, c'est un pays. Et ce n'est pas facile… » Elle entendait toujours cette voix lui racontant un avenir immense qui verrait naître villes et villages, peuple et familles.

La réputation de Mitionemeg n'était plus à faire ; il appartenait à Montréal. Mais ce visage étiré, marqué par la fatigue et les privations au point d'en avoir les traits déformés, ce teint décoloré, et ces yeux, à la fois si vides et si pleins, lui donnaient l'aspect d'un spectre issu de quelque univers inconnu. Droit, immobile, sanglé de ceintures et de cordons retenant contre son corps armes et munitions, ainsi que deux musettes vides, il se tenait au-dessus de cette boîte de bois qui contenait le corps de Vadeboncœur.

Quand, après que l'abbé de Belmont eut prononcé l'*Ite missa est*, les portes de l'église Notre-Dame s'étaient ouvertes pour libérer les paroissiens, ceux-ci l'avaient aperçu, seul au milieu de la place. Ils avaient paru interdits, prolongeant le silence de la nef. C'est pourquoi, quand le sulpicien et seigneur de Montréal était apparu à son tour sur le parvis, tous les regards étaient venus le chercher comme pour trouver chez lui réponse à leur interrogation. Le prêtre avait d'abord hésité, solennisant l'instant qui allait suivre, puis il s'était approché de Mitionemeg et, d'un beau geste, l'avait béni.

Ensuite, reculant d'un pas, il avait plongé son regard dans celui de l'Indien qui avait alors semblé reprendre contact avec la réalité et qui, les mains tendues vers la tombe, s'était agenouillé en baissant la tête. L'abbé de Belmont avait indiqué à tous d'en faire autant, et Jean Arnoul comprenant qu'on allait bénir le défunt s'était précipité dans l'église pour y chercher l'eau bénite et le goupillon.

Et là, au-dessus de la dépouille de Vadeboncœur Gagné, l'abbé de Belmont avait remonté dans les mémoires pour louer l'ancien bailli de Montréal, ses mérites et son courage:

– ... jamais il n'a accepté la monotonie d'un quotidien bien en ordre. Il avait un cœur de feu, comme son père.

Son oraison terminée, il avait demandé au bedeau et à trois hommes qui se tenaient près de lui de porter la tombe dans le chœur. Mais Mitionemeg s'y était opposé:

– Mon frère n'est venu que rendre visite. Maintenant, il doit rentrer chez lui...

Solennel, ignorant l'attelage qu'on lui offrait pour l'emmener au manoir du Bout-de-l'Isle, halant son fardeau, Mitionemeg était reparti à pied.

Trois jours plus tard, l'abbé de Belmont, en présence de la famille et de quelques proches, célébrait le service funèbre de Vadeboncœur et, dans les jours qui suivirent, on trouva Mitionemeg endormi dans un des sous-bois du fief du sieur de Gagné. On aurait dit que son visage commençait à se dessécher et à se creuser.

Il était mort.

Chapitre XVIII

Elle allait à pied.

Depuis la maison de la rue Saint-Paul, elle marchait, le regard curieux. Avec la retenue que dictait sa viduité, elle acquiesçait discrètement aux salutations de tous et chacun et filait son chemin sans se laisser autrement distraire.

L'air était bon. L'eau du fleuve, nouvellement libérée de la banquise, recueillait toute la lumière du soleil et des oies blanches égayaient le gris de la grève avant de s'envoler dans un concert de cris et de battements d'ailes. Sur les quais, on préparait déjà la prochaine saison de navigation et, bientôt, des bateaux mettraient les voiles pour la France pendant que d'autres en arriveraient; et l'aventure de Vadeboncœur Gagné serait à nouveau sur toutes les lèvres…

À la hauteur de la rue Saint-François, Marie-Ève de Salvaye reconnut le cabriolet de Me Adhémar. Un cheval, une bête noire un peu lourde, était attelé, la bride mollement attachée à l'anneau de fer d'un muret qui courait devant la résidence. Relevant brusquement la tête à tout moment pour chasser les mouches qui l'incommodaient, l'animal s'ébroua d'un coup et souffla bruyamment dans ses naseaux juste au moment où Marie-Ève passa près de lui pour ouvrir la grille et pénétrer sur le terrain de la propriété. Nullement apeurée par ce soubresaut, elle se surprit même à sourire. Le printemps y était peut-être pour quelque chose : la salubrité de l'air, l'intensité de la lumière, le bleu irisé du ciel, en somme l'effervescence de la saison semait au fond d'elle-même une griserie qui vivifiait son cœur en dépit de la grande peine qui l'étreignait.

Depuis la mort de Vadeboncœur, elle se sentait ainsi meurtrie, puis exaltée, morne, puis ardente, et cela la confortait souvent dans son intention d'être forte. Gravissant d'un pas allègre les quelques marches qui aboutissaient à la porte d'entrée, elle pénétra dans la maison sans frapper et se retrouva dans un vestibule où elle s'installa sur un banc en chêne travaillé.

D'abord, elle s'amusa à suivre des yeux les taches mouvantes du soleil filtré par la dentelle des rideaux qui ondulaient sous le souffle léger de la brise. Puis, elle se mit à détailler le portrait de Bénigne Basset, le prédécesseur du notaire, qui, l'air de rien, semblait l'observer avec un intérêt amusé.

Le calme et le silence de cette pièce lui ressemblaient, ressemblaient à sa vie depuis qu'elle vivait sans Vadeboncœur. Au début, elle était parvenue à étirer son bonheur en se berçant avec les souvenirs que lui prodiguait son optimisme courageux. Mais, bientôt, il lui avait fallu regarder la réalité en face et accepter le fait que, désormais, elle serait seule. Que lui restait-il ? Une fille, Louise-Noëlle, qui se cantonnait dans son tumulte intérieur et un garçon, Olivier, parti en France et dont elle ne savait quand il reviendrait. Rien pour combler le vide de ses longues journées inutiles au fond du manoir du Bout-de-l'Isle qui résonnait de bout en bout de l'absence de son maître.

Pantelante au milieu de ses sentiments et persuadée d'être le rejet d'une histoire terminée dont la fin l'avait oubliée, elle avait failli se laisser vaincre.

Mais un événement était venu forcer sa retraite, bousculer sa résignation : contre toute prévision et contre toute justice, les descendants de Jacques Bizard avaient été confirmés propriétaires exclusifs de l'île portant le nom de cet homme qui ne s'en était jamais soucié. L'arrêt, émanant directement de l'autorité royale, avait ravi à Marie-Ève tout ce qu'elle y possédait. Un tel édit ne pouvant faire l'objet d'une contestation, il ne restait plus qu'à se soumettre. Au lieu de quoi, réunissant une vingtaine d'hommes favorables à sa cause, Marie-Ève avait elle-même organisé une expédition pour aborder l'île et se rendre à son fief y récupérer tous ses biens. Les Bizard, appuyés par une troupe de soldats de la garnison prêts à ouvrir le feu, avaient fait mine de s'interposer. Sans hésiter, Marie-Ève était allée à leurs devants et les avait défiés de s'en prendre elle, et à elle seule. Sa détermination avait provoqué de telles hésitations qu'avant qu'on décide de l'attitude à prendre, l'inventaire de la résidence et des communs prenaient la route du manoir.

Dans cette pièce attenante à l'étude de Me Adhémar, Bénigne Basset continuait de la fixer depuis le cadre vieillot et son regard insistant en faisait presque une présence. Elle attendait sans attendre, peu pressée de parler affaires et moins encore de discuter de dernières volontés, fussent-elles celles de Vadeboncœur.

– Chère madame de Salvaye !

Le visage rouge et bouffi de quelqu'un qui abuse des bonnes choses de la table, l'œil vif comme une pierre polie et le sourire aux lèvres, le notaire Adhémar apparut. Marie-Ève lui trouva plus que jamais un air de personnage de comédie. Il s'apprêtait à presser les mains de sa visiteuse quand il changea d'idée à la dernière seconde et fit plutôt la révérence de sorte que, pendant un instant, Marie-Ève ne sut si elle devait tendre les mains, saluer ou… rire. La légèreté ne seyant pas du tout à l'occasion, elle se contenta de porter deux doigts devant sa bouche pour réprimer un sourire. Elle suivit le notaire dans son bureau, un bureau de poche à peine plus grand que les meubles qui l'occupaient et dont les murs étaient couverts de rayons encombrés de documents.

– Vous excuserez le désordre de cette pièce, mais comme j'ai la manie de tout conserver à portée de main, je déborde de partout…

N'en était-il pas d'ailleurs ainsi de sa personne? se demanda Marie-Ève pendant que le tabellion prenait sur sa table un parchemin qu'il déroula devant lui pour la forme. Sans que ses yeux aient parcouru une seule ligne, il annonça:

– Madame, tout le patrimoine du sieur de Vadeboncœur Gagné vous appartient.

– J'hérite de tout?

– Même pas. Vous n'héritez de rien.

– Mais, alors?

– Vous êtes propriétaire de ce patrimoine…

– Je ne comprends pas…

Le ton de Marie-Ève changea: elle détestait ne pas comprendre.

– Je n'hérite pas et, quand même, je suis maintenant propriétaire de tous ses biens…

– En effet : vous n'héritez pas parce que vous êtes déjà propriétaire de ses biens en vertu de cet acte de donation qu'il est venu signer devant moi avant de partir pour Québec à la fin de janvier, le 27 très exactement.

Calé au fond de son fauteuil, ses doigts retenant négligemment le document qui tendait à s'enrouler sur lui-même, il devinait que Marie-Ève s'interrogeait encore et, d'un mouvement de la main, il avait l'air de lui dire : « Je vous en prie… »

– Vous me dites qu'il m'a donné tout ce qu'il possédait ? Absolument tout ?

– Tout. Tout est à vous, à l'exception d'une somme de 100 000 livres, plus ou moins, qui se trouve en France entre les mains de certains débiteurs. Il a, par voie de cession de créance, donné ces sommes à Olivier qui – il se trouve déjà là-bas, non ? – n'aura qu'à les percevoir…

– Mais…

Visiblement, elle était troublée. Et la pratique avait depuis longtemps appris au vieux notaire qu'il fallait attendre les questions : les devancer semait la confusion.

Marie-Ève eut un grand soupir. Elle ramena une mèche de ses cheveux sous la résille de soie qui les retenait. Elle aurait voulu comprendre et comprendre tout de suite. Elle demeura silencieuse, le temps que son raisonnement la conduise à l'essentiel et alors, simplement, d'une voix imposante, demanda :

– Pourquoi ?

– En deux mots, parce qu'il ne voulait laisser aucun héritage…

Le notaire ménageait ses effets. On aurait dit qu'il ne livrait délibérément que l'accessoire, retenant le principal pour s'offrir pendant encore un moment le plaisir d'être le seul détenteur de quelque grande révélation. L'air concentré de Marie-Ève disait combien son attitude portait : grave, elle était tout entière dans l'attente, mais ne percevait que le silence qui s'installait entre chacune de leurs paroles.

De nouveau, elle demanda :

– Mais... pourquoi ?

– Parce qu'il savait qu'en laissant une succession il provoquerait d'interminables discordes.

Me Adhémar revoyait Vadeboncœur en cette matinée du 27 janvier. Il était assis là, dans le fauteuil aujourd'hui occupé par Marie-Ève et, un peu comme elle, il avait cette expression d'incertitude des gens qui demandent un conseil en espérant qu'on leur donnera celui qu'ils veulent entendre et qu'on trouvera à leur problème une solution parfaitement adaptée à leur désir. Il n'aurait pas voulu d'un moyen cousu de fil blanc : il désirait une solution sans faille.

Marie-Ève ramena le notaire au présent :

– Et il croyait qu'en me donnant tout, moi qui ne suis même pas sa femme...

– Voyez-vous, au mieux, il aurait pu constituer sa petite-fille, Marie, sa légataire universelle. Ou encore, il aurait pu lui faire partager sa succession avec cet Anjénim qui serait, enfin, ce n'est pas si sûr (il dit cela comme s'il avait dit : ce n'est pas sérieux), son fils... Seulement, il craignait que Mme de Magny ne conteste ces dispositions et il craignait même que, dans le cas d'un décès de la petite avant sa majorité, tous ses biens ne reviennent à cette personne à cause de son ascendance. Et il avait raison. Donc, il voulait à la fois éviter de tester et de laisser une succession *ab intestat.* Un seul moyen : ne rien laisser en héritage. Voilà !

Pour un peu, il se serait applaudi et, sans attendre la réaction de Marie-Ève à un si juste exposé, pour se récompenser il alla prendre sur un buffet une cruche et deux gobelets :

– Vous prendrez bien un petit verre de chartreuse ? Oui ?

Il faisait chaud. La pièce était trop petite. Des odeurs d'encre et de vieux papier flottaient.

Depuis la mort de Vadeboncœur, souvent Marie-Ève avait pensé à Jeanne de Magny, sa femme. Elle ne l'avait jamais connue, on ne la lui avait jamais présentée et pourtant, étrangement, elle en gardait comme un souvenir, une image quasi précise forgée au cours des ans, à cause sans doute de l'importance que la Française avait eue dans la vie de Vadeboncœur.

S'efforçant de chasser l'émotion qui cherchait à l'assaillir, elle accepta la liqueur que lui offrait Me Adhémar. L'air aussi imperturbable que possible afin qu'on ne se fasse pas d'elle quelque opinion qui, de toute manière, aurait été fausse, elle se préparait mentalement à la suite de l'entretien qui allait – elle le savait – être déterminante.

Le notaire, reprenant son allure cérémonieuse, déroula de nouveau l'acte dont le papier, sec et récalcitrant, craqua :

– J'ai ici, affirma-t-il sentencieusement, une minute exécutée par mon prédécesseur et signée par dame Jeanne de Magny. C'est une déclaration notariée. La comparante y reconnaît expressément s'être livrée aux pratiques maléfiques dont elle est accusée et, en conséquence, accepte de quitter définitivement la Nouvelle-France. Devrait-elle y revenir qu'elle aurait à témoigner de sa faute sur la place publique et serait ainsi mise sous les verrous jusqu'à la fin de ses jours.

– Je connais cette histoire et, si vous me permettez, je ne vois pas en quoi l'épouse du sieur de Gagné nous intéresse aujourd'hui.

– L'épouse, dites-vous ?

– En effet…

– Eh bien, non ! Depuis le concile de Reims, en 1585, toute personne qui pratique la sorcellerie est excommuniée, et tout excommunié subit les cinq interdictions infamantes : *os, orare, vale, communio, mensa negatur.*

– Je ne vois pas…

Visiblement flatté par sa propre érudition, le notaire vibrait d'orgueil. Il espaçait ses phrases pour qu'elles exercent bien tout leur effet sur Marie-Ève, à la fois intriguée, curieuse et vaguement inquiète. Il avala un peu de chartreuse, savoura la douce chaleur qui caressa son palais et sa gorge, et poursuivit :

– Être ainsi banni de l'Église exclut de la société humaine : il n'est pas permis à un excommunié de converser, de prier, de travailler, de manger ou de dormir avec qui que ce soit. Vous admettrez avec moi que semblable interdiction anéantit une situation matrimoniale ! L'abbé de Casson, alors seigneur de Montréal et très proche de la famille du bailli, se rendit à Québec pour y rencontrer Mgr de Saint-Vallier. Ce dernier convint avec lui que de reconnaître publiquement un acte de sorcellerie ne ferait qu'entretenir la population de la Nouvelle-France dans l'idée de la présence du diable parmi elle. Aussi, il ordonna le bannissement de Jeanne et de sa domestique, le corollaire étant évidemment que le sieur de Gagné demande l'annulation de son mariage… ou qu'il parte avec Jeanne, car, comme en avait conclu l'abbé de Casson, on ne peut être à la fois bon catholique et époux d'une sorcière… Mais voilà, le sieur de Gagné refusa de choisir : il abandonna la question au seigneur de Montréal et au tabellion Basset. Vous connaissez la suite…

Marie-Ève n'était pas tant surprise que profondément blessée. Elle était sidérée : tout ce temps avec Vadeboncœur sans qu'il lui révélât n'être plus marié et libre de l'épouser ? Toute leur vie commune édifiée sur un mensonge ? Le monde lui sembla soudain une vaste duperie. Inexplicablement, des figures de son enfance revinrent en surface et elle vit celle de Pierrot, qu'on devait surnommer plus tard Vadeboncœur, qui, lèvres boudeuses et poings sur les hanches, protestait parce qu'elle avait gagné aux osselets, et un sentiment d'une infinie tendresse la gagna. Cette émotion la retint de trancher trop vite, aussi s'enquit-elle davantage :

– Vous me dites que le sieur de Gagné a abandonné toute cette affaire à l'abbé de Casson et au notaire Basset ?

– Je devine, chère madame, l'objet de votre souci. Laissez-moi vous rassurer : il est plus que probable que, jusqu'à la fin, il ignora n'être plus marié…

Cette mise au point suffit à Marie-Ève. Elle décida de garder toute sa confiance à l'amour de sa vie.

Ensuite, au lieu de revenir directement à Vadeboncœur, elle tenta de déjouer le notaire – toujours dans l'intention d'éviter qu'il ne perçoive son trouble – en l'entraînant sur une autre importante considération :

– Mais pourquoi cette femme aurait-elle avoué un tel crime ?

– Parce que l'opinion publique l'avait déjà jugée et qu'il ne lui restait plus qu'à signer cet aveu ou subir la question…

Mais le notaire ne voulait pas oublier qu'il préférait parler de choses plus réjouissantes. Il en revint donc à la fortune du sieur de Gagné. Il demanda :

– Vous êtes sans doute au fait, tout au moins approximativement, de l'inventaire de son patrimoine.

– À peu près, mais sans plus. D'ailleurs je préférerais que vous en prépariez un état détaillé dont nous discuterions en une autre occasion, si vous permettez…

– Bon…

La déception se lisait sur le visage de l'homme de loi : il aurait tant aimé impressionner encore Marie-Ève en lui révélant sans attendre qu'elle était maintenant propriétaire de dix-sept bateaux, de trente à cinquante tonneaux, faisant le cabotage entre Louisbourg, Québec et Montréal, et de quatre autres navires affectés, ceux-là, au commerce avec les Antilles. Mais à la voir si posée, le regard perdu dans quelque pensée et un vague sourire sur les lèvres, il se dit qu'elle savait déjà toutes ces choses ou qu'elle n'y prêtait que peu d'intérêt. Aussi laissa-t-il couler quelques instants de silence, puis, en épilogue de leur entretien, dit d'une voix lente :

– Voilà… Je crois qu'ainsi informée vous saurez agir selon le mieux. Bien sûr, je demeure à votre disposition pour toute démarche ou procédure qui nécessiterait mes compétences…

Marie-Ève cessa d'être en suspens et sourit réellement.

– Je vous remercie pour tout. Je reviendrai vous voir dans les prochains jours.

Elle se leva, tendit une main que le notaire s'empressa de serrer et quitta la pièce. Elle n'avait pas touché à son verre de chartreuse.

Chapitre XIX

1723, Paris.

Les menus murmures de l'eau lui rappelaient certaines douceurs : Olivier songeait à la sérénité du manoir du Bout-de-l'Isle. Quoiqu'il se trouvât en France depuis trois ans, le vieux continent n'avait pas réussi à atteindre son cœur : il gardait son passé en lui. La somme de ses découvertes, depuis qu'il s'était installé à Paris et qu'il parcourait le pays pour traiter les lettres de change de Vadeboncœur, ne parvenait pas à modifier son caractère : il demeurait un personnage ombrageux et réservé.

Debout près d'une fenêtre ouverte sur l'Indre qui enserrait le château de ses bras, il chassa sa mélancolie pour s'intéresser au portrait en pied d'Henri de Beringhen, l'ancien premier écuyer de Louis XIV, son hôte.

C'est en route pour Plessis-lez-Tours, où il devait rencontrer le métayer d'un modeste domaine, qu'il avait croisé l'attelage du châtelain d'Azay-le-Rideau, renversé dans un fossé. Il s'était offert à prendre le malheureux voyageur avec lui jusqu'à la prochaine auberge pendant qu'on s'affairerait à remettre le cabriolet sur ses roues. Puis au moment de le quitter, à l'auberge des Galants, sur la route de Montbazon, le noble avait invité Olivier chez lui. Par reconnaissance d'abord et par curiosité ensuite : il souhaitait qu'on lui raconte, en présence d'amis choisis, la Nouvelle-France.

– Et surtout, avait-il précisé avec bonne humeur, venez avec votre accent : nous parler autrement du Canada, ce serait nous priver du ton du pays !

Olivier avait d'emblée accepté l'invitation. Et au matin de cette belle journée, il avait traversé les plaines turquoise, aux arbres droits et roux et les petits villages aux odeurs de moisson qui le séparaient d'Azay-le-Rideau. Remontant la rue principale de la petite ville, bornée d'hôtels particuliers, il avait trouvé sans peine l'allée cavalière qui, entre deux haies de peupliers, menait au pont-levis couché sur le bras d'eau qui isolait la somptueuse résidence au milieu du fleuve étroit. Reçu comme un prince, il avait dîné au son d'une aubade de violons, fifres et hautbois donnée sous les fenêtres de la salle à manger par des musiciens installés à bord de barques colorées. Puis, dans un salon grand comme l'intérieur d'une chapelle, il avait parlé de la Nouvelle-France, de ses saisons, de ses forêts sans limites, de son fleuve qui, en comparaison, ramenait l'Indre à des proportions de ruisseau ; et il avait parlé des Indiens, ce qui avait tout particulièrement intéressé son auditoire. Alors il avait raconté l'histoire d'Anjénim, et on l'avait écouté avec une attention telle que le silence s'était en quelque sorte amassé autour de lui. Ensuite, il avait débordé de son propos pour parler de la petite Marie, des circonstances extraordinaires de sa naissance, de la réputation héroïque de son grand-père, puis de son goût d'aller pieds nus qui lui valait le surnom de Marie-Godine.

Plus tard, beaucoup plus tard, lorsque les invités de l'écuyer royal s'étaient tournés vers d'autres sujets, formant différents groupes entre lesquels des domestiques tout élégants dans leur livrée circulaient avec des plateaux de liqueurs à la robe foncée, Olivier avait pu se libérer pour admirer à loisir le décor, les lambris, les poutres et les solives en bois de rose (c'est du moins ce qu'il crut), le plafond enjolivé d'arabesques, de fruits et de fleurs, et les murs tendus de tapisseries somptueuses.

Au moment où il allait voir de plus près l'escalier d'honneur aux rampes finement sculptées, un gentilhomme, le croyant peut-être mal à l'aise d'être ainsi isolé des autres, s'approcha de lui, le visage avenant:

– Permettez... Je me présente, je suis le duc d'Ormans.

– Monseigneur...

– Si vos propos de tout à l'heure m'ont beaucoup intéressé, une chose qui vous concerne m'a laissé sur ma faim.

– Mais dites, monseigneur, et si je puis vous satisfaire...

– C'est votre nom... Ce nom, de Salvaye...

Le duc toucha la pointe de son menton d'un index dressé qu'il brandit ensuite comme pour se faire la leçon à lui-même:

– Ce nom, il me dit quelque chose. Je le connais, mais je ne trouve pas...

– Mon père était originaire de Rouen...

– Rouen: c'est ça! Je me souviens maintenant, je me souviens de tout. Pourtant...

Pendant un moment, Olivier sentit que son interlocuteur hésitait, brusquement gêné, aurait-il dit. Mais le duc reprit, la voix encore adoucie :

– Votre père avait été lieutenant de la marine royale, non ?

– C'est juste. Et il a été promu major à la suite d'un haut fait d'armes contre des Anglais de la Nouvelle-Angleterre.

Le regard du duc s'assombrit :

– Et il est mort en duel, n'est-ce pas ?

– Il est mort en duel…

En effet, il avait été embroché bêtement par un mari jaloux. Mourir ainsi à cette époque en Nouvelle-France, c'était mourir en criminel. Et la population de la ville de Québec avait dressé un tel mur d'hostilité devant la veuve de Salvaye, que Marie-Ève avait dû s'établir dans leur domaine de l'île Bonaventure (plus tard baptisée l'île Bizard).

Heureusement, l'Administration, se disant mal informée des circonstances exactes de l'événement, n'avait pas jugé bon de devoir confisquer les biens de la famille, pas plus qu'elle n'avait retiré à cette dernière les privilèges attachés aux titres du major.

Dans le silence qui maintenant séparait les deux hommes, Olivier s'inquiéta des conséquences de cette histoire sur son séjour en France : allait-on l'écarter de la société à l'aise dans laquelle il s'était plus ou moins inscrit ? Un fils de criminel… Mais il vit que le duc d'Ormans gardait une expression aimable, que son visage était détendu. En fait, il souriait :

– Vous le savez sans doute, jeune homme, votre père descendait d'une des meilleures familles d'Orléans, une famille où l'honneur est chose sacrée. On m'a raconté que le gouverneur Frontenac n'avait d'aucune manière sanctionné cette malheureuse affaire, et dans les salons de Rouen jusqu'à ceux des châteaux de cette région-ci, la rumeur a servi les qualités d'homme du monde et de grand militaire qu'était votre défunt père.

Un sentiment de fierté envahit un instant le fils de Marie-Ève : il n'était pas sûr que la rumeur ait eu raison de gratifier ainsi son père ; « Mais peu me chaut », pensa-t-il.

Déjà le duc poursuivait :

– Je connais surtout ceux de la famille qui demeurent à Orléans. Comme j'ai des terres autour du hameau de Beaugency, sur la Loire, je suis souvent appelé à me rendre dans cette ville. La nouvelle de la mort de votre père fit beaucoup parler, puis on oublia l'événement jusqu'à ce que l'Administration gracie un grand nombre de duellistes il y a quelques années.

Distraitement, ils fixaient tous deux l'Indre étale sous la lune, un miroir de nuit agité d'un frisson à peine perceptible. Les musiciens avaient dû accoster et sans doute étaient-ils retournés au village. Dans le château, la soirée s'apaisait, les voix faiblissaient ; plusieurs s'apprêtaient à partir, les carrosses faisaient la queue devant l'entrée.

– Vous demeurerez en France encore longtemps ?

– Je ne songe pas à rentrer maintenant, répondit Olivier.

– Quelques projets précis, si je ne suis pas trop indiscret ?

Ils marchaient à présent côte à côte en direction de la grande salle. De nombreux miroirs se renvoyaient l'éclat des dorures et les parquets reflétaient la riche lumière des lustres et des hauts candélabres. Sur une table basse en marbre noir, un buste de Louis XV jetait un regard sévère sur toutes ces richesses qui rappelaient par trop la magnificence de Versailles. Ce n'était pourtant pas Vaux-le-Vicomte et Henri de Beringhen n'était pas Nicolas Fouquet…

– Je songe à entreprendre des études universitaires.

– Bien. Mais, vous le savez sans doute, ne s'inscrit pas qui veut à l'Université de Paris. À moins que vous ne choisissiez la théologie. Dans ce cas, la Sorbonne vous ouvrira volontiers ses portes. Autrement…

– C'est le droit qui m'intéresse.

– Excellent ! Il vous faudra cependant quelque recommandation en haut lieu ou, mieux, pouvoir faire preuve de quelque noblesse.

– Je sais. C'est pourquoi j'hésite encore à faire des démarches, même si ma décision est vraiment prise…

– Pourquoi ne viendriez-vous pas me voir à Beaugency ? Nous pourrions parler davantage de ces choses, et j'ai ma petite idée là-dessus, vous verrez.

Olivier devant se rendre à Orléans dans les jours suivants, il accepta la flatteuse invitation, puis le duc fit demander son attelage :

– Je rentre et vous accueillerai donc avec plaisir sur mes terres : vous verrez, la Loire chez moi est d'une nonchalance telle qu'on la croirait endormie, ce qui nous laisse le temps de l'admirer à loisir.

« Un duc poète, avait pensé Olivier, voilà sans doute pourquoi ce noble est d'esprit si ouvert. »

Le surlendemain, il se rendait à cheval au village de Beaugency.

Vêtu d'un ample pourpoint à cravate de toile, de bottes évasées à revers et coiffé d'un chapeau mou à panache, il ressemblait à un mousquetaire et cela l'amusait. Aussi, longeant l'immobilité presque parfaite de la Loire, il poussait sa monture au galop sous le soleil d'août. Il dut cependant ralentir en traversant de minuscules hameaux où la misère des paysans l'étonna une fois de plus : une telle pauvreté n'existait pas en Nouvelle-France. Plus loin, il croisa un groupe de jeunes hommes montés à cru sur des chevaux chétifs et cramponnés à la crinière de leur bête. Ils tournèrent vers lui des figures silencieuses et frustes, et Olivier pensa un instant qu'il n'aurait pas aimé se trouver sur leur chemin à la tombée de la nuit.

Il déboucha à Beaugency dans une gerbe d'éclaboussures : l'eau d'une récente averse s'était accumulée au creux d'une dénivellation de la route. Devant l'église, plus grise qu'un ciel bas, il aperçut une vieille femme courbée sous le poids d'un panier d'osier chargé de fagots. Sautant de son cheval, bride bien en main, il s'approcha d'elle :

– Permettez… La propriété du duc d'Ormans, vous connaissez ?

Elle ne le regarda même pas. Levant un bras, elle pointa du doigt :

– Là. C'est là.

Un chien aboya et elle s'éloigna en maugréant.

Olivier atteignit, de l'autre côté de la place, un mur de pierre élevé, percé d'une porte fermée par une grille. Tenant toujours son cheval par la bride, il s'avança et tira sur la poignée de fer qui, dans l'embrasure, pendait au bout d'une chaîne. Une cloche tinta. Une sentinelle – ou plutôt une sorte de laquais à l'humeur bougonne – vint lui ouvrir, s'enquérant de son identité et des raisons de sa visite.

Il était attendu. On le guida vers le bâtiment principal, puissant comme un ouvrage militaire, pendant qu'on conduisait son cheval à l'écurie. L'entrée franchie, il se retrouva immédiatement dans une vaste salle au plafond bas, soutenu par des poutres couleur de suie. Il frissonna : la pièce, malgré la chaleur de ce bel après-midi, baignait dans une fraîcheur humide que dégageaient les murs de pierres.

Il n'eut pas à attendre longtemps : le duc apparut, souriant, la main tendue.

– Alors, mon bon ami, vous avez fait un voyage agréable ?

– Plutôt, oui.

– Je vois que vous avez choisi le moyen le plus rapide pour voyager sur nos chemins de campagne ?

– J'aime assez monter, alors…

Le duc l'entraîna à l'étage où il faisait meilleur. Dans une tourelle inondée du soleil qui allumait la Loire, il lui offrit un verre de vin blanc de la région :

– N'est-ce pas qu'il est bon ? demanda-t-il, voyant Olivier passer et repasser sa langue sur ses dents.

– Il est bon, mais sec… Très sec.

– Voilà : une seule gorgée, que déjà vous découvrez la caractéristique de notre vin. Ou vous êtes particulièrement perspicace, ou, plus certainement, vous devenez davantage Français tous les jours !

Et c'est ainsi que d'une chose à l'autre, sur un ton léger, ils en vinrent au principal propos de leur rencontre. Le duc expliqua à son protégé – c'est ainsi que manifestement il considérait Olivier – que puisque l'Administration avait gracié tous les duellistes trouvés coupables avant 1720, plus rien n'empêchait la famille du major, son père, d'agir ouvertement. Donc, on pouvait maintenant songer à régler la succession de ce dernier.

– Mais mon père ne fut jamais condamné…

– Je sais, je sais. Il ne fut même pas accusé. Mais vous comprendrez qu'il n'était pas bon de réclamer la succession d'un parent mort en duel alors qu'en guise de peine on confisquait les biens des duellistes ! Vous n'êtes pas sans connaître l'expression : « Il n'est pas bon de réveiller le chat qui dort. »

Le duc marqua un temps. Il alla à la fenêtre. Il revint, l'air soucieux et sembla choisir ses mots avant de demander :

– Dites-moi, vous avez bien connu votre père ?

Et avant qu'Olivier ne réponde :

– Je veux dire… l'histoire de sa vie avant qu'il n'émigre en Nouvelle-France ?

– Vous savez, mon père parlait peu… Ma mère et lui ne s'accordaient guère : il ne lui a pas davantage raconté son passé. De son côté, elle a toujours évité de nous entretenir de lui.

Le duc d'Ormans réfléchit encore un moment avant de poursuivre :

– Je ne l'ai pas connu moi-même. Aussi, je vous dirai seulement que sa famille s'est réjouie qu'il quitte la France. Il était, disons… devenu indésirable.

Il vit Olivier lever vers lui des yeux interrogateurs, froncer les sourcils. Il s'empressa d'éteindre ses velléités de curiosité :

– Je n'en sais vraiment pas plus, seulement ce que je viens d'en dire. Croyez-moi. Je veux seulement vous faire comprendre que cette famille ne vous accueillera pas les bras ouverts.

– Mais je n'ai aucune intention…

– Il le faudra pourtant. Souvenez-vous de notre conversation à Azay-le-Rideau. Vous m'avez dit que vous désiriez fréquenter l'Université de Paris. Je vous répète que pour ce faire aujourd'hui, surtout depuis la majorité de notre roi Louis XV, il vous faudra quelque titre de noblesse, un nom… Vous songez au droit, m'avez-vous dit ?

– En effet…

– Bien, très bien : pour exister, un pays neuf a grand besoin de juristes.

Sans y penser, Olivier s'était penché sur la lisse du balcon où ils s'étaient tous deux avancés en parlant. On lui avait raconté que la Loire charriait sans cesse du sable : pourtant l'eau qu'il observait était d'une limpidité absolue : il pouvait distinguer le fond, aux tons jaunes et verts, avec des ombres et des creux.

Mais il craignit de paraître inattentif à son hôte et il se redressa :

– Vous savez, poursuivit le duc, il existe un bon moyen de vous faire une place à l'Université et, du même coup, dans la société noble. Voici : à la mort du major, son patrimoine français revenait de plein droit à ses plus proches parents, soit ses deux sœurs d'Orléans ; mais il revenait aussi, pour une part, à ses enfants.

Il s'interrompit un moment, l'air interrogateur. Puis :

– Vous êtes fils unique ?

– Non. J'ai une sœur, Louise-Noëlle…
– Bon…
Et le duc reprit le cours de ses propos :
– Comme je vous le disais, avant l'amnistie des duellistes, personne n'aurait osé prétendre à la succession de votre père. Les choses ont changé. Vous êtes venu en France. N'empêche que, sans votre intervention au bas d'un document notarié, le partage de ces biens et leur transmission entre les mains des héritiers légaux sont juridiquement impossibles.

Olivier s'était alors imaginé se présentant chez ces tantes inconnues qui avaient sans doute gardé un mauvais souvenir de son père… Mais le duc d'Ormans, toujours avenant, allait permettre de simplifier la procédure.

Peu de temps après sa visite à Beaugency, le fils de Marie-Ève était convoqué chez un notaire de la rue Royale, à Paris. Il y signa une Déclaration de transmission et partage, et Louise-Noëlle et lui-même furent mis en possession légale d'une somme de plus de cent mille livres, d'une propriété à Rouen, en plus d'hériter de plein droit de la particule attachée à leur nom.

Le bal du gouverneur

CHAPITRE XX

– Dis, tu l'as vu ?

Nicolas Drouet – tout le monde l'appelait « le père Nicolas » – sursauta. Un verre de bière à la main, il était complètement absorbé par l'idée du mariage prochain de sa fille avec Joseph Devanchy et trouvait à la vie des détours insoupçonnés. D'abord, il se rappela à quel point Vivianne avait été amoureuse de François, et combien elle avait souhaité son retour de l'expédition dans la région des Grands Lacs. Puis, sans qu'elle en parlât vraiment, comment elle s'en était détachée, que leur relation s'était transformée en simples rencontres de plus en plus espacées. Lui se débattait contre le paradoxe de la faillite de ses aspirations et la certitude d'être ce qu'il devait être. Tourmenté, il tentait à la fois de réviser ses attitudes, tout en nouant ses anciens espoirs d'échapper à son milieu et de s'éloigner de ses origines. Elle, voyant les sentiments de François s'émousser, en était venue à considérer cet amour comme quelque obsession dont elle devait se guérir. Avant que leur relation ne devienne parodique, ils s'étaient éloignés l'un de l'autre sans éclat, à la manière des amants dont la passion fait place à la douce amertume du souvenir de temps meilleurs.

– Papa, je me marie !

Et le temps qu'il accuse le coup, elle lui en avait asséné un autre :

– Je vais épouser le veuf Devanchy, le père de Marie-Godine…

Elle avait dit cela sur le ton léger d'une jeune fille annonçant ses fiançailles à des amis déjà au fait. Mais justement, elle parlait de mariage sans même aborder la question des fiançailles ! Le père Nicolas n'avait pas eu à lui en faire la remarque, car elle avait ajouté aussitôt, avec dans la voix l'entrain des choses évidentes :

– Nous n'aurons pas de fiançailles. Pas le temps. Nous devons précipiter les choses étant donné le déménagement de Joseph à Québec…

Juste le temps que son père sourcille et elle avait continué :

– C'est que M. Fotherby… le père de Jane, tu sais, la femme de M. Olivier ?… il doit rentrer à Ville-Marie. Il s'occupait du chantier et des magasins de Mme de Salvaye à Québec, mais il paraît que les Anglais y sont actuellement si mal vus que sa présence là-bas affecte les affaires : Joseph va le remplacer.

Et il avait ainsi compris aussi que sa fille s'en irait vivre à Québec…

– Oh ! mais tu m'écoutes ? Tu l'as vu ou pas ?

– Vu qui ? répondit nonchalamment le père Nicolas.

Il mit quelques secondes à se rappeler qu'il se trouvait dans ce cabaret bruyant, avant d'ajouter :

– De qui parles-tu ?

Les traits dissimulés derrière une main ouverte, Georges Baron, qui lui faisait face, avança son visage au-dessus de la table et lui souffla à l'oreille :

– L'homme assis là (il indiquait une table près des grandes fenêtres ouvertes sur la place), celui qui porte une capote verte. Une capote, en plein mois de juillet! Mais, c'est pas ça le pire : tu aurais dû le voir : il est entré sans regarder personne, l'air de dire qu'il était au-dessus de tous, et il a marché vers cette table-là, aussi à l'aise qu'un habitué des lieux.

Et c'était vrai. L'inconnu était entré en poussant la porte comme il aurait pu l'avoir poussée d'autres jours. Le temps, aurait-on dit, qu'il retrouve une certaine atmosphère, et il s'était dirigé vers le coin de la salle et avait pris place, tout naturellement. Mince, d'une certaine élégance malgré ses vêtements communs, il était beau, mais d'une beauté satanique. Tout se passait au niveau des yeux : un visage sans fermeté mais un regard flamboyant. Des lèvres minces dessinant un sourire de séducteur et une barbe qui peut-être cachait sa vraie personnalité. Chose certaine, c'était un étranger et, à son allure dégagée, on pouvait supposer qu'il venait de quelque ville de la Nouvelle-Angleterre, de Boston par exemple. Personne dans l'estaminet ne se souvenait l'avoir vu arriver à Montréal. Était-il là du jour même ou de la veille ? Était-il venu à cheval ou en canot ?

Sitôt installé, il avait commandé à boire, et quand le propriétaire lui avait offert de l'orignal, plat exceptionnel marquant bien qu'on lui portait une considération toute spéciale, il avait répondu, négligemment :

– Non, je ne suis pas venu pour manger.

Tout simplement ! Pas un commentaire, rien. Des pas lourds avaient soudain martelé la banquette à l'extérieur et s'étaient répercutés jusque sous les tables ; cela ne l'avait aucunement impressionné. Pas plus que l'excitation à l'intérieur alors qu'on s'interpellait d'une table à l'autre, que les conversations allaient bon train et que fusaient des rires d'une gaieté facile et un peu vulgaire. Il ne bougeait pas, ne s'intéressait à personne, se contentant de vider gobelet sur gobelet de rossesel, parfaitement indifférent au fait qu'on chuchotait en lui jetant des regards en coulisse.

Puis il s'était levé, s'était approché de la fenêtre. Tous les regards s'étaient pointés vers lui, la rumeur de la salle avait baissé, imperceptiblement. Il s'en était sûrement aperçu ; cela ne l'avait pas empêché de rester immobile à regarder dehors pendant un bon moment. On l'avait même vu sourire avant qu'il ne recule brusquement, puis grimace en regagnant sa table.

– Qu'est-ce que tu lui trouves de si particulier ? demanda encore le père Nicolas.

– Ben voyons ! Y a qu'à lui voir la tête pour comprendre que ses intentions n'ont rien de bien catholique. Il ne ressemble à personne d'ici, il a l'allure frondeuse comme vingt-cinq et t'as remarqué comment, en regardant dehors, il s'est arrangé pour rester en retrait, comme si… comme s'il espionnait quelqu'un, tiens !

– N'exagère rien ! Mais c'est vrai que… Disons qu'il n'a pas l'air des plus sympathiques. Pourtant, il me semble que je l'ai déjà rencontré quelque part, il y a longtemps, pas mal longtemps même…

La salle bourdonnait, pas une table de libre.

Après avoir bien mangé – boudin, tête de fromage, creton, et confitures –, plusieurs tiraient maintenant de leur pipe les effluves d'un bon tabac brésilien. Ils parlaient fort, frappaient du poing sur la table, et leur propos principal était celui dont toute la colonie s'entretenait depuis quelque temps, l'histoire de Jacques de la Mollerie qui avait tué en duel un nommé Jacques Fustel et qui avait été condamné à la guillotine. Il venait de recevoir ses lettres de pardon du roi. L'événement prenait un relief tout spécial du fait que cette famille avait déjà un passé chargé. Il y avait d'abord eu le père, Jacques Maleray de Noiré de la Mollerie, ancien commandant du fort Lachine, qui avait tué en duel à Poitiers, alors qu'il y était lieutenant du régiment de Noailles, le sieur Guillot de La Forest. Condamné à avoir la tête tranchée, il avait fui au Canada à la première occasion. Y ayant épousé la sœur de Jeanne-Geneviève Picoté de Belestre, il avait beaucoup fait parler de lui en attaquant en justice Pierre Le Moyne d'Iberville pour rapt et séduction de cette dernière. En 1695, favorisé par l'intervention personnelle du gouverneur Frontenac auprès de la cour, il obtenait la grâce royale. Mais voilà qu'en 1714, un de ses fils, Louis-Hector, mourait des suites d'un duel avec Jean d'Ailleboust d'Argenteuil ; que deux ans plus tard, son deuxième fils, Jacques, tuait, lui, à Québec, dans des circonstances similaires, un nommé Jacques Fustel, et qu'en cette année de 1720 il était même gracié !

– Ce que c'est que d'être de la noblesse, quand même ! avait commenté quelqu'un.

L'on parlait aussi beaucoup de la découverte de ces nouveaux Indiens, les Esquimaux (peuple mangeur de viande), qui auraient vécu dans les parties septentrionales de la colonie, là où l'hiver n'a de cesse, qui ne quittaient jamais leurs anoraks en peau de phoque. La nouvelle avait été portée jusqu'à Montréal par un nommé François Martel qui racontait avoir vu chez Augustin Le Gardeur, au poste de traite de la baie de Phélypeaux (au

Labrador), une jeune Indienne « à la peau très rouge » qui s'appelait Acoutsina et qui était la fille d'un chef d'une de ces tribus nordiques, la tribu des Ouibignaros. Tant de précisions ne pouvaient mentir et les commentaires allaient bon train concernant ces êtres capables de survivre au milieu des glaces éternelles.

Des cris d'enfants éclatèrent sur la place et Nicolas Drouet en conclut :

– Bon, voilà les enfants qui sortent de la cuisine des sœurs de la Congrégation. Il est temps que je retourne à la forge, moi.

Il avait la stature d'un homme formé aux gros travaux, tout en nervures comme le tronc d'un arbre bien planté dans la terre. Il jeta à l'étranger un regard de côté et prit une moue renfrognée. Il passa une main rugueuse sur le bas de son visage et se leva.

– T'as peut-être raison, Georges, il a l'air bizarre ce bonhomme-là.

– En tout cas, c'est pas moi qui lui donnerais le bon Dieu sans confession !

Drouet se dirigea vers la sortie. Il vit que l'étranger s'apprêtait à faire de même, qu'il ramassait sa monnaie, repoussait sa chaise, hésitait, le temps de regarder dehors encore un peu. Puis, une fois debout, il ramena les pans de sa capote sur sa silhouette étroite et, personnage théâtral de mauvais augure, traversa la salle avec un air exaspérant de supériorité.

Sans en avoir l'intention, le père Nicolas se retrouva à ses côtés. Il fit mine de rien et essaya à nouveau de se rappeler où il avait déjà vu cette tête.

La place était envahie par la foule habituelle des badauds parmi lesquels se faufilaient, tant bien que mal, les enfants pour gagner la rue Saint-Paul et se rendre à l'école fondée par Marguerite Bourgeoys.

En direction de son atelier, le forgeron dut passer devant l'ancien magasin général de Vadeboncœur Gagné et il ne put faire autrement que de remarquer la présence de Joseph Devanchy, en conversation avec Louise-Noëlle, dont le cabriolet attendait devant. Il aperçut aussi Vivianne qui servait quelques clients et qui lui fit un signe de la main. Deux ans déjà qu'elle travaillait là : il se dit qu'il aurait quand même pu prévoir ce qui arrivait. Tout le jour en tête à tête avec un veuf quand on a la beauté et l'impatience de ses dix-neuf ans, cela ne peut mener qu'à une basse messe. Aussi, plutôt que de s'en faire un carême, il valait mieux bien préparer l'événement. Et il convint qu'il lui fallait se faire à l'idée du mariage de sa fille avec le père de Marie-Godine qui, justement, venait vers lui en courant, nu-pieds sur la banquette. Elle semblait surgir de nulle part, mais sortait très certainement d'une boutique ou arrivait de la maison de la rue Saint-Paul qu'elle habitait avec sa tante Louise-Noëlle. Volubile, joyeuse, emportée par quelque enthousiasme, elle courait droit devant, les talons aux fesses, ses nattes battant l'air et on se rangeait sur son passage comme si cela allait de soi. C'est que, dans une certaine mesure, tout le monde à Montréal connaissait Marie-Godine. Chacun savait qu'elle allait toujours pieds nus et qu'elle était la petite-fille de Vadeboncœur Gagné, se souvenait des circonstances incroyables de sa naissance et du décès de sa mère, et qu'elle avait été quasi adoptée par sa tante, la belle mais combien mystérieuse Louise-Noëlle de Salvaye. On la trouvait différente : elle fascinait. Sans être gâtée pour autant, elle était capable d'obtenir, à l'aide des ressources toutes particulières de son caractère obstiné et audacieux, ce qu'elle désirait. De son grand-père elle avait hérité ce tempérament rêveur ainsi qu'un amour démesuré pour les grands espaces, la nature. C'était un être d'extérieur. Elle aimait les animaux et les fleurs, beaucoup les fleurs : elle en cueillait, elle s'en parait, elle en donnait. Même si parfois elle chantait à tue-tête, riait sous n'importe quel prétexte, elle était capable de réflexion et il lui arrivait de parler toute seule, en plissant le front. Souvent, elle allait place Royale, place du Marché, dans les rues environnantes, et elle n'hésitait pas à frapper aux portes pour s'inviter, puisqu'elle se sentait chez elle partout.

Belle, vibrante à souhait pour une fille de son âge (elle allait avoir douze ans), ses cheveux blonds et le grain clair de sa peau rehaussaient la limpidité de ses yeux bleus et vifs. Nez délicat, bouche charnue, un peu boudeuse et des traits bien dessinés, racés. Enfin, elle parlait d'une voix étonnamment bien posée et elle possédait un talent rare pour retenir les mots et les expressions nouvelles que se plaisait à lui enseigner sa marraine et elle en usait à bon escient.

La perspective du mariage de son père avec Vivianne Drouet ne la préoccupait guère, car elle pratiquait une double indépendance : elle n'appartenait à personne et n'avait aucun intérêt pour le monde des adultes, quels qu'ils soient. Son grand-père avait été le seul être à appartenir à son univers : elle lui demeurait fidèle jusque dans ce qu'elle était.

Une grande effervescence régnait dans tout Montréal en ce jour de juin 1724 : une bordée de matelots avaient débarqué la veille du *Saint-Michel* dont les mâts oscillaient bellement dans le ciel du port, et ils se comportaient comme des prisonniers échappés du bagne. Heureusement, la présence de quelques officiers, flamboyants dans leurs uniformes des Compagnies franches de la Marine, qui rôdaient dans les rues et autres lieux publics, temporisait les excès et il n'était pas rare de voir l'un d'eux intervenir pour rappeler à l'ordre un de ces manants emporté par le délire de sa liberté passagère.

Des gens se pressaient devant la boulangerie Cellier et Marie dut ralentir sa course pour fendre la foule compacte qui occupait toute la banquette et une partie de la rue. Elle entendit vaguement quelqu'un qui parlait fort et une voix de femme qui protestait avec véhémence. C'était, comme à Québec quelque temps auparavant, un groupe de femmes qui dénonçaient la mauvaise qualité du pain et son prix exorbitant.

Poursuivant sa course joyeuse, Marie-Godine allait croiser le père Nicolas sans l'apercevoir, mais ce dernier l'intercepta d'un bras tendu devant elle :

– Où cours-tu comme ça, ma biche ?

Essoufflée, elle gloussa quelques mots inintelligibles et, du bout de la langue, mouilla ses lèvres sèches de la poussière des rues pour se reprendre :

– Je voudrais voir le bateau avant d'aller à l'école : il part cet après-midi !

– Non : il ne part que demain. Et si tu veux, nous irons le voir ensemble : nous pourrons monter à bord, toi et moi…

– Ah oui ?

– Oui, oui. Demain matin, au lever du soleil, j'irai te chercher et nous irons.

Un chien s'approcha, vint poser son museau froid sur un genou de Marie. Nicolas Drouet se pencha, mit son visage au niveau de celui de la fille.

– Tu t'es fait mal ?

Le chien reniflait le sang coagulé d'une ecchymose qui tachait d'un brun vilain la jambe de l'enfant.

– Ça ? C'est rien : je suis tombée hier, je pense.

Et elle chassa le cabot d'un geste de la main, puis gratta un moment son « bobo ».

– Ça va partir tout seul…

Et d'une volte-face, elle s'échappa. Mais au lieu de continuer sur la rue Notre-Dame en direction de la place du Marché, elle disparut dans l'ombre de la rue Saint-Gabriel en direction de l'école des sœurs de la Congrégation.

Estimant avoir maintenant tout son temps, elle prit celui de s'approcher, à pas comptés, d'un pigeon qui picorait sur le bas d'une porte. Alors qu'elle allait l'atteindre, l'oiseau s'envola et il la frôla de si près qu'elle battit des cils au même rythme qu'il battait des ailes. Elle le suivit jusqu'au-dessus des toits et, quand elle baissa son regard, elle tressaillit : une silhouette se tenait tapie dans l'ombre épaisse du chambranle. Parfaitement immobile et absolument silencieuse, la forme humaine, drapée dans une cape verte qui touchait à terre, lui sembla tout d'abord une illusion, puis elle pensa qu'on lui jouait un tour sans malice : quelqu'un s'amusait à la mystifier et, quand la silhouette bougerait, elle reconnaîtrait le farceur. Le personnage quitta son recoin et émergea doucement dans la lumière. Elle le vit se préciser, comme il arrive dans un rêve quand on a la fièvre et qu'une image sort du flou pour se définir par petites touches. D'abord des bottes noires à boucles d'argent, comme elle n'en avait jamais vu; puis, cette cape enveloppante qui cachait le reste de l'homme et, enfin, le chapeau tout en hauteur, comme elle n'en connaissait pas non plus. Spectral, il sembla glisser vers elle et, imperceptiblement, elle recula. Un chat vint se frotter contre ses jambes et un moment elle regretta d'avoir repoussé le chien quelques instants auparavant. Derrière une vitre close, un bébé pleurait et les sabots d'un cheval battaient la rue, plus bas.

Une main sortit du vêtement et se tendit vers la chevelure de la fillette qui eut une hésitation ressemblant à de la répugnance. L'homme cherchait manifestement à l'apprivoiser. Elle ne pouvait imaginer ce qu'il lui voulait et elle s'effrayait de la gravité de son expression, démentie par la moquerie du regard.

Debout en plein soleil, elle frissonnait pourtant. Alors, tenant l'inconnu au bout de son regard pour le tromper, elle déguerpit soudain et dévala la rue à une telle vitesse que ses pieds, aurait-on dit, ne touchèrent plus à terre que pour lui permettre de se diriger. Pressée d'écarter la menace, elle choisit de se terrer dans le caveau à légumes de l'hôpital des frères Charon dont l'accès, elle le savait, se trouvait derrière une corde de bois franc. La terre, fraîchement retournée, lui chatouilla les chevilles, et un lambeau de sa robe resta accroché à une bûche. S'arc-boutant alors sur ses jambes aguerries, elle referma ses mains sur l'anneau de fer de l'abattant et ses muscles, combinés à la tension de ses nerfs, accomplirent le miracle de soulever le lourd panneau. Elle put ensuite se glisser à l'intérieur, dans l'odeur humide des légumes et de la terre.

Le soleil pénétrait par les minces interstices de quelques planches mal embouffetées et dessinait sur le sol des rais de lumière qui tranchaient sur la noirceur du réduit. Marie n'avait plus peur: elle avait l'impression rassurante que les ténèbres la mettaient à l'abri de tous les dangers.

La cave était assez grande pour qu'elle puisse y marcher librement et l'équivalent du chargement de quelques charrettes de légumes et de fruits dormait dans différentes cases de bois au fond natté. Ses mains rencontrèrent les formes ventrues de plusieurs citrouilles, celles oblongues des courges, et se refermèrent, contentes, sur une pomme. Serrant le fruit comme une chose familière, elle s'accroupit sur ses talons et y croqua à belles dents.

Brusquement, toute la lumière du jour déchira l'obscurité sécurisante du réduit, ne laissant d'ombre que celle de l'homme à la cape qui repoussait de ses bras écartés les abattants du caveau. En un bond, il touchait le sol terreux du réduit, croisait les bras et toisait l'enfant en ricanant de satisfaction.

Mue comme par un ressort, Marie s'était dressée. Ses lèvres tremblaient et, un moment, elle sembla sur le point d'éclater en sanglots; mais elle releva le menton fièrement et parvint à articuler:

– Qui vous êtes, vous? Qu'est-ce que vous me voulez?

– Pas de mal. Je ne te veux pas de mal…

La voix ne correspondait pas au personnage: elle était normale, basse, pas désagréable; mais il parlait avec un accent, ou du moins il ne parlait pas comme ceux de Montréal, pensait Marie. Et cela ne la rassura guère. Elle avait encore envie de fuir, mais savait que ça lui était impossible. Étrangement, elle avait gardé sa pomme dans la main et, plus étrangement encore, elle la porta à sa bouche tout en dévisageant l'intrus de ce genre de regard candide qui a le don de gêner les grandes personnes.

– Ce n'est pas prudent d'aller pieds nus comme ça : tu pourrais t'écorcher.

Elle se dit qu'il cherchait de nouveau à l'apprivoiser et lui opposa sa moue la plus hermétique. Mais il poursuivit :

– Surtout à courir comme tu le fais...

Puis, d'une voix de tricheur, pensa-t-elle, il lui dit :

– Tu n'as pas à avoir peur. Je te l'ai dit, je ne te veux aucun mal.

Mais il demeurait là, debout, à masquer le soleil. À contre-jour, Marie ne pouvait distinguer ses traits.

– Écoute-moi bien. Il faut que tu trouves Louise-Noëlle et que tu lui dises que je veux la voir. Je vais l'attendre chez elle... C'est tout.

Marie serra sa pomme. Il ne lui vint aucunement à l'idée de redemander à l'homme qui il était, pas plus qu'elle ne douta de devoir se faire sa messagère. Elle comprenait qu'il n'aurait pu lui-même approcher sa marraine en public pour la presser de l'inviter chez elle.

En un mouvement brusque qui la fit sursauter, l'inconnu s'approcha, puis se pencha au-dessus d'elle. Son regard prit la teinte froide de deux cailloux, et l'enfant se retira au fond du caveau, les bras levés devant son visage. Elle se terra littéralement, ses petits pieds enfoncés dans le sable et son dos calé contre la paroi rugueuse.

Elle ne tremblait pas, mais tout son corps demeurait sur le qui-vive et prêt à s'emballer.

D'une voix franchement désagréable cette fois, une voix sifflante et sèche, l'étranger lança :

– Tu sais ce que tu as à faire. Moi, je m'en vais rue Saint-Paul et j'attendrai. Pas très longtemps. Si Louise-Noëlle ne vient pas, c'est toi que je retrouverai.

Et d'un geste très ample, le personnage s'enveloppa dans sa cape, tourna sur ses talons, et ses pieds volèrent sur le court escalier menant à l'extérieur.

Marie-Godine sortit à son tour, se déplaçant comme à tâtons, inquiète et curieuse. Elle vit l'homme qui s'éloignait sans plus faire attention à elle.

Et il disparut dans l'ombre de la rue Saint-François.

Chapitre XXI

Pendant ce temps, le magasin général continuait de vibrer des palabres d'une clientèle composée, en grande partie, des convives qui venaient de quitter l'auberge en face et que le repas bien arrosé avait rendus pétillants. On parlait de tout et de rien, on parlait beaucoup, sur tous les tons, et les conversations se croisaient, piquées d'éclats de voix, trouées de vides momentanés. Il était question de la santé des uns, de la misère des autres, des ambitions de plusieurs et de la résignation de certains à quitter la colonie. Et l'on brodait autour des amours de ceux-ci pour celles-là, prédisant dans le même souffle des mariages auxquels on ne manquerait pas d'assister.

Ce qui attisait davantage les propos, c'étaient les conséquences de l'arrivée l'année précédente de prisonniers de droit commun comme immigrants. Ils causaient scandales et méfaits autant à Montréal qu'à Québec, et on disait même que cette mesure, favorisée par l'intendant Bégon, donnait mauvaise réputation à la colonie sans contribuer, en aucune manière, à son mieux-être. Et, à ce dernier propos, on commentait la teneur d'une missive de Vaudreuil au ministre Maurepas où il déplorait à la fois la pauvreté croissante en Nouvelle-France et le prix excessif des produits de premières nécessités qu'on devait importer de la métropole.

– Quand on pense, lança une femme d'un certain âge, modestement vêtue, que les Parisiens ont investi des fortunes fabuleuses en Louisiane qu'on dit aujourd'hui en faillite. Ils auraient peut-être dû investir ici...

– Parfaitement! approuva un gros bonhomme à ses côtés et qui semblait bien être son mari. Parfaitement! ce n'est pas en multipliant le nombre de pauvres qu'on bâtit un pays.

– Si vous voulez que je vous dise, à la longue, la Nouvelle-Angleterre va déborder chez nous et on ne pourra rien y faire.

– Ce qui ne nous aiderait pas, ce serait de baisser les bras; il faut plutôt continuer d'être vaillants et ne compter que sur nous.

Dans un coin du magasin, entre un amas de haussières et quelques rouets d'érable argenté, qu'on appelait plaine, se tenait un petit vieux au visage aussi ridé que celui d'un vieil Indien. L'air quiet et intéressé, il regardait les gens entrer, puis sortir, et ses drôles de petits yeux observaient par moment Louise-Noëlle qui discutait avec Joseph Devanchy près du comptoir. Le spectacle de la jolie silhouette, dont les mains dessinaient des arabesques, le réjouissait. Il tirait de sa pipe un goût chaud et piquant et se répétait que, décidément, c'était un bien bel après-midi: tant de vie concentrée dans un si petit espace, cela l'éblouissait. Soudain, sans prévenir, le visage et les cheveux blancs comme neige, un chaulier l'accosta:

– Mais dites donc, vous, le père Mathias, vous qui êtes né là-bas, vous croyez qu'ils pensent à nous, des fois, à Paris?

Qu'on s'adresse ainsi à lui à brûle-pourpoint rompit chez le vieil homme l'intimité qu'il avait avec lui-même au milieu de ce fouillis de voix. Il s'ébroua et ramena contre sa poitrine le fourneau de sa pipe.

– Mon garçon, la France, c'est loin, très loin: la mer, c'est plus grand que tout ce que tu pourrais imaginer. Quand je l'ai traversée, j'ai bien cru que c'était ça l'infini: de l'eau à perte de vue. Alors moi, je pense bien que, pour eux autres là-bas, on n'existe même pas…

Il allait continuer lorsque, d'un coup, le soleil fut intercepté par la stature imposante d'un homme qui entrait. Et même si ce nouveau venu s'était voulu discret et avait souhaité ne pas se faire remarquer, il dut s'immobiliser sur le seuil pour donner à ses yeux le temps de s'adapter à la pénombre. Tous reconnurent Anjénim.

Sans animosité, avec cependant quelque chose d'agressif dans leur attitude, les clients s'autorisèrent à examiner l'Indien de la tête aux pieds. Mais ce n'était que désinvolture, chacun ayant pour lui une affection toute particulière, celle qu'ordinairement on porte aux cœurs simples. De fait, on ne pouvait lui reprocher que ses longues absences de Montréal lorsqu'il retournait chez les Algonquins, n'ayant jamais pu s'adapter tout à fait à la civilisation blanche.

Il lui arrivait de vivre quelques jours au manoir du Bout-de-l'Isle, comme d'habiter quelque temps la maison des de Salvaye rue Saint-Paul. Il aimait alors passer de longs moments avec Marie à qui il racontait ses expéditions de chasse, car la chasse étant la première occupation des Algonquins, elle était aussi la sienne. Et il préférait de loin la forêt à la ville, la nature à la société.

Au bout d'un moment, il finit par s'avancer dans le magasin.

Le voyant venir, Louise-Noëlle soupira, se renfrogna, et distilla toute la froideur dont elle était capable : elle se méfiait d'Anjénim comme de tous les Indiens d'ailleurs. Mais elle eut beau le toiser, cela n'empêcha pas le moins du monde celui-ci de marcher résolument vers elle. Quand il fut à sa hauteur – autour d'eux la rumeur des discussions avait repris –, elle s'enquit, d'une voix curieusement grave pour une personne aussi frêle :

– Tu viens prendre la barrique de lard salé ?

– Je viens prendre la barrique de lard salé...

Cette intransigeance acerbe de Louise-Noëlle n'atteignait Anjénim d'aucune manière et n'altérait en rien la dévotion qu'elle lui inspirait. Lui qui n'avait toujours aimé les femmes que l'espace d'une nuit, sur le sol battu des tentes de son village, pour s'en détacher au matin comme il s'arrachait du sommeil, éprouvait pour Louise-Noëlle un sentiment qui le confondait. C'est qu'il avait pour elle de brusques bouffées d'un désir obscur : il la voyait nue dans ses bras, et n'en souhaitait pas plus, seulement que ses mains caressent le corps blanc sans insister, sans chercher le plaisir. Il en arrivait ainsi à souhaiter des états d'âme inconnus, des émotions insolites, comme celle de faire l'amour seulement pour apaiser le désordre de sa raison plutôt que celui de ses sens. En présence de la jeune femme, quoi qu'elle dise ou fasse, il demeurait parfaitement amène, l'hostilité de Louise-Noëlle lui glissant sur la peau comme une pluie d'été.

Joseph Devanchy, qui connaissait le caractère de la jeune femme et comprenait ce que la placidité d'Anjénim avait de provocant pour elle, crut un moment qu'il serait préférable qu'il s'interposât entre eux, l'air de rien. Se raclant la gorge, il proposa :

– Viens avec moi, Anjénim, je vais te montrer…

Près de lui, ombre silencieuse et déjà indéfectible alliée, Vivianne aussi avait évalué la scène. Par compassion elle essayait de comprendre, au-delà du masque dont la fille de Marie-Ève se parait chaque fois que le Métis s'approchait d'elle, pourquoi elle s'isolait d'Anjénim et de tous ces hommes qui osaient lui faire la cour. Elle était pétrie de tristesse chaque fois qu'elle voyait ainsi Louise-Noëlle faire fi de son charme.

L'exaltation des voix avait repris de plus belle quand Anjénim traversa de nouveau le magasin en portant au-dessus de sa tête la barrique couleur de bois trempé qu'il alla déposer dans le fond du cabriolet. À son tour Louise-Noëlle sortit. Elle remercia le Métis d'une voix blanche et s'apprêtait à monter dans sa voiture lorsque Marie, la frimousse semée de taches de rousseur sous sa chevelure ébouriffée, fonça sur elle, tout excitée :

– Marraine ! Il y a un monsieur qui veut te voir, dit-elle d'une voix saccadée, car elle achoppait sur ses mots qu'elle trouvait avec peine. Il a dit que si tu ne rentres pas le voir, il va me retrouver et… Il a des yeux noirs, et parle comme un étranger. Il te connaît, c'est sûr… Il a l'air fâché contre toi. Et…

Louise-Noëlle l'apaisa d'un geste d'abord, puis elle la pressa contre elle.

– Ça va, ça va, ma chouette.

Mais visiblement son esprit était ailleurs et son regard se perdit dans quelque pensée qui la transfigura.

Marie demeurait là, le visage levé vers elle qui, distraite, lui caressait la tête.

– Je te remercie. Va rejoindre ton père.

Près du magasin, Anjénim n'avait rien perdu de la scène. Il feignait respectueusement de n'y prêter aucune attention, mais il ne put manquer de voir que les mains de Louise-Noëlle s'étaient mises à trembler, que des muscles de ses tempes s'étaient contractés, que sa respiration s'accélérait. Une crispation de colère balafra son beau visage en amenuisant ses lèvres jusqu'à ce qu'elles ne soient plus qu'une ligne droite au milieu de son expression livide. Anjénim la vit fouiller du regard la place, les rues qui en partaient et les devantures des maisons les bordant, et plisser des yeux pour mieux scruter l'embrasure des portes, les fenêtres. Elle devait bien savoir que ce décor familier ne lui révélerait pas la présence qu'elle cherchait, mais c'était sa façon de réagir au choc qui la broyait. Le bleu étincelant de ses pupilles sembla un instant se fixer dans le vague, puis, sans précaution, elle grimpa dans sa voiture, claqua les rênes en tirant brusquement sur les mors de la jument qui balaya l'air de ses pattes antérieures avant de foncer droit devant dans le fracas apeurant de ses sabots sur les galets. Debout, devant le banc du cabriolet, sa robe comme ses cheveux battus au vent, elle s'engouffra dans la rue Saint-Joseph.

En un rien de temps et au risque de se rompre les os à cause des aspérités de la rue, après avoir bousculé quelques voitures, elle s'engageait dans la rue Saint-Paul.

Le soleil baignait dans les teintes du couchant et projetait des traînées flamboyantes sur les façades. Les larmes au bord des yeux, Louise-Noëlle ne voyait pas très bien devant elle, pas même le mouvement précipité des gens qui se réfugiaient sur les banquettes dans une panique de basse-cour envahie par le loup ; mais la jeune femme n'avait pas besoin de voir pour rentrer chez elle, tout son être y était déjà par anticipation. Elle haletait à l'idée d'affronter l'homme – c'était lui, elle en était sûre – qui hantait sa vie depuis trop longtemps. Des relents de dégoût et de colère bousculaient le rythme de son cœur : la passion bafouée prenait chez elle des intonations de haine fougueuse. Elle savait qu'elle allait perdre le contrôle d'elle-même, qu'elle allait crier, frapper, mordre ; que son angoisse accumulée éclaterait en la laissant en miettes. Au-delà de sa raison, le poids de l'émotion l'écrasait déjà. Et pourtant…

Pourtant, jamais elle n'avait été aussi prête à aller jusqu'au bout de son cauchemar, à déchirer le voile de cette longue nuit qui recouvrait ses jours depuis des années.

Devant sa maison, elle mit pied à terre et, tirant son cheval par la bride, l'attacha mollement à l'anneau d'un muret.

Pas un moment, elle ne se retourna, ne chercha à savoir si on l'avait suivie ou si on l'observait. Elle entra, posa sa lourde clef sur un guéridon du vestibule et traversa la maison pour se rendre dans la pièce autrefois le bureau du bailli. Elle contourna la lourde table de travail qui ployait sous les livres de compte et autres paperasses (Joseph Devanchy administrait ici les affaires du magasin général) et s'assit. Son regard erra vainement dans la pièce, tout absorbée qu'elle était de l'intérieur.

Puis, sans même qu'un bruit l'ait prévenue, qu'un souffle ait éveillé son attention, elle sentit qu'il était là. Et elle l'aperçut. Silencieux, immobile, comme un personnage qui aurait surgi de son imagination, il la toisait. D'un bond à peine conscient, elle se leva. Elle ne put éviter ce regard qui la rivait à la cloison vers laquelle ses mains tâtonnantes trouvèrent un appui. Ses yeux : c'est tout ce qu'elle distinguait vraiment dans le visage, pourtant familier. Des yeux remplis de fureur et de passion, de moquerie et de prétention.

Sans doute entré dans la maison par la porte donnant sur la grève – qu'on ne fermait jamais à clef –, il devait être déjà dans le bureau au moment où elle y avait pénétré ; appuyé contre la bibliothèque, on ne pouvait l'apercevoir autrement que depuis l'endroit où elle se tenait, soit derrière la table de travail. Un sourire supérieur redessinait les lèvres de l'homme, qu'elle avait connues chaudes et sensuelles, et qui portaient maintenant un rictus qui l'empêchait de se souvenir qu'elles avaient pu lui plaire. Le reste du visage, dur, vieilli et fatigué, lui inspirait une sorte de regret profond ressemblant à la peur qui sourdait en elle. Il ne disait rien, observait la jeune femme et la devinait à la limite de l'éclatement.

Des pensées déchirantes, un tourbillon d'images qui lui faisaient mal envahissaient Louise-Noëlle. Elle coulait à pic dans un passé que depuis plusieurs années elle avait refusé d'affronter.

Le manoir du Bout-de-l'Isle… Des hommes en costumes d'apparat… Des bruissements de robes longues… Des parfums, des odeurs d'air humide, d'eau et de foin… Des voix multiples et connues, une sensation de bonheur, de la joie dans le cœur et jusqu'au bord des lèvres. L'arrivée de Louis Forté. Leur chevauchée, et soudain, un groupe d'Iroquois… La gifle de son amant… Les Indiens sur elle, leurs mains…

Toujours immobile et parfaitement silencieux, il continuait de la fixer.

Des visions de ce dont elle avait dû être victime pendant qu'elle avait été inconsciente avec les Iroquois l'assaillaient. Mais seul son corps savait et c'est pour cette raison qu'il la dégoûtait, comme tous ces hommes qui la désiraient. Et c'est ce même dégoût qui lui rabaissait en ce moment le coin des lèvres. Le fond de sa peur se logeait en ce moment exactement au fond des yeux de Louis Forté. Il s'étonnait qu'elle ne pleure pas : mais, après tant d'années d'angoisse contenue, on ne pleure pas si facilement. Il ne pouvait ignorer l'égarement de la jeune femme, son frémissement rageur, et cette bouillante révolte lui plaisait.

Il bougea. Les mains de Louise-Noëlle se crispèrent dans le vide, puis étreignirent le velours de la chaise.

Il s'avança, s'appuya sur ses deux bras tendus, prenant appui sur la table. Son parler rocailleux, à l'accent traînant, attaqua la jeune femme.

– Tu ne croyais tout de même pas que j'allais disparaître comme ça de ta vie ?

Elle trouvait sinistre cette cape qui le couvrait des épaules aux pieds et elle le regardait avec une telle insistance qu'il aurait pu croire qu'elle le suppliait, alors qu'elle s'efforçait seulement de garder son sang-froid.

Il se déplaça, encore. En colère, elle serra les paupières pour éviter de le voir de trop près lorsqu'il fit mine de contourner le meuble qui les séparait.

– À cause de toi, j'ai dû fuir la Nouvelle-France ; à cause de toi, les Iroquois de la Nouvelle-Angleterre ont monté contre moi un coup qui m'a mené en prison. Sept ans de geôle à Boston et, encore, j'ai dû rentrer au pays en cachette.

Les pensées de Louise-Noëlle se bousculaient. « … fuir la Nouvelle-France ? emprisonné à Boston… ? » Elle essayait de réfléchir à toute allure. Pourquoi les Iroquois s'étaient-ils vengés de Louis ?

Mais il continuait, sans lui laisser le temps de penser :

– Je n'ai pourtant pas fait davantage que bien des marchands qui ont, eux aussi, traité avec les Iroquois et les Anglais malgré l'interdiction du commerce des pelleteries décrétée à l'époque par l'intendant Raudot. Mais après l'incident de cet après-midi-là… Oui, j'aurais dû rester là, près de toi, mais dès que tu as perdu conscience, les Iroquois se sont enfuis et j'ai pensé que… Enfin, je me suis enfui avec eux.

« Les Iroquois se sont enfuis dès que j'ai perdu connaissance ? » se répéta intérieurement Louise-Noëlle.

Mais alors, cette douleur, qui l'avait fait souffrir pendant plusieurs jours, et cette odeur, cette odeur de Peau-Rouge qui lui soulevait le cœur chaque fois qu'un Indien s'approchait d'elle ? Le choc, sans doute, puis… Puis les suites pernicieuses d'une terrible méprise.

Et lui qui, sans pudeur, insistait encore :

– J'ai besoin de toi, toi seule peux me sortir de cette situation impossible.

Mais elle, les yeux clos pour ne pas perdre le fil retrouvé de sa raison, essayait d'en finir avec toutes ces questions : Louis avait fait commerce avec les Iroquois, malgré la prohibition de la traite des fourrures. Et lui revenaient les propos de François le jour du mariage d'Olivier : n'avait-il pas affirmé avoir vu un Blanc en compagnie d'Iroquois sur les berges de la rivière des Prairies ? Ces découvertes l'étourdissaient. Pendant des années elle avait vécu, ou survécu, en se disant que ce moment de vérité viendrait bien un jour. Et là, tout s'ordonnait dans une structure qui l'épargnait, la libérait.

– Je te parle!

D'un seul coup, il était sur elle, la tenait par les épaules, lui criait au visage, et elle rebasculait en plein désordre. Il faillit tomber, s'agrippa à une chaise.

– Mais écoute donc au lieu de ruer comme une démone! Je ne te demande presque rien: tu n'as qu'à dire que ces Iroquois m'ont attaqué et qu'ils m'ont emmené comme prisonnier chez les Anglais. Ils te croiront et, moi, je disparaîtrai à jamais de ta vie.

De nouveau Louise-Noëlle succombait à l'angoisse et étouffait sous la pression familière de la peur. Aussi, elle éclata: ses bras s'écartèrent pour lui donner de l'espace et elle se lança vers la porte. Louis Forté la rattrapa, lui ceignit la taille de ses deux bras. Pliée en deux pour lui opposer tout son poids, de ses talons elle lui martela les tibias. Il la serra davantage. Elle se redressa dans un mouvement violent qui le plaqua contre son dos et ses deux pieds quittèrent le plancher pour s'arc-bouter contre la cloison, puis, de toute la force de ses nerfs, elle se détendit. Sa poussée fut telle qu'ils furent tous deux précipités sur le plancher, elle par-dessus lui. Pour se relever, elle dut nécessairement se tourner sur elle-même et ainsi, pendant un moment, son visage se trouva tout près de celui de l'homme. Superbes, ses yeux fulminaient, et la colère donnait au grain de sa peau une pâleur accentuée qui, sous le halo noir de ses cheveux, lui composait une telle beauté que brusquement il la désira: il saisit sa tête à deux mains et l'embrassa goulûment. Elle se débattit et émit un son de bête qu'on égorge. Tout son corps se rebellait d'être ainsi étendue sur celui de cet homme et, du tréfonds d'elle-même, monta une nausée.

Elle allait se croire perdue quand elle se sentit soulevée et remise debout par la force de deux bras qui l'abandonnèrent aussitôt. Se retournant, elle découvrit Anjénim, impassible et posé, jambes un peu écartées, mains nonchalamment pendantes sur les hanches, au-dessus de Forté.

L'assaillant de Louise-Noëlle parvint à se relever sans quitter des yeux l'Indien. Tout en époussetant sa cape d'un geste altier, il demanda d'un ton ironique et méprisant :

– C'est quoi, *ça*?

Le Métis s'avança d'un pas. Le visage imperturbable, d'une voix très lente et très basse, il dit :

– Je suis Anjénim…

Louis Forté fit mine de repousser l'intrus de la main et de revenir vers la jeune femme. Tendant un bras en travers de sa poitrine, Anjénim, placide, lui barra la voie. Pendant un moment, les deux hommes se toisèrent. Bientôt, l'expression du Français se modifia, devint plus obtuse : on eût dit qu'il changeait d'idée et considérait enfin la situation pour ce qu'elle était, c'est-à-dire sérieuse, voire tragique.

Alors, il recula un peu et se mit en position de combat. La manœuvre laissa Anjénim de marbre.

Curieusement, Louise-Noëlle ne disait mot ni ne s'affolait outre mesure. Elle haletait légèrement, fixant la scène de ses beaux yeux.

Du dehors arrivaient des bruits légers mais distincts : les pas d'un cheval, le tintement régulier de la cloche de l'église Notre-Dame sonnant l'angélus, le chant d'un oiseau de brunante.

Pour la première fois depuis le jour où il était apparu devant le sieur de Gagné, Louise-Noëlle s'autorisa à observer Anjénim. Il l'impressionnait : il y avait sa taille – le Métis dépassait tout le monde d'une bonne tête –, il y avait son allure, il y avait ses yeux paisibles, il y avait ses longues mains, et il y avait, enfin, l'étrange sensation qu'il donnait d'être un homme tout à fait hors du commun.

Louis Forté bougea le premier. Baissant la tête, il fonça au ventre du Métis. Avec une rapidité foudroyante, Anjénim l'évita et reprit son immobilité, tandis que son assaillant roulait sur le sol et se relevait en jurant. Un éclair : une lame jaillit de la cape et elle fusa vers le Huron ; la main gauche de ce dernier partit à une vitesse invraisemblable et frappa la pomme d'Adam du Français. Elle frappa à deux reprises, deux coups si rapprochés qu'ils ne semblèrent qu'un. Et dans un mouvement imparable, il retourna le poignet de Forté : Louise-Noëlle vit la lame du couteau s'enfoncer dans la poitrine de son ancien amant, dont les gestes tantôt si rapides se firent d'une indicible lenteur. Ses bras retombèrent contre son corps, ses mains s'ouvrirent, ses épaules se voûtèrent. Au centre de sa poitrine, le manche du couteau vibrait encore de sa vie, mais cela ne le concernait plus.

Enfin, il s'affaissa, lentement, d'abord à genoux, vacillant. D'une main, il tenta de se retenir un moment, mais son corps choisit de tomber en avant. Son geste ramollit et il bascula avec un bruit mat sur le plancher de chêne.

Anjénim demeura de pierre. Les battements de son cœur s'étaient à peine accélérés et son regard gardait toute sa sérénité.

Louise-Noëlle, maintenant figée contre le mur, dominant de toute sa personne le corps de Louis Forté chu à ses pieds, fut peu à peu prise d'un tremblement qui se transforma bientôt en convulsions. Elle ferma les yeux de nouveau, mais dut les rouvrir pour échapper aux tourbillons qui battaient contre ses tempes. Elle aurait sans doute pu se contenir ainsi encore longtemps, mais l'arrivée de Joseph et de Vivianne, qui avaient accouru, alarmés par sa course folle à travers la ville, la ramena brusquement à la réalité, et cela provoqua la brisure qui fit céder sa tension.

Elle glissa dans un état d'abandon quasi total et des larmes silencieuses se mêlèrent à l'expression d'hébétude qui transforma son visage.

Joseph la cueillit alors qu'elle allait tomber sur le cadavre de Louis Forté.

Marie avait accompagné son père, mais était demeurée dehors en compagnie du frère Sylvestre, le cuisinier de l'hôpital des frères Charon, qui l'avait aperçue au moment où elle sortait du caveau à légumes et l'avait suivie jusqu'au magasin général.

Un peu dépourvus, ils attendaient que quelqu'un sorte de la maison pour les informer de ce qui s'y passait. À l'instant où Joseph se montra pour tenter d'expliquer les choses à Marie, celle-ci le devança :

– Là, regardez !

Un essaim de lucioles dansait tout près et faisait une trouée de lumière mouvante qui répondait, dans le noir, aux lueurs de la lampe à bec-de-corbeau que balançait le religieux.

– Lorsqu'elles dansent ainsi, on dit qu'un proche de la personne qui les aperçoit la première vient de vivre une grande délivrance, fit remarquer le frère.

Piqué d'une nuée d'étoiles scintillantes, le ciel aussi se réjouissait.

Chapitre XXII

Paris, 1726.

La lettre commençait ainsi :

Le sieur Olivier de Salvaye
au 12 de la rue des Longs-Chariots
à Paris, France

Monsieur,

Considérant le déplaisir que vous causera l'annonce que nous devons vous faire ici du décès ces jours derniers de votre mère, la très estimée Mme *de Salvaye, vous comprendrez que nous croyons convenable d'adopter un ton plus familier que celui usuellement dicté par notre charge.*

Nous n'avons pas, il est vrai, les mots pour dire ces choses qui attristent et il ne nous appartient pas de le faire. Mais considérant la responsabilité qui nous incombe chaque fois qu'un héritier de bas âge doit être administré, dans les circonstances nous devons nous permettre d'agir comme un proche de la famille et d'informer des pires nouvelles.

Sur le compte qui nous a été rendu par le médecin François Gaulthier, votre mère, âgée de soixante-six ans, aurait succombé à l'attaque particulièrement virulente d'un refroidissement qui s'en serait pris à ses poumons. Averti à temps, nous nous étions préparé pour aller à son chevet, mais, la même nuit, il avait tant dégelé que le chemin de Lachine était absolument impraticable. Au petit jour, il avait gelé de nouveau, et la malade était décédée, comme me le dit l'abbé de Belmont à son retour. Vous n'imaginez point le choc de la nouvelle qui nous laissa plusieurs jours en peine.

Aujourd'hui, nous nous rappelons notre devoir et vous écrivons. Avant de partir en grand voyage pour ne pas revenir, le grand-père de Marie Devanchy, dite Marie-Godine, le bailli Vadeboncœur de Gagné, avait cru devoir tout donner ses biens à votre mère : c'était à dessein de lui éviter toute malheureuse discussion autour de droits d'héritage. Il y avait là beaucoup de notre conseil, devons-nous dire, et vous êtes, nous le croyons, déjà connaissant de cet état des choses.

Six semaines précédant le grand malheur, madame votre mère nous avait fait visite pour tester de ces biens-là en faveur de ladite Marie-Godine, aujourd'hui une fille de treize ans, seule parente de sang dudit bailli. Ici dame de Salvaye a seule décidé et nous avons été honoré d'être l'instrument de tant d'équité.

Vous avez en Europe forcément tiré les traites dues au bailli et avez, nous avait-elle dit, fait fructifier les sommes. De ces dernières vous résulte, nous avait-elle dit aussi, une confortable fortune qui vous demeure et aussi les biens de votre défunt père naturel, le major, à vous transmis en parts égales avec votre sœur Louise-Noëlle.

Donc ce n'est pas tant à l'héritier que nous faisons quelque requête, mais à l'exécuteur testamentaire de la défunte, dûment nommé à ce titre aux termes de son testament exécuté devant nous le vingt-neuvième jour de février 1723 sous le numéro 3004 de nos minutes. Accepter la charge, faire serment de bien et fidèlement exécuter en conscience, puis veiller de fait à l'administration desdits nombreux et valables biens demandent votre présence en Canada, vous comprendrez bien. Mais votre vœu n'est peut-être pas de rentrer maintenant sans accomplir avant bien des démarches qu'appelle d'avoir resté six années en France. Aussi, vous pourriez déposer chez un de nos confrères français une procuration nous fondant de tous pouvoirs dans cette succession jusqu'à votre retour et ce que nous en disons est pour le bien de Marie-Godine et celui des affaires de la famille. En effet autrement la légataire mineure n'aura point maintenant bénéfice – même un peu – de son nouveau patrimoine et les affaires non administrées comme ça longuement pourraient bien faillir.

Nous ne pouvons nous dispenser de vous dire que beaucoup d'événements ont eu cours depuis votre départ, des événements heureux et d'autres moins et des événements de votre famille et d'autres de notre pays. Ils ont changé beaucoup de la vie d'ici et vous en trouverez la vôtre bien changée aussi. Je ne peux vous raconter tout le détail, et il est arrivé certainement bien des occasions pour vous d'être informé de tout cela.

Aussi croyez que…

Et la lettre du notaire Adhémar continuait sur une pleine page encore. Mais pour Olivier, l'essentiel était dit : la mort de sa mère. Pour le reste, il n'y voyait qu'affaires de notaire, suite logique et autres conséquences évidentes de l'événement principal. Des nouvelles du Canada, il en avait toujours eu régulièrement depuis son départ en juillet 1720. Le *Journal Étranger* et, surtout, le *Journal de Trévoux* des pères jésuites l'avaient bien informé au sujet des colonies et le *Mercure*, par ses analyses de l'administration coloniale, lui avait permis d'évaluer la considération qu'avait la métropole pour ses territoires éloignés.

C'était la tombée de la nuit et, depuis trois jours, il pleuvait sur Paris comme au plus fort de l'automne. Seul, dans l'immense salon vert de l'hôtel particulier que l'héritage de son père, cumulé aux créances de Vadeboncœur Gagné qu'il avait perçues, lui avait permis de louer, le fils de Marie-Ève se remémorait la beauté particulière du manoir du Bout-de-l'Isle quand, à la fin du jour, ses murs blancs retenaient les derniers rayons du soleil. Il l'imaginait au milieu du silence, juste avant que la brume du fleuve ne l'enveloppe, quand les grandes fenêtres de la terrasse reflétaient la douceur de la lumière, parfois rosée, du jour tombant. Au crépuscule, nimbé des couleurs du couchant, le manoir composait un tableau fabuleux.

Il se vit assis dans le cabinet de travail de son père adoptif, rempli de l'odeur un peu sucrée des bûches d'érable craquant sous les morsures des flammes du grand âtre, et il ressentit tout le poids d'un passé chaleureux.

Il eut grand-envie de fermer les yeux et de dormir sans déranger la moindre de ses pensées qui le ramenaient dans son pays, pour ne s'éveiller qu'une fois son retour préparé.

Le tambourinement de la pluie contre le toit d'ardoises d'un vestibule donnant sur la rue du Bac ressemblait à l'ennui mortel qui le minait depuis déjà quelques mois. Éteintes les lumières de la fête qui avait bien duré six ans, six ans au cours desquels il n'avait cessé d'éprouver un vif enthousiasme d'être à Paris. Ainsi, au début, l'émerveillement avait chassé de son esprit jusqu'à la dernière image de la Nouvelle-France. C'était comme si la colonie ne pouvait continuer d'exister quand la France l'accueillait avec toutes ses commodités, son éclat et l'urbanité si seyante de sa métropole. Ébloui par tant de lustre, il avait failli y perdre son bon sens. Les grands salons de la Régence ne lui étaient pas ouverts et il n'en avait cure : il se rabattait sur le faste des hôtels particuliers de la rue Mazarine. Il épiait, il écoutait, il regardait et, surtout, il acceptait les invitations de toutes les familles qui souhaitaient sa présence, car, dans la bourgeoisie oisive, un invité canadien constituait un morceau de choix à mettre au centre d'une soirée mondaine.

Il avait tellement plu depuis ces derniers jours que la nuit sentait l'eau, et l'humidité était d'une épaisseur telle que le courant d'air le plus faible donnait le frisson. Quelques bougies éclairaient encore le cristal des candélabres et les lueurs mouvantes d'une boulangerie en face mordoraient les luxueux vitraux de la bibliothèque.

Olivier devinait l'état de léthargie du manoir depuis la mort de sa mère. Un sommeil profond, un long hiver, devait le paralyser au milieu des terres du Bout-de-l'Isle. Il cherchait qui ranimerait la noble demeure après la mort de celle qui en avait été l'âme à la suite du départ définitif de Vadeboncœur. Dans sa grande peine, il confondait tristesse et remords : il éprouvait tout le chagrin d'un fils qui vient de perdre sa mère en même temps qu'il regrettait d'être si loin de son pays en semblable occasion. Son regard plongeait au loin, sans parvenir pour autant à cerner de façon précise la perspective des mois à venir où il allait devoir quitter Paris pour rentrer à Québec.

Une réflexion lui venait que souvent déjà il avait ressassée : l'impossibilité qu'il avait de vivre sa propre vie. Il n'existait que par les autres, mené par l'effet de causes multiples, le résultat de différentes entreprises extérieures, par la suite et la fin d'une histoire jamais sienne. Ainsi, il s'était exilé en France pour conjurer la faillite des affaires de Vadeboncœur, et maintenant il devait rentrer au plus tôt, à cause de celles de Marie-Godine...

Plus encore : si son histoire d'amour avec Jane allait bien, la sérénité de leur ménage était altérée par l'attitude des gens autour d'eux. Les Français, ennemis héréditaires des Anglais, évaluaient sans cesse à voix haute la présence de cette Anglaise dans les milieux bourgeois parisiens, jugeant la situation déplacée, inconcevable et même, selon certains, parfaitement irréfléchie. Certains lui avaient même reproché de faire courir à sa femme un tel risque... Oui, ils avaient parlé de risques !

L'annonce de la mort de sa mère venait en somme couronner une suite d'événements qui avaient pris son destin en main.

Il se leva.

La rumeur de l'eau mugissante dans les caniveaux donnait un fond de violence à la monotonie de la pluie. Devant les fenêtres défilaient des silhouettes à capuchon, courbées contre les gifles du mauvais temps.

Olivier se mit à arpenter la pièce, les mains dans le dos, lui aussi penché en avant, le visage concentré, comme pour y voir clair. Son côté vulnérable avait toujours été sa part gentille, son aspect sympathique, qui en faisait un être affable, acceptant les autres mieux que quiconque, sans jamais admettre pour lui-même que, souvent, il les subissait. Mais ses pas se raffermissaient, ses mouvements prenaient une certaine brusquerie. Il passa et repassa devant les colonnades stylisées des rayons de sa bibliothèque et sa sensibilité exacerbée se durcit : voilà qu'il se sentait mûr pour rentrer, décision qu'avaient préparée tous les événements de ses années européennes depuis le jour où *L'Heureux de Bayonne* avait accosté au Havre avec lui à son bord.

Il s'en souvenait très précisément.

C'était un matin éblouissant. L'océan avait viré au bleu à environ cinq lieues du continent et le cœur d'Olivier, qui avait aperçu le profil embarrassé du port, s'était gonflé comme les voiles que les gabiers se pressaient de carguer. La côte, rocheuse et inégale, avec des baies et des anses aux rives rapprochées, s'étirait de chaque côté de la rade dorée par le soleil et, derrière, au-delà de la forêt de mâts qui tanguaient légèrement, quelques dômes et clochers s'élevaient au-dessus d'une mosaïque de toitures.

Son être était au-delà de l'étrave du navire, qui filait, dans le calme percé du cri des mouettes sur son erre jusqu'à son mouillage, quand il vit qu'on déhalait une chaloupe : il s'en approcha afin d'être parmi les premiers à descendre.

En compagnie de sa femme et de ses deux fils, assis au fond de l'embarcation, derrière deux matelots à bonnet rouge qui souquaient de tous leurs muscles entraînés, il prit doucement contact avec le pays, avec ces gens qui déambulaient sur les quais, avec l'allure colorée des boutiques, magasins et autres entrepôts qui se profilaient entre les coques de bateaux.

Ayant franchi une tour de garde qui se dressait au bout de la jetée fermant la rade, la chaloupe toucha le pied d'une estacade et ils débarquèrent sur le sol français.

Malgré l'impatience du moment, Olivier resta planté au milieu de la foule qui montait à la rencontre des arrivants. Il entendit à peine le roulement des tambours qui, sur un fond de marche militaire, précédaient le détachement d'une douzaine de matelots d'une compagnie de la Franche-Marine qui ouvrait la voie à quelque personnage galonné.

Complètement absorbé par le spectacle et ému par le sentiment imprévisible d'avoir atteint un but qu'il ne se souvenait pourtant pas de s'être fixé, il éprouva une sorte de remords à l'idée qu'il trahissait déjà un peu ses origines en acceptant d'emblée d'être au centre d'un monde dont la colonie était le bout. Il regretta cette pensée au moment même, mais il n'en demeura pas moins convaincu d'avoir déjà compris que l'isolement de la colonie – contrairement à ce que croyait Vadeboncœur – ne tenait pas exclusivement à la longue période des glaces condamnant le Saint-Laurent, mais aussi à la densité de la vie en France.

Jane, Jérôme et Nicolas se tenaient eux aussi immobiles, un peu en retrait : si l'agitation du port les distrayait, ils n'y prêtaient pas davantage attention qu'aux activités des jours de foire à Ville-Marie. Leur père était plutôt leur point de mire : ils observaient avec des yeux à la fois curieux et fascinés l'attitude captive d'Olivier, comme s'ils assistaient chez lui à une sorte de transformation. L'expression aiguë de son visage, son regard fixe et le demi-sourire ravi de ses lèvres donnaient à penser qu'il était sous quelque charme.

Dès les premières paroles, l'accent français fit tiquer les colons. Ils avaient toujours parlé français, mais voilà qu'ici la langue leur paraissait différente. Les assonances précieuses, les syllabes séparées de façon nette et des emphases chantantes dans les expressions fleurissaient le français d'un accent cérémonieux tout à fait inusité. Et alors, Olivier se rappelant Thérèse Cardinal se tourna vers Jane et lui confia :

– Je me souviens que ma grand-mère avait cette parlure...

Quelque temps plus tard, la famille était installée à Paris. Olivier avait trouvé un appartement rue des Petits-Champs et, ainsi logé au milieu de la ville, il se donnait la peine de la parcourir de bout en bout, visitant tous les quartiers. Un mois après son arrivée, il était encore incertain sur les premières démarches qu'il devrait entreprendre pour ses affaires.

Serein et riche de son temps, il s'occupait à réfléchir et à lire les éditoriaux et autres dissertations qui débattaient de la question coloniale.

Les opinions s'opposaient souvent à partir des mêmes prémisses. Ainsi, si on acceptait les dépenses militaires de la colonie, plusieurs décriaient cependant l'établissement de forts dans la région des Grands Lacs, sous prétexte qu'ils provoquaient les Anglais. Et si, par ailleurs, on se ralliait sur un autre point important, celui du peuplement indispensable à toute civilisation, on en restait à la théorie, et cela, même s'il était admis que toute activité économique en dépendait. Pourtant, cette activité, agricole, commerciale, industrielle, était la seule voie de la réussite, le chemin vers les profits escomptés par la métropole pour alléger ses propres fardeaux financiers. Certains suggéraient même qu'on fournisse à la colonie des matières premières à transformer, comblant ainsi ses ressources, favorisant le développement de sa main-d'œuvre spécialisée et, partant, celui de son commerce intérieur. Ils appuyaient d'ailleurs leur plaidoirie en faveur d'une plus grande autonomie coloniale en affirmant que c'était pour la Nouvelle-France le moyen le plus certain d'en venir à assumer sa propre défense. Mais l'envoi de nouveaux colons n'était plus, et depuis longtemps, une priorité de l'Administration, qui admettait pourtant candidement que la faillite de la Louisiane résultait justement du nombre trop faible d'effectifs.

Toute cette rhétorique autour des colonies ne pouvait trouver d'écho auprès d'une métropole elle aussi menacée de faillite. En effet, la guerre de Succession d'Espagne avait épuisé le Trésor et, depuis la mort de Louis XIV, en 1715, les recettes du royaume ne pouvaient même pas satisfaire aux dépenses les plus urgentes. Et comme si cette situation économique catastrophique n'eût pas suffi, la France vivait son époque la plus folle, la Régence. Ainsi, pendant qu'on mourait de faim, dans les rues du quartier de l'Opéra, on donnait des bals tous les soirs. On s'y empiffrait et, surtout, on y buvait autant que se peut, la mode étant aussi aux beuveries. La folie ne s'arrêtait pas là : de nobles dames se battaient en duel pour les beaux yeux de leur amant, et les ecclésiastiques prenaient ouvertement maîtresse !

Dans tout ce fatras d'excès et d'emportements effrénés, on ne manifestait, bien sûr, guère d'intérêt pour les colonies, et la Nouvelle-France pouvait bien battre de l'aile qu'elle n'empêcherait pas Paris de battre la fête !

Quand même, il semblait à Olivier que, depuis la majorité de Louis XV, un vent de sagesse – oh ! une brise tout au plus – soufflait un peu de bon sens sur le vieux pays, et il prenait confiance en des lendemains plus raisonnables et moins inquiétants.

Il demeurait cependant lucide : à frayer avec eux, il apprit à bien connaître les Français. Il finit par conclure d'évidence qu'il n'était pas dans leur caractère d'émigrer, qu'ils étaient d'une race qu'on ne déracine pas et que les colonies n'avaient pour eux aucun attrait.

Il lui sembla ne plus entendre les crépitements de la pluie. Un gamin passait en courant et ses pas soulevaient des gerbes d'eau. Le ciel s'étant tu, la rue vibrait par endroits comme la surface d'une rivière sous le souffle de quelque brise et l'eau de pluie s'écoulait des gouttières et des gargouilles.

Après six années de vie européenne, dont cinq consacrées à l'étude du droit et à ses affaires, Olivier pouvait rentrer en Nouvelle-France. Demeurer plus longtemps dans le vieux pays, c'était l'adopter. Jusqu'à maintenant, cette perspective lui avait été indifférente ; mais la lettre du notaire Adhémar avait agité ses idées. Ayant accepté la nouvelle de la mort de sa mère et celle de sa nomination d'exécuteur testamentaire, il se serait reproché d'hésiter encore. Aussi, prenant une attitude fière, il conclut que dès le lendemain il entreprendrait ses préparatifs de départ. Il serait ainsi à Québec avant le prochain hiver.

Peu de jours après, la nouvelle de sa décision ayant atteint l'administration du ministère de la Marine, il y était convoqué. On lui donna raison de rentrer dans la colonie qui avait besoin de juristes, et par une commission portant la signature du roi – qui se réservait cette prérogative depuis 1675 –, on lui apprit sa nomination au sein du Conseil supérieur. Autrefois Conseil souverain, ce corps législatif, sorte de parlement composé de notables nés en Nouvelle-France qui siégeaient avec l'intendant, était investi, entre autres, du rôle de rapporteur officiel des sentiments, des vœux et des doléances de la colonie auprès du roi.

Ces visées se concilièrent tout à fait avec les ambitions nouvelles d'Olivier.

Chapitre XXIII

1726, à Louisbourg.

Un instant il sembla à François qu'il voyait flotter le drapeau au-dessus du bastion Dauphin et qu'il entendait les eaux du port heurter les remparts. Il fronça les sourcils : le vent allait-il de nouveau empêcher *La Patience* de mouiller dans la rade ? La veille encore, il avait failli pousser le navire contre le phare dominant l'entrée du port. À Louisbourg, jamais on n'avait connu de semblables bourrasques en mai.

Il était à peu près cinq heures du matin et François se tenait devant la fenêtre de la minuscule chambre de sa maîtresse, la belle Murielle Gagné. Des bancs d'une brume bleuâtre flottaient au-dessus des murs de pierre, et des teintes d'or à l'horizon annonçaient le lever imminent du soleil. Bleus également, les uniformes des soldats de la patrouille de nuit tranchaient sur le rougeoiement du feu du poste de garde, près des portes de la ville. Arpentant les défenses, mousquet en bandoulière et tricorne sur la tête, les silhouettes des sentinelles qui avaient pris leur quart à quatre heures inquiétèrent François : ils s'étaient enveloppés dans leur cape de cuir et donnaient ainsi à croire que l'humidité était telle qu'on pouvait redouter une journée pluvieuse.

Le jeune homme soupira. Son corps nu se détachait dans la pénombre, comme la forme immobile d'un objet familier placé devant la fenêtre pour retenir la nuit : aucune des lueurs de l'aube ne pénétrait dans la chambre baignée d'une moiteur de sommeil.

Les mains croisées sous la tête, le visage fripé par les plis de l'oreiller, nue elle aussi mais cachée par les couvertures, Murielle observait mollement François entre les cils de ses yeux entrouverts. Se refusant de bouger, elle entretenait sa somnolence pour que, lorsque le jeune homme la rejoindrait et la presserait contre lui, qu'il la caresserait avec toute l'application de l'amant reconnaissant du plaisir qu'il allait prendre, elle puisse aisément se laisser dériver dans un état plus onirique encore. Voluptueuse, elle s'alourdissait de langueur, et son souffle devenait plus lent et plus chaud.

François se retourna, s'éloigna de la fenêtre. L'or qui ouvrait le ciel vint se refléter au-dessus de la tête du lit. Murielle eut un geste tout simple qui libéra sa poitrine et le goût de la peau de la jeune femme enflamma François avant même qu'il ne la touche. Elle geignit de bien-être en lui ouvrant les draps et il s'allongea contre elle. La chaleur d'un corps de femme l'avait toujours émerveillé. En moins de rien, la tendresse devint passion et, quand il roula sur le dos à côté d'elle, il s'enlisa presque dans la torpeur béate de ses sens repus.

Mais cette journée était trop importante pour François : il se leva aussitôt. Murielle, le corps recroquevillé en chien de fusil pour conserver sa chaleur, le regarda à la dérobée. Quelque chose de sauvage émanait de lui et certaines femmes, dans ce milieu fermé où les intrigues se fomentaient à partir d'un mot, d'un regard, souvent inconscient, innocent, succombaient aisément à ce charme brut. Pourtant, il avait gardé ses airs de jeunesse fragile et on devinait toute l'émotivité de son caractère sous ses allures nonchalantes. Sourcils légers au-dessus de prunelles claires, bouche particulièrement régulière, souvent on aurait dit que son expression devenait butée sous l'effet de quelque révolte contenue.

En fait, il continuait de considérer avec ressentiment son métier de soldat: s'il était fait pour l'armée, il n'était pas fait pour la guerre. Le combat, la haine forcée, les souffrances et la mort lui donnaient tort d'être sur quelque champ de bataille, et le poids d'un remords, abstrait mais lancinant, l'écrasait chaque fois impitoyablement.

Murielle ne connaissait rien de cette lutte intérieure. Seul le côté séducteur de François l'intéressait et, après l'amour, les états d'âme de son amant ne lui importaient guère. Plus tard, quand *La Patience* s'ancrerait dans la rade, elle irait probablement le rejoindre sur les quais, mais, pour l'instant, elle allait bien dormir encore un peu, car elle aimait dormir satisfaite.

François l'aimait à sa manière, c'est-à-dire sans profondeur. Femme des plus désirables, agréable à vivre et intelligente, elle lui plaisait tout à fait mais sans susciter chez lui un emportement affectif capable de l'émouvoir vraiment. Seule Vivianne avait su le transporter au-delà de la raison, et on aurait dit que, depuis qu'elle avait épousé Joseph Devanchy, il allait d'une femme à l'autre, ayant pour chacune d'elles une tendresse ardente mais jamais d'amour réel. C'étaient elles, ou c'était lui, mais leurs relations devenaient vite ordinaires et, déçu, il se désintéressait. Il lui arrivait de croire que, tant qu'il resterait soldat, il en serait ainsi et souhaitait de plus en plus rentrer à Québec. Il pourrait y refaire sa vie, dans le commerce par exemple. Et il pourrait se rapprocher définitivement de cette gamine qu'il avait vue naître, qui lui manquait comme un passé dont il ne pouvait émerger vraiment, Marie-Godine qu'il imaginait courant nu-pieds dans les rues de la basse ville. Oui, il lui semblait que vivre à Québec, près d'elle, pourrait faire son bonheur et chasser ses obsessions. Mais il n'aurait pu obtenir sa démobilisation et il le savait : la menace d'une invasion anglaise était une réalité quotidienne, Louisbourg était le premier moyen d'y faire face et l'Administration interdisait donc toute désaffection des militaires en poste sur l'île Royale.

Devant une petite commode, tournant le dos à Murielle qui l'observait distraitement, il s'aspergeait le visage à pleines mains. Puis, dégoulinant, il entreprit de se raser.

Il demeurait silencieux. S'il avait ouvert la bouche, il aurait sans doute pu parler de ce qui l'agitait intérieurement, mais il ne le voulait pas ; une certaine gêne l'empêchait de partager ses secrets avec Murielle : pour lui, elle demeurait une étrangère.

Au fond, il jubilait : Olivier allait débarquer à Louisbourg, glorifié de sa récente nomination au Conseil supérieur par Morville, le ministre de la Marine et responsable des colonies. Cet honneur rejaillissait sur François et le grandissait au sein de cette communauté close qu'était la ville-forteresse.

Louisbourg était dotée d'un port international de commerce et de pêcheries, et François était maintenant capitaine. On l'avait désigné pour accueillir l'illustre visiteur.

Par la fenêtre ouverte, un courant d'air inondait la chambre d'odeurs – boue du sol, sel de la mer, humus des champs, fumée aigre des feux qu'on laissait s'éteindre – et de bruits familiers, rassurants – chants de coqs, voix de sentinelles, pas mouillés des chevaux et battement aigu du marteau du maréchal-ferrant, dont la boutique était située juste en face. François se fit la réflexion que la vie matinale était plus sonore que celle du jour, comme si le matin se devait de rompre de façon nette avec les silences de la nuit. Cette idée ne lui était pas nouvelle : souvent il se levait avant l'aube pour assister au spectacle grandiose d'une journée naissante et, chaque fois, il en tirait une exaltation optimiste.

Au moment de sortir de la chambre, il regarda Murielle. C'est vrai qu'elle était jolie avec son visage gai et ses deux fossettes aux joues. Il revint vers le lit et posa un baiser sur le front de la jeune femme qui soupira d'aise.

Dehors, la rue de l'Étang l'accueillit dans un bain de soleil et il remarqua que les doubles volets des fenêtres bâillaient, avides d'air et de lumière. Sur cette artère, les entrepôts alternaient avec les résidences – celles des riches comme celles des pauvres, car, dans cette ville fermée, les classes sociales vivaient pêle-mêle – et les estaminets. Très tôt le matin l'activité y était grouillante.

François croisa un peloton de sentinelles qui rentraient dormir après une nuit passée sur les remparts. À leur tête, un jeune sergent – la population de la ville était composée en majorité de personnes de moins de vingt-cinq ans – le salua en soulevant son tricorne d'apparat:

– Contrairement à ce qu'on aurait cru, voyez-vous, la journée va être belle.

– Je le crois aussi…

François leva les yeux vers le ciel où s'estompait dans le bleu les dernières teintes de gris.

– … et ce sera même une très, très belle journée!

Plus loin, des enfants s'amusaient à tracer des rigoles et ils y faisaient flotter des copeaux d'écorce que le courant emportait. Ils tapaient des mains, couraient dans le désordre et leurs rires fusaient. Les enfants de Louisbourg étaient choyés: on les aimait à outrance, au point que les enfants des uns étaient tout autant chéris par les autres et que même les célibataires assumaient volontiers les responsabilités parentales de la communauté. C'est pourquoi les boutiques de la rue Orléans offraient hochets, bateaux, toupies, poupées et autres jouets ainsi qu'un vaste choix de vêtements et de chaussures destinés à tout ce petit monde qui enchantait l'ambiance trop souvent lourde de la ville fortifiée.

Il traînait dans l'air de ce matin-là une odeur de four à chaux, dans lequel on brûlait le calcaire à mortier. Cela confirma l'immobilité du vent et rassura tout à fait François sur le temps qu'il ferait. Lorsqu'il arriva au coin de la rue Orléans, avant d'entrer dans la taverne de Pierre Norm, il jeta un coup d'œil en direction des remparts: le gros de ces défenses n'était encore qu'un ensemble bariolé d'échafaudages fourmillant d'ouvriers, pour la plupart des militaires qui devaient quotidiennement troquer leur baïonnette pour la truelle afin que ces fortifications – les plus imposantes en Amérique du Nord – soient complétées dans les plus courts délais. En 1714, alors que seulement une infime population de pêcheurs s'égrenait dans un chapelet de petits villages le long du littoral de l'île du Cap-Breton, l'Administration, à la suite de la signature du traité d'Utrecht, avait décidé d'établir à Louisbourg cette forteresse gardienne de la porte Est du Canada. François avait été parmi les premiers militaires à débarquer dans ce bourg de quelques maisons coincées entre les rives du golfe Saint-Laurent et une forêt d'épinettes, depuis transformé en ville d'avant-poste de la civilisation française.

Entre la ville et le port se dressait la citadelle et François vit avec bonne humeur que le drapeau français y dormait encore contre son mât. Sans crier gare, trois poules affolées vinrent se heurter contre ses jambes et furent prises en chasse par une petite fille piaillant plus fort qu'elles. Puis un groupe désordonné de grandes personnes poursuivirent dans l'allégresse les volatiles, pour tenter de les soustraire à l'appétit des nombreux renards qui rôdaient. Ce tumulte occupait toute la largeur de la rue et repoussait sur les banquettes les lavandières à la peau noire qui, les bras chargés de linge sale, se dirigeaient vers la porte Dauphine pour descendre ensuite vers les ruisseaux. Esclaves importées des Caraïbes lors de certains échanges commerciaux, ces femmes appartenaient aux plus riches des commerçants qui les traitaient avec certains égards, et il n'était pas rare qu'elles soient affranchies, qu'elles se marient et même qu'elles acquièrent de la propriété foncière.

Autour de François toute cette vie – les voix qui s'entremêlaient, les rires qui cascadaient, les mouvements qui se précipitaient – et ce décor de façades, bois ou pierre, aux fenêtres à carreaux multiples, dont l'une laissait filtrer depuis quelques instants une alléchante odeur de boulangerie, n'étaient rien d'autre que le réveil habituel de cette petite agglomération de moins de deux mille personnes. Cependant, cela rendit le jeune capitaine de bonne, de très bonne humeur.

Il traversa la rue, pénétra dans une taverne. S'il se trouvait à Louisbourg maintes auberges et hostelleries pour accueillir confortablement pensionnaires ou clients de passage, la taverne de Pierre Morin était un établissement des plus démocratiques : une grande cuisine aménagée simplement, quelques tables, des chaises et des fauteuils disposés autour de la cheminée de pierre, où se réunissaient régulièrement les amis du propriétaire pour jouer aux cartes devant une bouteille de rhum. François mit plus de temps pour s'apprivoiser à la pénombre qu'il n'en mit pour s'apercevoir que la place était comble. Le brouhaha était tel qu'on aurait pu croire à quelque événement d'importance ou, mieux, à l'annonce récente de quelque catastrophe. Il s'y trouvait surtout des pêcheurs, portant déjà à cette heure leur lourd tablier de cuir, et des soldats, tout fiers du faste de la journée qu'ils allaient vivre. Cette ambiance chaude influa encore sur l'humeur de François qui choisit cependant de s'en éloigner.

Il sortit.

Place d'Armes, de jeunes garçons revenaient du puits chargés de seaux de bois. Une voix s'élevant du groupe l'interpella :

– Capitaine Regnault !

C'était le soldat Le Moine, un joyeux drille débarqué dans l'île pour servir comme tambour, puis gradé soldat sous les recommandations de François, justement. Bon bougre, habile à frayer avec plus galonné que lui, sa réputation de tête heureuse et de bonhomie faisait de lui en quelque sorte la coqueluche ou, plus exactement, la mascotte de la ville. Il se tenait au milieu de la place et, de ses bras déployés, il saluait le capitaine avec force gestes.

– Vous venez à l'auberge ?

– J'y viens, oui…

Et ils entrèrent ensemble dans l'établissement de Nicolas Deschamps, l'auberge la plus réputée de Louisbourg. Bien tenue par le propriétaire secondé par sa femme et plusieurs serviteurs, tout le gratin de la ville la fréquentait : les nobles – issus de la petite aristocratie provinciale française –, les officiers et les représentants de la bourgeoisie. De plus, les commerçants avaient l'habitude d'y rencontrer leurs clients d'outre-mer, les négociants d'y signer d'importants contrats de fournitures et, bien sûr, c'était le lieu désigné pour les festivités sociales.

François commanda pour lui-même et son compagnon un petit-déjeuner de pain et de saucisses, et Le Moine se mit en frais de commenter l'arrivée du magistrat Olivier de Salvaye.

– Un magistrat qui est né ici, en Nouvelle-France, ça, c'est bien ! Il va comprendre des choses…

Il vous parlait en plissant les yeux, puis soudain son visage se détendait, et il vous souriait candidement. Ses propos volaient bas, s'alimentaient aux rumeurs que, souvent, il avait lui-même lancées. Mais il s'agissait, la plupart du temps, de ragots joyeux, exempts de mauvaises intentions.

– À moins qu'ils n'aient compris autre chose, en France…

– Vous voulez dire ?

– Rien. On verra.

Mais François se devait d'être plus circonspect, il s'adressait à un simple soldat. Aussi rectifia-t-il sa réponse :

– Le fait d'être né ici mais de connaître parfaitement les intentions coloniales de la métropole devrait lui permettre de bien comprendre et servir les intérêts de la Nouvelle-France.

Le Moine acquiesça de la tête, puis François le vit qui se renfrognait, adoptait un air humble, embarrassé, et demandait, sur le ton de la confidence gênée :

– Est-ce que sa femme n'est pas Anglaise ?

– Elle l'est en effet. Pourquoi ?

– Ben… Vous savez…

Oui, il savait. N'étaient-ils pas là, tous, à cause des Anglais ? Ne souhaitaient-ils pas tous les jours les voir se présenter devant la ville, se briser contre cette forteresse et se tenir ensuite pour dit que jamais ils ne conqueraient la Nouvelle-France ? Alors, qu'une Anglaise pénètre à Louisbourg par la porte d'honneur, qu'on lui présente les armes, qu'elle siège aux côtés des notables dans un dîner officiel…

La fumée des pipes de plâtre flottait dans le soleil et donnait à la lumière une texture presque palpable. Des serveurs s'affairaient entre les tables, tenant haut les plateaux chargés de boissons et de mets chauds. Nicolas Deschamps veillait d'un calme imperturbable au service, se penchant parfois pour recueillir quelque commande qu'il allait remplir lui-même à la cuisine.

Le Moine, poursuivant le vol de son idée, revenait à la charge :

– Voyez-vous, je vais vous dire une bonne chose...

Et après s'être essuyé la bouche du revers de la main pour faire tout à fait sérieux :

– Il y en a plusieurs ici qui se sont déjà battus contre les Anglais et ils espèrent tous les jours avoir l'occasion de remettre ça. Vous savez comment c'est : un soldat a besoin de haine pour combattre l'ennemi et un tel sentiment reste dans le cœur bien longtemps après la bataille. Prenez Arthur Lebeau par exemple. Il était à la bataille de Haverhill et ils l'ont fait prisonnier. Il s'est échappé pendant l'hiver et il a failli mourir gelé. Rendu ici, il a fallu lui couper trois doigts : ils étaient gangrenés jusqu'à l'os ! Vous pensez qu'il va saluer avec bonheur une Anglaise débarquant ici ? En tout cas, moi, je pense qu'il faut pas trop y compter, même que ce serait pas mal imprudent qu'il puisse seulement l'approcher, la dame.

Et après un court moment de silence :

– C'est dangereux pour elle de venir ici. Voilà ce que je veux dire...

François se retint de répondre. Lui aussi s'était battu contre les Anglais et le souvenir d'une bataille, en particulier, demeurait incrusté dans son corps : un coup de baïonnette à la hanche le brûlait encore les jours de grande humidité, fréquents dans cette ville portuaire, et c'était à cause de cette blessure qu'il boitait un peu maintenant. Pourtant, ses idées concernant les Anglais étaient moins catégoriques que celles de Le Moine : il prenait le temps de se convaincre qu'ils étaient des gens ordinaires et que seules les circonstances de l'histoire les dressaient contre eux, les Français. Bien sûr, il ne pouvait s'ouvrir de ces vérités sans passer pour un faible aux yeux des militaires.

Son visage se voila ; seuls ses yeux continuèrent de ciller dans le cru de la lumière, et il dit :

– Il ne faudrait pas prendre tous les Anglais de l'univers pour des ennemis...

À cette remarque, Le Moine, comme un oiseau touché, perdit tout élan et toute aménité. Lui aussi portait des souvenirs déterminants. Il sembla réfléchir un moment, ou ressasser quelque hargne, puis il choisit de hausser les épaules ; il n'allait quand même pas discuter l'opinion de son capitaine. François perçut la frustration du soldat mais se tut : il ne pouvait se risquer à saper ainsi son autorité et la différence due à son grade.

Le silence s'installa entre eux.

Peu à peu, les yeux de Le Moine redevinrent paisibles, et il sourit de nouveau, mais d'un sourire un peu contraint. Il allait entamer de nouveaux propos, lorsqu'un mouvement se fit vers la sortie, comme si, soudain, tous les clients décidaient de partir en même temps. Dans le bruit des chaises qu'on tire, qu'on pousse, et des tables qu'on bouscule au passage, on ne s'embarrassait pas de manières, renversant les gobelets et abandonnant les assiettes pleines, pour se précipiter à l'extérieur.

Concluant de cet emportement que *La Patience* s'ancrait dans la rade, François et son compagnon laissèrent passer l'orage avant de se lever à leur tour.

Dehors, il ne restait plus du tout d'aube au fond du jour et la population entière, semblait-il, courait en direction du port. Il n'était pas inusité pourtant de voir débarquer des étrangers, car les marées apportaient quasi quotidiennement des navires venus de Québec, des Îles et de France. Non. C'était, pensait François en se gonflant d'un légitime orgueil, à cause de la qualité de ce visiteur, ce magistrat membre du Conseil supérieur, Olivier de Salvaye. Une effervescence passionnée animait la foule en marche et François, se rappelant les propos de Le Moine, se mit à espérer qu'elle ne devienne pas clabauderie à l'endroit de Jane, l'Anglaise... Que cette dernière, toute délicate, ne se retrouve pas brusquement au centre d'un forum confus, agressif. Réflexion faite, il estima raisonnable de croire que, pour exister, ce genre de révolte nécessitait l'alliance des opinions. Cela ne risquait guère de se produire à Louisbourg, un monde en dehors du monde, où chacun n'était vraiment que lui-même.

Ayant franchi les murs de la ville par la porte du bastion Dauphin, François prit le chemin étroit reliant la ville à la Citadelle, entre les tas de sable qui alimentaient le four à chaux, et suivit le mur de pierre qui fermait la campagne entre la péninsule du port et la mer. Le soleil enflammait la pointe du clocher de la chapelle Notre-Dame-des-Anges, dressé au-dessus de la caserne, et le jeune capitaine pensa traverser le pont-levis et pénétrer dans la cour intérieure pour aller se recueillir. Mais sa belle humeur le portait, et l'idée de s'agenouiller sur un plancher de bois pour prier s'opposait à son entrain. Il se rendit donc à l'entrée du quai principal, à l'extrémité duquel la vue d'un pilori aurait pu ternir ses idées si les exécutions n'étaient pas devenues impossibles depuis que la population de Louisbourg en avait chassé Antoine Banc, le dernier des bourreaux qui ait vécu sur l'île. La seule sentence effective demeurait donc le bannissement, l'emprisonnement n'étant qu'une mesure provisoire à l'encontre de ceux en attente de procès. Ainsi la ville se débarrassait-elle de ses criminels au fur et à mesure de leur condamnation, sans devoir subir le spectacle morbide de leur exécution.

L'haleine saline qu'exhalait la mer se confondait avec celle des morues qui séchaient sur les claies, et des mouettes paresseuses planaient au ras de l'eau, puis des quais, avant de battre mollement des ailes au-dessus des toits d'ardoises. Leurs cris déchiraient l'immensité du matin et le phare dominant l'entrée du port, fier au milieu d'un essaim de petites embarcations, renvoyait des éclats de soleil qui papillotaient entre les chaloupes mouvantes à bord desquelles des pêcheurs fumaient tranquillement leurs pipes.

François remarqua que les femmes s'étaient regroupées sur la grève, se détachant des hommes rassemblés, de leur côté, sur les quais. Sur la grande jetée à l'extrémité de laquelle viendrait accoster *La Patience* (son fort tirant d'eau lui interdisant de s'approcher davantage des soldats), un groupe d'esclaves, sous les ordres d'un lieutenant chamarré, rangeait des barils de lard salé, d'huile d'olive, de brandy et de vin ainsi que des sacs de graines, de pois chiches et même de plumes pour les oreillers, autant de marchandises tout juste débarquées des barges qui les avaient chargées aux cales du navire français.

Serrant les dents, le commandant Bellefond bouillait d'impatience devant la lenteur des préparatifs et, derrière lui, dans le désordre, une patrouille n'attendait qu'un espace bien dégagé pour former les haies d'honneur qui allaient encadrer le sieur Olivier de Salvaye et sa suite lorsqu'ils poseraient le pied à terre.

Digne et indifférente à tout ce branle-bas, *La Patience* avançait, poussée légèrement par la force fragile de la brise matinale qui gonflait sa misaine. Sur le premier pont, du gaillard avant au gaillard arrière, des matelots s'affairaient à préparer le débarquement pendant que d'autres grimpaient aux haubans pour assujettir solidement les grandes voiles aux vergues. Au fur et à mesure que le bâtiment approchait, François, les yeux plissés et une main en pare-soleil, scrutait la dunette avant et distinguait peu à peu des tricornes à plumes blanches, le rouge d'un manteau de femme, une grappe de petits personnages, sans doute des enfants. Quand le bateau fut assez près pour qu'il reconnaisse Olivier au milieu de la cour d'officiers qui l'entouraient, le canon de la redoute Saint-Louis tonna. Mû par quelque réflexe militaire, le jeune capitaine se retourna. Il vit un pâle nuage de fumée blanche qui s'évaporait au-dessus de la redoute et aperçut, marchant d'un pas décidé, Murielle qui venait le rejoindre.

Qu'elle était belle! Ses yeux pétillaient, sa poitrine provoquait, toute sa personne invitait. Mais François n'avait vraiment rien en commun avec un être aussi exubérant, dont la sensualité brusquait la tendresse et dont l'amour appelait davantage le plaisir que l'affection. Il l'observait en ressaisissant tout son sang-froid, afin de l'accueillir avec cette nonchalance dont il usait pour déguiser sa sensibilité, et quand elle fut près, il lui entoura les épaules d'un bras:

– Tu sais choisir ton moment: on aurait pu croire que c'est pour toi que tonnait le canon.

– Mais c'était pour moi, tiens! Que vas-tu penser, que j'ai moins d'allure que le rafiot qui s'avance?

Elle rit en envoyant sa tête par en arrière, faisant ainsi pointer ses seins. Elle semblait le défier, elle voulait le forcer à rire lui aussi, à laisser tomber son masque, mais elle fut distraite par le bruit rocailleux de deux roues de bois sur les pierres. Sur la grève, deux pêcheurs qui conversaient en basque poussaient une charrette de poissons qui semait un trait mouillé, et cette scène tranchait avec la tension qui tenait tout le port.

Enfin, *La Patience* accosta. On jeta la passerelle et, en son prolongement, les deux haies d'honneur, maintenant parfaitement alignées, se mirent au garde-à-vous. C'était le moment qu'attendait le gouverneur de la place, le lieutenant Saint-Ovide, pour sortir du bâtiment du Trésor, ce long édifice à deux étages, de pierres et de mortier, dont il avait fait sa résidence.

François se souvint alors de son rôle et quitta Murielle pour aller se joindre à la noble délégation.

Tard dans la soirée, François, enfin seul avec Olivier, devait se rappeler tous les détails de cette journée mémorable, du plus banal au plus inoubliable.

Ils étaient dans un cabinet bellement décoré de l'appartement réservé aux visiteurs de marque. Jane avait laissé les deux hommes à leurs confidences et dormait déjà dans la chambre attenante à celle, beaucoup plus grande, où on avait couché les deux garçons. Tout compte fait, pour des gens dont l'anglophobie était le devoir, les habitants de Louisbourg lui avaient manifesté une étonnante sympathie. Il s'était même trouvé une femme pour lui tendre sa cape de laine, en prétextant que le climat des vieux pays avait sans doute fait oublier à la femme du magistrat qu'en Nouvelle-France le fond de l'air est encore frais au début de mai. Jane avait accepté le vêtement, l'avait passé par-dessus son joli manteau rouge, au tissu effectivement trop léger, et son geste avait soulevé un mouvement d'approbation autant par sa simplicité et sa spontanéité que par la sincérité qui semblait l'animer. Certains avaient voulu croire qu'elle endossait par là l'amitié qu'on lui offrait, pour s'en faire une cuirasse contre toutes les attitudes mesquines qu'elle risquait de connaître bientôt.

« À ce moment-là, tout était vrai, j'en suis certain. »

François revivait vraiment la scène et, même si elle faisait partie d'un tout, il ne s'imaginait pas un instant que cette manifestation chaleureuse envers Jane tenait aux circonstances particulières de son arrivée.

– Es-tu heureux ici ?

La question d'Olivier désarçonna François. Qu'est-ce que cela avait à voir ? Il ne s'en apercevait pas, mais son oncle le trouvait fébrile, anxieux.

– Oui. Enfin...

– Enfin ?

Est-ce que cela avait seulement de l'importance ? François était soldat, capitaine à Louisbourg et militaire pour la vie. On le lui avait assez répété. Alors, on pourrait toujours parler, on pourrait toujours lui demander s'il était heureux ou pas, ça ne voudrait rien dire, demain serait comme hier.

– T'en es pas sûr ?

Si le ton d'Olivier était à la plaisanterie, il ne souriait pas. Retrouvant chez François le même entêtement, le même état d'esprit figé, il sentit que ce dernier demeurait soldat contre son gré, s'y obligeant sans doute par respect de ses choix antérieurs. Et Olivier connaissait parfaitement ce genre de sentiment en désaccord avec soi-même.

Quatre lampes à huile éclairaient la pièce, et les deux hommes avaient chaud, trop chaud, à croire que c'était à cause de la graisse animale qui flambait et dont la lumière les frappait en plein. Olivier avait entrouvert les volets de fer de sorte qu'il leur parvenait les voix confuses d'un poste de garde tout près.

Il ne savait trop de quoi serait faite la suite lorsque, le lendemain, il quitterait l'île Royale pour rentrer à Québec. Chose certaine, il allait devoir se présenter devant le marquis de Vaudreuil afin d'être accrédité en tant que membre du Conseil supérieur et pour que lui soit assignée une résidence à la haute ville. Une idée lui était venue tout à l'heure qui lui semblait de plus en plus adaptée au caractère de François :

– Dis-moi, François, et si je te ramenais à Québec ?

Pourquoi François pensa-t-il alors à Marie-Godine ? De l'extérieur, il sembla hésiter, mais ses pensées se bousculaient. Voilà qu'il lui devenait possible de la revoir. Derrière ses années militaires, il revoyait une enfant le dévisageant, les coudes de chaque côté de son assiette sur une table de bois rugueux, et qui lui demandait, dans un sourire :

– Tu m'aimes-tu, mon oncle ?

Et ce sourire l'entraînait dans une émotion intense. Il revoyait l'été, les champs de l'ancienne seigneurie du Bout-de-l'Isle, les vagues chaudes des blés au soleil, la luminosité miraculeuse du fleuve étale.

– Je parle de te prendre comme aide de camp. Je dois choisir un militaire de carrière… J'aimerais que ce soit toi.

Cette fois Olivier sourit, sourit avec une candeur que François prit pour de la tendresse, ce qui le gêna.

On avait souvent dit au jeune homme comment la vie pouvait être compliquée et il découvrait maintenant comment elle pouvait être changeante. Il pensa soulever quelque objection pour la forme, mais décida plutôt de se réjouir, sans attendre. On n'avait même pas parlé du long séjour d'Olivier en Europe, et ce dernier ne s'était même pas encore enquis des nouvelles de la colonie que déjà on se réjouissait de lendemains qui chantent.

Ils restèrent un bon moment silencieux, ce qui les rapprocha. Les mêmes réflexions les assiégeaient: ils se voyaient à Québec, goûtaient par anticipation au plaisir de revenir à ce qu'ils avaient été. De temps en temps, une silhouette interceptait les lueurs du feu du poste de garde en passant devant les fenêtres, et il s'ensuivait des bruits de pas qui allaient s'estompant. L'auberge de Nicolas Deschamps, la taverne de Pierre Morin, tous les estaminets et buvettes de la ville devaient encore être bondés à cette heure, la population ayant pris la visite du sieur de Salvaye comme prétexte à faire la fête.

Machinalement, Olivier se leva. Il aperçut de la fenêtre un couple qui longeait la façade du bâtiment du Trésor, et il lui sembla que la femme (blonde, à ce qu'il pouvait en juger dans la pénombre) se retournait comme pour voir si on les épiait. Il se demanda qui déjà lui avait dit que la vie de tous était une tragédie: chacun son drame, chacun ses peines et chacun sa peur de vivre.

Avec François à Québec, il garderait au présent une part de passé et éviterait ainsi de devenir quelqu'un d'autre, une sorte de personnage imbu de l'importance de sa charge. Il éviterait de plonger dans un avenir tout à fait inconnu.

François continuait de réfléchir dans une attitude à la fois attentive et résignée. Au bout d'un moment, il se leva à son tour, vint se planter près de son oncle devant la fenêtre et lui dit :

– Il faudrait me donner un ordre écrit. Je le porterai tout de suite au commandant Bellefond. Et demain, je partirai avec vous !

Ses yeux brillaient de contentement. L'émotion infléchissait le ton pourtant militaire de sa voix.

Il allait quitter l'île Royale, Louisbourg où il était resté un étranger. Il pourrait oublier d'être soldat sans chercher à savoir s'il était brave ou téméraire, et pourrait se contenter d'être heureux sans devoir pour cela conquérir quelque galon. Oui, il allait se libérer de ses mille et une questions sans réponses et apaiser définitivement ses obsessions.

Les deux hommes veillèrent tard dans la nuit.

Ils s'entretinrent à propos de Marie, admettant combien le personnage, sans analogue dans leur vie, avait sur eux l'influence imparable de la destinée. Ils parlèrent aussi de Louise-Noëlle et de la mort de Louis Forté. Puis, François raconta la fin mythique d'Anjénim, qu'il avait apprise de voyageurs venus de Ville-Marie.

Au début du mois d'avril, alors qu'on croyait l'hiver achevé, une imprévisible tempête de neige s'était abattue sur l'île de Montréal. Pendant deux jours et deux nuits, il était tombé pas moins de six pieds de neige, les rafales soufflant des bancs deux fois plus hauts ! Montréal n'existait plus : ne restait qu'un paysage blanc de vallons et de plats qui se succédaient uniformément.

Quand la ville avait commencé à s'ébrouer et que les habitants, armés d'abord de pelles, puis aidés de grattes tirées par des chevaux, avaient émergé de tout ce blanc et repris peu à peu une vie normale, Guillaume Larolandière et son fils, Christophe, étaient sortis en forêt pour surprendre quelques lièvres. Ils avaient fait à la fois la plus bizarre et la plus extraordinaire des découvertes : à demi nu et la peau rosie par le froid, immobile comme une statue, à l'exception de ses cheveux légèrement agités par la brise, Anjénim se tenait debout, dressé contre un arbre.

Pendant un bon moment, le père et le fils, aussi stupéfaits l'un que l'autre, étaient demeurés interdits. N'osant s'avouer mutuellement qu'ils doutaient de leurs sens, tous deux avaient bien failli s'enfuir à toutes jambes. Mais, alors qu'ils hésitaient encore, le vent avait viré, il s'était produit un brusque changement de température et le ciel s'était couvert de nuages. En moins de rien, il s'était mis à tomber des trombes de pluie.

– Faut pas oublier que c'était au début d'avril, période propice à ce genre d'averses subites.

Cette pluie de printemps, chaude et drue, avait eu pour effet de dégeler le corps statufié et bientôt la poitrine avait basculé vers l'avant, les membres avaient perdu leur rigidité et, sur la neige qui fondait sous les pieds, du sang avait coulé : les deux hommes n'avaient plus devant eux que le cadavre d'un Indien mort d'une horrible blessure qui, sous la nuque, lui allait d'une épaule à l'autre.

S'en rapprochant, Christophe Larolandière avait déduit qu'Anjénim lui-même s'était attaché à cet arbre pour ne pas mourir enseveli sous la neige.

Sans doute que, dans le plus fort de la bourrasque, un ours, affamé par ses mois d'hibernation et enragé par ce blizzard inattendu, avait surpris l'Indien. Luttant contre l'animal, perdant sang et énergie, bientôt déshabillé par les griffes de la bête, Anjénim s'était vite retrouvé affaibli, transi. N'ayant plus la force de rentrer à Ouapanakiab ni même celle de s'activer de quelque manière pour éviter de mourir gelé, il s'était attaché au tronc d'arbre à l'aide d'une lanière pour demeurer debout et favoriser la circulation du sang dans ses veines. Mais le froid, la perte de sang, l'épuisement progressif avaient eu raison de ses dernières ressources.

– Dans Ville-Marie, la nouvelle a rapidement pris le ton d'une fable. Toute la vie d'Anjénim en ayant été une, cette façon de mourir l'a respectée. Et on a dit que les Kitcispiwinis de son village ont été à peine étonnés : pour eux, venu de l'Ours, Anjénim était retourné à l'Ours…

Après ce récit, Olivier et François gardèrent le silence pendant un long moment. Puis s'avisant qu'il était très tard, François rentra se coucher.

Et traversant Louisbourg endormi, il décida d'aller dormir une dernière fois avec Murielle, s'accordant avec la prétention que cette nuit serait son repos du guerrier.

Chapitre XXIV

Québec allait fondre sous le soleil.

Pourtant sise à peu près à la même latitude que Paris, six mois auparavant la ville semblait figée dans l'hiver hyperboréen et, aujourd'hui, le matin tout juste débarrassé de ses bancs de brume annonçait une journée méridionale : en Nouvelle-France, les saisons contrastaient comme des pays.

C'était encore l'heure silencieuse où la nuit s'estompe au profit du jour. Une lumière d'or irradiait pardessus l'horizon et mordorait le Cap-aux-Diamants.

Québec – *Kepac* ou *Kebbec* en algonquin –, ainsi baptisée par Samuel de Champlain, son fondateur, parce que ce mot signifie « c'est fermé, c'est bouché » et que de fait, à cette hauteur, le fleuve Saint-Laurent rétrécit au point de paraître sans issue, Québec n'avait plus, un siècle après sa fondation, aucune allure de bourgade ou de gros village. Construite sur deux niveaux reliés entre eux par la côte de la Montagne, côté fleuve, et celle du Palais, à l'opposé, à la fois riche et pauvre, c'était une ville plutôt belle dans l'ensemble. Si ses rues étroites, souvent sinueuses à cause des nombreuses déclivités qui avaient dû être contournées, n'étaient pas bordées que de résidences cossues, aucune d'elles n'était borgne. De plus, ses habitants bénéficiaient uniformément des privilèges civils et religieux, ce qui leur conférait une qualité de vie encore inconnue en Europe.

Bien sûr, en comparaison, les villes de la Nouvelle-Angleterre avaient crû beaucoup plus rapidement. En effet, des milliers de nouveaux colons y affluaient chaque année, pendant qu'en Nouvelle-France on n'en accueillait que très peu. Mais Québec avait joui de l'avantage d'une expansion régulière, sans soubresauts, ayant ainsi tout le loisir de prévenir et de planifier son développement. C'est pourquoi elle était tout à fait à la hauteur de son double titre de première et plus belle ville en Amérique.

Dans l'ombre humide qui ne libérait jamais la base du Cap-aux-Diamants, une charrette prit la rue Sous-le-Fort en direction de la place Royale. Sur le fleuve, on apercevait des bateaux, les voiles au repos, et des canots d'écorce qui se croisaient, se doublaient, soit en direction de la pointe de Lévy ou vers Québec, tandis que, sur la grève, des silhouettes s'avançaient dans l'eau jusqu'aux genoux pour haler les embarcations qui venaient y échouer. Certaines d'entre elles portaient des chapeaux de paille à large bord, et on pouvait distinguer parmi elles une jeune fille qui retenait d'une main le bas de sa jupe.

Rendu sur la place, un vieil homme, Archin Duchesne, descendit de la charrette et alla frapper à la porte d'une maison dont la façade était dissimulée derrière les branches de deux arbres aux feuilles déjà racornies par la chaleur. Tout près, sur un balcon surplombant la banquette de bois qui fermait le pourtour du carré, une femme prenait le pouls du jour, la tête levée vers le ciel. Un mioche sortit, enfouit son visage rieur dans les plis de sa robe. Elle lui ébouriffa affectueusement les cheveux. Le geste fit sourire de tendresse le père Archin, et il allait frapper de nouveau au battant quand s'ouvrirent les portes de la chapelle, libérant, avec l'odeur de l'encens, quelques bigotes sans expression. Pendant un instant, un silence recueilli déborda de la petite église pour s'épancher dans la vie montante de la place Royale – il allait y avoir marché ce jour-là et de nombreux tombereaux arrivaient, brinquebalants, chargés de produits de la ferme – et suspendit le temps. C'est alors qu'un rire sans gêne fusa d'une embrasure de la maison des Devanchy située derrière le buste de Louis XIV qui dominait les lieux.

Aussitôt, la voix du petit garçon qui se tenait contre sa mère fit écho :

– C'est la Marie, maman, c'est la Marie…

Sortant de l'imposante maison de pierre, dont l'entrée était flanquée de quatre colonnes accouplées par deux de chaque côté de la porte de chêne, une jeune fille riait à gorge déployée, ignorant que les vieilles dévotes la regardaient avec réprobation, engorgées dans leur pitié outrée. Elles connaissaient bien Marie-Godine, mais elles condamnaient toute manifestation emportée, ne fût-ce qu'un rire, qui, tant que les portes demeuraient ouvertes, risquait de perturber la quiétude sacrée du cœur de la chapelle. Avant que leur attitude n'affecte la jovialité de Marie, cette dernière fit face au soleil et on vit briller la mince croix d'or qui pendait à son cou. Ses longs cheveux blonds venaient rehausser la blancheur de sa robe ceinte à la taille d'une large bande de tissu bleu et tout, depuis sa poitrine, sa taille souple et ses hanches rondes, lui conférait des allures de femme éclose.

En dépit de sa jeunesse, Marie-Godine était célèbre dans toute la colonie. Une héroïne presque. Son exceptionnel destin, depuis sa dramatique naissance sur un bout de glace, était objet de fabulation de Tadoussac jusqu'aux « pays d'en haut ». On perpétuait autour de son nom les souvenirs de son arrière-grand-père, le seigneur du Bout-de-l'Isle, et de son grand-père, le héros Vadeboncœur Gagné. De plus, son nom s'associait au drame de la mort de Louis Forté, l'amant retors de sa marraine Louise-Noëlle... Et elle était riche : on comprendra qu'on parlait d'elle jusqu'à la cour de Louis XV !

Avant Québec, déjà tout Ville-Marie, depuis ses moindres habitants jusqu'au gouverneur lui-même, avait adopté la diablotine qu'elle avait été et qui, déjà autorisée par sa propre légende, allait partout nu-pieds, tels les Indiens qu'elle fréquentait avec la même aisance.

Plus tard, à la mort de Marie-Ève de Salvaye, Louise-Noëlle, sa marraine, avait décidé de déménager chez Joseph Devanchy, le père de Marie, dans la maison duquel toutes les deux vivraient. Pendant les premiers mois, les gens de Québec avaient pris Marie pour un garçon, et elle n'avait rien fait pour dissiper cette méprise. Extrêmement saine et vivante, elle courait, nu-pieds toujours, la basse ville avec la marmaille turbulente des Petitclaude, jouant avec eux sur les galets et dans les joncs de la grève, à mi-cheville dans le limon, débordante d'idées et d'énergie, de projets et d'inventions. Avec ses camarades de jeu, elle avait construit des radeaux, fabriqué des arcs rudimentaires et ramé, plus d'une fois seule, jusqu'à la côte de Beaupré dans quelque canot emprunté au chantier naval de sa famille. Elle avait couru les bois de Beauport avec les Hurons qu'elle visitait quotidiennement sur les battures. Robuste, sans ignorer les bonnes manières, elle vivait intensément. Fleur en même temps que mauvaise herbe, elle pouvait être rageuse, puis joyeuse l'instant d'après.

Peu à peu, le temps avait modifié ses traits. Elle était devenue plus douce, plus belle, alors qu'elle croyait enlaidir. À cette époque, si elle s'était découvert des envies de coquetteries, de tendresses nouvelles, elle s'était quand même voulue encore capable de partager les jeux des garçons ; mais ces derniers l'avaient progressivement écartée, gênés par les transformations de son caractère et de son corps. Pendant que sa voix se polissait, la leur s'écaillait. Ils n'osaient plus la faire courir autant, la poursuivre de la même manière. Si bien qu'elle fut bientôt considérée à part et exclue du groupe dont elle brisait l'homogénéité.

C'est ainsi que, du jour au lendemain, elle capitula et décida de s'habiller autrement, abandonnant les vêtements masculins si commodes pour des robes, des jupes et des simarres séant davantage à sa féminité. Ce qui ne l'empêcha pas de conserver toute sa vitalité et de trouver mielleuses ses compagnes du couvent des ursulines drapées dans leur délicatesse fière. Il va sans dire que les religieuses comprirent en peu de temps qu'elles ne feraient pas d'elle une des leurs.

Préférant la vraie vie à celle des livres et des saints, Marie souhaitait quand même, et de façon assidue, que le monde entier fût heureux. Peu rêveuse mais l'esprit constamment occupé à mille et une choses, elle avait parfois de ces regards d'une curiosité passionnée qui donnait l'impression qu'elle dévisageait ses vis-à-vis, ce qu'on lui avait expressément défendu. Son intelligence ordonnée ne s'embarrassait d'aucune énigme; elle pensait toujours ce qu'elle disait. S'il lui arrivait d'être timide, elle faisait l'effort de ne le point paraître et y parvenait. Aussi, quand elle posait des questions, le faisait-elle prudemment afin que personne ne pénètre en elle, et ses apparences parfois hardies lui donnaient des allures d'indépendance que d'aucuns redoutaient.

Ainsi était Marie et, à l'âge où la majorité des jeunes filles de la colonie tout juste mariées devenaient mères et fondaient la famille qui en ferait irrémédiablement des adultes, privilégiée en cela par sa naissance, elle conservait encore la liberté de tous les choix.

Les ressources d'un corps si beau, d'un cœur si tendre et d'un esprit délié lui composaient un naturel provocant. Sa peau fraîche de femme qui a grandi sans entrave, qui a couru dans le vent, accepté d'être sous la pluie, affronté joyeusement le froid et exercé ses énergies physiques en toute occasion, donnait envie qu'on la goûte. Il se trouva bientôt un garçon pour affirmer, dans un langage éclatant, que l'impatience de ses mains lestes s'expliquait par le fait qu'il avait des connaissances à lui faire partager... Déjà en possession de son bonheur, Marie-Godine avait souri avec ingénuité, l'air songeur, ne cachant pas tout à fait ses intentions de se dégourdir bientôt. Mais quand ce manant s'était installé dans toute une série de mensonges pour la séduire, elle l'avait franchement éconduit.

Peu après, elle s'était trouvée en compagnie de Laurent Drouard – dont le père, Michel, était économe à l'Hôpital-Général –, un garçon avec lequel souvent elle allait marcher sur la grève. Ensemble, ils se rendaient d'abord à l'embouchure de la rivière Saint-Charles pour observer les travaux du chantier naval qui concurrençait celui de Vadeboncœur Gagné, puis suivaient la berge jusque dans les bois où ils s'aventuraient parfois profondément.

Marchant derrière elle, Laurent s'était amusé, l'air de rien, avec des gestes espacés, à défaire un à un les boutons qui attachaient dans le dos la robe de Marie-Godine. Un soupçon agréable ainsi qu'une timide langueur l'avaient envahie, lui dictant de le laisser faire. Elle avait dû retenir son vêtement qui glissait sur ses seins. Le soleil perçait la ramure des érables en parsemant sa peau de taches de lumière, et un rayon frappait droit dans ses yeux. Enrobant maladroitement de déclarations d'amour une caresse incertaine sur la nuque, puis les épaules de Marie-Godine, Laurent, la voix lourde de désir, était parvenu à la presser contre lui, se tenant de façon instable, un pied sur une pierre, l'autre dans l'humus.

Ce premier toucher, cette main sur son cou, avait semé chez Marie un malaise voluptueux, et elle avait aussitôt saisi l'invitation trouble qui sollicitait ses sens. À mesure que le garçon l'étreignait, que ses mains glissaient le long de son dos nu, un désir d'une intensité de plus en plus douloureuse l'avait gagnée.

La voyant consentante, ou presque, Laurent avait soudain fait moins de manières et ses lèvres s'étaient emparées de celles de la jeune fille. Son souffle, toute la tension de son corps exigeant et l'incendie de son regard avaient entraîné Marie-Godine avec lui sur le sol où il s'était aussitôt étendu sur elle.

L'adolescente aurait pu accepter cette brusquerie, d'autant plus que sa sensualité était en éveil et qu'elle devinait sous le comportement du garçon les mêmes ardeurs qui la consumaient, elle; mais quand il se dénuda et la prit, l'énormité de la révélation brouilla ses idées : elle se refroidit et se sentit agressée. Elle pinça les lèvres, serra les poings. Les mouvements de Laurent ne soulevèrent cependant chez elle aucun dégoût et à peine ressentit-elle une douleur momentanée. Lorsqu'il se retira, l'air un peu contrit, ne sachant que dire, que faire, c'est elle qui tendrement vint poser sa tête blonde sur les épaules musclées et moites.

Ensuite, ils étaient rentrés presque en silence. Et Marie-Godine avait refusé de l'accompagner de nouveau dans ses promenades, voulant se détacher de l'emprise qu'autrement – elle en avait l'intuition – le garçon aurait pu exercer sur elle. En un mot, de cette seule expérience elle avait déjà appris que l'amour, celui surtout qui enflamme les sens, emprisonne. Elle avait toute sa vie devant elle pour décider du moment où elle choisirait semblable geôle.

Ainsi le goût d'être aimée et vaguement celui de chérir en retour, elle n'en faisait pas encore une grande affaire. Les compliments masculins qui célébraient ses attraits n'alimentaient pas sa vanité et elle refusait de prendre les détours de la coquetterie pour plaire. Elle avait parfois des réflexes insolites, des mots déconcertants. Tout compte fait, l'originalité de ses réactions séduisait plus que toutes les minauderies de quelque charmante.

Telle était la chronique qu'on ne savait plus son âge, comme si elle avait toujours existé. Pour avoir complètement oublié son nom de famille, on la connaissait tout simplement sous le nom de Marie-Godine.

Debout dans le soleil – l'air était maintenant immobile, chargé d'odeurs chaudes dont celle, vague, de fleurs sans doute cachées derrière quelque muret –, manifestement, elle attendait quelque chose... ou quelqu'un. Des marchands de plus en plus nombreux envahissaient la place et plusieurs la saluaient de la main, d'un bon mot. Elle reconnut un cheval sellé attaché devant la propriété de Rageot, le greffier de la prévôté. Aussitôt, elle marcha vers lui et s'amusa à peigner de ses doigts la crinière blonde de la bête qu'elle avait plus d'une fois montée. D'où elle se tenait, son regard pouvait porter jusqu'au fleuve et l'onde étincelante lui faisait plisser les yeux. Son visage, ainsi sévère, n'en était que plus beau.

Débouchant de la rue Saint-Pierre, un luxueux coche couvert tiré par deux chevaux, dont les harnais couleur d'or renvoyaient les éclats de soleil, s'arrêta devant le portique qu'avait franchi en riant Marie-Godine. C'était une voiture au pare-boue de cuir, au cache-écrous d'argent et aux roues garnies de rayons de broche. Le velours vert qui recouvrait les sièges s'harmonisait avec les fines arabesques ornant les panneaux. Sur ses portes, les armoiries du magistrat et conseiller Olivier de Salvaye. Le cocher, un homme d'une minceur comparable à celle du fouet planté devant lui dans le tablier, se déplia, l'air à la fois placide et souverain, tira méticuleusement sur ses manches galonnées et descendit ouvrir à son passager. Des bottes à riches boucles pointèrent vers le sol et un noble strictement vêtu sortit de la voiture. Quand il se mit à marcher, la pointe du fourreau d'argent de sa rapière traîna sur les pavés avec un léger cliquetis, ce qui sembla le laisser parfaitement indifférent. Considérant autour de lui l'activité soudainement ralentie par son arrivée, il distingua Marie-

Godine. Avant qu'il ne l'interpelle, c'est elle qui se précipita vers lui :

– Bonjour, mon oncle !

La voix de la jeune fille était enjouée et son visage, plein de gaieté.

– Qu'est-ce qui vous amène de si bon matin ? Vous venez me voir ?

– Eh oui, ma belle, justement ! dit Olivier. Des affaires m'appelaient très tôt au chantier et, maintenant, c'est toi qu'il me faut voir pour une autre affaire, une affaire pressante et des plus agréables celle-là.

Tout autour d'eux, la rumeur de la place s'enflait à nouveau, comme si le fait que la venue du magistrat n'avait rien d'officiel eût éteint les nombreux foyers de suspicion qu'allumait toujours la présence impromptue d'un dignitaire à la basse ville. Ce repli donna à croire à Olivier et à Marie-Godine qu'on les épiait moins et ils choisirent de rester là, dehors, encore un moment.

– Une affaire, dites-vous, reprit Marie-Godine. Il est toujours, toujours, question d'affaires avec vous !

– C'est vrai, et c'est justifié : à titre d'exécuteur testamentaire, je suis avant tout, comment dirais-je…, ton oncle d'affaires ! Mais cette fois, mon rôle est moins rigoureux. Si je ne craignais pas d'être entendu – comiquement, il fit mine de ramener les pointes de son rabat contre son visage pour se cacher –, je dirais que, ce matin, je joue les entremetteurs. Rien de moins.

Marie-Godine ne fut pas certaine d'avoir bien compris, mais ces propos obscurs éveillèrent son intérêt au plus haut point. Elle fronça les sourcils et ses lèvres dessinèrent une moue dubitative.

– … entremetteur, vous dites ?

– Comme tu deviens grave, ma belle ! Tes yeux me percent !

Lui arrachant ainsi un sourire, Olivier entoura les épaules de Marie-Godine d'un bras paternel et, sur un ton de confidence, détachant chaque mot comme si chacun était un élément essentiel à la joie progressive qu'il voyait s'allumer dans les prunelles de l'adolescente, il lui annonça :

– Tu es invitée ce soir au bal du gouverneur.

Rien. Seulement l'étonnement, muet et incrédule, d'une Marie-Godine complètement interdite. Pendant un bon moment. Puis, tout ensemble surprise et ravie, la voix aiguisée par l'excitation, elle demanda :

– Chez le gouverneur Beauharnois ? Au château Saint-Louis ?

– Au château, chez le gouverneur, oui ! Ce soir : c'est le marquis lui-même qui a demandé à te voir. À l'entendre, il n'y a, de par toute la Nouvelle-France, que lui à ne pas te connaître, et il estime que cela a assez duré.

Maintenant, la masse bruyante de la foule des jours de marché envahissait la place et déjà les échoppes des marchands achevaient d'en faire un labyrinthe serré.

– Viens, dit Olivier, entraînant la jeune fille. Bientôt on ne s'entendra plus ici.

– Attends…

Et Marie-Godine fila entre deux maisons, laissant son oncle en plan. Le temps que ce dernier lance à son cocher en livrée un regard des plus perplexes et elle réapparaissait, le souffle court.

– Voilà ! J'ai été prévenir Antoine que je ne monterais pas ce matin.

Derrière la résidence des Petitclaude en effet, Antoine Aubert, le garçon d'étable de la famille, venait de seller la jument favorite que montait presque tous les jours Marie-Godine. Excellente cavalière – et l'une des très rares jeunes filles de Québec à monter –, elle aimait les parcours difficiles, et il lui arrivait même d'aller jusque sur la grève dans les dernières vagues de la marée montante. Elle goûtait tout particulièrement la sensation de désordre de ses cheveux dans le vent, les secousses un peu brutales de la bête au galop, la moiteur chaude qui perlait sur tout son corps dans l'effort soutenu fourni pour bien se tenir en selle. Et par-dessus tout, ces promenades exultaient cette part d'elle-même avide de liberté.

Dans le vestibule de l'ancienne maison du major de Salvaye, où les portraits de Marie-Ève et Vadeboncœur occupaient le mur principal de façon un peu ostentatoire, ne laissant de place qu'à une table basse gardée par deux fougères aux ramures vigilantes, Vivianne, dont la jeunesse irradiait une telle énergie qu'on la croyait toujours au centre de quelque entreprise excitante, vint les accueillir d'une boutade :

– Alors, ce n'est qu'après avoir bien comploté tous les deux que vous jugez bon d'entrer – car elle les avait aperçus par la fenêtre du petit bureau donnant sur le vestibule.

– Vous n'êtes pas loin de la vérité, approuva Olivier.

– Devinez ce qui m'arrive, lança Marie-Godine qui ne laissa même pas à sa belle-mère le loisir de répondre. Je suis invitée au bal du gouverneur, par le gouverneur lui-même !

– Vrai ?

– Très vrai, confirma Olivier.

– Eh bien, constata la femme de Joseph Devanchy, voilà un bien grand honneur.

Ils traversèrent la maison vers une pièce, à la fois salle de séjour et salon, où le matin entrait à pleines fenêtres.

– Et vous me dites que c'est ce soir... Auras-tu seulement le temps de te préparer, Marie ?

La question fit mouche. Marie-Godine parut catastrophée. Une médaille basculant de face à pile n'aurait présenté un changement plus catégorique.

– C'est vrai : je n'ai rien à me mettre ! Et puis, mes cheveux...

Elle courut se planter devant le miroir surplombant le foyer et souleva ses cheveux par touffes :

– Voyez la tête que j'ai !

Cet élan imprévu de coquetterie fit rire Vivianne et Olivier ; mais Marie-Godine demeura de bois. Elle fit face en serrant les poings :

– Comme ça, telle que vous me voyez, pas question que j'y aille.

Et, le front buté, elle allait quitter la pièce d'un pas martelé quand Olivier, bon prince, la rassura :

– Je suis aussi venu pour t'emmener chez ta marraine qui t'attend. S'il se trouve, Louise-Noëlle est plus fière que tu ne l'es toi-même à l'idée de cette soirée. Aussi, tu peux lui faire confiance : tu seras la plus élégante des belles qui vont évoluer dans la grande salle du château.

Mais Marie-Godine était ailleurs et continuait de fixer le vide. Quelque chose de vulnérable en elle alourdissait ses réflexions : ne désirait-on pas faire de sa venue une sorte de sensation pour agrémenter la soirée ?

Elle n'allait quand même pas accepter tout bêtement d'être un objet de curiosité! Mais comment refuser l'invitation sans soulever un scandale qui la mettrait encore plus en valeur dans les potins? À moins que... Elle trouva: tant qu'à faire, ce serait *sa* fête, *son* bal. Elle ne transigerait sur rien, dansant quand et avec qui elle voudrait. Elle refuserait de jouer les reines et se comporterait selon sa véritable nature.

Satisfaite, elle se reprit donc et, sur le ton détaché de quelqu'un sachant depuis longtemps à quoi s'en tenir, elle conclut:

– Bon, d'accord. Je prends quelques effets dans ma chambre et je vous accompagne.

Avec une indulgence amusée, Vivianne l'encouragea:

– De toute manière, ta marraine est d'excellent conseil pour ce genre de... de cérémonie, et elle te connaît autant, sinon plus, que tu ne te connais toi-même.

La compréhension affectueuse de sa belle-mère acheva de dérider l'adolescente.

– Je reviens! lança-t-elle en fonçant vers sa chambre.

Restée seule avec Olivier, Vivianne se tut un instant. Des bruits confus montaient de la grève où des enfants se poursuivaient autour d'un gros rocher gris. On apercevait, du côté du Cul-de-sac, les activités fébriles de déchargement d'une goélette trois-mâts: des barques la cernaient qui arrivaient du bord, puis y retournaient chargées de ballots; des matelots grouillaient sur le pont et des Indiens étaient accrochés aux cordages.

Vivianne brûlait de l'envie d'aborder avec Olivier un sujet qui lui pesait sur le cœur. Elle l'observait qui souriait aimablement; mais elle le connaissait suffisamment pour savoir que cet air bonhomme masquait de graves soucis.

– Dis-moi, osa-t-elle en retenant un peu sa voix, comment va Jane ?

Car Vivianne était consciente qu'au fur et à mesure que se dessinait l'inévitable affrontement avec les Anglais, la vie de Jane s'étriquait ; la rumeur l'étranglait : elle devenait un pays à combattre, un peuple à chasser. Au cours des derniers mois, la situation s'était aggravée.

– Elle souffre. Elle souffre pour elle-même et pour nos fils, victimes eux aussi d'un incessant rejet depuis notre retour de France. Nous avons l'impression qu'ambitions et espoirs nous sont devenus interdits, que l'avenir se ferme devant nous. On ne s'habitue pas à ces choses-là… Soit on nous montre du doigt, soit on nous accuse d'allégeance avec l'ennemi, soit on nous oppose la plus parfaite des indifférences.

Il se leva et le mouvement lui permit de mieux contenir la hargne qui sourdait en lui.

– Je dis *nous*, mais je devrais dire *eux*, car c'est cruel à ce point : moi, on m'accueille, on me salue, on me considère. Parce que les occupations de ma charge me dictent le plus étanche des cloisonnements entre mes vies personnelle et professionnelle, beaucoup d'esprits simples, simples par manque de moyens ou, délibérément, par refus de comprendre, me jugent et me condamnent selon leur convenance : je suis coupable de tourner le dos à ma famille, ou coupable de ne pas l'avoir fait. En même temps sans cœur et traître ! Si tu savais comme il faut de volonté pour museler ses sentiments en toute occasion, combien de force il faut pour garder son sang-froid dans une telle tempête d'antagonismes…

Il fit une pause, revint s'asseoir.

– Vivianne, il y a des odeurs de guerre jusque sur le cap, et je vois le matin où éclatera l'affrontement définitif. Tout y tend, s'en approche. Tous y pensent. Sans répit. D'un enfant qu'il était il y a si peu, ce pays est devenu trop rapidement un adulte tendu. Mais à bien y réfléchir, il ne pouvait en être autrement : ses richesses naturelles excitent la convoitise. Et la bête alléchée est anglaise.

Un point c'est tout, eut-il l'air de conclure d'un mouvement de tête. Puis, il sembla remarquer pour la première fois un tableau suspendu au-dessus de l'âtre. C'était le dessin, tout compte fait assez grossier, du château Saint-Louis sur son massif rocheux, au milieu d'un paysage témoignant de la vision simpliste du peintre : des arbres d'un vert uniforme, sur un cap boursouflé, d'un brun délavé. Le tout plaqué sous l'éclairage d'un soleil primaire créant des ombres qui ne respectaient ni l'espace ni les proportions.

Vivianne parut sur le point de poser une autre question, mais elle chassa de la main les mots qui lui venaient. Elle se leva pour ouvrir une fenêtre et libéra ainsi une bouffée d'air neuf qui se répandit dans toute la pièce. Un climat de respect régnait entre elle et Olivier, c'est pourquoi elle n'allait pas s'enquérir davantage de ses sentiments, pas plus qu'il n'allait, de son côté, garder rancœur de son délit de confidence.

Mais ces réflexions livrées à haute voix n'avaient pas découvert le fin fond de son âme. Si depuis quelque temps tout lui devenait égal, c'était parce que sa vie était sous une dictature inflexible : la fatalité.

N'empêche…

N'empêche que cette constatation, si elle taisait les dernières pulsions de révolte qui battaient en lui, n'apaisait pas nécessairement son envie d'être heureux, et lorsqu'il se tourna vers Vivianne, il paraissait encore soucieux.

À cette heure, du milieu de la place bondée, on n'aurait même pas pu distinguer les pots de fougères dont le cuivre lumineux faisait deux points d'or derrière la vitre du vestibule. C'est que tout Québec était là : ceux de la côte de Beaupré offrant leurs pommes et leurs poires conservées dans le miel ; ceux de l'île d'Orléans, des raisins confits de soleil ; ceux de Montmorency, des truites et des anguilles « grosses comme le bras » ; ceux de Lauzon, des sacs de grains frais moulus et des tinettes de beurre ; ceux de l'île aux Grues, des oies, des outardes et des canards. Habitants, marins, militaires, ménagères, domestiques profitaient aussi de l'occasion pour frayer ensemble, échanger sur tout propos et pour refaire connaissance, retrouver des amis, saluer des parents.

Le cocher d'Olivier somnolait dans la chaleur. Il semblait tout à fait absent de ce brouhaha, sans doute aidé en cela par l'uniformité des bruits et des voix qui composaient un bourdonnement soutenu, sans creux ni vide, sans cris ni heurt. Plus personne ne lançait à la dérobée des coups d'œil vers le riche attelage et les conversations roulaient sur d'autres sujets.

Enfin, Marie-Godine revint au salon, des vertiges de bonheur dans les yeux. Quand Olivier la vit, tête rêveuse et expression enflammée de joie, il se dit qu'après tout il demeurait une belle part à sa vie : celle qui se vouait à cette jeune fille.

Lorsqu'ils sortirent tous les deux, la foule grouillante ébaudit encore Marie-Godine :

– On dirait que c'est la fête !

– Ta fête, Marie-Godine. Et pour moi, c'est toujours ta fête…

À la fois moqueur et mélancolique, il prit affectueusement la main de sa pupille, et c'est d'un pas exactement accordé qu'ils marchèrent vers la voiture.

Chapitre XXV

Ce fut après ce qui se passa chez Étienne de Clairembeault, rue Buade, où il était arrêté pour reconduire Marie-Godine, que l'idée de la provocation se glissa dans l'esprit d'Olivier : pour faire éclater les attitudes mesquines une fois pour toutes et rompre le chapelet de calomnies, il allait carrément provoquer la société québécoise. Au cours de la même soirée, en un seul événement, celui du bal chez le gouverneur, il acculerait ces chauvins à s'opposer ouvertement à la présence de sa femme et de ses enfants au sein de leur communauté ou à l'admettre définitivement. Décidé, il se lancerait à froid dans la bataille, hâtant le moment de l'affrontement final pour que ce dernier combat livré à visage découvert délivre sa famille des rumeurs floues et nocives. Pour qu'ils en finissent d'être ballottés par les dires des uns et les redites des autres, d'être cloîtrés derrière les murs du rejet. Et Jane aurait ainsi au moins une chance d'être acceptée, peut-être même aimée. Si le résultat de cette entreprise devait plutôt transformer en clameur les mots prononcés jusqu'ici à mi-voix, il n'aurait plus d'autre choix que de réagir, et il entendait bien le faire, avec les énormes moyens de sa charge si nécessaire. Car il avait compris, et admettait maintenant, ne pouvoir faire autrement : il lui fallait délibérément choisir ses échéances.

Il était descendu chez Louise-Noëlle et Étienne de Clairembeault peu avant le repas du midi, à l'heure de l'apéritif. Des odeurs alléchantes de cuisine embaumaient la maison, et son hôte, un homme d'une quarantaine d'années qui en paraissait beaucoup moins, l'avait entraîné dans la bibliothèque pour y déguster un verre de sherry anglais :

– Et rassurez-vous, c'est vraiment *tout* ce qu'il y a d'*anglais* chez moi !

Immédiatement, de Clairembeault avait fait mine de rattraper cette parole malheureuse. Mais trop tard : le coup avait porté, et il avait vu Olivier qui hésitait entre colère et mansuétude. Allait-il s'estimer une fois de plus victime d'une attaque contre sa femme, ou allait-il comprendre que ce n'était là qu'une boutade bien excusable de la part d'un des plus hauts fonctionnaires de l'Administration ? D'être là en ami, en parent même, puisque Étienne de Clairembeault était l'époux de Louise-Noëlle, et de recevoir en plein visage ce que plusieurs auraient pris de bonne foi pour une insulte, une de plus, ébranla en effet Olivier. Profondément. Après toutes ces semaines, voire ces mois de dénigrement, ce dernier coup fit craquer quelque chose dans sa poitrine, et ce fut comme si une grande peur, jusqu'alors secrète, s'était révélée à lui. Ses yeux s'allumèrent : une question s'imposait brutalement à lui ; quel était son devoir ? Il ne trouva alors plus aucune vertu à sa passivité et taxa même de lâcheté ses comportements jusqu'ici conciliants. Le trait de de Clairembeault, si vif et si pénétrant, avait eu l'effet d'un éclair au milieu d'une grande noirceur, du tonnerre dans la nuit silencieuse où il s'isolait depuis trop longtemps.

Quatre mois plus tôt – plus exactement à l'occasion de l'anniversaire de Marie-Godine –, de Clairembeault lui-même avait été témoin des réticences d'un groupe de ses amis à l'égard de Jane et, encore, pas n'importe quels amis : des gens réputés de tête, aux fonctions importantes et à la réputation bien assise. Ils étaient arrivés depuis une heure à peine que la tension était devenue palpable. D'abord il avait cru que pour le ménager on lui taisait quelque mauvaise nouvelle. Rapidement Louise-Noëlle et lui s'étaient faits soupçonneux, inquiets : quel était donc le motif de cette froideur qui paralysait la fête, figeait les expressions ? Et voilà qu'un mot, un seul, aussi efficace qu'une clef passe-partout, avait dénoué l'énigme :

– … l'Anglaise.

Il en avait été alors comme d'une veine qu'on aurait ouverte et un flot de diatribes en avait coulé. Faisant fi de la présence de Jane, ou plutôt en profitant pour adopter un ton emphatique et doctrinaire, on avait ressassé tout l'état de belligérance avec les Anglais, on l'avait enflé de haine déguisée en amour exclusif pour la Nouvelle-France, et on avait affiché tous les courages d'en finir au plus tôt et à tout prix.

Au centre de ces propos acérés, une Jane muette et blessée. Parler, répondre, argumenter ? Mais on ne prêche pas dans le désert, on n'enseigne pas la paix aux peuples en colère. Depuis la mort de Thomas Fotherby, son père, les Québécois avaient oublié jusqu'à la nationalité française de ce dernier, oublié qu'il l'avait choisie et obtenue très peu de temps après avoir été ramené de Nouvelle-Angleterre comme prisonnier de guerre. Et oublié tout aussi allégrement qu'Olivier n'avait pas épousé une Anglaise, mais une jeune femme de culture exclusivement française, éduquée par les ursulines de la rue du Parloir.

Ce soir-là cependant, les remparts de l'étiquette avaient quand même résisté et avaient contenu les attitudes dans les limites du bon sens. Après la première vague, le ressentiment s'était dissous dans des sujets moins acidulés, moins offensifs, et, sans cautériser toutes les plaies de Jane et d'Olivier, Louise-Noëlle était parvenue à ramener l'intérêt à Marie-Godine. Si bien qu'à la fin de la soirée le mal de l'incident s'était résorbé au point qu'Étienne l'avait, depuis, quasiment oublié.

– Vous savez, Étienne, dit sentencieusement Olivier, la spontanéité de votre remarque est garante de votre innocence. Après tout, vous ne faites que répéter ce qu'on dit beaucoup autour de vous... C'est dans nos consciences qu'on dénigre l'ennemi et la vôtre aura parlé haut, tout simplement.

Sans pathos, ni même ironie, Olivier avait parlé sur un ton formel.

Plus tard, quand il rentra chez lui toujours aussi résolu dans ses intentions de provocation, Jane se montra d'abord réticente. S'offrir volontairement au carnage des mauvaises langues, se prêter sans précaution aux attaques, se jeter dans la gueule du loup ne lui avaient pas paru du tout une solution évidente.

– Vaut-il mieux choisir la réclusion? Assurément, elle sera bientôt notre lot et ce n'est là ni ton tempérament ni ta voie, lui fit remarquer Olivier. Nos fils ont besoin d'une mère sereine et je t'aime trop pour accepter encore et encore de te voir ainsi persécutée.

Avec tendresse, il parla aussi de courage:

– Je sais, la partie ne sera pas facile et peut-être même la perdrons-nous. Mais nous n'avons plus le droit d'éviter de nous défendre ; même les vaincus trouvent du réconfort à l'idée de s'être au moins battus.

Jane le couva d'un regard étrange. Puis, elle baissa les yeux, comme si elle était entrée en elle-même. Longuement ses traits délicats se figèrent en un masque inexpressif et pas un mot, pas un geste ne distrayait sa lente réflexion. Elle portait ses cheveux tirés vers l'arrière, retenus par une broche, et son visage s'en trouvait plus lisse, paraissait plus jeune que son âge. Son expression était celle d'une enfant qui redoute quelque événement inéluctable dont elle ne sait si elle en tirera plaisir ou douleur.

À la fin, elle acquiesça. Sans enthousiasme.

– Puisque tu crois que c'est nécessaire…

Aucune objection, nulle condition. Victime consentante, elle ne demanda même pas s'ils étaient invités. Elle savait que ce bal serait avant tout celui de Marie-Godine et qu'Olivier, ayant épuisé en France tous ses goûts de mondanité, ne trouvait plus aucun agrément à ce genre de soirée à laquelle, cependant, sa fonction lui dictait d'assister.

Un rayon de soleil se posa sur le rebord de la fenêtre devant laquelle elle se tenait alors qu'elle tentait de se convaincre que le plan d'Olivier allait peut-être permettre que cessent de s'opposer le sens de sa vie et celui de son honneur. Derrière la vitre elle apercevait des enfants qui jouaient sur la place en lançant des éclats de rire. Ceux-là n'avaient pas à préméditer leurs gestes, à peser leurs paroles, à prévoir leurs réactions. Cette liberté était-elle l'apanage exclusif de leur âge tendre ?

Était-ce la société elle-même qui se faisait contraignante et forçait les comportements adultes? Était-ce plutôt qu'on essayait de tout expliquer par le dehors sans jamais s'intéresser aux valeurs intérieures? Même sans trouver de réponse, Jane constatait qu'après tout, si le plan d'Olivier devait échouer, il n'en résulterait que la confirmation déjà prévisible de l'anathème qu'on lui jetait depuis si longtemps.

De cette même fenêtre, Jane pouvait aussi apercevoir la maison d'Étienne de Clairembeault et elle devinait l'excitation de Marie-Godine à quelques heures de son premier bal.

Mais la femme d'Olivier se trompait: l'adolescente assumait presque calmement les effets de l'événement anticipé. Ainsi, réflexion faite, elle avait choisi une robe très simple, toute bleue pour rehausser la blondeur de ses cheveux, plutôt que la toilette beaucoup plus élaborée, avec col de dentelle d'une extrême délicatesse et des manchettes en tissu plus fin encore, que lui avait offerte Louise-Noëlle. C'est qu'elle tenait absolument à ce que sa tenue lui ressemble, misant tout sur le naturel et l'élégance de son port, ne se fiant qu'à elle-même pour être à la hauteur. Pas d'artifice, pas de déguisement: elle irait au bal telle qu'elle était. Elle ne se permettrait qu'un bijou, une délicate chaîne en or.

Dans sa psyché, son visage lui paraissait singulièrement jeune et, se voyant parmi les dames de la haute société, elle se demandait si seulement on la prendrait au sérieux.

Sa robe était étendue sur le lit: elle ne portait qu'une chemise contre sa peau nue et, des épaules aux genoux, le vêtement épousait les formes d'une femme épanouie.

Elle rougit : elle connaissait le désir des hommes. Leurs grosses pattes qui se tendaient vers elle et leur expression pour l'amadouer en ayant l'air de dire, comme à un jeune animal que l'on veut apprivoiser : « … n'aie pas peur. Là, doucement ».

Quelquefois, elle avait souhaité d'autres moments comme ceux qu'elle avait connus dans les bras de Laurent Drouard. Mais elle se réservait pour un sentiment plus grand qui – elle en était convaincue – la transporterait bien au-delà des frissons à fleur de peau. Il était dans son tempérament de refuser de ne se commettre qu'à demi et, même si parfois l'envie d'être aimée lui devenait presque douloureuse, elle attendait résolument le moment de son premier grand amour.

Et pendant qu'elle jonglait ainsi avec ses sentiments et que sur la place débouchaient les chariots des terrassiers qui travaillaient à la démolition de la plateforme surplombant le cap derrière le château Saint-Louis, Étienne de Clairembeault, resté songeur depuis le départ d'Olivier, attendait que sa femme vienne le rejoindre.

Le mari de Louise-Noëlle était un homme rigoureux, ses traits contenant même un peu de rudesse, et on le disait d'un caractère impérieux, quoique sans acrimonie ; mais ses yeux vous regardaient avec une telle limpidité et il savait vous manifester une telle bonté qu'on acceptait sa rigueur en mettant volontiers sur le dos de sa charge – fardeau d'ailleurs fort imposant – son manque de chaleur. Cet administrateur hors pair était né en France. Arrivé à Québec à l'été de 1718 pour y exercer la fonction de commissaire de la Marine, il avait été nommé dès l'année suivante subdélégué du gouverneur de Montréal où il était débarqué un jour de juillet.

Célibataire endurci, sorte de bourreau de travail, soucieux davantage d'efficacité que de conquêtes féminines, son histoire était pauvre en chapitres romanesques et il n'entretenait aucun regret pour quelque amour laissé derrière lui. Mais voilà que, dès ce jour où il avait foulé le sol montréalais, le nom de Louise-Noëlle de Salvaye l'avait assailli de toutes parts.

D'abord, la rumeur lui avait rapporté que deux hommes, dont un Algonquin à la réputation fameuse, se battaient à cause d'elle au moment même où lui descendait de *La Seine.* De proches collaborateurs avaient maintes fois ramené ce sujet dans leurs conversations. Il les avait écoutés, qui agitaient leurs propos autour d'un personnage exceptionnel, celui d'une jeune femme à la beauté, répétait-on, remarquable. On lui avait aussi raconté que cette jeune personne avait jusqu'alors vécu enveloppée dans une sorte de mystère qui s'était comme déchiré à l'occasion de l'affrontement des deux hommes au cours duquel l'un était mort. Ayant longtemps affiché des attitudes hermétiques, incomprise même des siens, le lendemain elle était, disait-on encore, apparemment transformée. Comme libérée de la prison dans laquelle elle s'était enfermée jusqu'à ce jour. Cessant d'être solennelle et hautaine, elle était devenue presque chaleureuse et son charme s'en était encore amplifié.

Cette histoire avait fasciné Étienne de Clairembeault : un tel pouvoir d'évocation chez une personne du sexe faible dans un milieu aussi figé et pragmatique que celui de Montréal avait de quoi ébranler le monument d'indifférence qu'il pouvait être.

Évitant d'en parler lui-même pour qu'on lui en dise davantage, en croyant qu'il n'en savait rien, il avait fait collecte de force détails sur cette histoire.

Peu à peu, dans ses moments de solitude, il s'était surpris à jongler avec cette image d'une femme tout à fait hors de l'ordinaire. Avant que cela ne devienne obsession, il avait jugé essentiel de la rencontrer. Et c'est ainsi que cet homme pourtant raisonnable s'était mis à souhaiter avec fièvre d'être mis en présence de Louise-Noëlle de Salvaye pour le seul motif de donner des traits précis de la réalité à ce qui était un rêve.

Dans cette pièce dont il affectionnait jusqu'à l'odeur familière, mélange de senteurs vieillottes des livres séchés par les ans et de bois neuf ravivé à la cire d'abeille, il aimait ainsi s'oublier dans les plus beaux moments de sa vie, ceux l'ayant conduit au partage du quotidien avec la fille de Marie-Ève. Depuis leur mariage, aisément, comme la chose la plus naturelle du monde, un réseau attachant de petites habitudes s'était tissé entre elle et lui. Il s'étonnait encore de cette réussite. Était-il possible que la passion flambe si longtemps, que l'amour se renouvelle ainsi chaque jour et que la joie un peu puérile d'aimer demeure aussi fraîche au-delà des jours et des mois, voire des années?

Il se dirigea vers sa table de travail où l'on avait posé un plateau sur lequel fumait une cafetière à bec de cygne.

– Tu es prêt?

La voix de Louise – pour lui, elle n'était que Louise – le cueillit alors qu'il remplissait sa tasse. Depuis la fenêtre, le soleil semblait allumer le charme de sa femme dont le teint rougissait comme celui d'une jeune fille excitée par l'imminence d'un grand événement : ses yeux luisaient de contentement. Elle portait une robe verte, serrée à la taille, qui dessinait son corps avant de libérer ses épaules blanches et rondes. Un collier de perles du plus bel orient, sur deux rangées croisées devant, renvoyait ses éclats à des boucles d'oreille tout aussi précieuses, et ses dents blanches que découvrait son sourire achevaient d'enrichir son image.

– Tu sais que je suis toujours prêt lorsqu'il s'agit de te suivre, ma chérie.

Cette nature à la fois tendre et enjouée s'était révélée chez lui après leur mariage. Au début, guindé et craignant de déplaire, il s'était montré aimable mais réservé. Toutefois, l'intuition de Louise-Noëlle avait perçu les ressources de tendresse et de franche gaieté qui couvaient chez lui.

La première fois qu'il l'avait vue, c'était au magasin de Joseph Devanchy. La neige feutrait les bruits de la rue. Montréal vivait au ralenti, tout appesantie par l'hiver, mais le soleil brillait, ou, tout au moins, le ciel était clair. Étrangement, il avait su que c'était elle dès qu'il l'avait aperçue. Était-ce son port décidé ou son allure empreinte d'une certaine noblesse ? Une chose était sûre : cette femme ne ressemblait à aucune autre. Tout un univers à elle seule. Et elle plongeait en quelque sorte dans celui qu'il s'était fait d'elle. Dans le fatras du magasin général, il n'avait pas jugé opportun de l'aborder et il s'était contenté de la regarder franchement, avec admiration.

Il s'était dit que l'imprévisible dicterait les circonstances de leur première vraie rencontre. Ainsi, le lendemain, sur la route de Lachine, où Étienne se rendait pour discuter avec ses gens de l'ouverture du canal qui allait permettre, dès la prochaine belle saison, aux embarcations d'éviter les rapides, une brusque bourrasque souleva la neige. Le vent et le froid se mirent de la partie : en un rien de temps, ce fut la tempête. Son attelage se composait de deux forts chevaux habitués aux intempéries, et les patins de sa carriole fermée étaient d'une largeur capable de flotter sur les bancs frais de neige poudreuse. Aussi, même si la saute d'humeur du climat avait ralenti son allure, il avait pu poursuivre sa route.

À quelques lieues du village, il dut s'arrêter et descendre pour aider un cocher à libérer la voie qu'obstruait une berline enlisée.

Dans la furie sifflante de la poudrerie, la voiture tanguait, prête à verser. Retenu à ses menoires, un cheval étroit et noir, élégant mais pas trop délicat, piaffait dans un nuage blanc qui lui résistait avec une douceur déroutante : il en avait les yeux fous. Saisissant la bête par la bride, serrant nerveusement le cuir humide, c'est Étienne lui-même qui l'avait tirée et amenée en contrebas, au-delà d'un talus neigeux, sur une surface glacée que le vent, dans ses courants incohérents, balayait.

Ainsi dégagée, la berline révéla les armoiries sculptées où Étienne reconnut les couleurs de la famille de Salvaye. Au même instant, une fillette tout en cheveux jaillit de la voiture en lançant d'une voix enthousiaste :

– Vous êtes un gentil monsieur. Mais moi, Neveu – Neveu, c'est lui, dit-elle en montrant le cheval –, il me connaît bien, et justement, j'allais lui parler. Mais marraine…

Une deuxième personne, une femme dont la chevelure était enfouie sous une toque de fourrure de loup argenté, était descendue à son tour. Le temps de distinguer ses traits dans la folie des flocons, et Étienne reconnut Louise-Noëlle.

L'enfant, une adolescente presque, se réjouissait visiblement de l'emportement de la nature. Elle gambadait, sautillait, courait vers le premier tas de neige. Elle allait s'y rouler quand la jeune femme l'arrêta :

– Marie-Godine ! Tu es nu-tête. Tu vas prendre froid.

Puis, à l'endroit d'Étienne :

– Elle prend encore l'hiver pour un jeu. Elle ne se souviendra même pas d'aujourd'hui comme d'un jour de tempête. À se mouiller la tête dans un froid pareil, elle risque d'attraper son coup de mort.

Elle devait faire un effort pour projeter sa voix contre la force du vent. Étienne ne savait trop que répondre et, avant que son mutisme n'indispose Louise-Noëlle, il entreprit de se présenter :

– Permettez-moi… (il avait levé son tapabord et ses cheveux, d'un coup, s'étaient rabattus sur ses yeux). Je suis Étienne de Clairembeault…

– Oh ! je vous connais. Ou plutôt, disons qu'on m'a beaucoup parlé de vous.

Il faillit lui rétorquer : « Ah, vous aussi… » Se retenant, il dit, plutôt un peu gauche :

– J'espère que c'est en bien.

Immédiatement, il regretta la banalité de sa remarque et Louise-Noëlle sourit.

– Pas en mal en tout cas. J'ai surtout appris que vous étiez le délégué du ministre et que votre mission était de bonifier l'administration de la colonie.

– Bonifier l'administration de la colonie, c'est beaucoup dire, croyez-moi.

Il y avait quelque chose de saugrenu dans cette scène improvisée au milieu de la tempête. Ils se tenaient là, le visage fouetté par les flocons de neige durcis, les vêtements agités comme des drapeaux, se voyant à peine dans la poudrerie, et ils causaient tout bonnement.

Marie-Godine était revenue sur eux à la course. Elle leur tournait autour, s'adressant à Baptiste, le cocher, puis à Neveu, alors tout à fait calmé.

– Je suis bête. Nous sommes là debout contre la bourrasque alors que nous pourrions nous abriter, fit alors remarquer Étienne.

– C'est moi qui suis bête: j'ai oublié de vous remercier. Sans vous…

– Mais non, mais non. Marie… je veux dire, votre filleule, l'a dit elle-même: elle aurait parlé à Neveu et…

Ils rirent. Il continua:

– Écoutez… Je vais à Lachine. Il serait, je crois, avisé que vous acceptiez de monter avec moi. Baptiste attendra l'accalmie et rentrera ensuite avec votre équipage.

Louise-Noëlle n'eut pas le temps de répondre que déjà Baptiste avait renchéri:

– Allez, Madame. Moi, je vais marcher devant le cheval et je serai à Lachine dans quelques heures.

– Bon…

Sur ces propos, Marie-Godine se dirigea immédiatement vers la carriole d'Étienne, qui se perdait dans l'épaisse fumée blanche tournoyant dans la tourmente.

Tenant les guides des deux chevaux qui avançaient tête baissée dans la poudrerie, Étienne affronta l'adversité mordante du temps jusqu'à Lachine. Là, le visage quasi tuméfié par les gifles du vent glacé, c'est un personnage rougeaud, aux sourcils confits de frimas, qui tendit la main à Louise-Noëlle pour l'aider à descendre. Marie-Godine, elle, semblait hésiter devant Étienne ainsi transformé en cocher rubicond, doutant que ce soit bien là l'homme qui s'était offert à les conduire au village. Puis rassurée, elle ne put se retenir d'être moqueuse :

– Eh bien ! Vous ressemblez à un bonhomme de neige !

La peau de son visage avait pris une telle rigidité sous les heurts du froid qu'Étienne grimaça au lieu de sourire. Il buta même sur ses mots en disant :

– J'espère... que vous n'avez pas trop... gelé, là-dedans. Moi, sur un... banc, j'étais bien obligé de bouger. Ça aide... à garder le sang chaud, mais...

Il battait des bras à grands coups. Ils se tenaient sur une petite place, face à l'église. Au lieu de proposer d'aller se réchauffer au cabaret *Folle-Ville* à deux pas, il suggéra le confort ronflant du presbytère où le curé avait la réputation d'être un excellent hôte.

– Venez : je vais vous présenter à M. le curé. Ensuite, je devrai me rendre à la Grande Anse – c'est tout près – pour rencontrer mes magasiniers. Je reviendrai ensuite.

Ce n'est que tard en soirée que revint Étienne de Clairembeault. Quand même, sur le ton de gens posés ayant tout leur temps, ils veillèrent très tard. D'une chose à l'autre, sans appuyer, par envie seulement et parce que la compagnie était bonne, Louise-Noëlle raconta les belles choses de sa vie et, à ce titre, parla beaucoup de Marie-Godine.

Ils se revirent ensuite à plusieurs reprises. Puis, régulièrement, car elle passait l'hiver au manoir du Bout-de-l'Isle. Aussi, quand un jour de printemps il lui annonça que ses fonctions le rappelaient à Québec, ce fut dans l'ordre des choses qu'il la demande en mariage et qu'elle accepte.

Rue Sainte-Anne, les pluies de la veille étant maintenant tout à fait évaporées, les roues des équipages de maître, et celles des chariots chargés des pierres déchaussées de la terrasse qui les croisaient, soulevaient une épaisse poussière.

Derrière les grilles à lances dorées qui fermaient la cour du château Saint-Louis, le pas cadencé des sentinelles battait d'un rythme militaire le brouhaha des invités du gouverneur qui arrivaient.

Le soleil distribuait sur la surface des riches fenêtres de la résidence des éclats de quartz aussi luisants que ceux incrustés dans le roc du Cap-aux-Diamants. La chaleur du jour, humide et collante, atteignait son apogée. Malgré la poudre qui couvrait ses joues, Marie-Godine en avait le teint rosé. Avant que les murets de la sénéchaussée ne lui obstruent la vue, elle porta son regard sur les tours de la citadelle orgueilleusement dressées au sommet du cap. Le cœur de la jeune fille faisait des bonds : elle rêvait en même temps qu'elle vivait son rêve.

Un peu d'ombre rafraîchit la voiture lorsqu'elle franchit l'entrée du château, flanquée de deux gardes vêtus du costume blanc et orange des Compagnies franches de la Marine et, lorsqu'elle s'arrêta devant le perron aux larges degrés, un laquais en descendit pour ouvrir le battant du cabriolet.

Une masse d'invités volubiles encombrait la cour carrée et, quand Marie-Godine apparut, la rumeur s'apaisa, les regards fondirent sur elle. Le poids de cet intérêt s'ajouta à celui de l'appréhension diffuse qui étreignait la jeune fille au seuil de cette soirée troublante, au bord d'un monde nouveau. Pour briser cette émotion qui autrement risquait de l'inonder outre mesure, elle décida de réagir en opposant à ces visages scrutateurs des yeux fiers et une tête haute. Elle s'avança donc en souriant discrètement, l'expression amène mais sans concession, de peur d'être le moindrement familière. Ainsi, pieds nus et le cœur battant, elle pénétra dans le hall.

Le temps qu'elle reprenne son souffle (qu'elle avait court à la suite de cette arrivée remarquée), on l'annonçait.

Chapitre XXVI

Sous les reflets multipliés des lustres, Marie-Godine s'avançait entre deux haies de gens de cour. Ses pas la portaient dans un silence si ténu que l'entrechoquement de deux verres fit presque sursauter les invités.

Ses pieds aux attaches délicates se posaient exactement l'un devant l'autre, ce qui donnait à sa démarche une indéniable dignité. De toute sa personne se dégageait une noblesse naturelle, non apprise, non jouée.

Rendue aux pieds du gouverneur Beauharnois, elle plongea dans une révérence. Et pendant un bon moment, il ne se passa strictement rien. Assis dans un fauteuil à crémaillère posé sur une modeste tribune, le gouverneur appuyait nonchalamment sa main droite sur une canne à pommeau d'or, seule marque de son prestige. Il semblait attendre quelque mot, quelque geste, convenu peut-être, avant de réagir.

De légers bruissements de tissus, la toux d'un invité, des soupçons de chuchotements de bouche à oreille, et le gouverneur qui regardait toujours Marie-Godine dont il semblait oublier la position inconfortable.

Alors la jeune fille prit sur elle de mettre fin au malaise; un sourire désarmant sur les lèvres, le plus naturellement du monde, elle demanda:

– Excellence, permettez-moi de me relever pour mieux… vous entendre.

Aucune incorrection, nulle provocation dans sa voix calme. Pensif, un doigt replié sur la bouche, l'expression tout ensemble paternelle et un peu intriguée, le gouverneur acquiesça :

– Mais… je vous en prie.

Et lui-même se leva. Un souffle de satisfaction complice parcourut l'assemblée. Marie-Godine avait gagné son pari : rester elle-même en dépit du faste et de l'affectation du protocole. Elle resplendissait : ses cheveux blonds, ses yeux gris bleu d'où émanait un aplomb capable à la fois d'émouvoir et de séduire, et cette robe d'une simplicité que seule pouvait se permettre une femme au charme absolument certain.

– Marie-Godine…

Le marquis de Beauharnois prononça le nom avec un air entendu. La souveraine originalité du personnage l'intriguait. Il lui trouvait une distinction que même son appartenance à l'une des familles françaises les plus éminentes, dont la noblesse remontait à Henri IV, lui avait rarement donné l'occasion d'observer.

Même si la voix de Marie-Godine avait paru calme, l'angoisse sourdait en elle. Son allègre impudence avait fait sourire le gouverneur, et il souriait encore en lui tendant la main. Indulgente, elle accepta le geste en posant ses doigts sur la main offerte.

– Marie-*Godine*… N'est-ce pas là un nom étrange ?

– C'est un nom unique, j'en conviens…

Et Marie-Godine, relevant le bas de sa robe au-dessus de ses chevilles, avec l'expression d'une enfant prise en défaut, baissa les yeux. Le gouverneur s'écarta un peu pour mieux voir et conclut, tout bonnement :

– Il faudra prendre garde en dansant...

Depuis qu'il s'était approché d'elle, les invités s'étaient remis à parler tous à la fois. Une atmosphère détendue régnait dans la grande salle et la tiédeur qui descendait avec la fin du jour dissipait la touffeur d'orage qui s'était installée le matin. On respirait mieux. Des rires délicats rivalisaient avec des exclamations au ton viril enterrant les notes discordantes des instruments que les musiciens tentaient d'accorder.

Un valet s'approcha du gouverneur et lui glissa quelques mots à l'oreille. Ce dernier fit de la tête un signe à peine perceptible et s'excusa auprès de Marie-Godine :

– On me réclame ailleurs... Je dois vous quitter, mais sachez que nulle part ce soir je ne me trouverai en meilleure compagnie. Vous êtes ravissante, mais plus encore, vous êtes particulièrement douée pour ce genre de soirée ; votre présence en fera une fête, j'en suis sûr. Ne vous laissez surtout pas convaincre de changer, vous vous devez de demeurer ce que vous êtes.

Marie-Godine exécuta une courte révérence, et le gouverneur accompagna le serviteur. Ensuite, dans les entrecroisements des bavardages futiles, la jeune fille rejoignit Louise-Noëlle qui se tenait en compagnie de François et d'un groupe de jeunes gens. Sa marraine l'accueillit d'un sourire heureux, ramenant aussitôt son attention aux propos de François dont le ton se faisait grave.

– ... et puis, il faudrait cesser de parler de la guerre et des Anglais. Même si nous vivons en paix depuis maintenant des années, nous n'avons de cesse d'empoisonner nos journées avec ces maudits sujets !

– Mais c'est normal, nous savons depuis des années que l'affrontement est inévitable.

Cette évidence venait de la bouche du capitaine de Blainville, militaire de carrière qui devait son rang et sa fortune aux occasions qu'il avait eues de s'illustrer au combat.

– Quand viendra le temps de nous entretuer, nous saurons faire face au destin, lui rétorqua François. Mais d'ici là, nous pourrions quand même profiter de la vie, apprécier chaque instant vécu loin des champs de bataille, goûter à la tranquillité de nos foyers, quoi ! Ce pays est en paix et nos esprits, eux, sont en guerre.

Depuis qu'il officiait comme aide de camp d'Olivier de Salvaye, le contact avec les problèmes de la haute administration et sa prise de conscience des tiraillements dans la hiérarchie en avaient fait un homme, enfin. Son visage s'était affermi, les longues veilles avaient stigmatisé ses traits, creusé ses orbites, et sa bouche avait perdu cette moue puérile qui trahissait autrefois une certaine vulnérabilité.

– Une bonne nouvelle, au moins, pour me donner tant soit peu raison : il est question d'abandonner Louisbourg. L'intendant en a parlé hier au Conseil supérieur, semble-t-il.

– Comme si d'ouvrir la colonie aux Anglais allait nous en faire des alliés…

– Oh ! messieurs, je vous en prie !

Exaspérée par la tournure de la conversation, Louise-Noëlle s'interposa :

– Nous ne sommes pas là pour discuter de stratégie, ni pour entériner les décisions royales.

Puis, regardant sa filleule près d'elle:

– Marie-Godine fait ce soir son entrée dans le monde, ne l'oublions pas. Alors la guerre…

Elle fit un geste des mains et des bras pour signifier que cela lui passait nettement au-dessus de la tête.

C'est alors qu'un mouvement, parti de l'autre extrémité de la salle, déferla sur eux comme une vague. Une vague toute en douceur qui mit un bon moment à atteindre l'assemblée et à la partager en deux files, d'un côté les femmes, de l'autre, les hommes. Le silence flotta sur les têtes poudrées, puis les musiciens attaquèrent un air bien rythmé, et les couples se mirent à virevolter.

Marie-Godine sentit une sorte d'entrain s'insinuer en elle. Sa respiration s'accéléra. Les hommes la gratifiaient de leurs regards à la fois audacieux et quémandeurs pendant que les femmes, rivées à leur galant, la considéraient comme une rivale. Elle ignorait l'admiration des uns et la jalousie des autres, car elle demeurait étrangement lucide, naturelle et heureuse.

Ce fut d'abord sans vraiment s'y attacher qu'elle distingua un gentilhomme qui dansait avec une jolie femme aux cheveux brun-roux. Grignotant des dragées aux fruits, la tête pleine de musique et les yeux pétillants du reflet des bougies qu'on allumait, elle le suivit des yeux, l'air de rien. Quand la musique cessa et, avant que les conversations reprennent, il la vit à son tour.

Un haut-de-chausses somptueux, un justaucorps soigné, en somme habillé avec le meilleur goût – à part ce haut-de-chausses trop voyant –, il ressemblait aux images d'hommes célèbres, les vainqueurs de grandes batailles, les chefs de grandes armées.

Pourquoi Marie-Godine avait-elle envie de se réfugier – oui, se réfugier, comme on se met à l'abri, comme on se cache – auprès de sa marraine ? Une bouffée de chaleur la parcourut. Elle prit dans sa manche un mouchoir de dentelle et s'épongea délicatement les tempes et la gorge. Ce geste donna à l'homme l'impression d'être témoin d'une scène intime, et cela le fit sourire d'une manière toute particulière. Ces dents blanches, ces belles lèvres, cette fine moustache : Marie-Godine en fut troublée, trahie par quelque trait de son caractère qu'elle croyait jusqu'alors parfaitement raisonnable.

Quand les serviteurs circulèrent avec de grands plateaux d'argent chargés de rafraîchissements, elle se rendit compte que son admirateur, après avoir pris deux coupes, se dirigeait vers elle. Elle riva ses yeux sur les siens et resta sur place à l'attendre : se frayant un chemin parmi les invités, il s'approcha avec une lenteur quelque peu sensuelle.

Il allait l'aborder, s'incliner pour la saluer largement quand claqua un bruit sec, froid, immédiatement suivi d'une altercation. Les têtes se tournèrent d'abord en direction de la tribune où l'on faisait masse autour du gouverneur. Puis l'attention se porta plutôt vers le fond de la salle, côté cuisines, où une femme, le visage luisant de colère et de larmes, reculait, les bras le long du corps et les poings fermés, devant un officier galonné qui l'écrasait de son expression arrogante.

Jane, car c'était elle, paraissait horrifiée. Elle tremblait des pieds à la tête. Sa main droite brûlait encore de la gifle qu'elle venait d'administrer à ce capitaine qui, au bout d'une tirade dégradante à l'endroit des

Anglais – « … des personnages trop froids pour avoir un cœur… » – lui avait lancé sans ménagement, comme si elle méritait de subir toutes les morsures destinées à l'ennemi :

– … et ça, ça vaut aussi pour les Anglaises !

Si seulement Jane n'avait pas été si prompte, plusieurs se seraient portés à sa défense. Jamais encore on ne l'avait attaquée aussi vicieusement, et il était loin d'être certain que tous nourrissaient contre elle une telle inimitié. Mais la détermination de son geste, son effet absolu avaient clos toute amorce de réplique. Ce soufflet était un point final.

Elle continuait de reculer. L'attention de tous était fixée à ses pas. Une nuée de réflexions affluait dans les esprits : on comprenait, on regrettait, on espérait. Mais au fond de soi, chacun savait qu'il était trop tard.

Olivier, qui avait assisté à la scène et revenait vers Jane, était figé. Son projet échouait, il perdait avant même d'avoir engagé la bataille. Tout d'un coup redevenu rationnel, il se dit que jamais il n'aurait dû croire possible de vaincre le chauvinisme d'une population vivant sur le volcan de la guerre.

François, qui se trouvait tout près de Jane quand, l'air de prendre la terre entière à témoin de l'exemplarité de sa haine pour les Anglais, le capitaine de Blainville l'avait attaquée de ses propos, s'efforçait de se contenir et de conserver son sang-froid, oubliant que, par là, il sousestimait l'incident.

Et Louise-Noëlle, et Étienne, et les autres qui auraient pu, qui auraient dû intervenir, restèrent sur place, incapables de prendre quelque décision soudaine. Soutenir Jane ? Sortir le capitaine ? Personne ne savait.

Avant que quiconque ait bougé, Jane fit brusquement demi-tour et fonça. Devant, c'était une porte, celle des cuisines, laissée entrouverte pour que l'odeur des mets en préparation excite la gourmandise. Le visage blême, le cœur gonflé de révolte, elle franchit précipitamment cette porte et la referma à la volée. Portant les poings aux oreilles, elle les y pressa comme pour taire la furie de ses pensées qui s'entrechoquaient.

Un corridor obscur, puis les cuisines... Des silhouettes immobiles qu'elle ignora et, immédiatement, une deuxième porte. Fermée celle-là et contre laquelle Jane dut s'obstiner, les dents serrées, les gestes fous, désordonnés et violents, pour qu'elle cède. Derrière, un pan de nuit se dressait, prêt à l'envelopper. Et elle s'élança. Sa chute ne dura qu'un instant, son corps heurta un torrent de pierres qui roulaient, roulaient sous elle. La douleur d'abord, puis la nuit encore, la nuit au-dessus d'elle, la nuit dans sa tête, et elle s'immobilisa enfin, inerte.

Le ciel était piqué d'étoiles. La lune dessinait des ombres légères qui adoucissaient l'image du Cap-aux-Diamants. Du fleuve montaient des effluves qui imprégnaient l'air de langueur. Dans le port, des lueurs jaunes fusaient des écoutilles des bateaux et poudroyaient comme brume au-dessus des ponts.

L'espace entre la terre et le ciel baigna dans un silence infini, un silence à mourir.

Le corps de Jane gisait dans l'herbe contre le ressaut de la roche qui avait freiné son glissement vers le bas du cap. Un mince filet de sang noir barrait son visage, le partageait en deux d'un trait si net qu'il ne faisait même pas penser à une blessure.

Se retenant difficilement aux arbustes qui leur déchiraient les mains, essayant de prendre appui sur les aspérités du roc, deux domestiques – qui travaillaient aux cuisines – regardaient Jane, n'osant se permettre la moindre initiative. Ils devinaient qu'elle était morte, mais ne savaient que faire ou que dire.

Au-dessus, dans le carré de lumière de la porte du château restée ouverte, des silhouettes se succédaient pour voir, mais en vain. L'une d'elles pourtant insista, repoussa les autres, se fraya un chemin jusqu'au bord du gouffre – qui remplaçait la terrasse démolie – et se pencha sur le vide. Puis, elle tourna sur elle-même, ses pieds trouvèrent le dernier échelon d'une échelle abandonnée sur place par des ouvriers. Elle disparut ensuite pour réapparaître, précédée d'un roulement de cailloux, soufflant fort, près des deux domestiques qui reconnurent le conseiller de Salvaye.

Ce dernier dut poser un genou dans la fange pour se retenir dans la pente. Il touchait presque le corps de Jane dont une épaule blanche tranchait sur le reste, et s'en approcha craintivement.

Il n'était pas surpris de la voir morte : il en avait eu le pressentiment dès le moment où il avait été prévenu de l'accident. La présence silencieuse de deux inconnus ne le gênait aucunement : il pleura. Il pleura de dépit – le chagrin viendrait plus tard –, ne sachant plus du tout pourquoi un être de chair et de sang, une femme à la personnalité ordinaire, pouvait être victime d'un ostracisme mortel.

Puis, dérivant un peu du cours de ses idées au point de perdre conscience qu'il était là, il se crut l'objet d'un mauvais rêve.

Des voix sèches d'officiels le tirèrent de sa torpeur: titubant et rageant quelque peu contre la force de la pente, des miliciens avaient soulevé le corps de Jane et attaquaient maladroitement le cap en direction du château.

À l'intérieur, la consternation avait chassé les fastes du bal. En moins de rien, la nouvelle avait couru sur toutes les lèvres: elles s'étaient fermées sur l'émotion.

Marie-Godine cessait d'être raisonnable. Elle avait l'impression de perdre pied, de tomber dans une peine sans fin. Son cœur se déchirait dans sa poitrine et elle ne savait comment endiguer le flot d'amertume qui en débordait. Elle n'osait bouger, craignant de chanceler au premier pas, de fondre en larmes au deuxième. Une indignation sauvage, désespérée, terrifiante montait en elle. Elle parvint cependant à vaincre un sanglot qui allait l'emporter comme une vague de fond. Alors, une rage froide s'éleva en elle et, d'interdite, elle devint belligérante.

Elle darda son regard sur le capitaine qui avait vilipendé Jane et marcha vers lui comme on monte à l'attaque. Sa détermination suspendit le temps: dans ses yeux dansaient des braises et sa bouche se durcissait déjà sur les mots qu'elle allait lancer.

Le capitaine, dont les gestes trahissaient une certaine gêne, recula de quelques pas en se cherchant une contenance.

Marie le toisa de la tête aux pieds et d'une voix forte mais qui défaillit, comme si le souffle allait lui manquer, elle lui jeta:

– Vous êtes… Vous êtes parfaitement odieux.

Elle s'imposait de garder la tête haute, de fuir les regards scrutateurs, et se tenait droite jusqu'à l'arrogance.

Dans un mouvement à peine entamé, François avait manifesté l'intention de la retenir. S'il ne l'avait pas fait, c'est qu'il observait dans la colère de Marie-Godine un fond de fragilité qui lui faisait craindre qu'elle ne se brise s'il freinait ses élans. Et c'était un paradoxe fascinant que de la voir à la fois si frêle dans sa féminité et si forte dans son courroux. Elle avait oublié son entourage et sa colère balayait toutes ses retenues: jusqu'où irait-elle?

L'esclandre avait relégué le gouverneur à l'indifférence de ses invités. Il ne s'en formalisa pas, subjugué qu'il était par l'assaut de Marie-Godine.

Le personnage lui paraissait aller au-delà de ce qu'on lui en avait dit, et il comprenait qu'elle était bien davantage que Marie-Godine, elle était l'incarnation des gens de ce pays. En l'observant, il reconnaissait une certaine noblesse, une distinction particulière: les caractères de sa race. Et il se disait qu'un jour il faudrait bien compter avec elle et avec tous ceux qu'elle représentait, car ce pays, c'est à elle qu'il ressemblerait, pas à lui.

– Vous faites le beau, continua-t-elle, vous êtes là à vous pavaner dans votre costume à poignets de dentelle, jacassant comme une pie qui s'écouterait parler. Vous n'êtes qu'un polichinelle!

Sur ces mots, dans un geste pathétique, elle ramena une mèche de cheveux qui avait glissé d'un de ses peignes, et se tournant vers les autres, tous les autres, elle sembla les prendre à témoin de la logique de sa violence.

Et elle ne parla plus.

Le capitaine ainsi agoni d'injures ne dit mot. Il se tint drapé dans sa dignité qu'on venait de ternir, sachant qu'il ne pouvait rien répondre aux propos de Marie-Godine, car ils exposaient une situation beaucoup trop compliquée : la mort de Jane ne résultait pas de son intransigeance, mais d'une somme de frustrations assassines.

Un peu en retrait, Louise-Noëlle regardait sereinement Marie-Godine, l'air de dire qu'on n'y pouvait rien, que c'était un aboutissement : en une seule soirée, sa filleule avait grandi, mûri. C'était tellement vrai que la jeune femme semblait pour l'instant un peu perdue : d'une part, on aurait dit qu'elle ne savait trop comment revenir de sa révolte, apaiser sa fureur, et, d'autre part, elle n'avait visiblement pas encore rattrapé les mouvements de son humeur : elle subissait le contrecoup de son emportement.

François, lui, fixait le mondain honteux qui chancelait. Droit et blême, il s'avança vers le capitaine avec une telle résolution qu'on crut un moment à l'imminence d'une nouvelle tragédie. Alors, glissant en un mouvement retenu, Louise-Noëlle vint derrière lui, posa affectueusement les mains sur ses épaules et lui murmura, d'une voix particulièrement douce :

– Il ne sert à rien de…

Puis, pendant qu'elle tentait ainsi d'apaiser le sursaut de fureur qui parcourait le jeune homme, sur un ton de soumission à la fatalité, elle ajouta :

– Jane est morte… Olivier a besoin de nous.

Ses propos réussirent à arracher une réaction à François. Il se tourna vers le fond de la salle : Olivier revenait, aussitôt accueilli par Étienne de Clairembeault. Ses traits se contractèrent, puis se détendirent, comme s'il avait soudain remis de l'ordre dans ses idées.

Ne faisant absolument plus cas du capitaine qui se tenait d'une raideur à parer à toute éventualité, il tourna le dos et suivit Louise-Noëlle.

Droite dans la lumière des lustres du bal, Marie-Godine posa ses yeux brillants de colère sur les rectangles enténébrés des fenêtres d'où arrivaient encore les chuchotements de ceux qui étaient descendus au pied du cap jusqu'au corps de Jane, en compagnie d'Olivier.

Les invités, en place pour un menuet avant l'événement tragique, formaient maintenant des grappes agitées. Les manières s'étaient relâchées, les propos échangés perdaient de leur subtilité, les attitudes se brouillaient.

Marie-Godine se retrouva seule. Elle aurait pu rejoindre Louise-Noëlle, François, Olivier... Mais elle demeurait marquée par la colère et n'avait plus la force de retrouver l'état d'esprit qui lui eût permis de réconforter son oncle. Et puis, d'une manière insidieuse, l'image de Jane morte s'imposa à son esprit, l'emportant presque sur le souvenir de sa tante, et entraîna des visions morbides, ce qui la jeta dans une sorte de confusion; elle trembla d'émotion et, étrangement, de peur.

Elle n'eut d'abord aucune conscience de la présence d'un homme près d'elle. Il lui toucha l'épaule et l'aborda:

– Mademoiselle Devanchy.

Mlle Devanchy: elle se rappela soudain qu'en effet certains, rares et cérémonieux, l'appelaient ainsi. C'était pourtant son nom, surtout dans cette société guindée de la haute ville, et le chevalier de Patris qui le lui donnait parla de nouveau (Marie le regardait, silencieuse) d'une voix pleine, enveloppante même:

– Mademoiselle… puis-je m'offrir à vous reconduire ? Cette salle sera bientôt vide et, dans les circonstances, je vous comprendrais de vouloir rentrer chez vous au plus tôt.

Silence.

Avec une vague appréhension, Marie reprit lentement contact avec la réalité, puis, les yeux cillant contre les larmes qui enfin lui venaient, elle soupira de soulagement et fit un effort pour bien regarder l'homme qui lui parlait. Son costume d'abord, son visage ensuite, son expression dure et aristocrate tempérée par le gris-vert de ses yeux, et cette moustache qui lui donnait l'air de sourire constamment. C'était bien celui qui plus tôt l'avait longuement observée.

Pendant qu'elle le reconnaissait, il l'examinait encore dans une attitude méditative, plein d'admiration. Sa voix, lorsqu'il parla de nouveau – elle continuait de le regarder, silencieuse et presque absente, éprouvant un indicible sentiment de solitude qui l'enfermait en elle-même – était pleine, chaleureuse.

– Permettez-moi de me présenter : je suis le chevalier de Patris, capitaine des troupes de ligne du gouverneur, autrefois de l'infanterie de Sa Majesté le roi…

L'air de ne pas l'entendre, Marie se disait qu'elle n'avait jamais connu un homme pareil. Venu d'un autre univers, il lui paraissait calme et fort et, en cet instant, elle se prit à désirer ardemment qu'il demeure près d'elle.

Et elle le suivit pour qu'il la raccompagne et la garde des attitudes conciliantes qui commençaient à la cerner.

Chapitre XXVII

Au pied des marches qui menaient à la cour du château, un luxueux cabriolet attendait, flanqué de deux laquais en livrée que Marie salua machinalement en montant dans la voiture du chevalier.

Elle s'assit sans précaution et sa robe découvrit ses chevilles, laissant apparaître un jupon blanc. Robert de Patris vit la chair rosée, le blanc provocateur du vêtement de dessous, et ordonna au cocher de presser l'attelage. Il posa la main sur la rondeur d'une hanche après que, d'un bras passé autour des épaules, il eut ramené contre lui le corps de la jeune femme qui lui sembla étonnamment consentante.

C'est que la succession des moments de bonheur, de griserie, puis de consternation et de colère avait mis Marie dans un état de vertige où elle n'était plus que la part exaltée d'elle-même. Le geste du chevalier, au lieu de la choquer, avait éveillé en elle un ardent désir charnel qui la soûlait. Quand les lèvres de l'homme trouvèrent les siennes, elle ferma les yeux afin de ne rien perdre des sensations qui l'emportaient.

Mais il fallut briser l'étreinte et, du coup, Marie-Godine eut l'impression d'être percluse de fatigue. De lascive, elle devint indolente.

– Nous voici arrivés.

La voix du chevalier de Patris était maintenant rauque d'émotion. Sa bouche effleura le cou de Marie-Godine pendant qu'on ouvrait la porte du cabriolet et que la jeune femme constatait qu'ils étaient devant une résidence cossue de la haute ville.

– Mais… je n'habite pas ici.

« Que vais-je faire ? pensa-t-elle. Exiger qu'il me reconduise à la maison, ou… »

– Je vous invite chez moi.

Des lueurs de méfiance se succédèrent dans le regard de Marie-Godine.

– N'ayez crainte, je sais me conduire.

Le sang de Marie-Godine circulait à toute vitesse, et elle n'avait pas le cœur à réfléchir, à peser le pour et le contre, à écouter sa raison. L'idée de rentrer chez elle s'accompagnait d'images macabres, et cela ramollissait son intention de le faire. Elle hésitait, et le chevalier, croyant que ce n'était que pour la forme, mit pied à terre et lui tendit le bras pour l'aider à descendre. Alors, Marie-Godine acquiesça, descendit à son tour.

Tout en remarquant la somptuosité de l'intérieur, Marie-Godine pensa un moment à résister au chevalier lorsqu'il l'entraîna dans la chambre. Mais le regard de ce dernier était si léger qu'elle refusa encore d'écouter les réserves suggérées par son éducation. Lorsqu'il la toucha – à peine, pour la guider vers le lit –, de nouveau elle frissonna.

Elle s'assit en regardant vaguement la lumière frisante des bougies qui dorait le dessus de marbre d'une commode.

– Vous allez vous reposer. Je veillerai à ce qu'aucun bruit ne vous dérange.

Souriante, ne l'écoutant que d'une oreille distraite, elle se disait qu'il pouvait dire n'importe quoi, elle ne le contredirait pas. Sa solitude intérieure, il en était maintenant complice : elle le tenait comme partie d'un pacte qu'elle se serait fait avec elle-même.

Allait-il encore lui entourer les épaules ? Dans sa tête, elle continuait de fuir sa raison et souhaitait qu'un grand choc ferme la voie à la sagesse qui tentait encore de la rattraper.

– Vous savez, je vous ai aperçue en différentes occasions à la haute ville. Puis à la basse ville, un matin, à l'aube. Vous reveniez de la grève, le bas de votre robe était tout trempé... Des enfants vous accompagnaient, sautillaient autour de vous en riant.

Il aurait dû quitter la chambre, mais n'en fit rien. Il tournait un peu en rond et elle l'observait sans être dupe : ses mots en couvraient d'autres.

Alors, il vint vers elle, s'assit à ses côtés et l'enlaça. Il s'étendit et elle suivit son mouvement. Du bout des lèvres d'abord, et fiévreusement ensuite, il l'embrassa.

Il sentit qu'elle se détendait, qu'elle s'abandonnait. Puis qu'elle se tendait à nouveau.

Marie eut l'impression que tout son corps appelait les gestes que le chevalier tardait à faire et elle se cambra, le souffle court. Mais son amant avait besoin de la voir, de voir son corps habillé avant de le dévêtir. Il se dressa un peu, la regarda, caressa ses cheveux, son visage, son cou... Ses mains épousèrent le rond des épaules, glissèrent vers la poitrine, moulèrent les seins.

La lumière dorée dansait maintenant sur le visage de Marie. Elle fermait les yeux par moments, puis les rouvrait.

Il découvrit une épaule. Posa un baiser dans le cou. La peau, chaude, palpitait. Il libéra la poitrine.

Le silence. La respiration accélérée de Marie. L'ardeur de ses seins jeunes comme son désir, ronds et fermes, doux et secrets. Pendant un long moment, il la regarda seulement; ensuite, il posa de nouveau sa bouche contre la peau moite. Marie-Godine étreignit la tête de l'homme et son corps se cambra davantage: elle était pressée.

Le chevalier la quitta pour se défaire de ses vêtements. Elle le regarda à peine. Elle attendait, ne savait trop. Il la déshabilla soudain avec frénésie. Elle le laissa agir, collabora peu.

Entièrement nue, elle crut qu'elle devrait être intimidée, mais déjà il s'étendait sur elle. Il la caressa de tout son corps musclé. Ses bras, ses jambes l'encerclèrent, l'assaillirent. Il la regarda au fond des yeux, sembla l'implorer et dit:

– Que vous êtes belle!

Étrangement, Marie ne perdit rien de la transformation de son désir en un plaisir qui progressait d'instant en instant. Robert de Patris en profita pour l'enlacer plus étroitement encore et la caresser avec une précision qui acheva de l'affoler.

Gonflée d'angoisse autant que de désir, son souffle aboutissant en de petits sons désordonnés, Marie sentit que son amant la prenait enfin et elle s'accrocha à lui pour franchir le long moment de dérive qui lui fit oublier jusqu'à son existence.

Quand elle revint à elle, elle éprouva un heureux sentiment d'anéantissement au fond duquel l'amour avait masqué la mort, et elle remit aisément à plus tard la nécessité de considérer la réalité des choses.

Au matin, elle s'étonna du fait que Robert de Patris fût tellement plus vieux qu'elle. Il devait bien avoir au moins quarante-cinq ans. Mais cette constatation ne fit qu'un tour dans son esprit : le chevalier n'y perdait pas une once de séduction et, au fond, elle avait toujours souhaité être aimée de quelqu'un qui soit vraiment au-dessus de la masse. Car elle n'avait jamais pu croire qu'un jour l'un des freluquets qui tournaient autour d'elle puisse devenir son amoureux.

Pour sa part, devant la candeur de cette fille plus vraie que nature, le chevalier se sentait coupable de l'avoir aimée de la même façon que ses maîtresses d'une nuit. Coupable en somme d'une satisfaction de séducteur alors que, manifestement, Marie en faisait une affaire sérieuse, déterminante. N'est-ce pas pour cette raison, pour se donner bonne conscience, qu'il lui susurra :

– Je vous aime…

Marie émergeait à peine du sommeil. Elle tentait d'éviter un réveil qui l'aurait trop brusquement rendue raisonnable et ne souhaitait pas réfléchir. Pour quelque scrupule qu'elle aurait eu du mal à expliquer, elle trouvait déplacé, alors qu'elle était nue dans la lumière du matin, de prendre au sérieux cette déclaration qui, peut-être, pouvait décider du restant de sa vie.

Elle demeura silencieuse.

Mais le chevalier la ramena au creux de ses bras et, le désir d'être caressée de nouveau l'emportant sur le désir d'être indépendante, Marie se livra sans arrière-pensée.

Cette fois, de Patris n'éprouva aucun remords et lorsqu'il quitta la couche pour se rendre à la garnison où il devait, ce matin-là, passer en revue de nouvelles milices, c'est sincèrement qu'il lui demanda, moins entreprenant, aurait-on dit :

– Accepterez-vous de me revoir ?

À la manière dont elle le regarda, il comprit combien elle le déconsidérerait s'il devait en être autrement.

L'aube hésitait encore et le jour frémissait à peine, par petites touches. Elle alla vers les grandes fenêtres aux rideaux disjoints. Se couvrant des panneaux de taffetas qui tombaient devant les vitres à demi colorées de vitraux plombés, elle observa un moment la rue Saint-Louis, vide à cette heure.

Elle éprouvait des sentiments à la fois contradictoires et indéfinis et n'était certaine que d'une chose : elle devait quitter aussitôt cette maison étrangère. Un peu d'amertume assombrissait son humeur et, dans le silence de la chambre, elle avait une impression de regret sans savoir vraiment si elle le devait à la mort de Jane ou à sa nuit d'abandon dans les bras d'un homme qu'elle ne connaissait pas la veille.

Avant de la quitter, le chevalier de Patris avait ranimé le feu de la cheminée dont les flammes avaient dansé toute la nuit en jetant des lueurs mordorées sur les corps des amants, et Marie constata que la chaleur de la pièce était telle qu'elle accrochait des perles de sueur sur sa chair. Elle trouva ses vêtements sur un fauteuil, sa robe quand même étalée de telle manière qu'elle ne se froisse pas et elle ne parvint pas à se souvenir des gestes de Patris qui aurait eu la délicatesse d'aussi bien disposer le vêtement.

Elle s'habilla et sortit furtivement dans la rue sans rencontrer personne, les domestiques étant sans doute occupés aux cuisines ou même déjà partis aux arrivages du marché. Elle s'engagea bientôt dans la côte de la Montagne qu'elle descendit jusqu'à la grève où ses pieds foulèrent l'humidité des joncs, trempèrent dans l'eau... De temps en temps, elle se tourna pour regarder la ville, masse encore pleine de pans sombres. Puis, elle s'assit sur un rocher, releva ses genoux, les entoura de ses bras dans un geste frileux et attendit le soleil.

Timidement une source lumineuse découpa le sommet des montagnes derrière l'anse de Beauport. La grève de glaise, plage jamais domptée, striée de broussailles et jalonnée de rochers, recueillait les derniers relents de la nuit. Mais bientôt, au-dessus de l'île d'Orléans, le bleu trancha sur l'ombre et d'un coup, aurait-on dit, le soleil jaillit, le fleuve s'illumina. La falaise de Lévis dégagea toute sa splendeur et, en face, le château Saint-Louis coiffa le Cap-aux-Diamants d'une généreuse couronne d'ocre.

Seule sur cette grève, Marie écouta les bruits familiers du réveil et les trouva rassurants. Dans cette traversée solitaire de l'aube, elle avait apprécié d'être en quelque sorte le centre du matin, car, en vieillissant, elle constatait qu'elle supportait difficilement la sollicitation des événements comme ceux de la dernière nuit.

Depuis quelque temps déjà, il lui arrivait de considérer son besoin de liberté au regard de son avenir. Elle avait perdu son penchant pour l'aventure et aspirait de plus en plus à une existence dont les vagues se succéderaient dans un mouvement régulier, semblable à celui du fleuve qu'elle contemplait. Elle ne se sentait pas vieillie pour autant : elle était comme la grève où, d'une marée à l'autre, l'eau dessinait de nouvelles ondulations sur le sable, sans jamais en changer la couleur ni la texture.

En un mot, elle tentait d'harmoniser ce qu'elle était avec ce qu'elle pensait devenir.

En ce début de jour nouveau, il lui semblait que les événements du bal du gouverneur l'avaient mûrie, que les restes de son enfance s'étaient fondus dans un monde nouveau, celui des adultes. En quelques heures, elle avait découvert l'inexorable cruauté de la vie et l'appel de la passion : elle était profondément convaincue que cela modifierait à jamais sa façon d'être. Voilà qu'elle s'appliquait à disséquer la réalité, ce qui ne lui ressemblait guère.

Le jour maintenant avait complètement chassé l'aube. Marie se leva, se tourna vers la rive. Elle aperçut un homme qui l'observait, debout sur la pointe de la Batterie royale. C'était François.

Elle cria son nom et, retenant les pans de sa robe, elle alla vers lui en sautillant sur les galets. Deux petits garçons qui s'en allaient vers le fleuve la saluèrent :

– Bonjour, Marie !

Mais elle ne les vit ni ne les entendit : aussitôt qu'elle eut franchi les rochers plats, elle courut vers François. Près de lui, elle s'immobilisa, ne sachant quelle attitude prendre, torturée entre son désarroi et celui qu'elle lisait sur le visage de l'homme qu'elle considérait comme un oncle, son oncle préféré.

François était grave. Quelque chose s'était logé dans son regard, qu'elle n'avait jamais vu, un mélange de profonde tristesse et de dépit. Lorqu'il parla, il sembla même à Marie qu'il était souffrant :

– Je te regardais, seule sur la grève… Tu sais que ton grand-père s'isolait ainsi devant le manoir du Bout-de-l'Isle ? Et pas seulement à l'aube : lorsqu'on ne le trouvait nulle part, on se tournait vers le fleuve et immanquablement on y apercevait sa silhouette.

Sa voix était sans élan et on aurait dit que ses traits avaient vieilli.

– Quelle tête tu fais, mon oncle…, lui dit Marie sur le ton de quelqu'un qui désire consoler.

C'était au point où même se tenir debout semblait demander un effort à François. Avant de venir sur les quais à la recherche de Marie, toute la nuit il avait parcouru les rues de la haute ville pour la trouver, croyant qu'après le drame elle s'était tout simplement enfuie et avait erré, perdue dans ses émotions.

– Je t'ai cherchée, Marie-Godine…

Il ne lui demanda pas où elle était pendant tout ce temps et elle aurait été bien en peine de lui répondre. Une légère brise soufflait du fleuve sur les épaules nues de Marie et elle frissonnait. Dans sa robe de bal au petit matin, elle ressemblait à une comédienne qui se serait trompée de scène, de pièce, et elle ne trouvait aucune réplique qui aurait pu banaliser la situation.

François lui ouvrit les bras. Il avait été l'ange tutélaire de son enfance et, si elle se pressa contre lui en pleurant, ce fut en cohérence avec son état d'âme : elle reprenait enfin pleinement conscience d'elle-même.

Il lui tapota le dos et, donnant un peu de tonus à sa voix, il suggéra :

– On y va ?

Le jour était définitivement levé et ils rentrèrent chez elle, place Royale.

Chapitre XXVIII

Plus rien n'allait être pareil.

La mort de Jane jeta sur ses proches un linceul de silence. Ils s'isolèrent. On ne vit plus Louise-Noëlle à la cour du gouverneur et elle cessa de recevoir, rue Buade. Son mari choisit de s'éloigner d'un certain faste qui allait avec sa charge et, nommé au Conseil supérieur en remplacement d'Olivier, il ne pavoisa d'aucune manière, répétant à chacun que cette nomination n'en était pas une : elle se jumelait de droit à la fonction de contrôleur de la marine qu'il occupait déjà.

La démission d'Olivier ne surprit personne. Pour lui, elle allait de soi et il comprit que la vie au sein d'une communauté à laquelle il ne pouvait s'empêcher de reprocher la mort de sa femme lui devenait impossible. Personne ne tenta de le convaincre d'oublier et de faire comme si de rien n'était.

Assommé par l'événement, blessé jusqu'à l'âme par la mort de celle qui avait, pendant toutes ces années, lutté à ses côtés contre l'intransigeance mondaine et la mesquinerie bourgeoise, il se sentait à la fois victime et coupable.

Victime, il avait d'abord pensé que tout Québec se rapprocherait de lui et de ses fils, qu'une sorte de remords collectif auquel personne ne pourrait se soustraire fondrait sur la population et qu'on cesserait de médire de sa famille.

Coupable, il avait plutôt dû admettre qu'il avait été par trop présomptueux de croire qu'en provoquant la société québécoise il modifierait ses comportements et la forcerait à adopter des attitudes conciliantes.

Aussi, il jongla avec l'idée de quitter Québec. Puis, remettre sa démission lui parut la seule solution définitive. Autrement, ce n'eût été que faire les choses à demi. Il l'annonça à ses fils sans avoir à leur fournir moult explications : ils le souhaitaient autant que lui.

Convaincu que Marie pourrait maintenant se passer de ses conseils, il accepta une fonction administrative auprès du marchand montréalais François Poulin de Francheville, fondateur des Forges de Saint-Maurice. Ils s'étaient rencontrés plusieurs fois à Trois-Rivières où l'homme d'affaires qui exploitait les ressources ferreuses de la Nouvelle-France l'avait souvent sollicité.

– Tu sauras faire sans moi, affirma-t-il à Marie.

Pas un instant la jeune femme ne pensa à ébranler sa décision tant elle était convaincue que la peine d'Olivier ne s'éteindrait jamais. Banalement, elle conclut :

– Je vous comprends…

Le lendemain du bal chez le gouverneur, le chevalier de Patris avait rendu visite à Marie. Il était d'abord inquiet, ne l'ayant pas retrouvée chez lui au déjeuner, et anxieux de savoir dans quel sentiment elle était le concernant.

Elle le reçut avec les réserves de son éducation, mais, visiblement, cette visite lui plut. La personnalité du chevalier, empreinte de noblesse, la fascinait et elle se trouva bien aise d'accepter qu'il lui fasse franchement la cour.

Il revint de plus en plus souvent place Royale. Il sut multiplier les compliments qui célébraient Marie et aiguisaient son orgueil de femme désirée.

Elle eut bientôt l'occasion de retourner chez lui et ne songea pas un instant à protester lorsqu'il l'entraîna vers la chambre qui avait accueilli leurs premiers ébats. Elle se donna avec fougue et prit même l'initiative de guider certaines caresses pour ne rien manquer du plaisir qu'elle appelait de toutes les fibres de son corps.

Puis un jour où ils se promenaient sur la terrasse du château Saint-Louis, qu'il la tenait pourtant mollement par la main, sans prévenir, le regard plongeant sur la mosaïque des toits de la basse ville, il demanda, d'un ton quasi timide qu'elle ne lui connaissait pas :

– Voulez-vous m'épouser ?

La question apparut à Marie trop lourde pour un instant si léger, et elle se contenta, encore, de le regarder sans rien dire. Il n'insista pas.

Des mois passèrent à ce jeu : elle l'observait, le désirait, acceptait ses caresses et cela composait comme une obsession qui la guidait subrepticement vers un acquiescement.

Autour d'elle cependant, on ne partageait pas son engouement – on ne croyait pas vraiment qu'il s'agissait d'amour – pour ce noble récemment débarqué de France : on le considérait comme un étranger. D'autant qu'on rapportait qu'il avait des complaisances pour certains soldats de la troupe arrivée en Nouvelle-France comme lui depuis peu et qui pour survivre – l'hiver exceptionnellement long de 1730 avait retardé les semailles et il y avait pénurie – pillaient sans vergogne les habitants.

Pour sa part, Olivier ne nuançait même pas son opinion à propos de cette fréquentation : il la désapprouvait.

– Il est trop différent de toi, de nous, disait-il. Souviens-toi, nous ne sommes plus des Français. Ton grand-père, déjà, disait que nous étions d'une autre race, que nous formions un peuple nouveau...

Mais Marie l'écoutait à peine lorsqu'il abordait ce sujet. En fait, elle se souciait peu de son avis : elle était persuadée qu'il était question de son indépendance, et elle entendait bien l'assumer.

Puis les choses se précipitèrent. Pas tant à cause de la volonté des deux amoureux, mais conformément à une prescription du synode tenu à Québec en février 1698, qui interdisait aux curés de bénir des fiançailles et aux prétendants de rencontrer seul à seule leur promise plus de trois fois avant que ne soit arrêtée la date du mariage. Ces interdictions résultaient du comportement licencieux de plusieurs jeunes gens qui, sous promesse d'épousailles, obtenaient l'abandon des filles à marier et disparaissaient aussitôt qu'elles étaient enceintes. C'étaient surtout les mœurs des militaires, et on notait que les enfants de père inconnu étaient plus nombreux dans les villes où hivernaient les régiments, comme à Trois-Rivières, à Québec...

Avec l'abrogation des fiançailles, toute la jeunesse amoureuse était ainsi privée des agapes qui auraient permis de rapprocher les familles avant le mariage.

Cette dernière considération ne concernait pas Marie puisque le chevalier n'avait aucune parenté en Nouvelle-France ; mais elle était pressée de se marier à cause de son âge – à dix-sept ans, les jeunes filles étaient déjà plus d'une fois mères – et parce qu'elle n'ignorait pas que le surnombre, inquiétant, de filles par rapport aux garçons était de près de trois mille dans la colonie.

Aussi, peu à peu la proposition du chevalier lui sembla raisonnable. En même temps, elle en vint à constater que l'amour de ce dernier perdait de la vigueur, ou sa passion, de la densité. De la même manière, elle trouva bientôt moins vives les pulsions que son amant déclenchait en elle.

Mais elle l'aimait, de cela elle était certaine.

Ce fut donc une décision réfléchie qu'elle prit de l'épouser et le mariage, à cause du deuil de la famille et de son désir d'éviter tout éclat mondain, fut célébré très modestement dans la résidence de fonction du chevalier de Patris, à la haute ville.

La bataille des Hauteurs d'Abraham

Chapitre XXIX

1738, Québec.

Le silence qui régnait dans la grande maison de la place Royale n'était qu'illusion de sérénité. En fait, la tension y était grande et étreignait Marie. Depuis le matin, elle piétinait, tournait en rond, se tordait les mains, retenait sa respiration au moindre bruit et jetait des regards anxieux sur la place.

Le ciel était bas. Si bas qu'on aurait pu croire qu'il touchait les Hauteurs d'Abraham, ces plaines situées sur la falaise du Cap-aux-Diamants, en amont de la ville, et qu'on appelait ainsi du nom de leur premier propriétaire, le pilote Abraham Martin (dit l'Écossais) qui les avait vendues aux ursulines.

Plus tôt, il avait plu. En face, un soupçon de lumière colorait la pointe de Lévy et le grand vent qui avait soufflé toute la nuit était tombé. L'air était chargé d'odeurs humides.

À part Marie-Godine, personne. Son père était au chantier du Cul-de-Sac où l'on préparait fébrilement le lancement d'une nouvelle frégate, et Vivianne s'était rendue à l'Hôtel-Dieu pour aider aux soins des nombreuses victimes d'une épidémie de petite vérole qui décimait la population. Enfin, Édouard, André et Émilienne, les enfants issus du mariage de son père avec Vivianne, jouaient dehors, sur la grève.

Peu de temps auparavant, toute l'administration quotidienne du chantier naval s'effectuait encore à la maison. Mais depuis le mariage de Marie et depuis que son mari y avait emménagé (c'était son choix à elle, en attendant que le chevalier acquière une propriété à la haute ville), on gérait maintenant depuis le Cul-de-Sac. Au début, la demeure avait semblé beaucoup trop vaste, mais, peu à peu, de nouvelles habitudes s'étaient créées et maintenant on imaginait mal comment la famille Devanchy avait réussi jusqu'alors à vivre à peu près normalement dans l'incessant bourdonnement des va-et-vient, des visites impromptues et des états de crise répétés qui bousculaient le quotidien au temps où on y menait les destinées du chantier.

Le regard de Marie-Godine s'attarda sur les façades paisibles qui donnaient sur la place. Le gris sévère de la pierre se fondait dans les vapeurs de la brume matinale et l'écho mouillé des pas portait lorsqu'une silhouette traversait le carré pour prendre la rue Saint-Pierre. Un attelage, dont le cheval se noyait dans l'épaisseur du brouillard chaud de son haleine, attendait près de la fontaine.

Marie-Godine se tenait dans le petit boudoir attenant au vestibule de l'entrée. À cause des rideaux tombant sur ce jour couleur de brunante, la pièce baignait dans une sorte de demi-clarté qui seyait bien à l'état d'âme de la jeune femme : elle attendait des nouvelles dont la teneur pouvait transformer sa vie.

Le plancher de chêne poli reflétait les pieds sculptés des fauteuils, et la surface lisse d'une table couleur de miel renvoyait les éclats d'un chandelier de cuivre posé là faute de place ailleurs. Sur les murs, des portraits de famille rappelaient un passé déjà lointain. La couleur des peintures était passée et les costumes des personnages, nettement d'un autre âge. L'un d'eux, celui de Vadeboncœur Gagné, retint les yeux de Marie.

L'ancien bailli de Montréal la toisait avec une expression de grand calme. Son visage étroit, un peu décoloré, et sa posture – les mains posées à plat sur le globe terrestre anglais qui se trouvait encore dans le bureau situé derrière la maison, côté fleuve – lui donnaient des allures d'aristocrate. Le regard de Marie insistait : au-delà des années, elle cherchait à communiquer avec le personnage. Chassant son angoisse, elle se voulait réceptive, car elle savait qu'à force d'imaginer la présence de ce dernier elle entendrait ses recommandations.

Elle n'allait pas jusqu'à éprouver le besoin de lui parler, mais, souvent déjà, de se trouver face à face avec lui avait suffi à l'apaiser. Elle se répétait que, d'une certaine manière, il faisait partie d'elle. C'était cette partie d'elle-même qui faisait qu'elle répugnait de suivre les voies tracées par les us et de continuer de s'inscrire dans ce ménage de convenance qu'était devenu son mariage avec Robert de Patris.

Dès les premiers temps de leur union, sa vie s'était transformée en attente : elle ne savait plus si elle attendait le retour définitif de son mari sans cesse en expédition contre les Iroquois ou en inspection de garnisons à Trois-Rivières et à Montréal, ou si elle attendait le retour de la passion les ayant déjà unis. Dans un cas comme dans l'autre, elle vivait un veuvage qui convenait mal à son caractère, qui mettait son entourage dans l'embarras et qui excitait la rumeur.

Puis, après ces années à remettre à plus tard une vie de couple normale à laquelle elle n'était parvenue à renoncer, pour quelque motif mystérieux l'intendant avait destitué le chevalier de sa charge et ce dernier avait décidé de rentrer en France pour y traiter directement cette affaire avec le ministre Phélypeaux de Maurepas.

Cinq autres années, d'une séparation absolue cette fois. Une telle situation aiguisait l'envie des séducteurs.

On savait qu'elle pouvait très bien tirer son épingle du jeu seule. D'abord, héritière de la fortune de Vadeboncœur de Gagné, elle était riche. Puis, elle menait très bien ses affaires, sachant parfaitement céder ou mordre selon les circonstances, pour avoir appris d'Olivier de Salvaye l'art de gérer avec élégance et efficacité.

Mais en ce matin de septembre menacé d'averses, une insidieuse confusion l'ébranlait. Pour la première fois, intérieurement, elle chancelait. Son cœur et ses affaires étaient en jeu. Cette journée devait lui apporter les réponses définitives aux questions devenues pour elles cruciales depuis quelques mois, à savoir : le chantier du Cul-de-Sac allait-il passer aux mains de l'État et le commandant de *L'Orignal* qui rentrait de France ce jour-là lui apprendrait-il que son mari allait revenir bientôt ou ne reviendrait jamais ? Ces deux grandes incertitudes la torturaient, et elle était fébrile depuis l'aube.

Jamais l'industrie de la construction navale n'avait été si florissante. Et, paradoxalement, c'est de là que venait tout le problème : l'Administration voyait d'un mauvais œil la réussite d'une affaire dont elle était le principal client, car cela favorisait par trop l'autonomie de la colonie. Aussi, considérant que Marie possédait à la fois l'équipement portuaire et le chantier naval le plus important de la Nouvelle-France, l'intendant Hocquart trouvait-il sa situation au plus haut point tracassante.

Le représentant du roi devait préserver les acquis de la métropole et minimiser ses pertes. Il devait donc éteindre tout foyer d'autonomie pour éviter qu'économiquement la colonie ne vole de ses propres ailes et que ne s'évaporent ainsi tous les profits possibles de l'aventure coloniale. Posée ainsi, la question était simple et la mesure à prendre, évidente : le chantier naval de Marie Devanchy devait passer à l'État. Mais l'histoire de la Nouvelle-France étant aussi celle du respect des privilèges de chacun, il lui était difficile de justifier la négation du droit à la propriété. Et pour compliquer encore les choses, le ministre de la Marine manifestait l'intention ferme de redonner à la France la suprématie maritime qu'elle avait perdue au profit de l'Angleterre. À ces effets, l'intendant et le ministre s'accordaient pour prôner l'implantation d'une industrie navale à Québec, où les coûts de construction étaient moindres que n'importe où ailleurs, à cause de l'abondance du bois, de la quantité et de la qualité du goudron et des généreuses récoltes de lin et de chanvre, nécessaires à la fabrication des voiles et des cordages. Mais allaient-ils préférer le chantier de Marie à un autre qu'on projetait de construire sur les rives de la rivière Saint-Charles ?

Aussi, Marie avait rencontré l'intendant pour débattre cette question une fois pour toutes et avait trouvé conciliante l'attitude de ce dernier devant ses arguments. Malgré cela, elle imaginait quand même facilement que l'Administration pût se croire obligée de mettre sur pied son propre chantier et, ainsi, la ruiner. Ce matin, elle attendait Étienne de Clairembeault à qui elle avait donné mandat d'obtenir et de lui transmettre la réponse de l'intendant.

Incapable de rester en place, elle traversa la vaste demeure pour se rendre dans ce cabinet de travail où elle recevait les responsables du chantier quand elle ne se rendait pas plutôt sur les lieux, montant, contre l'usage encore, à cru et nu-pieds, son cheval blond qu'elle aimait lancer au galop.

Autour d'elle, les meubles du temps de Vadeboncœur, dont le vieux globe terrestre, et, sur les murs, des plans, des esquisses, des dessins de frégates, de corvettes, de caravelles, construites au Cul-de-Sac au cours des années. « Si je devais perdre le chantier, se dit-elle, je quitterais cette maison pour le manoir du Bout-de-l'Isle. » Et comme pour se rapprocher de cette idée, elle se tourna vers le fleuve dont le même mouvement puissant et tranquille devait faire frémir les eaux devant le manoir endormi au milieu de ses terres à l'extrémité ouest de l'île de Montréal. Comme son grand-père, elle subissait l'envoûtante fascination du Saint-Laurent, l'artère vitale de la Nouvelle-France qui lui devait son histoire, depuis sa découverte jusqu'aux prétentions de conquête des Anglais, et qui battait le rythme de ses saisons.

Quitter Québec ? Plus d'une fois déjà le projet avait germé dans sa tête. À la mort de Jane surtout, car alors, comme pour Olivier, la ville lui était apparue étrangère à toute idée de bonheur, et ses gens et ses lieux la hérissaient. Mais son ressentiment avait été détourné par ses projets de mariage et les préoccupations liées à sa majorité quand Olivier, conformément aux dispositions testamentaires de sa mère, avait entrepris de la mettre en possession de son héritage, lui enseignant graduellement les rouages administratifs de ses affaires.

Pensive, elle continuait de regarder le fleuve. Sur la rive opposée, elle voyait des pinasses qui quittaient Lévis et, plus près d'elle, deux canots, montés par des Hurons, qui se dirigeaient vers le muret avancé de la Batterie royale.

Ainsi retranchée derrière les fenêtres de cette pièce où elle avait déjà vécu plusieurs moments de recueillement, elle se donnait l'impression d'être à l'abri des contrecoups de la vie, d'effectuer un recul lui permettant de faire le point avant d'être de nouveau entraînée par les événements comme quelques jours auparavant lorsqu'elle s'était offert un éblouissement, une cassure dans la monotonie de son comportement d'épouse exemplaire. Cela aussi avait commencé par une question, d'abord incongrue puis familière et, enfin, lancinante : aimait-elle encore ce mari, sans cesse absent et dont le caractère s'était révélé terne et distant ? Ou n'était-il plus pour elle que le souvenir de leur passion, et même, seulement le souvenir de *la* passion ? Un matin, sans prévenir, sa vie en carême lui avait fait mal. Mal au cœur et mal au corps. Et au lieu de crier, de se révolter, d'éclater, elle s'était offerte délibérément à un amant de passage.

Infidèle et immorale, trouvant dans sa nature le goût soudain du plaisir pour le plaisir. Pour voir, pour savoir si le souvenir de ses voluptés anciennes lui appartenait ou s'il ne tenait qu'à l'homme avec lequel elle les avait découvertes et partagées. Pour évaluer cet amour devenu, pour ainsi dire, un deuil qu'elle portait en se demandant de plus en plus souvent s'il était justifié. Ou, peut-être, tout simplement, pour raviver ses sens et, ainsi, intensifier son envie de retrouver son mari en ayant, avec un autre, les mêmes gestes, en prodiguant les mêmes caresses et en osant les mêmes mots.

Un matelot. C'était un matelot – pourquoi ces amants-là sont-ils toujours des marins? – débarqué d'un navire marchand en provenance de Louisbourg. Il n'était pas particulièrement beau, mais son port était fier et son regard, chargé de tous les défis du monde.

Ils s'étaient d'abord vus dans le port, quand Marie l'avait croisé alors qu'il s'en allait prendre son quart. À cause de cette prestance particulière, qu'elle n'avait connue qu'à son mari, et un peu, aussi, par complaisance, la jeune femme l'avait très longuement regardé. Au point que, de peur d'être laissé pour compte après avoir été ainsi reluqué, le matelot s'était approché d'elle, vraiment approché, de très près, pour lui dire, lui souffler plutôt:

– C'est aux filles comme vous dont on rêve en mer…

Devait-elle le gifler, s'offusquer, l'insulter et le lui dire avec des mots en lame de couteau? Ou, frondeuse, devait-elle lui imposer encore davantage de provocation? Pour s'amuser, c'est ce qu'elle fit:

– … et à terre, vous rêvez encore au lieu d'être des hommes?

Est-ce bien ce qu'elle avait dit? Elle ne s'en souvenait pas très exactement.

Ils étaient demeurés encore un bon moment ainsi, presque l'un contre l'autre, se soutenant d'un regard mi-fantasque, mi-rieur. Il était bien huit heures du soir et la journée avait été chaude. Quand même, une fraîcheur arrivait du fleuve dont la respiration exhalait une odeur de varech. Ils étaient fin seuls dans cette rue qui n'en était pas une, un quai plutôt, bordée par l'arrière des boutiques de la rue de Meulles. À un certain moment, un chien était venu de nulle part pour s'intéresser à ce couple silencieux, en fit le tour et s'offusqua de son indifférence autant que de son intrigante immobilité. Il s'était mis à japper, s'écrasant le museau sur ses antérieurs tendus à plat devant lui, et à frétiller de la queue avec énergie. Marie-Godine, trouvant alors la situation parfaitement ridicule, fut prise d'un fou rire dans lequel elle entraîna le matelot. Puis, sans raison évidente, le couple s'était séparé et le chien avait choisi de suivre l'homme.

Marie-Godine avait oublié l'incident aussitôt, mais ils s'étaient revus deux jours plus tard alors qu'elle revenait de la haute ville dans son cabriolet. Le père Émile – un vieux paysan un peu sourd et demeuré – lui servait de cocher depuis quelque temps. Il connaissait bien les chevaux et savait s'en faire obéir, mais rien de plus : il ne s'intéressait à rien et rien ne l'intéressait, ce qui en faisait un être silencieux et discret. C'est pourquoi Marie-Godine avait retenu ses services, car elle ne tenait guère à ce qu'on connaisse de par toute la ville la nature de ses déplacements. Apercevant le matelot qui marchait seul sur la banquette, elle s'était arrêtée à sa hauteur et l'avait invité à monter :

– Je vous déposerai : c'est sur mon chemin…

Jusque-là, elle s'était imaginé que jamais elle ne ferait pareille chose. Elle n'était pourtant atteinte d'aucune folie passagère, juste du goût d'oser, d'oser n'importe quoi, et presque à tout prix, pour briser à la fois son ennui et sa langueur. La disproportion du moyen utilisé ne l'embarrassait aucunement. Elle avait sciemment le goût d'être volage.

Elle n'avait pas protesté quand aussitôt et sans mot dire l'homme l'avait embrassée, étreinte. Embrassée à nouveau. Et encore. Cela avait été comme si elle se découvrait quelque écorchure que ces baisers pansaient. Sans être dupe, elle prit beaucoup de plaisir seulement à démonter une à une ses retenues, et ce qu'elle avait ravivé ainsi n'avait pas tant été le souvenir de Robert de Patris que celui de ses premières nuits d'amour, qu'elle croyait avoir oubliées. Dans les bras du marin, dont les caresses se précisaient et dont le souffle court enfiévrait la peau offerte de son cou, elle avait renoué avec certaines pulsions qu'elle ne devait qu'à son tempérament.

En suivant la rue Champlain, puis celle du Cul-de-Sac, la voiture était parvenue devant la dernière maison avant l'anse des Grandes Mers. C'était en réalité une cabane en bois rond, pièce sur pièce, abandonnée, mais qu'utilisaient encore parfois des coureurs de bois venant négocier avec les fourreurs de la ville. Marie-Godine avait renvoyé son cabriolet, informé le père Émile qu'elle rentrerait à pied, ce qu'elle faisait souvent par cette rue qui longeait le fleuve. Le cocher ayant obtempéré avec la même docilité que le cheval qu'il conduisait, elle s'était retrouvée libre de suivre le marin qui l'avait entraînée à l'intérieur où se trouvaient quelques meubles bancals, dont une table et trois couchettes couvertes de peaux d'ours.

Les bras ballants, le matelot s'était tenu un moment dans la lumière de la porte laissée ouverte. Un peu ridicule, ramenant sur son front une mèche rebelle, il avait dit, platement :

– ... je m'appelle Horace.

L'expression de son visage était alors celle d'un enfant pris en faute et il avait semblé à Marie que c'était là l'image du charme masculin une fois délesté de ses aspects butés et prétentieux dont souvent s'arment les séducteurs. Inoffensif. Il lui avait paru parfaitement inoffensif ; mais elle l'avait vu froncer les sourcils quand, s'approchant d'elle, il l'avait pressée contre lui. Quand sa bouche avait écrasé ses lèvres, elle avait bien senti la vague d'émotions qui l'emportait et qui s'était transformée en agressivité lorsqu'il avait voulu lui imposer son désir. Comme déjà elle palpitait et que ses dernières résistances ne ressemblaient plus qu'à une décision floue qui fondait comme sa volonté, elle l'avait laissé faire. De ses mains qui connaissaient les secrets de tous les lacets, boucles et autres attaches, il avait entrepris de la dévêtir, et quand elle avait été à demi nue, il s'était éloigné d'elle un peu pour la regarder pendant qu'à son tour il se déshabillait. Elle avait donc elle-même fait glisser sa jupe de serge dont le rouge vif avait quelque chose de provocant et, railleuse, avait proposé :

– Je peux aussi vous aider...

Mais il était déjà nu et un moment Marie s'était trouvé inconvenante, s'effrayant même un peu du côté licencieux de la situation. Pourtant, au fond d'elle-même, elle savait que son envie d'être aimée était saine. Aussi, quand le matelot était revenu sur elle, qu'il l'avait soulevée pour la renverser ensuite sur l'un des lits, elle ne s'était plus formalisée du tout de sa conduite et avait complètement cessé de lutter contre elle-même. Limpide comme l'amoureuse parfaitement consentante, elle s'était abandonnée aux lèvres qui aimaient sa poitrine, aux mains qui la caressaient avec précision. Et quand il l'avait prise, elle avait délibérément gardé les yeux ouverts pour soutenir son regard. Elle aurait pu jouer à confondre ce visage au-dessus d'elle avec celui de son mari et n'en avait été empêchée que par la paille d'or nichée dans l'un des yeux du marin, nette distinction qui, même dans la tourmente de la passion, lui avait interdit d'oublier tout à fait qu'elle était infidèle.

Ensuite, étendue sur le dos aux côtés de l'homme satisfait, le cœur battant la chamade, elle avait savouré sa découverte: elle était femme et libre de l'être. Plus encore, l'existence même de cette importante part d'elle-même ne devait rien à l'amour d'un mari. Il lui appartenait de choisir.

Un cri d'enfant jaillit près de la fenêtre et elle aperçut la frimousse d'Émilienne, qui, derrière ses frères, sautait habilement d'un rocher à l'autre pour éviter de marcher dans la vase. On aurait dit quelque oiseau craignant de se poser, et ses bras qui battaient l'air comme de grandes ailes inutiles ajoutaient à l'illusion. Cette enfant de huit ans, qu'elle chérissait tout particulièrement, avec laquelle elle aimait passer de longs moments, même dans le flot de ses préoccupations d'affaires, lui avait donné le goût d'être mère. Chaque fois qu'elle était en présence de la fille de Vivianne, un être au caractère très attachant, curieuse de tout et qui avait ce côté réfléchi des enfants à l'intelligence vive, elle était heureuse et cessait d'être sur le qui-vive, son esprit s'apaisant au contact de la puérilité.

Elle aurait souhaité parfois vivre pour rien d'autre que pour être douce, affectueuse, attentive aux détails sans conséquences et aux imprévus de la vie d'un bébé. Mais son mariage était demeuré stérile et toutes les potions préparées par le frère Boispineau, apothicaire au collège des jésuites, pour provoquer sa fécondité, n'avaient strictement rien donné. Le Dr François Gaulthier, médecin du roi ayant succédé à Michel Sarrazin, n'avait pas été plus encourageant. Selon lui, l'enfance garçonne de Marie avait, de par tout un ensemble de comportements et la pratique de certains jeux, handicapé sa féminité. Jusqu'alors, elle avait cru tout bonnement que son désir d'avoir un enfant n'était qu'un rêve bénin, mais de se savoir condamnée à ne jamais pouvoir le réaliser en avait fait un cauchemar.

Robert de Patris avait toujours affirmé qu'il ne l'en aimait pas moins, mais, devant le désir d'une descendance, même l'Amour le plus grand ne risquait-il pas d'être atteint? Non convaincu – comme tous les gens nés en France – de la compétence des praticiens de ce pays, quels qu'ils soient et quoi qu'ils disent, le chevalier avait quand même continué de croire en la bonne santé de Marie. N'empêche que cette dernière avait plusieurs fois douté, et il lui arrivait de douter encore, des motifs que le chevalier avait invoqués pour rentrer quelque temps en France. Le fait d'être demeurée sans nouvelles de lui depuis toutes ces années amplifiait ses craintes. Et s'il avait tout simplement décidé de l'abandonner au pied du Cap-aux-Diamants pour convoler en France avec une plus noble, surtout une plus féconde? Cela s'était vu souvent, chaque bateau ramenait ce genre de nouvelles…

Décidément, les réflexions de Marie accordaient de mieux en mieux son humeur à la grisaille du jour ; aussi elle se secoua, se rappela à l'ordre. Elle s'assit, dans un mouvement résolu, et le nuage lourd qui la couvrait se dissipa un peu quand elle prit sur son bureau un portrait du chevalier de Patris qui la regardait, l'air de dire qu'elle était folle de douter de lui.

Le silence l'enveloppa encore un bon moment. Puis, elle distingua des martèlements de sabots sur la place et elle retraversa la maison en courant.

L'attelage du contrôleur de la Marine, le personnage le plus important de la colonie après le gouverneur, l'intendant, l'évêque et les membres du Conseil supérieur, était aisément reconnaissable : quatre chevaux noirs à la robe luisante, harnachés de cuir clouté d'argent, tirant une immense voiture aux portes dorées et aux roues étroites dont les rayons étaient si fins qu'on avait peine à croire qu'elles puissent porter une telle charge, par tous les chemins, à la vitesse dont étaient capables ces quatre bêtes, une fois bien lancées.

Marie n'attendit pas qu'Étienne de Clairembeault en descende : elle courut à sa rencontre et devança le geste d'un laquais qui allait ouvrir la porte. Son apparition soudaine eut l'heur de surprendre le haut fonctionnaire qui prit un air gourmé, puis choisit d'en rire en constatant la mine piteuse du laquais éconduit par la précipitation de Marie. En vérifiant s'il posait bien sa botte sur le marchepied, il vit les pieds nus de la jeune femme et ne put s'empêcher de lui faire remarquer, sur le ton d'une boutade paternaliste :

– Pour te retrouver dans une foule, il suffit de s'y promener en regardant à terre… Non ?

– Comme dans un champ quand on cherche des trèfles à quatre feuilles, lui rétorqua-t-elle aussitôt, habituée qu'elle était à cette boutade.

Le tout sans presque se dérider, absorbée qu'elle était à l'idée d'entendre les nouvelles qu'il lui apportait.

– Et alors ? ajouta-t-elle.

– Alors je crois qu'on devrait d'abord entrer…

– Mais bien sûr… Où ai-je la tête !

De fait, une fois qu'ils furent dans la maison et bien installés dans le cabinet de travail, certaine maintenant d'être au bout de son attente, c'est Marie qui fit des manières pour empêcher que le mari de Louise-Noëlle ne livre tout de suite les résultats de sa démarche : elle s'enquit de sa tante, puis de François qui avait été nommé au poste d'aide-major depuis qu'Olivier avait démissionné du Conseil supérieur. Mais Étienne de Clairembeault esquiva ces propos, prétextant qu'il avait peu de temps, devant se rendre au port accueillir un représentant du ministre de la Marine qui, justement, venait dans la colonie pour… Enfin, le mieux était de prendre le tout par le début :

– Je dois dire que, même prévenu de l'objet de ma démarche, l'intendant m'a bien reçu. Dès l'abord, il s'est montré intéressé et chaleureux. Il estime grandement la famille dont tu es issue et a pour toi beaucoup d'admiration. Aussi, il fut fortement impressionné par la qualité de ta plaidoirie en faveur de la propriété privée.

Un rayon de soleil perça tout le gris de cette journée morne et vint se poser entre eux. Marie prit cela pour un bon présage et s'encouragea à écouter sans interrompre.

– Cela dit... Cela dit, je n'irai pas par quatre chemins : l'Administration a la ferme intention de devenir propriétaire du chantier. L'intendant prévoit la confirmation prochaine de commandes du gouvernement métropolitain pour la construction de plusieurs navires de cinq cents à sept cents tonneaux. Et il n'entend pas servir de simple intermédiaire entre la métropole et l'entreprise privée. Aussi, il désire acquérir le chantier du Cul-de-Sac, et ce, le plus tôt possible.

Même là, se mordillant la lèvre inférieure, Marie se tut pour laisser poursuivre le contrôleur.

– Cependant, il demeure que M. Hocquart se répugne à briser la tradition selon laquelle dans cette colonie on respecte le droit de propriété des particuliers. L'Administration rachètera donc l'affaire à son juste prix. Comme preuve de sa bonne foi, l'intendant m'a d'ailleurs confié la tâche d'évaluer l'entreprise et d'en arrêter la valeur, acceptant même le principe d'une valeur ajoutée en considération de la perte de profits futurs.

Se taisant, il regarda Marie avec l'expression de quelqu'un qui vient d'annoncer une bonne nouvelle. Le soleil maintenant remplissait la pièce et on sentait qu'il dissiperait bientôt l'humidité.

Marie ne disait rien. Elle réfléchissait. Pesait les propos d'Étienne de Clairembeault pour en revenir toujours à la même conclusion : quelle que soit la manière d'évaluer la situation, dans tous les cas elle évitait la ruine. Fallait-il regretter le reste, tout le reste, les efforts de son grand-père pour mettre cette affaire sur pied, ceux d'Olivier et les siens pour la maintenir pendant toutes ces dernières années ?

– J'avoue n'avoir même pas tenté de convaincre l'intendant de renoncer à son projet. Tu comprendras que ce genre de décision ne tient pas exclusivement à lui et qu'il serait illusoire de croire que nous pourrions renverser toute la politique économique du ministre Maurepas relative aux colonies…

Bien sûr qu'elle comprenait. Mais ce n'était pas si facile : toute la situation tournait et retournait dans sa tête, elle n'arrivait pas à la considérer froidement. Elle se leva. Le fleuve lançait des éclats de lumière contre les carreaux.

Qu'aurait fait, qu'aurait dit son grand-père à sa place ?

Étienne de Clairembeault l'observait sans mot dire. Il admirait son attitude simple en dépit de la moue dubitative qui affectait l'usuelle sérénité de ses traits. Sans accent cérémonieux, d'une voix précise, elle demanda :

– C'est sans recours ?

– Sans recours, trancha-t-il.

L'espace d'un instant, son visage prit une expression forte et muette. Puis, elle sembla se détendre. Sachant maintenant de façon nette qu'elle s'éloignerait désormais des fracas du monde des affaires, elle sentait vaguement que le fond de son cœur serait complice de sa raison, que déjà elle acceptait de ramener toutes ses énergies sur elle-même afin de réussir sa vie plutôt que quelque entreprise.

Au lieu d'entamer une discussion sur les modalités à suivre dans un avenir immédiat, d'évaluer la situation et ses conséquences, elle se rapprocha des fenêtres. Sur le fleuve, au milieu d'une nuée de canots d'écorce, on ancrait un bateau dont on achevait de ramener les voiles, des voiles auriques que Marie reconnut comme celles d'une goélette construite au Cul-de-Sac. Sur la coque, juste avant l'emprise du mât de beaupré, elle déchiffra le mot *L'Orignal*. Excitée, elle se tourna vers son interlocuteur.

– Ne m'avez-vous pas dit que vous deviez vous rendre au port accueillir un représentant du roi ?

– Je dois, oui…

– Alors, vous voulez bien me prendre avec vous ?

– Pourquoi pas ?

Elle sembla abandonner pour l'instant la question du chantier, pour aller au-devant du commandant Meunier et prendre des nouvelles de son mari.

L'arrivée du navire agitait l'atmosphère. Sur la place, on pouvait sentir la tension, alors que les marchands se promenaient, impatients, devant leur échoppe : ils se mouraient d'envie de suivre la clientèle qui peu à peu les désertait pour descendre sur les quais.

Dans la voiture du contrôleur de la Marine, à qui chacun cédait volontiers le passage, la nervosité de Marie était palpable. Elle jetait dans les rues des regards anxieux : reconnaissant les bonnets et les ceintures rouges de certains marins normands déjà descendus de *L'Orignal*, elle craignait d'arriver trop tard, se disant que le commandant avait peut-être déjà gagné les bureaux des Compagnies franches de la Marine pour y faire son rapport. Elle se sentait toute chavirée, au point d'être nauséeuse ; décidément, cette journée était trop riche d'événements.

La voiture était à peine immobilisée quand Marie-Godine sauta sur les galets. Elle se trouva brusquement plongée dans un climat de kermesse et fut même bousculée par un groupe de femmes encore plus pressées qu'elle. Regrettant aussitôt sa précipitation, elle allait s'en retourner vers la voiture, confortable refuge contre toute cette animation qui risquait de la refouler loin de l'endroit où elle avait convenu de rencontrer le commandant de *L'Orignal*, lorsque son instinct fut mis en éveil à la vue d'un tricorne à panache flottant au-dessus de cette marée agitée. Une bouffée de chaleur la parcourut alors comme un coup de sang. Aussitôt, elle fonça en jouant des coudes et des mains pour se frayer un chemin.

Elle ne s'était pas trompée: émergeant de la foule, accompagné de deux officiers et immédiatement suivi d'un domestique en livrée plié sous le poids d'un coffre, Robert de Patris apparut.

Chapitre XXX

Autour d'elle, des dignitaires, des matelots, des miliciens, des hommes de tout acabit, des femmes et des enfants. Une odeur un peu écœurante – des morues qu'on déchargeait d'une pinasse. Sur le Cap-aux-Diamants, la lumière s'intensifiait par plaques et renvoyait des éclats qui tachetaient les façades de pierre longeant le Cul-de-Sac. Une rumeur épaisse et houleuse couvrait le port, des quais jusque dans les estaminets qui le jouxtaient.

Après une journée solitaire occupée à invoquer un passé récent et à supputer son avenir immédiat, Marie se retrouvait brusquement plongée dans un grouillement qui l'étourdissait. Le regard de son mari ne l'avait pas encore atteinte, et elle flottait dans un état second qui allait lui donner le temps de se ressaisir. Son premier réflexe avait été de courir vers lui, puis, circonspecte, elle s'était immobilisée.

À contre-courant d'une foule en désordre, elle regardait le chevalier de Patris dont l'expression semblait appeler un signe pour se détendre, s'animer.

Mais d'un instant à l'autre, Marie se perdait davantage. Lui revenaient des images, des hantises, le souvenir de longues attentes et le goût de certaines rancœurs.

Et voilà qu'elle le trouvait vieux.

Elle le regardait de plus en plus intensément, l'air quasi suffisant, comme si elle avait été en train de le jauger. Puis, l'expression du chevalier changea et un sourire de séducteur redessina ses traits, toute sa physionomie. Le cœur de Marie se mit à battre, et sa mémoire lui servit d'autres moments, d'autres sensations. Pourtant elle demeurait sur place, à se demander si elle n'avait pas été naïve de se laisser séduire, puis d'avoir accepté de subir silencieusement les interminables attentes.

Quand il fut près d'elle, qu'il lui ouvrit les bras, elle s'avança en constatant que toutes ses réflexions avaient duré quelques secondes à peine. Contre son mari, elle ne sut rien dire et lui, laudatif, murmura, pour n'être entendu que d'elle :

– Ma belle amie, vous êtes encore plus jolie qu'à mon départ.

En aucune manière il n'y eut de réelle effusion : le chevalier aurait jugé vulgaire de s'épancher en public. Son geste était étiquette, non affection.

Au-dessus de son épaule, Marie promena un regard circulaire et dit maladroitement :

– Vous devez avoir faim ?

L'instant d'après, ils marchaient vers la place Royale, le chevalier ayant prévenu d'un geste discret ses porteurs de bagages. De tout le trajet, il ne parla pas, regardant partout et montrant une grande fatigue. Marie crut d'abord qu'il ne trouvait rien à dire, puis se rappela qu'il n'est pas bienséant de parler dans la rue.

Quand il pénétra dans la maison, il considéra les lieux posément, avec satisfaction. Comme quelqu'un qui éprouve le sentiment d'être enfin chez lui, il déboucla sa ceinture avec une telle précipitation que sa courte épée tomba sur le plancher. En se penchant pour la ramasser, il fixa quelque chose sur un bahut dont il s'approcha après s'être relevé. Il y prit une sculpture faite dans une noix de coco.

– Ça vient de la Martinique, dit aussitôt Marie. Mon père l'a rapportée d'un de ses voyages. Ce serait le visage d'un maître d'équipage ayant décidé de s'installer là-bas. Un bien curieux personnage, m'a-t-il raconté.

Elle avait l'impression qu'il la contemplait pendant qu'elle parlait. Et c'était vrai. Il lui trouvait de la grâce et une sorte de plénitude qu'elle n'avait pas atteinte, il en était certain, avant son départ cinq ans plus tôt. Et ses cheveux blonds. Ses fameux cheveux blonds qui lui venaient de quelque ancêtre inconnu. Sa taille toujours aussi fine, sa poitrine aussi riche et ses yeux, aussi purs, aussi francs.

Elle se dirigea vers un cabinet pour lui verser une liqueur.

– Marie… Je suis venu vous chercher. Je vais rester ici quelque temps, puis…

À ces mots, dans un mouvement souple qui fit onduler toute sa personne, elle recula de quelques pas. Le chevalier se prit à la désirer, plongea son regard dans le sien et, comme s'il avait complètement oublié ce dont il allait parler, il fit :

– Ma mie, je vous le redis, vous êtes vraiment très belle.

Il marcha vers elle. La prit dans ses bras. Elle lui abandonna alors ses lèvres. Puis, l'audace des mains de Robert de Patris qui glissaient sur ses reins pour la presser davantage la fit tressaillir.

Après le baiser, il lui dit à l'oreille des mots où il était question de galbe, de douceur, de formes, de désir. D'amour…

Malgré cela, quelque chose oppressait Marie qui se sentait enveloppée, voire prisonnière, à la fois de l'envie d'être aimée et de la certitude de ne pouvoir dire « non, attendez, laissez-moi le temps »…

Dans l'ombre de la chambre, elle s'abandonna à la passion qui la conviait, tout en se permettant d'être un peu égoïste pour ne pas être seulement l'objet du désir de son mari.

Le lendemain, il pleuvait. Il ventait. Le vent fouettait les volets fermés qui vibraient dans leurs charnières. On entendait, fait rare, le bruit des vagues déferlant sur la jetée. La pluie crépitait et rebondissait sur les galets de la place Royale.

– C'est une jolie bourrasque !

À l'aise, comblé, le chevalier de Patris repoussa les volets et sortit la tête dans l'ondée. Marie le regardait, l'esprit ailleurs. La veille, après l'amour, alors que, fatigué du voyage, son mari s'était vite endormi, elle s'était levée pour tendre les draps, puis, au lieu de se glisser immédiatement dessous, elle s'était rendue dans la grande pièce à l'arrière de la maison.

Seule dans le noir, elle s'était recueillie. Elle avait beaucoup pensé à ses derniers mois de solitude, à son aventure avec le marin, et aux jours à venir dans la présence constante du chevalier. Tous ces événements ne lui ressemblaient pas. Il ne lui ressemblait pas d'avoir été victime de l'attente, de s'être donnée à un marin… Et elle se voyait mal dans le rôle permanent d'une femme n'ayant rien de commun avec son mari.

Alors qu'elle allait renoncer à trouver quelque solution séant à son caractère, elle s'était souvenue du mot qu'avait échappé le chevalier: «Je suis venu vous chercher.»

Est-ce que… Est-ce qu'il aurait pu croire que, après lui avoir consacré sa vie, elle pourrait renoncer à son pays? À cette idée, elle se sentit piquée au vif. Non, elle avait dû mal comprendre.

Jamais elle n'accepterait de s'exiler, où que ce soit et quelles que soient les conditions. Elle était de ce pays, comme la terre et les pierres, comme le fleuve et les rivières, comme les saisons, comme le vent et la pluie qui battaient dehors. En un mot comme en mille, elle faisait partie d'un tout dont elle savait ne pouvoir se détacher: son pays.

Elle avait eu grand-peine à se rendormir. Au matin, les premières lueurs de l'aube avaient suffi pour la tirer du sommeil.

Quand son mari revint vers le lit, elle décida d'éviter d'être tentée par ses bras et quitta la couche. Même avec ce visage un peu fripé par sa nuit difficile, elle ne manquait pas d'allure et conservait toutes les élégances. Au milieu de la chambre, ramenant les pans d'une couverture sur sa chemise de nuit, sérieuse dans cet accoutrement qui ne l'était pas, elle demanda:

– Hier, ne m'avez-vous pas dit que vous êtes venu… me chercher?

– C'est ce que j'ai dit, en effet.

Il s'assit. Lui fit signe de le rejoindre.

– Allez, venez vous asseoir. Ici…

Et, adoptant un ton docte:

– Vous connaissez les Saintes?

Sans même laisser à Marie le temps de répondre, il poursuivit :

– C'est le nom que l'on donne à un groupe d'îles des Antilles qui appartiennent à la France. Parmi elles, la Martinique, Cayenne. Et aussi la Guadeloupe, Saint-Domingue, Saint-Barthélemy… Il y en a même une qui s'appelle Marie, comme vous : l'île Marie-Galante.

Il fit une pause, puis reprit sur un autre ton :

– Mais avant, il faut que je vous explique.

Sur ce, c'est lui qui quitta le lit, se mit à arpenter la pièce.

– Vous savez que j'ai perdu ma fonction d'inspecteur à cause de la teneur des rapports de l'intendant Dupuy à mon sujet. Il est connu maintenant que l'intendant, s'il était homme de valeur, manquait de mesure et qu'animé d'une partialité peu commune pour un homme ayant de telles responsabilités il avait réussi à dresser contre lui à la fois les représentants de l'Église et ceux du Conseil supérieur. Plus personne ici, en France non plus d'ailleurs, n'ignore que le roi l'a rappelé après deux ans à peine d'exercice afin de rétablir la sérénité dans la colonie. Lorsque l'intendant Hocquart fut nommé en remplacement, le temps qu'il prenne la situation en main, mon dossier, nourri des rapports de son prédécesseur, avait abouti au ministère de la Marine qui me signifiait mon renvoi.

Il continuait à se promener de long en large dans la chambre, et ses propos prenaient le ton d'une plaidoirie.

– En France, il m'a fallu user de toutes les influences dont ma famille et moi-même disposons auprès du ministre Maurepas pour qu'il accepte de m'entendre. Ensuite, ce fut simple. Prévenu que je serais bientôt réhabilité auprès de l'Administration, j'ai reçu il y a quelques mois ma nouvelle commission : représentant de l'Administration à l'île de Cayenne.

Quêtant du regard une réaction de la part de Marie, il ne recueillit qu'une expression dubitative et crut bon d'expliquer encore :

– Si Cayenne n'est pas l'île la plus importante des Antilles, elle est cependant la seule qui soit exempte des ouragans et, en conséquence, son port est le plus sûr. Aussi le trafic y est-il très important. Tellement, en fait, que le ministre l'a soustraite à la responsabilité du gouverneur des Antilles qui est en poste à la Martinique.

Et il s'arrêta pour bien appuyer la suite :

– N'ayant donc à me rapporter qu'au ministre de la Marine, je bénéficierai de l'autonomie, de l'autorité et même des privilèges d'un gouverneur…

Il se tut un moment, se tourna vers la fenêtre voilée par la pluie et, ignorant le regard froid que lui décocha Marie, ajouta, quelque peu théâtral :

– Bien sûr, j'agirai pour le service du roi avant tout.

Visiblement il ne voulait pas être enthousiaste tout seul et comptait bien que sa femme fût aussi emballée que lui, qu'elle manifestât une sorte d'ardeur qui, ajoutée à la sienne, allait faire de son projet une entreprise exaltante.

Entêtée dans son silence, Marie demeurait assise, fermée. « Elle ne va quand même pas préférer une vie sans horizon, un avenir étriqué dans une colonie condamnée par son hiver trop dur et trop long, à cette vie princière que je lui offre ! » se dit le chevalier.

Ne pouvant s'avouer vaincu, il s'attendait à voir apparaître dans son regard une lueur d'excitation qui signifierait qu'elle acceptait sa proposition. Il resta suspendu à cette idée, puis changea d'attitude ; son visage s'éclaira d'un coup et il dit :

– Avouez que...

Mais il ne put conclure sur cette lancée et il se reprit :

– Alors, qu'en dites-vous ?

Un peu penché, il avait l'air de lui offrir de ses mains ouvertes quelque chose qu'elle n'avait qu'à saisir. Elle comprenait qu'il souhaitait une réaction. Mais son silence continuait de planer et d'installer un malaise entre eux.

– Vous vivrez comme une reine, comme la femme d'un gouverneur. Nous serons au sommet de la société...

Il voulait absolument briser le mutisme de sa femme, car il était persuadé que seule une réaction de sa part lui donnerait une chance de la convaincre.

– De toute manière je n'avais pas d'autre choix que d'accepter ; je dois servir où l'on m'appelle...

Puis :

– Je sais... De vous annoncer cela si soudainement... J'aurais peut-être dû vous écrire, mais je me suis embarqué aussitôt que j'ai su. Je ne pouvais quand même pas retarder ma venue ici pour donner le temps à un courrier de me précéder !

Il leva les bras en signe d'impuissance et se tourna de nouveau vers la fenêtre.

Alors, d'une voix neutre, comme si de rien n'était, elle demanda :

– Je vous demande pardon mais j'aimerais m'habiller...

Comme s'il avait été un étranger! De toute manière, jamais il n'y avait eu de véritable intimité entre eux: ils avaient vécu ensemble, ils avaient fait l'amour, mais jamais ils n'avaient entièrement partagé ce qu'ils étaient chacun pour soi.

Robert de Patris sortit de la chambre.

Marie était torturée par ses idées. Elle avait l'impression d'une rupture avec la réalité, sa réalité. Le chevalier voulait transformer son existence, l'obliger à une autre vie, et elle constatait que cela lui serait intolérable. Si sa raison lui reprochait de prendre les choses beaucoup trop au tragique, elle n'écoutait que son instinct: quelque part au fond d'elle-même une sorte de révolte la consumait.

Avec des gestes précis, elle s'habilla comme si elle effectuait quelque tâche demandant détermination et volonté. Avec rage presque, elle arrêta sa terrible décision: elle accepterait que son mari l'abandonnât; mais abandonner son pays, jamais!

Elle se dit qu'elle devait laisser évoluer la situation jusqu'à ce qu'elle éclate. Car c'est dans la tension qui existerait alors qu'elle trouverait justification à la rupture qui s'imposerait.

Le chevalier se réinstalla dans les habitudes quotidiennes de la maison de la place Royale comme si son retour eût été définitif. Des jours puis des semaines succédèrent à l'annonce qu'il avait faite à Marie de sa nomination à Cayenne, sans qu'il revînt sur le sujet. Mais ce mutisme creusait un fossé de plus en plus profond entre eux et, rapidement, tous leurs rapports ressemblèrent à un vaste malentendu.

On aurait dit que le chevalier ne se souciait plus guère de l'opinion de Marie et que, le moment venu, il allait tout simplement faire les bagages du couple sans discuter la question. Puis, discrètement au début et ouvertement ensuite, il afficha des attitudes et passa des remarques dénotant un certain mépris à l'égard des natifs de la colonie. Marie crut d'abord qu'elle colorait de son propre ressentiment le caractère de son mari, et se refusa de le croire ainsi capable d'ostracisme. Mais elle dut se rendre à l'évidence et constater que le chevalier ne reconnaissait de valeur qu'aux nobles français et que s'il la considérait, elle, à part, c'est que lui-même avait décrété qu'elle était un être d'exception. Ce jugement ancra Marie dans son idée que cet homme se croyait maître de sa destinée.

Bientôt elle dut s'avouer que ce mariage n'aurait jamais dû être et que son oncle Olivier avait eu raison de le lui déconseiller. Quand même, elle tenta de retrouver chez Robert de Patris le galant qu'elle avait connu, qui l'avait séduite. Lucide, elle découvrit la vraie personnalité de son mari : un mélange de charme froidement calculé et d'égoïsme tranquille.

Plus encore, elle comprit qu'il avait été persuadé de régner sur une âme sensible qu'il aurait vite fait de convaincre de n'importe quoi. Ainsi, il mélangeait ses emportements à des mots calmes, et il utilisait la réaction chaque fois étonnée de Marie pour la tancer du haut de sa force et de son emprise sur elle, auxquelles il était le seul à croire. Son égoïsme l'aveuglait.

Malgré tout, elle tenta de discuter avec lui, de le rallier à ses sentiments. Mais elle tomba mal à propos et ne parvint qu'à l'exaspérer davantage. Tant et si bien qu'un bel après-midi du début d'octobre, alors qu'ils arpentaient la terrasse, arriva ce qu'elle avait prévu et même un peu souhaité : la cassure.

Étrangement, alors qu'elle ne cessait de réfléchir au problème, ce qui l'empêchait de dormir et souvent la lassait, elle aborda la question de la façon la plus malhabile qui soit, comme si elle improvisait, décidait impulsivement de tout balayer du revers de la main. Ainsi, elle déclara nettement :

– Il n'est pas question que je vous suive…

Et comme tempérament à cette brusque déclaration, elle ajouta :

– … dans cette île.

La réaction de son mari fut instantanée.

– Vous êtes ma femme, et vous obéirez !

Ce ton ! Et ce regard implacable qui la perçait jusqu'au cœur !

– Vous n'avez pas à discuter. Gardez votre énergie pour mettre les choses en train au plus tôt ; le prochain navire pour les Antilles met les voiles dans trois semaines.

La fatigue, l'épuisement nerveux, le poids de sa vie depuis le retour de Robert de Patris, tout sembla peser sur ses épaules en même temps, et Marie crut qu'elle allait perdre pied. Ce qui arriva…

Le chevalier la rattrapa alors qu'elle allait tomber de tout son long sur les pierres. Embarrassé, ne sachant trop quelle contenance adopter, il la soutint un bon moment avant de la porter à l'intérieur.

Autour d'elle, des voix, certaines familières, d'autres moins. Et toutes parlaient d'elle. Mais l'une chassa toutes les autres :

– Elle est enceinte, voilà tout…

Cette voix, c'était Vivianne. Marie ouvrit les yeux.

– Enceinte ? Je suis enceinte ?

Elle était dans sa chambre, elle en avait reconnu l'odeur. Rapidement, elle reprit conscience et, d'un signe de la main, repoussa ceux qui lui masquaient Vivianne. Comme s'ils s'étaient trouvés au chevet d'une grande malade, les proches se retirèrent sans bruit, et Marie fut seule avec sa belle-mère. Sans perdre un instant, elle demanda :

– Mais, comment ? Comment puis-je être enceinte ? Il me semble que je n'ai aucun symptôme. Une femme enceinte, tu me l'as dit, a des étourdissements, des nausées, des moments subits de fatigue. Alors que moi... D'accord, j'ai perdu connaissance, mais c'était à cause de...

Sur un ton maternel, Vivianne lui rappela certaines de ses confidences des derniers mois. Des confidences qui n'avaient pas permis à Vivianne de conclure que Marie était enceinte, mais qui pouvaient très bien le lui laisser croire. Le souvenir de sa mère morte en couches, puis les remarques constantes du chevalier de Patris qui lui reprochait d'être stérile avaient d'autre part convaincu Marie que jamais elle n'aurait d'enfant. C'étaient autant de raisons pour elle de rester sceptique.

– Tu es certaine, Vivianne ?

Le ton de sa voix se ramollissait à mesure que s'installaient en elle toutes sortes d'espoirs nouveaux dont elle souhaitait que Vivianne fût complice. Tantôt sombre, son regard pétillait maintenant de malice.

– Si je suis enceinte, je ne peux envisager un seul instant de partir pour les Îles... À ce qu'on dit, ces voyages en mer sont très difficiles pour ceux qui, comme moi, n'ont jamais quitté la terre ferme. Pour beaucoup d'autres, même. J'ai entendu tant d'horreurs au sujet de ces traversées!

– Il est certain que, dans cet état, tu ne peux partir.

Vivianne, aucunement indignée par le refus que Marie opposait aux intentions du chevalier de Patris, trouvait naturel de l'appuyer, d'autant plus qu'elle n'avait jamais pu accorder sa sympathie à ce mari français qui ne leur ressemblait en rien.

– Pour l'instant, tu devrais te reposer. Il n'y a pas de presse à soulever de nouvelles discussions...

– Mais je me sens parfaitement bien. Je suis si heureuse! Je vais être mère, n'est-ce pas magnifique?

Elle avait parlé fort, et sa voix avait porté hors de la chambre. Le chevalier apparut, l'air à la fois curieux et hésitant. Allait-il se réjouir à l'idée d'être enfin père, ou s'indigner de la conjoncture des événements qui le condamnait à s'embarquer seul pour Cayenne?

La nouvelle lui ayant redonné tous ses moyens, Marie se sentait extrêmement lucide. Le bonheur d'être enceinte et celui de n'avoir à quitter ni les siens ni la Nouvelle-France lui donnaient l'impression de renouer avec la liberté.

Le chevalier se tut d'abord. Il regarda Vivianne, puis Marie, comme pour s'assurer qu'elles n'avaient plus rien à se dire, et s'avança près du lit, l'air solennel.

Vivianne sortit discrètement.

Marie observa intensément son mari. Elle aurait voulu à la fois parler et se taire. Mais lui, avec une banalité désarmante, s'enquit:

– Comment... comment vous sentez-vous?

Elle ne savait même pas si à travers la porte il avait entendu ses derniers propos.

– Je me sens bien.

Puis, le silence entre eux. Impénétrable comme un mur. Enfin, le chevalier parut se détendre et dit :

– Je me réjouis d'apprendre la nouvelle... Depuis le premier jour de notre mariage, je souhaite un enfant de vous, vous le savez. S'il m'est arrivé de vous faire des reproches, il faut m'en excuser. Nous aurons un bel enfant, j'en suis convaincu, et il scellera notre union.

Mais il s'exprimait avec un visible embarras. Ses mots manquaient de chaleur. Il aurait dû prendre sa femme dans ses bras, la couvrir de baisers, lui dire des choses tendres. Marie dut s'avouer qu'il y avait loin du rêve à la vie : il restait là, distant et poli, pendant qu'elle s'interrogeait sur l'homme qui lui faisait face. Comme il était loin l'homme qu'elle avait connu !

Sans relever l'impossibilité pour Marie de partir avec lui – il savait que son état l'en empêchait absolument – il crut nécessaire de raffermir sa position :

– Vous comprendrez que je me suis engagé... De toute manière, n'est-ce pas, qu'est-ce que je ferais ici ?

Marie considéra l'indifférence qu'il avait toujours manifestée à l'endroit des gens de la colonie. Elle se rappela la résistance qu'il avait mise à s'intégrer, à s'intéresser au sort de la Nouvelle-France. C'était un étranger : cette constatation l'ancra dans son détachement. Aussi le regardait-elle avec une expression tranquille.

Les derniers mots prononcés par le chevalier prenaient d'ailleurs un sens plus large à mesure qu'elle y pensait. Il avait dit : « Qu'est-ce que je ferais ici ? »

Déjà elle savait qu'elle s'en souviendrait à jamais.

Au bout d'un long moment, il haussa les épaules en soupirant et murmura :

– De toute façon…

Étrangers donc, jusqu'à n'avoir plus rien à se dire.

Il n'allait pas se prétendre comblé d'être bientôt père, pas plus qu'elle n'allait proposer de le rejoindre après la naissance de l'enfant. Ni l'un ni l'autre n'assumait plus son rôle.

Dès cet instant, ils cessaient d'être un couple.

Sans mot dire, Robert de Patris recula vers la porte et la referma sur lui. Restée seule, Marie se dit qu'il venait de se glisser définitivement hors de sa vie.

Et elle n'eut même pas envie de pleurer.

Chapitre XXXI

Place du Marché, sise entre la cathédrale Notre-Dame et le collège des jésuites en plein centre de la haute ville, le charretier Anicet Barbary polissait, du revers de ses manches, la plaque apposée la veille contre la ridelle arrière de sa voiture. Son geste était fier : en Nouvelle-France, depuis 1727 déjà, les charretiers détenaient le monopole du voiturage et Anicet, humble fils de fossoyeur, destiné à devenir militaire – on avait grand besoin de soldats dans cette ville fortifiée où l'on prolongeait la paix en préparant la guerre –, avait préféré l'indépendance du charretier au prestige des costumes à galons, très prisés par la société. La veille, fort de la nécessaire recommandation du maire, il s'était rendu à l'Intendance pour obtenir son permis, son numéro – sa « charge », comme il se plaisait à dire. Ce matin, il attendait que s'ouvre le portail de la cour du collège pour charger les billots du chêne foudroyé par l'orage quelques jours auparavant.

C'est alors que le charretier aperçut la silhouette un peu drôle de son vieil ami André Archin, le portier du séminaire, qui émergeait, essoufflé et flageolant, de l'ombre étroite de la rue Sainte-Famille. Se redressant lentement, le vieil homme, vêtu d'une veste de drap gris et d'un pantalon de toile tombant en boudin sur des souliers de bœuf, regarda le ciel dont le bleu sembla le rassurer, puis prit un grand respir. Pendant un instant, il s'amusa à considérer le silence comme lui appartenant et il le dégusta en faisant, du regard, le tour de la place du Marché. Puis, il se rendit compte qu'Anicet l'observait. Prenant cela comme une indiscrétion, il devint brusquement de mauvaise humeur. D'une voix bourrue, il demanda :

– Qu'est-ce que tu fais ici à cette heure ?

– Nous autres, on n'a pas d'heure : c'est quand il faut charrier qu'on charrie !

– Mais qu'est-ce que tu fais ? Sans rien ni personne, planté là, au milieu de la place ?

– J'attends d'entrer dans la cour du collège où je dois prendre du bois pour le descendre à la chapelle. Ensuite, il faut que je remonte avec une charge de meubles que je vais prendre chez les Devanchy. Ils déménagent...

Pas de vent, une brise à peine, et un soleil déjà haut, déjà chaud : le matin promettait la perfection d'une belle journée de juin.

– On va en avoir une collante, fit Anicet en s'essuyant le front.

– C'est bien tant mieux : y fait jamais trop chaud pour mes vieux os, lui rétorqua le père Archin sur un ton maussade.

Autour de la place, des fenêtres s'ouvraient une à une, et des visages s'avançaient en plissant les yeux dans la clarté nouvelle qui brusquait leur réveil.

Bougon, le vieux portier voyait s'installer le jour en regrettant l'ombre de la rue Sainte-Famille, mais l'humeur joyeuse de son ami et la perspective de la sortie imminente des élèves du collège triomphèrent bientôt de son caractère revêche, et c'est sur un ton presque aimable qu'il en vint à demander :

– Je peux venir avec toi à la basse ville ?

– Mais oui. À la condition que tu ne bourrasses pas trop !

Exactement à ce moment, un essaim de jeunes garçons franchit les portes du collège en direction de la cathédrale, et leurs voix fraîches s'envolèrent vers le clocher qui se mit à sonner l'appel des fidèles à l'office.

En quelques secondes, il ne resta plus à nouveau sur la place que les deux compagnons qui montèrent dans la charrette dont les frettes grincèrent. À ce bruit, trois hommes sortirent d'une dépendance du collège pour aider au chargement des billots qui fut ainsi une affaire vite traitée, et la charrette refranchit le portail ouvert sur la place qu'elle traversa pour prendre la rue Buade.

La voie était déserte. De chaque côté, des pieux qui fermaient des terrasses et des terrains vagues succédaient à des jardins : la vie de Québec ne battait pas vraiment à la haute ville habitée presque exclusivement par quelques bourgeois, de hauts fonctionnaires, les membres du clergé et des différentes communautés religieuses.

À l'extrémité de la rue, une vue somptueuse s'ouvrit devant le charretier et son ami : la chute abrupte de la falaise vers le fleuve. Coulée majestueuse, la pente ne s'adoucissait qu'au pied des arbres dont le faîte s'ouvrait en bouquets de verdure entre les toitures pourtant serrées des maisons de la basse ville.

Ensuite, c'était toute la luminosité du fleuve pailleté de flaques de soleil.

Comme chaque fois où, à cet endroit précis, il voyait plonger son chemin, le cheval d'Anicet se rebiffa, piaffa, puis, déterminé, s'immobilisa. Le charretier se leva et fit mollement claquer les cordeaux :

– Tout doux, tout doux, mon beau…

La voix était à la fois douce et résolue. Anicet savait parler à sa bête et, sous ses cheveux blonds éternellement en broussaille, il sourcillait comme un père réprimant l'entêtement de son enfant : rien ne servait de brusquer l'animal apeuré. Prudemment, plaquant un à un ses sabots sur les cailloux qui crissaient sous les fers, le cheval se remit en marche.

Dans la côte, un silence avait isolé les deux hommes attentifs aux précautions du cheval, tous muscles bandés contre la poussée de sa charge. Mais quand les mouvements de la bête semblèrent bien accordés avec la situation, ils cessèrent de se faire du souci, et le père Archin fit remarquer :

– Quand même, ce Jérémie, il aurait pu la travailler un peu plus sa rue !

Noël Jérémie, sieur de la Montagne, qui avait tracé, puis ouvert cette côte, n'allait pas voir son nom oublié de sitôt. Aucun monument de la ville ne symboliserait jamais aussi bien les liens entre le peuple et la bourgeoisie que cette voie difficile, voire dangereuse. Tous les jours assaillie de haut en bas comme de bas en haut, si elle débouchait en haut dans le soleil et l'aisance, elle aboutissait en bas dans toute la lumière du fleuve et les trépidations d'une vie ample. D'ailleurs, les résidants de la basse ville ne se plaisaient-ils pas à répéter qu'on arrivait chez eux en pleine forme, alors qu'on n'atteignait la haute ville qu'à bout de souffle ?

D'où ils se trouvaient maintenant, le charretier et son passager pouvaient apercevoir les premières structures du chantier naval du Cul-de-Sac :

– Ça bourdonne au chantier à ce qu'on dit ! fit remarquer le père Archin sur le ton d'une question.

– Ouais… Ça bourdonne pas mal. Pour les carénages et les radoubs sur tout : depuis qu'ils ont creusé une avant-cale pour monter les bateaux sur le quai, ça permet de travailler aux quilles et même de remplacer les grosses pièces comme les étambots, les gouvernails. Mais le problème, c'est qu'on construit seulement des barques et quelques petites pinasses ! Tant qu'on va pas construire des vrais bateaux, ça ne sera jamais qu'un semblant de chantier naval. Il avait pourtant bien dit, l'intendant, quand ils l'ont acheté à Marie, qu'il avait un projet – tu te souviens ? –, un projet tout bien étudié, pour construire un gros bateau par année. Mais non : y paraît que même si la France a bien besoin de navires – les Anglais en auraient maintenant quatre fois plus que nous autres ! – le ministre Maurepas a dit non. Non ! Il a dit que, pour l'instant, c'est seulement dans le port de Rochefort que le roi va faire construire ses bateaux. La seule chose, c'est que, là, ils sont propriétaires… Si le chantier était demeuré la propriété des Devanchy, eux autres, ils auraient construit des gros navires, et ils les auraient construits pour des armateurs d'ici. Tandis que là…

Ils arrivaient en bas de la côte. Le cheval allait allégrement. Le son d'un filet d'eau tombant dans une auge de pierre ajouta à la soif du père Archin qui, sans prévenir, avec une souplesse insoupçonnable chez lui, sauta sur le sol devant la fontaine Champlain.

– Si je comprends bien, lança Anicet en retenant son cheval, toi, tu débarques ici.

– Eh oui : je prends pas de temps à me décider, moi. Jamais.

Trébuchant encore quelque peu dans l'élan de la charrette, le vieux portier s'immobilisa d'une main contre le tronc d'un orme dont le feuillage se reflétait dans l'eau, et le temps de reprendre son souffle, il se pencha au-dessus de la source pour boire dans ses mains l'eau qui lui fila entre les doigts. Un peu plus tard, alors qu'il déchargeait, puis cordait le bois dans l'appentis de la chapelle de Notre-Dame-des-Victoires, Anicet aperçut un grouillement inhabituel sur la place Royale, en face de la maison des Devanchy ; plusieurs charrettes (dont deux tirées par des bœufs) entourées d'hommes balourds et de femmes, dont une énorme, à la face ronde, qui gesticulait, gesticulait... Une rumeur de voix d'humeur incertaine remplit bientôt la place et l'une d'elles, plus forte, plus vulgaire, cria :

– Holà, ho ! J'étais là le premier...

Dans cette agitation qui tendait à la dispute, les chevaux faisaient claquer leurs fers, hennissaient à qui mieux mieux, alors que les deux bœufs se contentaient de secouer lourdement la tête.

Soudain, trois chevaliers débouchèrent de la rue Saint-Pierre et Anicet reconnut l'aide-major François Regnault accompagné de deux sergents de ville. Ils se frayèrent un chemin à travers le tumulte et François, sautant à terre devant la grille de la maison, avisa les miliciens de mettre de l'ordre dans l'attroupement. Mais déjà son arrivée avait eu un effet d'apaisement et tous les visages étaient tournés vers lui, quémandeurs et attentifs. Il comprit qu'il se devait de les rassurer :

– Attendez un peu… Je reviens.

Voyant leur expression toujours aussi insistante, il précisa :

– Je reviens, je vous dis. Je reviens dans la minute… N'ayez crainte, nous aurons besoin de vous tous et vous toucherez de bons gages.

L'effet de ses paroles fut instantané. Le calme s'abattit aussi soudain qu'une averse d'été et François put franchir la grille et se diriger vers la maison où il entra sans frapper.

Il se retrouva au milieu d'un tel fouillis de meubles, de tableaux, de draperies, d'objets de toutes sortes, en un mot d'un tel désordre, qu'il crut à un cataclysme.

– Mon Dieu, soupira-t-il.

Comme il allait tenter d'enjamber une chaise, puis une table basse, des sanglots lui firent lever la tête :

– Je sais… Je sais, c'est complètement ridicule, mais…

Ouvrant les bras d'impuissance, Vivianne montrait le mobilier entremêlé de bibelots et de vaisselle qui les séparait – elle se tenait dans la porte au fond du grand salon et lui, dans le vestibule – et reniflait comme une enfant.

– Mais qu'est-ce qui t'arrive, ma belle ? demanda François, l'air penaud.

– Tout ! Tout m'arrive !

De grosses larmes roulaient sur les joues de la femme qui se prit le visage à deux mains. François parvint tant bien que mal à la rejoindre – s'embarrassant à quelques reprises les pieds dans à peu près tout ce qui traînait – et il la réconforta du rempart de ses bras. La voix cassée et les épaules grelottantes de chagrin, Vivianne entreprit le récit de ses malheurs :

– Tout m'arrive en même temps, d'un coup… Y a des jours où on peut en prendre par-dessus la tête, pis d'autres où, aux chevilles déjà, c'est trop… Aujourd'hui, moi…

À quarante ans ou presque, Vivianne était encore belle, très jeune malgré ses trois enfants et une vie par trop besogneuse. Joseph Devanchy n'ayant jamais été homme à s'intéresser au quotidien, elle cumulait les charges. C'est elle qui prenait toutes les décisions, éduquait les enfants, administrait la maison… Lui, il préférait les affaires de plus grande envergure, même si c'étaient les affaires des autres, celles de Marie par exemple. Cela lui fournissait maints prétextes pour n'être presque jamais à la maison. Aussi Vivianne et les enfants formaient-ils un clan à l'intérieur même de cette famille, au point que Marie reprochait à son père son manque d'intérêt envers la femme qu'il avait choisie et les enfants qu'il avait souhaités. Mais l'homme était d'un caractère paradoxalement mou et têtu. Il préférait aux responsabilités les plus humbles celles, plus éclatantes, qui n'avaient aucune conséquence sur sa vie.

– D'abord, continua Vivianne, comme tu le sais, Joseph a repris la mer. Le chantier naval vendu à l'État, on lui avait offert une bien piètre position : à cinquante et un ans, tu comprends, on estime qu'il n'a plus tout à fait l'énergie nécessaire… Alors il s'est embarqué sur *Le Pélican* il y a trois semaines, avec nos deux fils, Édouard et André.

– Mais ce ne sont que des enfants !

– Selon mon mari, Édouard, à quinze ans, a l'âge des matelots, et André, à onze ans, celui des mousses…

– Quand même, ils ne sont pas aguerris à ce genre de vie!

Vivianne ne releva pas la remarque. Elle continua:

– Ensuite… – elle tira de sa manche un mouchoir tout en dentelle et s'épongea les arêtes du nez. Ensuite, Marie a acheté la maison de son oncle Olivier à la haute ville et j'ai compris qu'on allait déménager…

Elle reprenait le dessus, retrouvait un certain aplomb:

– Tu sais, François, avant ça il y a eu le départ du chevalier de Patris. Tu devines un peu qu'habitant ici et étant la confidente de Marie j'ai vécu cette histoire presque au même diapason qu'elle. Entre eux, il y avait déjà un bon moment que les choses ne tournaient plus rond. Oh! le chevalier continuait de porter haut, d'user de grandes manières et d'entretenir des rapports empreints d'une grande civilité. Mais… Ses rapports justement… comment dire? Mettons qu'il se comportait comme un gouverneur en poste dont la maison aurait été la place forte, la province, l'île. Tu comprends? Puis, quand Marie a su qu'elle attendait enfin un enfant, j'ai cru qu'il allait changer. Mais puisque Marie ne pouvait prendre la mer, ils se sont assez aisément faits à cette idée et n'en ont pas paru tellement désolés…

Vivianne fit une pause. Puis, l'air de chasser de la main un tas de mots qui assaillaient son esprit, elle conclut:

– Il y a eu des moments durs à passer, je te jure.

François approuvait de la tête. Il entendait vaguement qu'on recommençait à gronder à l'extérieur, mais ne voulait pas brusquer les confidences de son amie.

– Bon ! C'est pas tout, ça : ce matin, Marie est entrée en couches. Il a fallu s'empresser de réunir les meubles de sa chambre pour les transporter tout de suite à l'autre maison afin qu'elle puisse accoucher convenablement. C'est Louise-Noëlle qui est avec elle, qui s'est occupée de faire quérir la sage-femme et tout. Et moi, je suis restée avec *ça* (dépitée, elle montrait la maison sens dessus dessous). Hier encore, Marie s'affairait au déménagement. Depuis deux semaines, elle a planifié l'événement dans ses moindres détails. J'ai même l'impression que ces jours derniers elle en a trop fait : tu sais qu'elle ne devait pas accoucher avant une autre quinzaine. Espérons que ça va quand même bien se passer...

Elle prit une grande respiration. Puis elle hocha la tête, comme si elle-même ne croyait pas ce qui allait suivre :

– Je me suis donc retrouvée avec le déménagement sur les bras. Et avant même que je puisse en distinguer le commencement de la fin, ils sont arrivés de partout avec leurs charrettes, leurs tombereaux – leurs bœufs ! Puis, tous en même temps, ils me réclament des choses à déménager. C'est Marie qui les a convoqués. Elle savait, elle... Mais moi ? Où est-ce que je commence ?

François demeura silencieux, le temps d'être certain qu'elle n'avait plus rien à dire. Elle souriait presque à présent. C'était à cause de sa chevelure surtout qu'elle semblait ne pas avoir vieilli : deux peignes d'ivoire avaient peine à retenir les volutes épaisses de ses cheveux rebelles. Sur un ton à peine modulé, François lui dit :

– Je suis là maintenant.

Cela lui faisait tout drôle de s'exprimer ainsi devant cette femme qu'il n'avait jamais, de toutes ces années, vraiment cessé d'aimer, il s'en rendait compte aujourd'hui.

Sans autre commentaire, il sortit s'entretenir avec les deux sergents. Bientôt des ordres fusèrent, et le déménagement s'organisa si bien que lorsque Anicet en eut enfin fini avec son bois et qu'il se présenta à son tour, c'était terminé. Puis non : on avait oublié le fameux globe terrestre anglais et on voulut en prendre un soin tout particulier :

– C'est bien que vous n'ayez que ça à transporter, confia François à Anicet. C'est un objet précieux pour la famille...

Si le charretier avait pris la peine de regarder de très près la sphère, il aurait vu le trait net tracé par Vadeboncœur de Gagné entre Québec et Paris, en passant par le fleuve Saint-Laurent, le golfe – dans lequel on distinguait clairement l'île d'Anticosti... – et l'océan Atlantique.

Dans la maison, il ne resta plus que Vivianne et François, qui avait renvoyé les deux sergents de ville. Dehors, la place avait repris sa vie de tous les jours. Quelques mouvements emportés d'enfants se poursuivant, des ménagères conversant sur les paliers, deux ou trois chiens, dont l'un qui faisait cuire ses vieux os au soleil.

Le cabinet de travail n'était plus qu'une pièce nue et de s'y retrouver ainsi tous les deux, sans rien pour les distraire, pour rappeler quelque autre présence, favorisa un retour en arrière qui sembla momentanément effacer le cortège des années les séparant du temps où ils s'aimaient. À cette époque, François – il le constatait de nouveau – ne s'était pas trompé : il se croyait amoureux pour la vie, et la vie lui avait donné raison. Il n'avait aimé personne d'autre. Sans souffrir vraiment d'être séparé d'elle, le fait demeurait qu'il avait vécu toutes ces années sans chercher à combler le vide qu'elle avait laissé dans son cœur. Sa seule réelle affection, il l'avait accordée à Marie-Godine.

Vivianne le regardait intensément. Gauche d'être ainsi debout au milieu de rien, elle lui tendit tout bonnement les mains et il les porta à ses lèvres. Des images en cascade surgirent dans sa mémoire qui se fixa sur le moment où, en rentrant de son expédition guerrière contre les Indiens des Grands Lacs, il avait retrouvé Vivianne. Son expression changea, il sembla songeur, un peu triste. Vivianne comprit son malaise, elle en soupçonna même l'origine, comme si elle revivait les mêmes moments. Elle murmura :

– ... je ne te comprenais plus.

Il devina qu'elle parlait de son comportement bizarre, agressif et égoïste au retour de sa première expérience des combats.

– Je sais.

Et ajouta, puéril :

– Moi non plus.

Puis, d'une voix plus ferme :

– C'est beaucoup plus tard que je me suis rendu compte... Lorsque j'ai été convaincu que je n'étais pas un soldat et que je l'ai accepté...

Ils étaient maintenant très près l'un de l'autre et il la voyait avec exactement les mêmes yeux qu'alors, quand il la trouvait jolie sans savoir pourquoi. Et il ne le savait toujours pas pourquoi il la trouvait jolie ; mais cela demeurait sans importance.

Quand ils se touchèrent, c'est à la cabane près de la rivière, face à l'île Bizard, qu'il pensa avec frénésie. Il ne put se retenir de caresser les cheveux de Vivianne comme il l'avait fait alors que, trempés par l'averse, tous deux dégoulinaient. Oubliant où ils étaient, ce qu'ils étaient devenus, il l'embrassa.

Mais entre elle et lui, un autre passé, celui où elle avait aimé un autre homme, vécu une autre vie, refusa de s'effacer aussi aisément. Quoique le fond de son cœur fût en accord avec lui, elle le repoussa, avec douceur.

– Non... Ce n'est plus possible.

Des perles scintillaient dans ses yeux : elle pleurait, encore. Cette fois ce n'était pas de dépit mais de chagrin, d'un gros chagrin qui les écrasait tous les deux et contre lequel ils ne pouvaient rien.

Au bout d'un moment, le silence devint insupportable. François surtout se sentit mal à l'aise, cherchant en vain les mots ou les gestes qui pourraient servir d'issue à cette situation. Vivianne se dégagea. Elle passa, puis repassa, devant les grandes fenêtres, faisant mine d'observer quelque chose sur la grève. La voyant ainsi, comme lui, manifestement désireuse de changer de propos, il fit, sur un ton banal :

– Marie va regretter cette vue...

– C'est sûr...

Vivianne s'arrêta près de lui et, ensemble, ils admirèrent la saisissante beauté de la falaise de Lévis, l'amas des petites maisons s'étirant entre le roc et l'eau.

– Je comprends mal que Marie-Godine ait vendu cette maison, dit François. Elle l'aimait beaucoup, cette pièce-ci surtout qui ressemble en tout point à celle qui donne aussi du côté fleuve dans sa maison de la rue Saint-Paul, à Montréal. Elle me disait qu'elle se réfugiait ici comme là-bas pour retrouver un certain état d'âme, pour faire le point quand la vie la heurtait. Même au manoir du Bout-de-l'Isle, il existe une pièce semblable.

– Je sais. Et comme toi, je devrais m'étonner de cette décision, mais Marie trouve que le quartier devient de plus en plus bruyant et de moins en moins bien famé. Les jours de marché, on ne s'entend plus d'une pièce à l'autre et souvent l'agitation déborde par-dessus le muret quand ce n'est pas dans le vestibule... Nous avons même craint pour notre sécurité certains soirs lorsque, à la fermeture du *Signe de la Croix*, des buveurs hésitaient entre rentrer chez eux ou faire du grabuge. Et la situation n'ira pas s'améliorant : ils sont à remplir la grève pour construire des maisons tout le long du pied du cap jusqu'à la rivière Saint-Charles. Tous ces gens refouleront ici les jours de marché. Je te le dis, la place sera bientôt trop petite.

Comme un couple venant de se réconcilier, le visage détendu, ils souriaient. François suggéra :

– Si nous allions prendre des nouvelles de Marie ?

– Tu as parfaitement raison : alors qu'on devrait s'inquiéter d'elle, j'ai bien l'impression que c'est elle qui doit s'inquiéter de nous !

François était venu à cheval : mais cela n'embarrassa aucunement Vivianne qui monta avec lui. C'est ainsi qu'ils escaladèrent la côte de la Montagne. Parvenus en haut, ils durent laisser souffler la bête et remonter à pied, d'abord la rue du Fort, puis la rue Sainte-Anne jusqu'à la rue des Jardins. Ils prirent ensuite sur la gauche et au bout de quelques pas seulement se retrouvèrent devant une vaste demeure de deux étages, en pierres de taille, coiffée d'un toit à quatre eaux :

– C'est ici, fit Vivianne, seulement pour dire quelque chose, car elle savait bien que François connaissait autant qu'elle l'ancienne maison du conseiller de Salvaye. Avant qu'ils ne puissent se composer une attitude qui les absolve de n'être pas accourus derrière le ménage avec les sergents, Louise-Noëlle apparut sous le porche.

– Mais vous arrivez trop tard!

Vivianne et François se regardèrent, le cœur chargé d'émotion. Les voyant aussi consternés, Louise-Noëlle choisit de ne pas les faire languir:

– Vous êtes en retard, c'est fini: Marie a déjà accouché! C'est un garçon, un beau gros garçon et déjà elle m'a dit qu'elle l'appellerait Pierre-François.

Pendant que deux hirondelles, qui avaient fait leur nid derrière la frise du fronton, s'envolaient en gazouillant et se perdaient dans le bleu du ciel, François ne put réprimer l'émergence d'un souvenir précieux à son cœur, celui de la naissance de Marie, et il frissonna d'émotion en se répétant le nom du nouvel enfant: Pierre-*François*...

Chapitre XXXII

1751, Québec.

Après avoir quitté la haute ville sous un ciel nébuleux, Pierre-François s'était retrouvé sous une lumière tiède diluant la forêt de Beauport, dans des sentiers broussailleux que, déjà, à douze ans, il connaissait par cœur. Il marchait depuis deux heures, le fusil en bandoulière et sa gibecière lui battant les jarrets, comme un vrai coureur des bois. C'était un garçon costaud pour son âge et sa démarche était celle d'un homme. De son enfance, il gardait une grande sérénité cultivée par sa mère pendant toutes ces années où rien n'était venu bousculer leur vie bourgeoise.

Marie-Godine, si elle demeurait cette légende à laquelle tenait la tradition orale, avait cessé d'occuper les premières places depuis près de dix ans, et son fils avait ainsi grandi dans ce milieu où il avait été choyé, grâce à leurs affections communes et à l'aisance matérielle.

Soudain, il s'immobilisa et, avec des gestes calculés pour éviter de faire le moindre bruit, il prit son arme – un vieux mousquet à platine de silex que lui avait donné son oncle François – dont il dirigea le canon, comme son regard, vers un bosquet où il soupçonnait la présence de quelque gibier. Il se remit en marche, étirant autant que possible sa foulée afin que ses bottes ne bruissent pas plus que les pas d'une bête. En fait, il se déplaçait avec une telle élasticité qu'on aurait dit qu'à l'exemple de sa mère il allait nu-pieds, alors qu'en réalité il chaussait des mocassins, mais des mocassins d'une souplesse à confondre avec la peau.

Il marcha encore pendant quelques minutes, puis s'immobilisa à nouveau.

Tout à coup, quelque part devant lui, un trot rapide fit craquer les branches. Alors, se ramassant sur lui-même, le cœur battant, il épaula. Il attendit une seconde encore ; le trot se rapprochait. Dans un mouvement précipité, il se leva, appuya sur la gâchette... et le fusil lui éclata dans les mains !

L'explosion le précipita au sol et il perdit conscience.

Quelques instants après, il reprenait ses esprits. Il avait la tête en feu, une buée de larmes lui noyait les yeux et une vive douleur lui lacérait le bras droit. D'abord, il ne se souvint de rien, puis, de tout. Aussitôt sa main gauche chercha la blessure et rencontra un liquide visqueux et chaud. Il tenta de faire bouger son bras, en vain. Un élancement insupportable le fit gémir.

Mais le fils de Marie de Patris était de la trempe de ses ancêtres. Buté comme un Indien, rageant contre la douleur plutôt que de s'avouer vaincu, il parvint à garrotter son bras et, faisant appel à toutes les ressources de sa jeunesse, il se mit en route vers Québec.

Le Dr François Gaulthier ne manquait pas d'expérience. Pas un comme lui savait soigner les blessures graves – on disait en badinant qu'il traitait mieux les blessés que les malades! Le jeune Pierre-François de Patris, étant parvenu à rentrer chez lui en dépit de la gravité de sa blessure, ne pouvait tomber en mains plus sûres.

Confit en remords, se jugeant responsable de l'accident pour avoir fait cadeau au jeune garçon de l'arme défectueuse, François avait lui-même attelé La Rouge, la meilleure pouliche de l'écurie de Marie, afin de traverser la haute ville et aller quérir le médecin.

La renommée du docteur l'immunisant depuis quelques années contre l'obligation d'effectuer des visites à domicile, il était rarissime qu'on le dérange ainsi chez lui, surtout tard en soirée. Ses clients avaient d'ordinaire moins de hâte. Sans préambule, François avait tout simplement annoncé:

– C'est un garçon qui a le bras cassé. Ça presse!

– Tant que ça? Pour un bras cassé?

– Vous verrez...

L'attitude de l'aide-major – qu'il connaissait – était marquée d'une telle résolution que le Dr Gaulthier avait cru plus simple de le suivre que de discuter. Et François avait de nouveau battu la bride à la jument pour rentrer. Tellement que lorsqu'ils avaient atteint la maison, la pauvre bête fumait de partout.

C'était la première fois que le Dr Gauthier venait chez Marie de Patris. L'intérieur lui rappela immédiatement certains hôtels particuliers des villes provinciales françaises (il était originaire du département de la Manche). Au centre se trouvait une très grande salle qui servait aux bals, banquets et autres fêtes. On y donnait aussi des concerts de musique de chambre, on y chantait des extraits d'opéra et, parfois même, on y montait des pièces de théâtre. De chaque côté du large vestibule où aboutissait l'escalier de chêne conduisant à l'étage, un salon, une bibliothèque, deux boudoirs et un cabinet de travail donnaient, par de grandes fenêtres à carreaux multiples, sur un bosquet de bouleaux dont la lune couchait les ombres filiformes sur la neige.

En entrant, il fut accueilli par Olivier de Salvaye, venu en visite depuis Trois-Rivières, et dont les cheveux blancs ne rajeunissaient en rien les traits vieillis. C'est lui qui, dans un geste courtois, débarrassa le docteur de son capot de chat :

– Vous êtes gentil d'être venu aussitôt.

– Il ne m'a pas semblé que j'avais le choix…

Le ton était bonhomme et le personnage dégageait une bonne odeur de tabac.

– Si vous voulez bien me suivre.

Une domestique qui se tenait en retrait prit les effets du docteur et, précédant celui-ci, Olivier s'engagea dans l'escalier. Sur le palier, il se contenta d'indiquer une porte entrouverte sur le corridor :

– Il est là…

La chambre était petite. La lueur vacillante d'une chandelle éclairait une image de la Vierge, un lit, le blanc d'un oreiller, un visage, pâle…

« Mais, c'est *elle* ! » pensa le docteur, complètement bouleversé.

Il connaissait bien Marie : plusieurs fois elle l'avait consulté et plusieurs fois ils s'étaient croisés dans les soirées mondaines de la société québécoise. Il se souvenait même d'avoir dansé avec elle au cours de quelque bal. Mais ce soir, la pauvreté de la lumière rajeunissait ses traits et elle avait le teint plus mat qu'il ne s'en souvenait.

Il s'approcha du lit, tendit une main pour prendre la chandelle. Une voix le surprit :

– Laissez, docteur. J'allume la lampe...

La lumière crue d'une lampe à huile éclaira alors la figure amène de Marie qui s'avançait du fond de la chambre. Sous le coup de l'émotion, le docteur porta une main à son cœur :

– Mon Dieu, madame, j'ai vraiment cru que c'était vous là, qui...

– Mon fils me ressemble beaucoup en effet...

Depuis plus de dix ans, elle vivait dans l'ombre de son fils. La naissance de cet enfant avait canalisé sa vie et elle avait délibérément choisi d'être mère et rien d'autre. Elle s'en trouvait d'ailleurs fort satisfaite.

Elle posa la lampe tout à côté de la bougie sur la table de chevet.

Le docteur écarta les draps. La blessure apparut, violâtre. Il la regarda de près, sembla réfléchir. Enfin, il fit :

– Ce n'est pas une cassure ordinaire...

– Un accident. Un accident bête, comme tous les accidents.

Et en quelques mots elle raconta les circonstances de la mésaventure de son fils pendant que le médecin palpait le membre blessé. Pierre-François grimaça.

– Il va falloir réduire la cassure...

Sur ce, avec l'air impassible de quelqu'un qui n'aurait même pas été concerné par son propre geste, il eut un mouvement vif ponctué par le cri de douleur que poussa le garçon dont la tête décolla brusquement de l'oreiller.

– Voilà... Dans quelques semaines, il n'y paraîtra plus rien.

Il eut un grand soupir, puis, ayant pansé la plaie, il ramena lui-même les couvertures sur le garçon et posa un moment une main sur son front.

– Il faudra surveiller de près toute poussée de fièvre...

Ses pouces soulevèrent ensuite les paupières de Pierre-François dont il examina l'iris et le blanc des yeux. Apparemment satisfait, il conclut:

– Ça va aller, mon bonhomme, ça va aller!

Marie éteignit alors la lampe, murmura à son fils «Je reviens...», et raccompagna le médecin. D'abord ils ne dirent mot. Puis ce dernier demanda:

– Avez-vous déjà remarqué l'œil droit de votre fils? Il a, comment dirais-je, une coquetterie qui se développe. Ou je me trompe, mais dans peu d'années ce sera tout à fait visible. Une paille, votre fils aura une paille d'or dans l'œil.

– Je sais, oui.

Et Marie ne parut pas autrement encline à commenter la parole du médecin. Atteignant le haut des marches de l'escalier, elle tira un peu sur les paniers de sa robe et le docteur aperçut ses pieds nus. Le geste lui parut d'une telle candeur qu'il ne put s'empêcher de sourire franchement. En bas, il la suivit dans un boudoir où Olivier avait rejoint plus tôt François, Vivianne et Joseph, rentré seul de Cayenne, où il retournerait au printemps rejoindre Édouard et André qui y avaient été embauchés, comme lui. Assis devant une fenêtre, François semblait profondément absorbé dans ses pensées.

Dès qu'il aperçut le médecin, il se leva d'un bond:

– Alors, docteur?

– Alors, ça ira, ça ira..., lui répondit Marie.

Histoire de détendre l'atmosphère, Olivier s'avança à son tour :

– Vous prendrez bien une liqueur, docteur, ou un peu de vin d'Espagne, peut-être ? Qu'en dites-vous ?

– Volontiers… Un peu de vin.

C'est François lui-même qui prit la carafe et versa le vin ambré dans un verre fin qu'il tendit au docteur. Ce dernier, souhaitant détourner la conversation, demanda :

– Vous connaissez bien Louisbourg, vous, n'est-ce pas ? Vous y étiez, pendant quelques années, je crois ?

– En effet. J'ai vécu là-bas. J'ai assisté à une bonne partie de la construction de la forteresse.

– On la disait imprenable…

– *Inexpugnable !* Qu'on disait… Mais personnellement quand j'ai appris, il y a trois ans, que notre roi Louis avait officiellement déclaré la guerre à l'Angleterre, j'ai compris que les jours de l'île Royale étaient comptés. Il était trop connu que cette forteresse fermait la Nouvelle-France à toute invasion pour que les Anglais ne mettent pas tout en œuvre pour s'en emparer.

– Avez-vous été étonné d'apprendre la mutinerie de l'année d'avant ? Ça n'a sûrement pas aidé.

– Sûrement pas. Mais je n'en fus pas étonné, non. Voyez-vous, pour y avoir vécu, je savais que la ferveur des soldats n'y était pas très grande. À Louisbourg, on perdait jusqu'à la notion du devoir, on en venait à se demander ce qu'on y faisait. Tout le monde estimait être prisonnier, victime de quelque vaste injustice. Moi-même, j'ai cédé à cette morosité. Alors quand j'ai appris la mort de M. Duquesnel, le gouverneur de l'île, j'ai deviné que ce ne serait pas facile pour le commandant

Duchambon de Vergor de tenir les troupes – surtout qu'elles rentraient de la cuisante défaite d'Annapolis. On peut facilement comprendre que lorsque sont apparues les cent voiles de la flotte de Warren l'esprit des soldats n'ait pas été des meilleurs…

Mais trois ans plus tard, aux termes du traité d'Aix-la-Chapelle, la menace d'une invasion anglaise avait pris les proportions d'une hantise qui empoisonnait toute la vie de la colonie. On ne faisait plus de projet d'avenir et on n'était même plus certain que le passé et son cortège d'épisodes héroïques valaient la peine qu'on s'en souvienne. En avril, on avait jugé nécessaire d'établir sur la rive sud du Saint-Laurent, depuis le golfe jusqu'à Lévis, un système de communication par des feux pour prévenir de l'arrivée de toute flotte ennemie et partout en campagne on avait déjà construit des cabanes devant servir d'abris aux familles en cas d'attaque. Ailleurs, on avait fortifié le territoire, érigé de nouveaux forts et on continuait de le faire.

– Ce que tu ne dis pas, François, c'est que la garnison de Louisbourg a attendu en vain les secours promis par la France…

Au-dessus de l'épaule de François, Olivier, vivement intéressé par la tournure de la conversation, n'avait pu se retenir de dénoncer une fois de plus le désintéressement de la métropole vis-à-vis de la colonie.

– Sauf pour l'aspect financier, la France a complètement cessé de s'intéresser à nous. Prenez le cas des Forges de Saint-Maurice, et je sais de quoi je parle! Une fois l'affaire enfin bien partie, mais seulement après les faillites successives de François de Francheville et d'Olivier de Vézin qu'on a toujours refusé de soutenir, on l'a fait passer dans le domaine royal. Et tant que cela rapportera, l'Administration va garder le contrôle de l'affaire, la soutenir même, s'il le faut.

Il avait haussé le ton sans s'en rendre compte et parlé si fort que Marie se crut obligée d'intervenir à son tour.

– Voyons, voyons, mon oncle : vous n'allez quand même pas vous fâcher ?

Louvoyant entre l'ironie et la semonce, elle ajouta :

– Nos petits problèmes comblent déjà assez bien notre besoin de mauvaise humeur sans qu'on s'emporte en plus pour les problèmes des autres.

Avec l'aisance de mouvements qui lui conservait son allure de jeune femme, elle alla ensuite se verser un peu de vin et revint, le regard et le sourire en accord avec son naturel optimiste.

– Mais, Marie, avoue que tu ne peux me donner tort. N'eussent été ta réputation et les talents d'Étienne de Clairembeault, à quelle condition aurait-on fait passer le chantier du Cul-de-Sac sous le privilège de l'État ? Et une fois cela fait, voyez comment on l'a abandonné...

Olivier haussa les épaules de dépit et continua :

– N'allez surtout pas croire que je ne comprends pas pourquoi il en est ainsi. Pour la France, la colonie existe à peine. Ce n'est qu'un univers comptable, dont l'administration se résume à transporter, par tous les moyens, les chiffres de la colonne des pertes dans celle des revenus. Pour le reste... On en tire un peu de vanité, on veut bien y déléguer quelque représentant du roi pour se donner des airs officiels : mais on a depuis longtemps oublié qu'il y a déjà ici près de deux siècles d'histoire et toutes les traditions d'un peuple. Et je le sais d'autant plus que, moi-même, j'ai oublié la Nouvelle-France lorsque j'ai vécu à Paris.

– Et vous croyez qu'on irait jusqu'à nous abandonner aux Anglais ? déplora François.

– Pas tout à fait, ce n'est pas si simple. Puisqu'on continuera de demander à cette colonie de donner tout ce qu'elle a, on va continuer d'y investir. Ensuite, eh bien, il va falloir défendre ces investissements.

C'était l'âge et les expériences toutes particulières de sa vie qui permettaient maintenant à Olivier de regarder la fatalité en face et son opinion, ainsi exposée, lui semblait aussi indubitable qu'un fait.

– Au fond, tint-il encore à dire, je n'ai même pas d'amertume car, je le répète, je comprends. Je comprends même très bien.

Son ton baissa d'un cran, et regardant du côté de Marie, il devint vaguement amer :

– Ce qui ne veut pas dire que j'admets qu'un mari abandonne sa femme…

– Oh, mon oncle, je vous en prie. On ne va pas revenir sur toute cette histoire ! rétorqua aussitôt Marie.

– N'empêche…

– N'empêche que je m'en tire très bien comme ça…

– … mais qu'il t'a abandonnée et qu'il ignore tout de votre enfant.

Malgré la dureté de ses paroles, la tendresse perçait dans le ton d'Olivier et quelque chose de triste altérait sa voix.

– Vous savez bien qu'il a dûment reconnu mon fils, lui a donné un nom. Son nom. Avouez que ce n'est pas peu de chose ; les quartiers de noblesse de la famille de Patris ne se comptent plus…

Joseph, qui n'avait toujours pas ouvert la bouche, faillit commenter ces propos mais préféra se taire.

Tout comme Vivianne d'ailleurs, qui eut une velléité de critiquer le personnage indésirable qu'avait été le chevalier de Patris. « Le maudit Français… », avait-elle pris l'habitude de répéter lorsqu'elle parlait de lui à ses proches. Mais quand elle vit Marie reculer un peu, le visage serein, par délicatesse elle s'abstint.

Pendant quelques instants, Marie maintint son verre à la hauteur de ses yeux, fascinée, aurait-on dit, par le jeu de lumière qui taillait dans son vin une belle paille d'or…

Chapitre XXXIII

1756, à Montréal.

À l'instant de partir, le fauteuil lui sembla si confortable qu'elle céda à la tentation et s'y installa avec un soupir d'aise. Puis, elle se débarrassa de ses souliers étroits à hauts talons qu'elle jugeait, d'ailleurs, parfaitement ridicules. Ses pieds étaient brûlants. Elle n'allait jamais s'habituer : toute chaussure l'étranglait, lui irritait la peau, l'entravait.

Comme il lui arrivait souvent, Marie se mit à errer dans ses pensées.

Des visages se succédèrent furtivement dans sa tête, puis s'effacèrent. C'étaient ceux qui avaient occupé les moments importants de son passé, quand tout arrivait pour elle, par elle ou malgré elle. Elle pensa à ses amitiés dénouées, à ses amours mortes, et savoura, une fois de plus, d'être maintenant bien installée dans une existence faite de riens et de petits bonheurs.

Depuis plusieurs années, elle avait compris qu'on ne peut rien changer au total de ses actes et que, de par les circonstances exceptionnelles de sa vie, les siens étaient, pour la plupart, derrière elle. Aussi ne cultivait-elle pas d'ambition pour quelque conquête, et s'il lui arrivait encore d'être le point de mire, celle dont on parle, ce n'était jamais pour elle-même, mais pour le personnage qu'elle avait été et qu'elle demeurait dans la tradition orale.

En un mot, Marie de Patris devait encore, parfois, s'astreindre à jouer le rôle de Marie-Godine.

D'où elle était assise, elle pouvait apercevoir son image dans les carreaux d'une porte entrouverte. Encadré par sa chevelure ornée d'aiguilles brillantes et d'aigrettes à la mode de Paris, son visage n'était que légèrement poudré et elle avait longuement hésité avant d'accrocher à ses oreilles les boucles qui y luisaient autant que ses yeux. Elle portait une robe de couleur rouge vif – qui ressemblait à celles des tableaux de Watteau – et un collier de perles enluminait ses épaules dénudées : à quarante-trois ans, elle conservait une féminité triomphante.

Lasse des préparatifs des derniers jours, elle était quand même d'humeur résolue. Si l'importance des moments qu'elle allait vivre l'effrayait un peu, elle acceptait comme un devoir la délicate démarche qu'on lui avait demandée d'effectuer et dont dépendait peut-être le sort de la colonie.

Au début, quand la rumeur l'avait désignée, elle s'était montrée peu réceptive au projet. Depuis qu'elle vivait en retrait, l'idée de donner à nouveau l'occasion qu'on parle d'elle l'avait souverainement rebutée. Mais bientôt, sous les exhortations de son fils, elle avait dû admettre qu'elle n'avait pas le droit de refuser, et c'est ainsi que dans quelques heures elle allait rencontrer le gouverneur, Pierre de Rigaud de Cavagnal, marquis de Vaudreuil, et le maréchal des troupes, le généralissime marquis Louis Joseph de Montcalm.

Un conflit opposait les deux principaux personnages de la colonie et leur brouille mettait en péril la situation de la Nouvelle-France devant la menace anglaise. La tension était telle, qu'on ne pouvait raisonnablement envisager quelque victoire contre l'ennemi sans que cette tension soit d'abord éliminée. Aussi avait-on demandé à Marie de tenter d'amener ces deux hommes apparemment irréconciliables à unir leurs efforts et leurs talents pour éviter le pire. Et elle avait accepté, persuadée qu'il fallait vraiment tout mettre en œuvre pour éviter une conquête anglaise.

Percevant des voix, celle de François surtout, dans la pièce d'à côté, elle entreprit de se préparer mentalement à son ambassade. Elle rencontrerait d'abord le gouverneur. Elle lui parlerait de son fils qui rentrait de Chouaguen – et puis non : elle attaquerait tout de suite sur le fond du sujet, c'est-à-dire la mésentente qui l'opposait à Montcalm. Vaudreuil étant un homme conscient de la fragilité de la connivence de ses administrés (son père n'avait-il pas été gouverneur avant lui pendant vingt-deux ans ?) allait nécessairement considérer ses propos.

Un instant ivre d'anxiété à l'idée qu'on puisse la juger présomptueuse de se croire capable de modifier l'attitude des deux hommes, elle se dégrisa aussitôt en pensant à son fils, justement, et à ce qu'il avait vécu, pour rien peut-être s'il fallait que persiste cet affrontement entre ceux qui devaient défendre le pays contre l'envahisseur. Car Pierre-François avait participé à l'expédition de Chouaguen qui, même si elle s'était conclue par la plus éclatante victoire de toute l'histoire de la Nouvelle-France, avait tristement mis en lumière le régime sous lequel s'engageait la conduite de l'armée.

Vaudreuil avait jugé cette expédition nécessaire, car les trois forts (dont celui de Chouaguen était le plus important) que les Anglais avaient érigés sur les bords du lac Ontario mettaient en danger l'intégrité du territoire et permettaient des alliances menaçantes de l'ennemi avec tout ce que les « pays d'en haut » comptaient de nations indiennes. Mais la rareté des vivres, la pauvreté de l'artillerie, la lenteur des préparatifs due à la difficulté des communications entre les régiments séparés par des lieues et des lieues de nature sauvage rendaient le projet hasardeux. Lorsque, à tout considérer, le gouverneur s'était quand même décidé à agir et avait ordonné au généralissime d'assiéger Chouaguen, Montcalm avait tellement mal contenu ses réserves, que bientôt tous les soldats, du premier capitaine au dernier milicien, avaient clairement perçu la réticence de Montcalm à l'égard des projets.

C'est dans ce climat que l'expédition s'était organisée et que 3200 hommes y avaient été engagés. Parmi eux, le fils de Marie-Godine, qui venait d'avoir ses dix-sept ans.

Pierre-François en était rentré, indemne, avec le gros de la troupe qui ramenait pas moins de 1650 prisonniers. Il était si harassé, hâve et défait, que sa mère l'avait trouvé méconnaissable. Le jeune homme qu'elle avait vu partir était revenu vieilli d'une expression d'homme mûr : les flammes de sa folle jeunesse s'étaient éteintes au fond des yeux et le cœur s'était à jamais assagi.

– Maman, cette victoire est un accident, elle nous a été aussi coûteuse qu'une défaite.

Il lui avait alors raconté comment, dès le départ, Montcalm avait dédaigné la complicité des Iroquois – que pourtant le gouverneur Vaudreuil avait lui-même négociée –, les jugeant trop barbares. Ensuite, pendant tout le trajet menant au lac Ontario, une rumeur avait entretenu l'inquiétude : l'état-major ne possédait aucun plan de la disposition des forts et ignorait où il serait possible de débarquer l'artillerie sans être repéré.

– Heureusement, dans les parages ennemis, les feux de nos éclaireurs nous ont prévenus de notre destination. Mais la hauteur du fond de la baie Niaouré nous a empêchés d'approcher le rivage d'assez près pour débarquer canons et munitions sans les tremper. Le marquis de Montcalm ne s'est pas caché là non plus pour critiquer la mauvaise préparation de l'expédition : parlant des Canadiens, il disait que ces gens-là exposaient, sans en peser les conséquences, le salut de toute la colonie. Plus tard, il a décidé de nous faire retraiter un peu en amont de la baie où, l'avait-on informé, on pourrait accoster. Le lendemain matin, les barques étaient vides. Les éclaireurs nous ont alors rapporté que le premier fort, le fort Chouaguen, n'était qu'à une demi-lieue et que, manifestement, les Anglais ignoraient encore que nous étions là. Le général a ordonné aux soldats les plus expérimentés dans l'abattage des arbres de percer dans la forêt un chemin allant de notre camp au sommet du coteau qui surplombait le fort ennemi. Pour les couvrir, il a accepté de s'allier à des Indiens qu'il a achetés avec un collier de quatre mille grains de porcelaine. Deux jours plus tard, la gigantesque tranchée était ouverte et le général a alors envoyé un capitaine pour repérer les lieux. Mais un des Indiens l'a pris pour un ennemi et l'a tué d'un coup de fusil… Ce qui a alerté les Anglais qui nous ont découverts. Pendant toute la nuit qui a suivi, nous nous sommes attendus à une attaque. Mais non… À l'aube, coup de chance, nous avons intercepté un messager du colonel anglais commandant le fort, qui allait chercher du secours et nous avons entrepris de pilonner la place avec tout ce qu'on avait de boulets. En riposte, les Anglais nous ont canonnés tout autant et des averses de balles se sont abattues sur nous. Bientôt, un de nos boulets a tué net le colonel anglais qui agitait le drapeau blanc…

À ce point du récit, attentive et émue, Marie avait vu son fils serrer les poings.

– J'étais alors couché à plat dans un fourré et tu n'aurais pu me distinguer parmi tous les cadavres qui gisaient autour de moi. À vrai dire, je ne m'en distinguais à peine moi-même. D'abord, je n'ai rien vu ni rien entendu. Puis des cris, des cris de joie, des cris de fous, des hurlements, une clameur qui m'a soulevé et je me suis relevé, ahuri, en larmes et secoué de tremblements.

Marie avait écouté son fils jusqu'au bout sans sourciller. Ils se tenaient alors sur la terrasse du manoir du Bout-de-l'Isle – ils y passaient tous leurs étés depuis quelques années – et le soir allait tomber sur le jour immobile dont le bleu du ciel virait au mauve.

– Le calme ici, maman… On dirait que le temps s'est arrêté…

Plus tard dans la soirée, il s'était encore confié, mais avec un certain recul déjà et une approche plus analytique.

– Tu sais, quand le général est débarqué à Québec en mai dernier avec ses régiments de La Sarre et du Royal-Roussillon, nous étions complètement désorganisés. Il nous a divisés en compagnies, a distribué des grades et nous a placés sous les ordres de militaires d'expérience. Il s'est occupé personnellement de la qualité de nos rations, il a veillé à la remise en état de nos armes, puis il a établi un système de distribution des munitions. Mais c'est après, quand nous nous sommes mis en route pour les Grands Lacs, qu'on aurait dit que nous, les Canadiens, n'étions là que pour mettre les Français en valeur. Si je te disais que plusieurs d'entre nous ont dû marcher jusqu'à la taille dans l'eau glacée avec un soldat français sur leurs épaules ! Peu à peu, les choses ont empiré et j'en suis même venu à me demander sérieusement si nos gens accepteraient de suivre le général encore bien longtemps. C'était comme si on nous avait méprisés de plus en plus… Tu vois ce que je veux dire ?

Elle voyait, oui. Qui mieux qu'elle d'ailleurs pouvait comprendre cette espèce de distance qui séparait maintenant Canadiens et Français ? Son mari n'avait jamais été que Français et c'était d'abord cette différence qui l'avait détaché d'elle et qui avait fait qu'ensuite elle avait pu l'oublier aussi facilement.

Vaudreuil était né dans la colonie, Montcalm, en France. Et Marie était parfaitement consciente du peu de chance de réussite de sa mission.

– Tu viens, Marie…

François avait frappé légèrement et, à son pas feutré, on aurait dit qu'il complotait derrière la porte. Ce qui fit sourire Marie et elle répondit à son tour d'une voix de cachottière :

– Je viens, oui.

C'est lui qui avait effectué, auprès des autorités, les démarches ayant permis que Vaudreuil et Montcalm acceptent de la rencontrer. C'était maintenant un homme respecté dans les milieux de l'administration militaire et un de ceux qui appuyaient le plus fortement l'entreprise de Marie.

– La tête du pays est une pomme de discorde, avait-il pris l'habitude de répéter.

Et depuis qu'il savait que Machault, le nouveau ministre de la Marine, avait recommandé au roi d'abandonner la colonie s'il ne pouvait en réduire les dépenses, il était guéri de toutes ses illusions et adhérait à la position du maréchal de Noailles qui prétendait, lui, qu'*il serait moins honteux pour la France d'abandonner l'Amérique aux Anglais après une guerre malheureuse que de leur laisser l'envahir en pleine paix sans tenter de la défendre.* Mais il ne pouvait chasser de son esprit que la population de la Nouvelle-Angleterre comptait plus d'un million d'habitants, alors que celle de la Nouvelle-France, à peine soixante mille, et il en conclut que le jour où les deux voisins s'engageraient dans une campagne sérieuse…

Admirant la mise d'une coûteuse simplicité de Marie, il sembla cependant embarrassé de découvrir les pieds nus qui dépassaient sous l'ourlet de la robe :

– Marie, tu ne penses pas que…

Mais il n'eut pas à en dire davantage : portant la main devant sa bouche, Marie-Godine accusa son oubli de toute son expression ingénue et fit volte-face. Elle revint juchée sur ses talons hauts, la démarche un peu aventureuse.

Et, quand elle monta dans la voiture qui l'attendait dans la cour, elle tenait ses chaussures à la main…

Dans les vibrations des roues sur la route rocailleuse, elle regarda dehors le paysage qui défilait, les blés ondoyants qui succédaient aux bosquets, les jardins aux maisons de ferme, les troupeaux de bêtes aux amas de souches retournées. Le soleil fêtait l'été et saupoudrait d'une lumière dansante toute la vallée qui coulait doucement vers le fleuve. Des parfums de fleurs, des odeurs chaudes de moisson, des senteurs piquantes et sucrées de pin, d'épinette, de sapin enrichissaient l'air dont le fond avait un goût de fruit mûr. Près de Lachine, des hommes entassaient et brûlaient des branches et la fumée qui s'élevait au-dessus de cet abattis rappela à Marie la fumée des canons : le poids de la guerre écrasait son pays et, au cœur de cette journée superbe, cela l'attrista jusqu'à l'âme.

Dès que le cabriolet eut franchi les murs de la ville, il se trouva au centre d'une effervescence telle que le père Émile crut un instant ne pouvoir contenir l'excitation des chevaux. C'est que, depuis le début de cette guerre, le gouverneur se tenait en permanence à Montréal et sa présence, au château Vaudreuil, avait attiré un grand nombre de fonctionnaires et d'officiers qui y élaboraient les plans de défense et d'attaque, et y avaient concentré leurs troupes. Ainsi, dans un va-et-vient constant, des régiments se croisaient, parmi lesquels ceux débarqués avec le général Montcalm, celui de La Sarre. Et d'autres militaires en uniformes plus brillants encore, mais qui paraissaient ternes comparés aux accoutrements des Indiens tatoués qui venaient conférer avec tous ces gens, proposer leur alliance et y échanger des prisonniers anglais qu'autrement ils allaient torturer… À toute cette agitation s'ajoutaient encore les arrivées et les départs des convois et les évolutions de troupes au son du fifre et du tambour. En fait, tout

Montréal n'était que mouvement, action, bruit et excitation et tous les clochers de la ville pouvaient bien sonner matines et angélus, les jours et les nuits se déroulaient avec la même exacte intensité.

Dans la cour du château Vaudreuil le grouillement était plus dense encore. Dressé sur son siège, le cocher de Marie dut tendre les guides et crier fort ses hue et ses dia pour immobiliser les chevaux. Quand les bêtes s'exécutèrent, il dut sauter aussitôt sur le sol pour se précipiter devant elles et agripper leurs mors d'une main ferme.

Quelques instants plus tard, Marie pénétrait dans le château et, en compagnie de François, elle était conduite, par un laquais à l'allure taciturne, dans une pièce sombre aux murs couverts de tableaux représentant des scènes de bataille et quelques portraits de militaires à l'expression de conquérant. On la pria d'attendre le gouverneur. Son cœur battait, mais elle demeurait pleine d'assurance. Elle se souvenait de ce que François lui avait dit en lui confirmant cet entretien : « Tu es la seule personne de toute la colonie qu'il aura ainsi accepté de rencontrer... » Ce à quoi elle avait rétorqué : « Ce qui ne veut pas dire qu'il va m'écouter. »

Pendant qu'elle plissait les yeux pour lire le titre et le nom de l'auteur d'un livre (*Dissertation sur la musique moderne*, de Jean-Jacques Rousseau) posé sur un pupitre qui trônait au milieu de la pièce, elle ne vit pas entrer son hôte :

– ... c'est une thèse intéressante, où l'auteur développe une nouvelle théorie musicale basée sur les chiffres : la musique serait, comme les mathématiques, une alternance entre les nombres pairs et impairs de notes.

– Pardon ?

Marie s'était retournée brusquement et, avant qu'elle n'ait le temps de se lever, puis de plonger dans une révérence, le gouverneur Vaudreuil – car c'était lui – poursuivait :

– Ce livre. Ce livre que vous regardez, c'est une thèse…

Il ne poursuivit pas sa lancée, mais prit la main que lui tendait Marie (le buste en avant, les genoux fléchis, le front bas) et appuya légèrement ses lèvres sur les doigts gantés :

– Je suis heureux de vous connaître, on m'a dit de vous tant et tant de choses.

Il recula de quelques pas et baissa son regard vers le plancher :

– On m'a même dit que vous alliez toujours pieds nus.

– Pas aujourd'hui, monseigneur…

Il était de bonne taille, fier de sa personne. Son visage se partageait inégalement entre des yeux aussi ronds que des écus, un nez proéminent et une bouche dont le dessin avait quelque chose d'ironique et de sensuel tout ensemble.

– Surtout ne m'appelez pas « monseigneur » ; « monsieur » suffira bien amplement…

Il avait pris pour dire cela une mine si empesée que Marie crut à une phrase toute faite. Avant qu'elle ne trouve à lui répondre, il la complimentait :

– Vous êtes…

Et se tournant vers François :

– Vous êtes exactement comme le major Regnault m'avait dit.

Il parlait bien. Sa voix posée contrastait avec les deux lignes verticales qui marquaient son front buté et Marie trouvait curieux qu'il la flattât ainsi. Peut-être cherchait-il une diversion ? Ou, plus simplement, la sachant noble, lui manifestait-il ainsi les égards qu'il estimait devoir à son rang ? Mais, quand il lui indiqua de s'asseoir, son expression prit un tel sérieux qu'elle comprit que tous ces mots n'avaient été qu'un préambule, et elle se mit à penser avec célérité pour retrouver les raisons profondes de sa présence devant lui.

– Vous vouliez me voir, je crois, à cause de mes relations avec le général.

– Pas tout à fait. Enfin, disons que je voulais voir avec vous s'il est possible, pour le marquis de Montcalm et vous, d'adoucir l'expression de vos désaccords qui, vous le savez, ont pour effet d'inquiéter la population alors que…

– Permettez que je vous arrête : il ne peut y avoir entre le général Montcalm et moi accord ou désaccord au sens où vous l'entendez puisque, étant sous mes ordres, il doit m'obéir. C'est tout.

– Mais le problème est que…

– Je vais vous le dire, moi, quel est le problème. Il était tout à fait inutile qu'on nous envoie de France un officier pour la conduite de nos troupes. Je l'ai d'ailleurs écrit au roi et c'est pourquoi il a mis le général sous mes ordres, même si son grade est celui de maréchal de toutes les troupes françaises de l'Amérique septentrionale. La guerre ici, vous le pensez bien, est très différente de ce qu'elle est en Europe. De plus, le général ne connaît ni ce pays ni ses habitants qui, d'ailleurs, ne marchent pas avec lui en confiance – et les Indiens donc ! Ajoutez à cela que, depuis qu'il est là, il n'a de cesse d'afficher ouvertement son dédain envers les Canadiens que nous sommes et il préfère écouter ses adulateurs, ses courtisans, plutôt que nos officiers expérimentés. C'est un homme indécis, il vacille, il tâtonne, et alors qu'il était très peu disposé à entreprendre l'expédition de Chouaguen, aujourd'hui il veut en faire sa victoire personnelle.

Il avait haussé le ton à quelques reprises et, tout en parlant, il s'était levé.

– Je pourrais, madame, débattre de cette affaire encore longtemps mais, devant l'évidence, il suffit de très peu de mots : puisqu'on ne peut changer de pays, il faut changer de général.

Ses joues frémissaient de colère contenue, mais Marie refusa de se laisser impressionner et décida que c'était à son tour de parler :

– Mais est-ce que cette hostilité ne devrait pas céder devant la raison majeure de la survie de la Nouvelle-France ?

Un moment de forte tension s'installa, faillit éclater. Parvenant quand même à garder sa voix égale, Marie poursuivit :

– Vous êtes différents, mais est-ce que justement la force ne réside pas dans l'alliance des différences ? La nature elle-même ne procède pas autrement pour créer, se renforcer, se défendre ! Si vous étiez semblables, vos ressources se confondraient plutôt que de se compléter. Et je ne dis pas cela pour me faire docte ou prêcheuse, mais seulement pour dire tout haut ce que, j'en suis persuadée, vous pensez vous-même tout bas.

Le gouverneur l'écoutait-il ? Le visage trahissait visiblement un grand ennui. Sur un ton traînant, qui pouvait être moqueur ou par trop affable, il concéda pourtant à Marie:

– Vous êtes très habile…

Puis, son attitude changea. Se redressant un peu, il parut bien décidé à faire une fois pour toutes la mise au point qui s'imposait et s'appliqua à détacher chacun de ses mots:

– Madame, mon père fut mousquetaire du roi, puis commandant des troupes de la Marine avant de devenir d'abord gouverneur de Montréal et ensuite, comme moi, gouverneur général de la Nouvelle-France. Aussi, c'est d'un militaire que j'ai appris à administrer et à développer mon instinct des choses de la guerre. Plus encore, puisque je suis né ici et que je suis le premier Canadien à occuper ce poste, vous comprendrez ma fierté et tout mon ressentiment à l'idée de remettre notre destin entre des mains étrangères. Permettez-moi de croire qu'il faut être du même sang que ses soldats et partager avec eux des racines dans la terre que l'on doit défendre.

Un valet discret se glissa dans la pièce avec, posés sur un plateau d'argent, trois verres d'une liqueur pourpre qu'il offrit à la ronde, puis disparut aussitôt comme il était venu.

Le gouverneur prit une gorgée de vin qu'il savoura lentement. Il sembla se détendre, son attitude se ramollit et il demanda à François:

– N'allez-vous pas rencontrer aussi le général?

– Oui, monseigneur: aussitôt qu'il sera à Montréal.

– Mon frère m'a informé qu'il rentrait ce matin de Carillon. Je dois le voir en matinée. Ici.

Revenant à Marie, il mit fin à l'entretien en lui suggérant avec une certaine fermeté:

– C'est lui que vous devez convaincre d'être plus souple. Car je partage votre avis sur l'essentiel : les nécessités du moment n'autorisent pas de tiraillement quant aux prises de décision. Aussi le marquis de Montcalm doit-il à la fois accepter sa condition et celle de la colonie. À chacun d'apprécier sa manière de voir les choses, mais c'est à la mienne qu'il doit se rallier. J'ai peu d'espoir qu'il se convertisse à vos propos, car ses attitudes passées augurent mal de sa tolérance : il n'hésite pas à s'enferrer dans ses propres arguments pour être certain qu'au bout du compte il aura raison.

Comme si dans une subite volte-face il chassait de la main toutes ces dernières considérations, le marquis de Vaudreuil conclut :

– Et de toute façon, ce n'est même pas de lui qu'il s'agit, mais de la Nouvelle-France.

Cette fois, la rencontre était vraiment terminée, et François tendit une main à Marie qui se leva, fit la révérence. Ils allaient sortir quand le gouverneur marcha vers eux :

– Si vous le pouvez, essayez surtout de convaincre nos gens de ne pas perdre courage : le pire est à venir… Et puisque le général doit être ici incessamment, pourquoi ne pas l'attendre ? Vous pouvez même rester dans cette pièce. Quant à moi, je me rends à la Citadelle pour rencontrer le gros des troupes qui rentrent aussi de Carillon.

Ils convinrent de cet arrangement et, l'instant d'après, Marie et François se retrouvaient seuls dans le riche cabinet.

– Il est difficile de lui donner tort, fit remarquer François. Il n'empêche que son intransigeance me fait frémir…

Marie ne dit rien. Elle paraissait lasse, déçue, un peu désarçonnée.

– Il fait chaud ici, fit-elle en s'approchant d'une fenêtre.

Dehors, la vie suivait son cours, pleine d'ardeur, dans l'intensité des mouvements des militaires et des civils qui se croisaient, se saluaient, s'interpellaient et dont les silhouettes se noyaient dans la poussière soulevée par les chevaux piaffants.

– Quand j'étais petite, ces rues débordaient d'enfants et…

Elle n'eut pas le temps de compléter sa phrase : le laquais qui les avait accueillis vint les prévenir que le marquis de Montcalm était déjà là et qu'avant d'aller rejoindre le gouverneur il voulait bien s'entretenir avec eux.

C'est ainsi que Marie fut mise en présence du marquis de Montcalm avant même d'avoir eu le temps de remettre de l'ordre dans ses idées.

Petit, homme allègre au regard perçant, il lui parut nerveux, tendu même. Malgré la fatigue qui cernait ses yeux, il émanait de sa personne une fébrilité qui dansait dans ses pupilles brunes, sombres. Avec lui, les compliments prirent immédiatement la tournure de civilités apprises par cœur :

– De vous voir, madame, après tous ces jours passés exclusivement avec mes soldats, me réjouit d'emblée…

Cet accent ! Le général parlait avec un accent chantant si prononcé qu'il en était risible ! D'autant plus que ses mains, qu'il agitait avec une sorte de véhémence, semblaient battre la mesure. Il émanait de sa personne une extraordinaire pétulance et Marie se rappela, en le voyant, qu'on l'avait prévenue de son caractère méridional, qu'on lui avait parlé d'un tempérament « chaud comme le ciel de Provence »…

– Dites-moi, monsieur le Marquis, n'avez-vous pas quelques difficultés à comprendre notre « parler » ?

– Non : on parle ici un très bon français. Un français de marins, cependant. J'entends dire « changer de bord » pour « changer de côté », « bordées de neige » pour « tempêtes », sans doute…

Il rit, un bon gros rire franc qui souleva la sympathie de Marie. Mais il était différent, très différent : il n'avait rien des Canadiens. Comment pouvait-il se convaincre de défendre ce pays qui ne lui devait rien et qui, en retour, n'était rien pour lui ? Pour ne pas le brusquer, Marie aborda finement la question :

– Vous devez vous trouver très différent de monsieur le gouverneur, en tout cas.

– Monseigneur de Vaudreuil est un homme de principes, un homme bon, bien intentionné qui respecte les gens et aime son pays… Mais il est incapable de donner sa confiance à personne et, plus particulièrement, à un Français. Une sorte d'opiniâtreté s'allie chez lui à la crainte de perdre sa dignité, ce qui, d'ailleurs, est d'assez fréquente occurrence.

Il regardait intensément Marie, puis François, cherchant leur approbation :

– En un mot, je vais vous le dire : il manque au marquis les aptitudes supérieures à exercer le commandement suprême dans les heures de crise redoutable qui viennent. Vous voyez ?

– Mais permettez-moi de vous demander comment il peut croire que vous aurez autant à cœur que lui de défendre ce pays ?

– Je suis, madame, militaire de carrière. D'aussi loin qu'on se souvienne, mes ancêtres se sont illustrés sur les champs de bataille. Depuis le château de Candiac, près de Nîmes, où je suis né, on a répété dans toute la France que la guerre est le tombeau de notre famille, car nous ne connaissons d'autre destin que celui des armes. Un vrai soldat, madame, ne se préoccupe pas tant de la cause qu'il défend que de bien exercer la profession qu'il a choisie.

Ce cynisme ébranla Marie. Elle comprit que les relations éminemment explosives qui existaient entre le gouverneur et le général n'allaient pas s'apaiser du seul fait qu'elle les dénonce. Elles risquaient plutôt de devenir cette charnière de l'histoire qui en modifierait le cours…

Avec une brusque bonne humeur, le général changea de sujet :

– Ne prenez pas cet air sinistre, madame. Il fait beau, c'est l'été et m'en croyez, l'ennemi est loin d'être à nos portes. Des victoires comme celle de Chouaguen inspirent les plus grands espoirs. Il y a peu, on n'aurait pas cru la Nouvelle-France capable d'un gain semblable. La réussite de cette expédition fascine déjà et infuse des énergies nouvelles. Et je ne vous jette pas ces mots pour endormir vos soucis légitimes ou pour vous étourdir avec des prétextes et des excuses. Je ne me reconnais dans cette guerre, comme en n'importe quelle autre, qu'une seule alternative : vaincre ou mourir.

Pendant un moment, il parut renfrogné. Mais sa courtoisie européenne reprit vite le dessus. Dans une révérence à la fois drôle et gentille, il salua Marie très bas, et l'esquisse d'un sourire allégea ses traits fatigués :

– Voyez comme je suis optimiste : la présence d'une jolie femme suffit à me rendre désinvolte.

Et il quitta la pièce avec la même promptitude qu'il y était entré. Machinalement, Marie massa sa nuque d'une main qu'ensuite elle glissa dans son cou. Ses doigts jouèrent avec les perles de son collier.

– François, murmura-t-elle.

– Oui...

– Ces deux hommes sont comme l'été et l'hiver. Même leur raison ne saurait triompher de leur différence. J'ai eu, à les entendre, de grandes tentations d'insolence tellement leur opposition est absurde à certains égards. Mais... (elle resta un moment en suspens) mais la situation dans laquelle nous plonge cette querelle n'a rien dont nous puissions rire.

Elle resta encore un moment à guetter par la fenêtre les manœuvres pour réussir à aligner les chevaux entre deux charrettes chargées de gravats. Quand son cabriolet se retrouva ainsi devant l'entrée du château, elle entraîna François avec elle.

– Allez, viens !

Et elle se garda de lui dire le fond de sa pensée : la guerre est l'affaire des hommes et la paix, le souci des femmes.

Chapitre XXXIV

D'un pas rapide, Pierre-François de Patris, aide de camp de Montcalm, alla tirer de leur repos les trois ou quatre soldats qui le secondaient dans ses fonctions. Sur pied en quelques instants, deux d'entre eux filèrent aux écuries du fermier Francis Bélanger pour seller et brider des chevaux qu'ils ramenèrent devant la tente du général.

Ce dernier avait passé une nuit impossible. La veille, tôt en soirée, les bateaux anglais du colonel Saunders avaient canonné l'anse de Beauport et le général s'était tenu jusqu'aux petites heures du matin parmi ses troupes dans les retranchements creusés près de la grève. Puis, il avait dû tenir un conseil de guerre dont il était sorti très agité. L'aube était venue sans qu'il ait pris un seul moment de repos.

Pierre-François le trouva assis derrière sa lourde table Louis XIV, meuble tout à fait incongru dans un décor aussi inachevé que cette tente de campagne, en train d'apposer son cachet de cire sur une missive qu'il confia aussitôt au fils de Marie :

– Il faut que ceci parvienne au plus tôt au gouverneur.

Depuis que le commandement anglais avait établi ses quartiers généraux sur l'île d'Orléans, en début de juillet, Montcalm était persuadé que l'ennemi se préparait à débarquer sur la rive nord du fleuve et il y avait positionné le gros de son armée. Vaudreuil qui, au moins sur ce point, s'entendait avec le général s'était installé quant à lui à la tête de la garnison de Québec, tout près de la rivière Saint-Charles dont il avait condamné l'entrée en y coulant deux frégates.

Pierre-François prit respectueusement le pli, salua le général et se précipita dehors où il fit signe à l'un des soldats qu'il avait réveillés quelques instants plus tôt. Il lui lança :

– Chez le gouverneur !

À son tour, il tendit le document que le messager glissa contre sa poitrine en mettant le pied à l'étrier. Dans son impétuosité, c'est Pierre-François lui-même qui cravacha la bête, laquelle partit aussitôt au galop.

Il avait été nommé aide de camp du général au lendemain de la bataille de Montmorency alors que le général James Wolfe, dont les cent trente voiles étaient parvenues à la hauteur de l'île d'Orléans le 26 juin, avait donné l'assaut, à l'embouchure de la rivière Montmorency, à quelques toises des chutes. Mal lui en avait pris : sa manœuvre dictée par trop d'impatience avait avorté. Le mérite en revenait à Lévis, le maréchal de camp de Montcalm, qui avait prévu le mouvement et obtenu du général qu'on dépêche sur place plusieurs compagnies de grenadiers. Quand, surpris par la marée basse, les Anglais avaient débarqué, une seule salve de mousquets avait suffi pour en faucher tout le premier rang. Mais, même faible, leur riposte avait été telle qu'une douzaine de soldats français avaient été tués et, parmi eux, l'aide de camp de Montcalm…

La décision du bouillant marquis, qui avait cumulé victoire sur victoire depuis celle de Chouaguen, de remplacer son malheureux aide de camp par Pierre-François de Patris montrait de sa part une intention évidente de se rapprocher des soldats canadiens sous ses ordres. Cela avait aussi été un geste de courtoisie qui tranchait sur les dissonances, méfiances et autres suspicions qui continuaient d'empoisonner ses rapports avec Vaudreuil, et pour ceux qui se souvenaient de la démarche conciliatrice de Marie, trois ans plus tôt, c'était une mesure qui donnait raison à cette dernière. Lorsque le gouverneur s'était à son tour déclaré d'accord avec cette nomination, cette coïncidence d'appréciation des deux têtes dirigeantes de la colonie avait paru du meilleur augure.

Suivant d'un regard distrait la course du cavalier qui s'éloignait dans la vallée vert et bleu fermée par la ville et le Cap-aux-Diamants, Pierre-François ne pouvait apaiser l'indicible malaise qui s'était insinué en lui depuis le lever du jour : c'était un sentiment vague, une impression de vide, la sensation qu'il manquait à ce matin quelque chose d'essentiel. Il avait cette certitude tout instinctive que cette lumière, ces couleurs, ce fond doux de l'air l'abusaient. Pourtant, le campement battait de sa vie habituelle, pressée et bruyante, et les hommes ne paraissaient pas autrement surexcités. Très tôt, il avait plu, une courte averse, une ondée, puis le ciel s'était dégagé et maintenant le soleil… Pierre-François soupçonnait que derrière les images de ce beau matin, un vrai matin de septembre, se préparait quelque catastrophe dont les indices, il en était certain, étaient à sa portée et c'est cette impuissance à les saisir qui le rendait si anxieux.

Revenant sur ses pas, l'esprit complètement absorbé par toute cette question, il fut renversé par un homme débouchant à la course devant la tente du général. Plaqué au sol, étourdi par le choc, Pierre-François put quand même se rendre compte qu'il s'agissait d'un soldat de la marine, sans armes ni chapeau, les cheveux trempés, le regard fou, manifestement exténué.

Après s'être remis de sa chute, Pierre-François parvint à remettre le soldat debout. Bien que tendu à l'extrême, l'intrus trouva finalement un intervalle dans les saccades de sa respiration pour déclarer :

– Le général ! Vite, je dois voir le général !

Et comme Pierre-François lui rectifiait un peu sa tenue (les parements du collet de son justaucorps étaient passés sous son rabat), il le repoussa en répétant :

– Le général, vite !

– Bon, bon. Venez.

Ils pénétrèrent dans l'ombre de la tente et, avant que Pierre-François l'eût présenté, l'autre annonça :

– Les Anglais sont sur les Hauteurs d'Abraham !

Mais, soit qu'il ait parlé trop vite ou que la nouvelle ait été trop brutale, le général réagit curieusement :

– Comment ? dit-il, l'air étonné. Comment, vous dites ?

Et se tournant vers Pierre-François :

– Qui est cet homme ? Et... que raconte-t-il au juste ?

Reprenant son souffle et réussissant à adopter un ton presque normal, le soldat répéta :

– Les Anglais, monseigneur... Ils ont pris position sur les Hauteurs d'Abraham au cours de la nuit et...

– Impossible, mon bon ! C'est impossible !

Le général se leva, se mit à arpenter la tente, faisant non de la tête, pendant que le soldat se cherchait une attitude en le suivant de ses yeux brûlés de fatigue.

– Je ne crois pas que les Anglais aient des ailes pour, la même nuit, traverser de Lévis à Québec, débarquer au pied du cap, puis l'escalader, continua Montcalm. Comme je l'ai dit déjà au gouverneur, c'est tout à fait impossible. Impossible! Et Dieu seul peut accomplir l'impossible.

D'avoir vécu une nuit blanche lui faisait un visage blême sur lequel se succédaient des expressions renfrognées. Brusquement, il revint vers le soldat:

– Au fait, vous arrivez d'où, comme ça?

– Je me suis enfui: j'étais prisonnier des Anglais...

– Eh bien, voilà!

Voilà: la cause était entendue. Mort de peur, dans sa fuite l'homme aurait pris des vessies pour des lanternes, le mouvement de quelque groupuscule de grenadiers anglais pour un déplacement de troupes.

Le général continuait de marcher avec une étonnante énergie, compte tenu de sa grande fatigue. S'immobilisant d'un coup, il s'adressa de nouveau directement à Pierre-François, comme il l'aurait fait à un adulte en présence d'un enfant déraisonnable.

– Occupez-vous de cet homme. Qu'il se restaure, se repose...

– Bien...

Pierre-François sortit, entraînant le soldat. À l'instant où il se retrouva en plein soleil, brusquement il fut convaincu que cet homme disait vrai et, simultanément, constata que cette journée serait la plus importante de sa vie.

C'est qu'à ce moment précis il trouva ce qui manquait à l'équilibre de ce matin : en dépit du beau temps, les canons anglais ne bombardaient pas la ville !

Depuis le 12 juillet, les cinq mortiers et les quatre canons que les Anglais avaient réussi à installer sur la falaise de Lévis n'avaient eu de cesse de tonner, sauf les jours de pluie. Dès la première semaine, ils avaient ainsi incendié ou démoli pas moins de deux cent cinquante maisons et l'efficacité de cette canonnade avait forcé l'évacuation de la basse ville et des faubourgs environnants. Un état de panique régnait à l'intérieur des remparts où des volées de boulets entretenaient un extraordinaire tumulte. En désordre, la plupart des habitants allaient se réfugier autour de l'Hôpital-Général où les accueillaient les religieux qui, selon les directives de Mgr Pontbriand, avaient déserté les églises de la ville.

Aussi, pour Pierre-François, le silence de ce matin-là était-il significatif: les Anglais ne canonnaient plus Québec parce qu'ils étaient occupés ailleurs. C'était l'évidence même.

Pierre-François tourna encore pendant quelques minutes autour de son idée avant de convenir sans réserve qu'il ne pouvait se tromper et qu'il devait d'urgence communiquer sa certitude au général. Serrant les poings pour cumuler en lui tout l'aplomb nécessaire, il n'eut même pas le temps de faire volte-face que le lieutenant-colonel Pierre de Montreuil, accompagné du capitaine Poulhariès et du lieutenant de La Rochebeaucour, arriva en trombe et disparut sous le pavillon de leur chef. Aussitôt, sa fonction d'aide de camp l'y autorisant, Pierre-François les y suivit.

– Mon général, les Anglais ont pris pied sur les Hauteurs d'Abraham, annonça le lieutenant-colonel.

Le marquis de Montcalm se retint de sourciller. Une telle délégation ne pouvait qu'être sérieuse. Aussi cette fois-ci laissa-t-il la nouvelle le pénétrer à fond. Puis, il demanda :

– De qui détenez-vous cette information ?

– D'un messager envoyé par le commandant Louis Du Pont Duchambon de Vergor lui-même…

– De Vergor ?

– Duchambon de Vergor. Il commande le poste de l'Anse-au-Foulon.

– L'Anse-au-Foulon… Mais ce nom-là me rappelle autre chose…

Le lieutenant-colonel s'éclaircit la gorge et sa voix se fit moins incisive :

– Mon général se souviendra que le capitaine de Vergor commandait aussi le fort Beauséjour en juin 1755…

– … et c'est lui qui se rendit à l'ennemi après à peine un quart d'heure de combat, alors que tout son état-major estimait la victoire encore possible. Je vois, oui… Et cette fois encore, il s'est rendu ?

– Pas vraiment : il était seul, avec quelques soldats.

– Seul ? Mais comment, seul ? N'avais-je pas affecté à ce poste au moins deux cents miliciens ?

– C'est que… Voyez-vous, le capitaine les a tous renvoyés aux champs pour la période des moissons…

– L'imbécile !

Les Anglais n'avaient pas eu à user de force, seulement de ruse. Quelques jours auparavant, voyant venir la saison froide et craignant d'être pris par les glaces du Saint-Laurent, blotti au fond d'un canot, remontant et redescendant sans cesse le fleuve malgré son état de santé chancelant, Wolfe, l'œil rivé sur Québec, avait entrevu l'entrée d'un sentier sur la rive de l'Anse-au-Foulon au pied du Cap-aux-Diamants. Alors, dans un moment d'exaltation, il avait décidé que ce mince chemin allait être la voie de sa dernière tentative. Ainsi, le soir venu, plusieurs navires anglais avaient remonté le fleuve pour s'ancrer en face de Cap-Rouge, à trois lieues en amont de la ville. Et pendant que la fine fleur de l'armée de la Nouvelle-France, placée sous les ordres de Louis Antoine de Bougainville, qui campait à cet endroit, exerçait sur eux une surveillance de tous les instants, Wolfe et cinq mille de ses meilleurs soldats étaient parvenus à se glisser, de l'autre côté des bâtiments, dans des chalands, puis à se laisser dériver jusqu'à l'Anse-au-Foulon. À quelques reprises, avant qu'ils n'atteignent l'anse, des sentinelles françaises échelonnées sur la côte leur avaient crié: « Qui vive? » et, informés qu'ordre avait été donné à ces dernières de laisser descendre des provisions vers la ville, les Anglais avaient répondu: « France, bateaux de vivres! »... Entraînées par la seule force du courant de la marée descendante, les barques plates avaient bientôt atteint la rive en silence et une agile avant-garde avait sauté à terre, gravi à tâtons le sentier et facilement surpris le poste qui gardait négligemment l'accès du plateau des Hauteurs d'Abraham. Ensuite, pendant quatre heures, les troupes de Wolfe, insectes muets sur le flanc d'une fourmilière, avaient escaladé le cap.

C'est ainsi que les premiers rayons du soleil avaient découvert des plaines rouge sang, couleur du costume des soldats anglais en position devant les murs de Québec.

Pour en finir, le général demanda :

– Combien sont-ils ?

– Probablement un peu plus de cinq mille…

Maintenant convaincu que l'heure n'était plus au doute ni à l'hésitation, avec des gestes vifs, le marquis de Montcalm enfila sa veste, et ordonna :

– Monsieur de Montreuil, faites immédiatement battre la générale. Que toutes les troupes soient prêtes à s'ébranler dans dix minutes, sauf deux cents hommes qui resteront ici avec vous, monsieur de Poulhariès. Monsieur de La Rochebeaucour, sautez en selle et portez à monsieur de Fontbonne l'ordre de regagner en toute hâte, avec son régiment, la position que le gouverneur lui a ordonné d'abandonner hier et qu'il occupait au-dessus de l'anse des Grandes Mers afin de barrer la route de la porte Saint-Louis. Dites-lui que l'armée est sur vos talons et qu'il doit couvrir son passage.

Une seconde, il se tut. Une intense concentration aiguisait son regard. Il boucla la large ceinture qui retenait sa rapière et ajouta :

– Allons ! Nous n'avons plus une seconde à perdre. Il y va de l'honneur de la colonie et du roi !

Ses ordres furent d'autant promptement exécutés que la nouvelle, telle une vague de fond, avait déjà soulevé le campement. Officiers et soldats, miliciens et Indiens achevaient de se préparer et formaient les rangs.

Mais alors que Montcalm sortait et s'avançait vers son cheval – que Pierre-François retenait par le mors –, le marquis de Vaudreuil arriva, sans pompe aucune, accompagné seulement de deux aides de camp qui s'éclipsèrent aussitôt. Le général se retourna et lui dit, sur un ton précipité et plutôt sec :

– Vous savez, monsieur, que les Anglais sont aux portes de Québec. J'ai donné des ordres ; nous partons immédiatement.

Levant les mains dans un geste d'apaisement, Vaudreuil tenta de freiner la grande hâte du général :

– Je ne crois pas qu'il faille ainsi précipiter les choses. Attendons l'arrivée de Bougainville et de ses trois mille hommes. Pendant ce temps, je ferai sortir les mille soldats de la garnison de Québec : nous prendrons ainsi les Anglais entre deux feux.

Le général resta un moment interdit. On aurait dit qu'il ne pouvait en croire ses oreilles. Puis, ayant sans doute décidé de renoncer à argumenter avec le marquis, il enleva son tricorne, salua cérémonieusement, sans mot dire, et monta sur son cheval. Avant que Vaudreuil n'insiste ou ne commente, il avait tourné bride et rejoint les premiers soldats qui déjà se mettaient en marche.

Les premières colonnes mirent plus d'une heure avant d'atteindre le pont de la rivière Saint-Charles, constitué de deux barges étroites amarrées bout à bout, et plus de temps encore à passer de l'autre côté. Aussitôt que la dernière pièce (on avait aussi roulé les canons) eut franchi le bras d'eau, Montcalm lança sa monture au galop et reprit sa place à la tête des troupes.

Silencieux, marchant d'un pas ferme, conscients de l'importance du moment et de leur rôle, pour atteindre les Hauteurs d'Abraham les soldats durent d'abord traverser la ville. Ils pénétrèrent par la porte du Palais, près de l'Hôpital-Général, sous les regards anxieux des Québécois qui s'y étaient réfugiés, et empruntèrent ensuite la rue Saint-Jean en direction des portes Saint-Jean et Saint-Louis.

Des femmes qui roulaient des barriques d'eau le long des maisons encore intactes, mais que des boulets risquaient facilement d'allumer, se redressèrent sur leur passage, le corps et l'expression fatigués, pour encourager un mari, un frère, un fils marchant vers son destin et celui de la colonie. Les regards étaient sombres et pardessus le martèlement des pas sur la terre battue planait un silence de mort. Le fatalisme qui pesait sur ces soldats semblait plus lourd encore que leurs mousquets et la résignation qu'on lisait sur leurs visages effaçait tous les élans de courage qui devaient pourtant couver sous leurs traits fatigués.

Rendu près des remparts, le marquis de Montcalm scinda l'armée en deux : une partie des troupes se dirigea tout droit sous la porte Saint-Jean, pendant que l'autre prenait à gauche vers les rues du Parloir et des Jardins. Pierre-François de Patris chevauchait aux côtés du général qui ouvrait la voie aux régiments vers la porte Saint-Louis.

Rue du Parloir, un groupe de jeunes filles émues se tenaient contre les grilles en compagnie d'ursulines qui les occupaient depuis le matin à la préparation de la charpie qui servait à panser les blessés. Pas d'acclamation bruyante, un silence morne s'accordant avec l'humeur de l'armée, dans cette rue crevassée, bordée de ruines audessus desquelles montaient des nuages de fumée zébrés de flammes rouges. Aucun excès, la tristesse calme et sans fond d'un entêtement sourd que Montcalm appelait le « courage ridicule ». Le général n'en voulait cependant pas à ce peuple éprouvé depuis deux ans et qui avait perdu jusqu'à l'envie d'être heureux.

Rue des Jardins, Pierre-François ressentit une émotion particulière à l'idée d'apercevoir sa mère. À moins qu'à l'exemple de la majorité des bourgeois elle n'ait, lorsque ceux de la basse ville avaient évacué leurs maisons pour se réfugier à la haute ville, abandonné Québec pour retraiter au manoir du Bout-de-l'Isle. Mais il n'eut qu'à paraître à la hauteur du portique de la résidence de Marie pour voir sortir celle-ci. Ne s'embarrassant en aucune manière de la présence des soldats, elle marcha droit sur son fils qui immobilisa aussitôt son cheval, se pencha vers elle et lui tendit la main. Évitant les tournures pathétiques, elle dit :

– Je sais que tu seras brave et que tu me reviendras. Indemne…

Mais ses yeux brillants de tendresse démentaient ses propos : elle espérait visiblement tout au plus le revoir vivant. Elle parvenait quand même à sourire, de ce sourire fragile qu'il avait vu sur son visage lorsqu'elle consolait ses peines d'enfant. D'une voix grossie par la volonté d'être digne, il crut devoir la rassurer :

– Allons, maman ! Bien sûr que je vais revenir…

N'empêche qu'il tapotait nerveusement le garrot de sa monture et qu'il n'était plus certain, lui, de pouvoir sourire.

– … et alors, nous partirons pour le Bout-de-l'Isle.

– Nous partirons pour le Bout-de-l'Isle, acquiesça sa mère qui dut abandonner sa main et le laisser partir.

Elle recula de quelques pas et le regarda disparaître… Seule au milieu de la rue, elle tenta de reprendre le contrôle sur elle-même, puis, ne pouvant réprimer un soudain besoin de marcher, de s'agiter, pour se libérer de cet étau d'angoisse, elle partit en direction de l'Hôtel-Dieu où elle pourrait certainement être utile.

Un quart d'heure plus tard, Pierre-François débouchait sur les Hauteurs d'Abraham.

La gravité de la situation s'étala devant les yeux de Montcalm. Toute l'armée anglaise était là, se déployant à proximité des murs de la ville sur une ligne qui lui sembla d'une longueur infinie. Le sommet du Cap-aux-Diamants, jusqu'alors symbole de la pérennité de la nouvelle nation, avait troqué ses plus beaux tons d'automne contre la bigarrure des couleurs ennemies, et le général se dit qu'en ce matin du 13 septembre 1759 tout l'univers avait bien peu d'importance en comparaison de cette parcelle de terre...

Il savait ne disposer que de trois mille cinq cents hommes environ. Des miliciens surtout, c'est-à-dire des hommes sans expérience ni formation militaire: des paysans, des fermiers, des bûcherons, tirés de leur famille par les nécessités de la guerre, et des Indiens qui refuseraient de lui obéir efficacement. Ses meilleurs soldats attendaient les ordres qui leur avaient été dépêchés par estafette à Cap-Rouge et, se souvenant des derniers propos de Vaudreuil, le général envisagea sérieusement d'attendre le renfort de ces trois mille hommes. Mais, en scrutant avec plus d'attention les positions du général Wolfe, il aperçut l'érection déjà avancée d'une redoute de terre, ce qui l'alarma au plus haut point: laisser l'ennemi se retrancher ainsi constituerait un risque que même l'arrivée de renforts ne pourrait contraindre.

Pendant qu'il évaluait la situation, une nouvelle constatation hâta sa décision: en tournant le dos à la falaise, Wolfe ne s'était réservé aucun moyen de retraite. Il suffirait d'enfoncer ses lignes pour les précipiter… dans le fleuve!

La fièvre des militaires avant le combat, mélange de passion et de témérité qui les enivre comme un orage intérieur, prit alors Montcalm et le timbre perçant de sa voix porta immédiatement à ses troupes l'ordre de se développer sur une triple ligne. Dressé sur ses étriers, il regarda se déployer ces soldats de fortune dont pas deux ne portaient le même uniforme, chacun étant vêtu de tout ce qui lui restait de vêtements; pour plusieurs, il s'agissait de haillons rapiécés, de morceaux de costumes disparates. Le général vit cependant chez ses hommes une encourageante similitude: l'expression volontaire et résolue, sans un fléchissement dans le regard.

Bientôt s'étirèrent, à l'aile gauche, le régiment de Guyenne placé sous les ordres du lieutenant-colonel de Fontbonne, à l'aile droite, celui de La Sarre, sous les ordres du brigadier Senezergues et enfin, au centre, ceux de Languedoc, de Béarn et du Royal-Roussillon commandés par le général lui-même.

Lorsqu'ils furent bien en place, le général parcourut le champ de bataille d'un bout à l'autre pour vérifier les positions, puis réunit autour de lui ses principaux officiers.

– Messieurs, leur dit-il, nous ne pouvons surseoir au combat. Voyez par vous-mêmes: l'ennemi se retranche. Si nous lui donnons le temps de s'établir davantage, nous ne pourrons le vaincre, quelles que soient les troupes dont nous disposerons…

– Je partage votre avis, monsieur. Le plus tôt sera le mieux, fit remarquer Senezergues.

– Et je crois la ligne anglaise encore mince. La fougue de nos troupes devrait la percer aisément, affirma pour sa part Fontbonne.

– Elle la jettera dans le fleuve !

– Mais, permettez, il nous manque beaucoup de miliciens, fit observer Montreuil.

– Le gouverneur débouchera bientôt avec eux sur le plateau…

– … et Bougainville ?

– Bougainville aussi. Il sera là avant la fin de la bataille pour achever de mettre l'ennemi en déroute, répondit, péremptoire, Montcalm.

Un instant de silence. Puis :

– Allons, messieurs ! Et que Dieu nous garde !

Pendant que ses officiers regagnaient leur poste, le marquis parcourut encore une fois le front de ses troupes, puis vint se placer au centre, devant celles-ci. Il jeta un coup d'œil derrière, à droite, à gauche, et, finalement, son regard passa au-dessus de la tête de ses hommes pour se perdre un moment vers le ciel.

Alors, il se fit une pause.

Le marquis Louis Joseph de Montcalm était arrivé au bout de sa mission : depuis la France jusque sur ce plateau qui lui servait l'occasion de commander la bataille la plus importante qui ait jamais été donnée à l'histoire de sa famille, il atteignait l'aboutissement de sa carrière, le but suprême de son exil en Nouvelle-France.

Quelques secondes passèrent encore dans la même immobilité.

Au pied du cap coulait le fleuve dont le cours indifférent n'allait en aucune manière être modifié par l'issue de la bataille.

Enfin, le général tira son épée. Il pointa vers les lignes anglaises et une grande clameur jaillit au-dessus de son armée qui, au pas de charge, fonça sur l'ennemi. Pendant deux à trois minutes, ce fut une course effrénée et les Anglais regardèrent venir sans bouger. À l'instant où Montcalm constatait que ses troupes s'étaient trop avancées, dans un seul mouvement les deux mille fusiliers du général Wolfe se dressèrent et tirèrent à bout portant.

Les cris s'étouffèrent dans les gorges et les Hauteurs d'Abraham disparurent complètement dans le nuage de poudre des fusils.

Quand les tourbillons de ce voile de vapeur s'amincirent, le soleil découvrit un champ encore plus rouge qu'à l'aube. Il était dix heures du matin et le sol disparaissait sous les cadavres et les blessés…

La bataille des Hauteurs d'Abraham était finie, à l'instant elle venait de se terminer. Une cohue fuyant comme bête apeurée constituait toute l'armée de Montcalm.

– *Forward!*

Sous un ordre de Wolfe, les Montagnards écossais, les plaids battant leurs mollets velus, chargèrent derrière cette débandade. Rien pour les ralentir, empêcher leur chasse, nul fossé, nul retranchement.

Montcalm et ses officiers tentèrent, mais en vain, de regrouper leurs forces. Le général lui-même fut entraîné par le courant qui déferlait vers les remparts. Tournant ainsi le dos aux derniers éclats de la bataille, il ne vit pas Wolfe lâcher son épée, porter la main à sa poitrine et chanceler sur sa selle… Devant la porte Saint-Louis, il allait se retourner pour faire face à ses troupes et les convaincre de revenir au combat quand soudain, lâchant lui aussi son épée, il bascula sur l'encolure de son cheval. Un grenadier réussit à le soutenir au moment où il tombait de selle et un milicien attrapa son cheval par la bride.

C'est ainsi qu'il parvint à rentrer dans Québec sans être déporté par la furie qui refoulait vers les portes et ramenait dans la ville ses soldats hystériques, blessés et vaincus.

Chapitre XXXV

« La guerre est le tombeau des Montcalm », se remémorait Marie…

Tant de membres de cette famille avaient versé leur sang pour le roi et la France au cours du dernier siècle que dans tout le Languedoc on croyait que ce dicton était en fait la devise des châtelains de Candiac. Aussi, la nouvelle de la mort du général n'allait pas y créer une situation nouvelle : l'avènement d'un héros de plus serait mis sur le compte d'un incontournable destin.

Mais, en Nouvelle-France, ce drame allait prendre une tout autre dimension : celle de la fin d'un pays, rien de moins.

Le regard perdu dans les vapeurs de pluie qui flottaient au-dessus de la rue boueuse, Marie le savait. Dans son for intérieur, elle en était absolument certaine : le sort en était jeté. Dès que le déferlement des soldats avait atteint les approches de l'Hôtel-Dieu, marée humaine s'engouffrant sous l'arche de la porte du Palais, elle avait gagné la maison de la rue des Jardins en compagnie d'Émilienne. Ensemble elles avaient emprunté des ruelles et traversé des cours pour déboucher derrière la vaste demeure au moment où Pierre-François montait les marches d'entrée.

Émilienne, maintenant une jeune femme de vingt-neuf ans, aidait les augustines depuis plusieurs années déjà, se dévouant pour les malades et les miséreux que les sœurs couvraient de soins. Avant, à l'âge où la vie aurait pu la projeter dans les mondanités, où elle aurait dû se marier et prendre une part active dans la société au même titre que tous ceux de sa famille, et à cause de la renommée de Marie de Patris, sa demi-sœur, elle s'était recluse rue du Parloir, au couvent, avec l'intention d'entrer dans les ordres. Elle avait même fait son noviciat, mais avait renoncé à prononcer ses vœux, estimant les règles de la communauté des ursulines par trop empreintes de dogmatisme. Elle demeurait quand même une personne aussi ordonnée que son enfance avait permis de le prévoir, alors qu'on la disait sage comme une image, et elle vouait à Marie une affection toute particulière, mélange d'admiration et de tendresse, que cette dernière lui rendait d'autant plus facilement qu'elle la considérait comme la fille qu'elle n'avait pas eue.

L'esprit un peu engourdi par la chute des tensions de ces derniers mois, Marie demeurait capable d'une grande intuition et, devant le spectacle de la grisaille qui la faisait frissonner jusqu'à l'âme, elle constatait la fin d'une épopée où s'étaient mêlées l'histoire de sa famille et celle de son pays.

La robe de tricot qu'elle portait donnait à son teint des reflets de jeunesse et soulignait les formes encore juvéniles de sa poitrine, de sa taille; seule l'esquisse à peine perceptible d'une ombre de fatigue autour des yeux trahissait les semaines difficiles qu'elle venait de vivre. Dans quelque temps peut-être, elle commencerait à paraître son âge – quarante-six ans –, mais pour le moment elle était jeune. Et vulnérable.

Ainsi, même si elle acceptait l'inévitable, elle était tourmentée.

Pleine de bonne volonté, encore capable de courage et prête à tout, elle souffrait de voir la ville de Québec ainsi défigurée et trouée de partout. Elle devinait les traînées de poudre qui ne se dissiperaient que lorsque seraient apaisés les derniers espoirs d'un peuple à qui il ne restait pourtant plus qu'à accepter le revers définitif.

Pierre-François lui était revenu indemne. Presque. Une profonde nostalgie, confinant au dépit, l'accablait, et son air douloureux devenait par moments rebelle.

– Pourquoi m'a-t-il ordonné de demeurer à l'arrière ? Il devait bien savoir que je n'y serais d'aucune utilité. Il m'a dit d'attendre les renforts... Mais pourquoi ? Et je suis resté là, pour rien, pendant que...

Le bruit des fusils anglais, que relançait l'ordre de Wolfe : « *Forward! Forward!* » continuait incessamment de claquer entre les parois de sa tête.

– Pourquoi, pourquoi ?

« Parce que le général aura décidé de me faire cadeau de mon fils », se disait Marie-Godine. Elle revoyait Montcalm qui, au château Vaudreuil, s'agitait, défendant ses compétences devant la requête qu'elle lui faisait de s'allier au gouverneur, et elle entendait derrière les mots qui refusaient sa proposition le ton amène de la voix. Il aurait pu contraindre Pierre-François à son devoir et l'entraîner avec lui dans le feu de la bataille ; il avait plutôt choisi de lui éviter tout risque. Pour en faire un témoin ? Marie préférait plutôt croire que c'était pour le lui rendre et que cela avait été l'intention de Montcalm dès le jour où il avait fait de Pierre-François son aide de camp.

Elle se tenait debout près d'une fenêtre donnant sur la rue, légèrement appuyée contre l'embrasure, dans la position familière de ses jongleries, et dans ses yeux couraient des pensées nostalgiques. Mais aucune panique, aucune révolte. Aucune détresse réelle : elle acceptait les lendemains difficiles. Appréhendant froidement l'avenir, elle devinait que Louise-Noëlle suivrait nécessairement son mari que l'Administration rappellerait en France pour des raisons évidentes, et que François accepterait sans doute quelque poste dans les îles françaises, sans quoi il se retrouverait devant rien. Joseph et Vivianne n'auraient d'autre choix que de demeurer à Québec et de subir la situation nouvelle, comme le reste de la population, et son oncle Olivier, trop vieux pour faire autrement, allait devoir se plier au terrible renversement du destin.

Un peu partout dans Québec, des rumeurs se levaient, se répandaient de la haute à la basse ville. Personne ne pouvait prévoir ce qui allait arriver, et un peu tout le monde était descendu dans les rues où les questions se croisaient. Les Anglais allaient-ils pénétrer dans les murs et faire la population prisonnière ? Ou pire, la massacrer ? Tous savaient que Montcalm était mort. Au cours de la nuit, plusieurs s'étaient rendus à l'inhumation du corps dans un trou de boulet au pied d'un pilier de la chapelle des ursulines, rue du Parloir, et on avait vaguement répété qu'avant de mourir le général avait désigné le chevalier de Lévis pour lui succéder, qu'il avait écrit au général Townshend, le nouveau commandant des troupes anglaises, pour lui demander d'avoir des bontés pour les malades et les blessés vaincus…

Même si le canon continuait de tonner, étrangement, nombre de Québécois quittaient les refuges de leurs dernières semaines pour s'installer tant bien que mal dans les ruines où ils se pressaient autour de feux de fortune. La fumée de ces bivouacs se confondait avec le brouillard pluvieux, de sorte qu'on ne voyait plus que des silhouettes et, parfois, le pan d'ombre d'une maison restée debout.

Marie se disait qu'un peu plus tard Pierre-François et elle partiraient pour le Bout-de-l'Isle. Elle imaginait leur voyage, quatre jours où ils traverseraient, de Québec à Montréal, la partie la plus populeuse de la colonie, et où ils ne pourraient éviter le spectacle de l'incertitude et, très certainement, de l'amertume.

Elle souhaitait l'isolement confortable du manoir où la présence rassurante des fantômes du sieur Pierre Gagné et de son fils, le bailli Vadeboncœur de Gagné, la soutiendrait dans sa décision délibérée de demeurer en Nouvelle-France, au lieu de suivre le mouvement de la bourgeoisie qui rentrerait en France.

Elle resterait parce qu'elle était convaincue qu'autant les vainqueurs ne pourraient altérer la superbe et indicible singularité de ses grands espaces, autant ils ne pourraient changer ce pays, le premier de l'histoire du monde où l'on parlait uniformément le français.

Oui, ce pays allait survivre, ayant pour ce faire le plus sûr des moyens : la langue.

Sur cette résolution, elle prit les mains que lui tendait Émilienne. Elle les pressa contre son cœur, comme on se réconcilie avec le destin.

AUTRES TITRES PARUS
DANS LA MÊME COLLECTION

Barcelo, François, *J'enterre mon lapin*
Barcelo, François, *Tant pis*
Borgognon, Alain, *Dérapages*
Borgognon, Alain, *L'explosion*
Boulanger, René, *Les feux de Yamachiche*
Breault, Nathalie, *Opus erotica*
Caron, Pierre, *Thérèse. La naissance d'une nation*
Cliff, Fabienne, *Kiki*
Cliff, Fabienne, *Le royaume de mon père. T. I : Mademoiselle Marianne*
Cliff, Fabienne, *Le royaume de mon père. T. II : Miss Mary Ann Windsor*
Cliff, Fabienne, *Le royaume de mon père. T. III : Lady Belvédère*
Collectif, *Histoires d'écoles et de passions*
Côté, Jacques, *Les montagnes russes*
Côté, Reine-Aimée, *Les bruits* (Prix Robert-Cliche 2004)
Désautels, Michel, *La semaine prochaine, je veux mourir*
Désautels, Michel, *Smiley* (Prix Robert-Cliche 1998)
Dufresne, Lucie, *L'homme-ouragan*
Dupuis, Gilbert, *Les cendres de Correlieu*
Dupuis, Gilbert, *La chambre morte*
Dupuis, Gilbert, *L'étoile noire*
Dussault, Danielle, *Camille ou la fibre de l'amiante*
Fauteux, Nicolas, *Comment trouver l'emploi idéal*
Fauteux, Nicolas, *Trente-six petits cigares*

Fortin, Arlette, *C'est la faute au bonheur*
(Prix Robert-Cliche 2001)
Fournier, Roger, *Les miroirs de mes nuits*
Fournier, Roger, *Le stomboat*
Gagné, Suzanne, *Léna et la société des petits hommes*
Gagnon, Madeleine, *Lueur*
Gagnon, Madeleine, *Le vent majeur*
Gagnon, Marie, *Des étoiles jumelles*
Gagnon, Marie, *Les héroïnes de Montréal*
Gagnon, Marie, *Lettres de prison*
Gélinas, Marc F., *Chien vivant*
Gevrey, Chantal, *Immobile au centre de la danse*
(Prix Robert-Cliche 2000)
Gilbert-Dumas, Mylène, *Les dames de Beauchêne. T. I*
(Prix Robert-Cliche 2002)
Gilbert-Dumas, Mylène, *Les dames de Beauchêne. T. II*
Gill, Pauline, *La cordonnière*
Gill, Pauline, *La jeunesse de la cordonnière*
Gill, Pauline, *Le testament de la cordonnière*
Gill, Pauline, *Les fils de la cordonnière*
Gill, Pauline, *Et pourtant elle chantait*
Girard, André, *Chemin de traverse*
Girard, André, *Zone portuaire*
Grelet, Nadine, *La belle Angélique*
Grelet, Nadine, *Les chuchotements de l'espoir*
Grelet, Nadine, *La fille du Cardinal*
Gulliver, Lili, *Confidences d'une entremetteuse*
Gulliver, Lili, *L'univers Gulliver 1. Paris*
Gulliver, Lili, *L'univers Gulliver 2. La Grèce*
Gulliver, Lili, *L'univers Gulliver 3. Bangkok, chaud et humide*
Gulliver, Lili, *L'univers Gulliver 4. L'Australie sans dessous dessus*
Hébert, Jacques, *La comtesse de Merlin*
Hétu, Richard, *La route de l'Ouest*
Jobin, François, *Une vie de toutes pièces*
Lacombe, Diane, *La châtelaine de Mallaig*

Lacombe, Diane, *Sorcha de Mallaig*
Laferrière, Dany, *Cette grenade dans la main du jeune Nègre est-elle une arme ou un fruit?*
Laferrière, Dany, *Le goût des jeunes filles*
Lalancette, Guy, *Il ne faudra pas tuer Madeleine encore une fois*
Lalancette, Guy, *Les yeux du père*
Lamothe, Raymonde, *L'ange tatoué* (Prix Robert-Cliche 1997)
Lamoureux, Henri, *Le passé intérieur*
Lamoureux, Henri, *Squeegee*
Landry, Pierre, *Prescriptions*
Lapointe, Dominic, *Les ruses du poursuivant*
Lavigne, Nicole, *Les noces rouges*
Maxime, Lili, *Éther et musc*
Messier, Claude, *Confessions d'un paquet d'os*
Moreau, Guy, *L'Amour Mallarmé* (Prix Robert-Cliche 1999)
Nicol, Patrick, *Paul Martin est un homme mort*
Racine, Marcelle, *Éva Bouchard. La légende de Maria Chapdelaine*
Robitaille, Marc, *Des histoires d'hiver, avec des rues, des écoles et du hockey*
Roy, Danielle, *Un cœur farouche* (Prix Robert-Cliche 1996)
Saint-Cyr, Romain, *L'impératrice d'Irlande*
St-Amour, Geneviève, *Passions tropicales*
Tremblay, Allan, *Casino*
Tremblay, Françoise, *L'office des ténèbres*
Turchet, Philippe, *Les êtres rares*
Vaillancourt, Isabel, *Les mauvaises fréquentations*
Vignes, François, *Les compagnons du Verre à Soif*
Villeneuve, Marie-Paule, *L'enfant cigarier*

CET OUVRAGE
COMPOSÉ EN GARAMOND CORPS 14 SUR 16
A ÉTÉ ACHEVÉ D'IMPRIMER
LE VINGT-SEPT JANVIER DEUX MILLE CINQ
SUR LES PRESSES DE TRANSCONTINENTAL
POUR LE COMPTE
DE VLB ÉDITEUR.

IMPRIMÉ AU QUÉBEC (CANADA)